# COMMUNICATION DANS LA RELATION D'AIDE

## 2e ÉDITION

GERARD EGAN

Adaptation : Éric Ahern

Beauchemin

# COMMUNICATION DANS LA RELATION D'AIDE

## 2e ÉDITION

Gerard Egan

Adaptation : Éric Ahern

Traduction de *The Skilled Helper: A Problem-Management and Opportunity-Development Approach to Helping,* Seventh Edition, by Gerard Egan © 2002 Wadsworth Group. Brooks/Cole is an imprint of the Wadsworth Group, a division of Thomson Learning, Inc. Thomson Learning™ is a trademark used herein under license.

© 2005 **Groupe Beauchemin, éditeur ltée**

**B**eauchemin

CHENELIÈRE ÉDUCATION

5800, rue Saint-Denis, bureau 900
Montréal (Québec) H2S 3L5 Canada
Téléphone : 514 273-1066
Télécopieur : 514 276-0324 ou 1 800 814-0324
info@cheneliere.ca

Éditrice : Brigitte Gendron
Chargé de projet : Daniel Marchand
Coordonnatrice à la production : Josée Desjardins
Traduction : Cotramar
Réviseure scientifique : Vivianne Saba, M.Sc. inf.
Réviseure linguistique : Roseline Desforges
Correctrice d'épreuves : Isabelle Roy
Mise en pages : Groupe Pénéga
Réalisation de la page couverture : Groupe Pénéga
Photos de la page couverture : Claude Demers

FSC
www.fsc.org
MIXTE
Papier issu
de sources
responsables
FSC® C103567

Ce projet est financé en partie par le gouvernement du Canada |  Canada

L'éditeur a fait tout ce qui était en son pouvoir pour trouver les sources des documents reproduits dans le présent ouvrage. On peut lui signaler tout renseignement susceptible de contribuer à la correction d'erreurs ou d'omissions.

ISBN : 2-7616-2418-1

Dépôt légal : 2e trimestre 2005
Bibliothèque nationale du Québec

Imprimé au Canada
6 7 8 9 10   M   24 23 22 21 20

Il est particulier d'assumer l'adaptation française d'une nouvelle édition d'un manuel de relation d'aide qui fait école au Québec depuis déjà près de 20 ans. Une certaine dose d'humilité m'a été nécessaire, puisque l'ancienne édition a constitué ma principale source de référence lors de mon apprentissage à la relation d'aide il y a de cela plusieurs années. Depuis plus de 10 ans maintenant, j'enseigne la relation d'aide à l'Université du Québec à Trois-Rivières auprès d'étudiants en soins infirmiers, en psychologie et en psychoéducation. J'ai eu la chance de lire de nombreux ouvrages sur le sujet et j'ai toujours considéré incontournable l'ouvrage de Gerard Egan : *Communication dans la relation d'aide*. J'ai donc accepté avec honneur la tâche de vous rendre le plus fidèlement possible les idées et les conceptions véhiculées par Egan dans cette nouvelle édition traitant de relation d'aide et de counseling. Mentionnons d'emblée que la tâche s'est avérée complexe, étant donné la densité d'information contenue dans cet ouvrage et la «maturité» du propos qui s'en dégage. En effet, dans cette nouvelle édition, Egan démystifie, si l'on peut dire, ce en quoi consiste la relation d'aide, ses tenants et ses aboutissants. L'impartialité et la profondeur du discours étonnent. L'auteur n'hésite pas à questionner et à mettre en perspective tout le processus qui entoure la démarche d'aide. Il affiche toutefois clairement ses couleurs, son plaidoyer résolument en faveur d'une démarche efficiente axée sur la gestion des problèmes et le développement de nouvelles perspectives de vie plus profitables. De façon constante, le lecteur est invité à la réflexion. Peu importe la forme sous laquelle s'inscrit la démarche de relation d'aide (counseling, thérapie brève, thérapie à long terme, entretien professionnel, etc.), celle-ci a pour but d'inciter le client à **agir** et à se positionner différemment dans le cadre de sa propre existence. La relation d'aide n'est pas une fin en soi mais un moyen mis à la portée des gens qui désirent recevoir un coup de main. Dans ce sens, la tendance n'est surtout pas à «psychologiser» la démarche d'aide et à créer un climat dans lequel la relation client-aidant devient une fin en soi.

Cette nouvelle édition comporte des transformations majeures ou, devrions-nous plutôt lire, cette nouvelle édition est le fruit d'une évolution logique et nécessaire. D'un modèle axé sur des principes de l'approche humaniste et de l'approche behavioriste se profile aujourd'hui un modèle inspiré des concepts de la psychologie positive. Ces concepts sont abondamment illustrés tout au long de l'ouvrage. Vous constaterez d'ailleurs que de nombreux exemples et histoires de cas jalonnent le texte afin de faciliter la compréhension du lecteur.

Comme à l'accoutumée, Egan nous propose un cadre théorique en neuf étapes, lesquelles sont réparties sur trois phases, et accompagné cette fois d'un «vecteur» d'action. Ce cadre est intitulé *Modèle de l'aidant compétent.* La structure du modèle se veut à la fois complète, simple, logique et axée sur l'action planifiée. Je peux affirmer que le présent ouvrage allie à la fois simplicité et richesse d'information. Dans cette nouvelle édition, de plus de 400 pages, Egan nous offre une multitude d'informations avec le souci, cependant, de ne jamais perdre de vue le caractère systématique de la démarche d'aide. Les 21 chapitres de l'ouvrage permettent au lecteur de se familiariser avec la relation d'aide et de parfaire ses connaissances en ce domaine. Chaque étape du modèle fait l'objet d'un chapitre entier. Les habiletés, les techniques et les principes de communication s'inscrivent aussi à l'intérieur de chapitres distincts. De nombreuses généralités, dont l'importante question du multiculturalisme, sont aussi présentées à l'intérieur de l'ouvrage. De plus, la majorité des chapitres comporte une section de mises en garde. L'ouvrage convient ainsi autant aux profanes et aux débutants qu'aux professionnels initiés à la relation d'aide. Toutefois, nous avons cru bon d'ajouter un préambule à cette adaptation française, afin de faciliter votre lecture et, pour emprunter un terme courant dans Internet, de mieux «naviguer» dans le manuel.

Je ne pourrais passer sous silence mon intuition concernant Egan. Bien que le présent ouvrage avance une conception renouvelée de la relation d'aide, nous pouvons percevoir, à tout le moins, pressentir, dans ses références aux écrits de Rogers et à ceux de Carkhuff, les essentielles valeurs de l'école humaniste en plein essor au moment de cette effervescente époque des années soixante. C'est un peu dans cette optique, qui vise à rallier les valeurs d'époques et d'écoles différentes, que j'ai pensé à illustrer en page couverture ma conception toute personnelle de la démarche de relation d'aide. Cette conception relève des valeurs liées à l'humanisme et à la phénoménologie, à savoir l'essentielle rencontre entre deux êtres humains et le caractère unique et indissociable de l'expérience humaine. Elle révèle également l'ouverture sur le monde et l'influence des philosophies orientales, les notions d'énergie, de cocréation, et de rythmicité dans la relation, l'univers, l'universel et le devenir. J'ai croisé le maître et l'apprenti en train de discuter dans le cadre d'un travail de création à l'atelier de verre soufflé de l'UQTR. L'image m'a saisi. Les éléments, le feu et l'eau nécessaires à la mise en forme de l'objet de création. Les briques d'argile du four qui contiennent et concentrent une chaleur essentielle à la fusion des corps qui donnent matière au verre. Les couleurs, les textures; les niveaux de transparence, d'opacité et de translucidité; la forme avec ses pourtours et ses reliefs, la dimension, la densité, tout ce qui donne aspect à l'objet de substance. La rencontre obligée du maître et de l'apprenti, au point pour chacun de ne plus savoir qui est qui. La technique qui demande doigté et délicatesse. Et le souffle de vie!

En terminant, je tiens à souligner ma gratitude à M^me Vivianne Saba pour sa précieuse collaboration. La richesse de ses propos et de ses recommandations a été fort appréciée. Je remercie également tous ceux et celles qui ont su m'insuffler l'énergie nécessaire à la réalisation de ce projet.

Je vous souhaite à tous une bonne lecture.

Éric Ahern

◆◆◆

## LES AUTEURS

### GERARD EGAN, Ph.D.

Gerard Egan, Ph.D., est professeur émérite à l'Organization Development and Psychology du Center for Organization Development à l'université Loyola de Chicago. Il a écrit plus d'une quinzaine d'ouvrages, dont plusieurs en counseling et en communication. Mentionnons les titres suivants : *The Skilled Helper (Communication dans la relation d'aide), Interpersonal Living* et, avec la collaboration de Michael Cowan, *People in Systems. The Skilled Helper,* traduit en langues européennes et asiatiques, est actuellement le texte de counseling le plus couramment utilisé dans le monde.

### ERIC AHERN, inf., M.Sc.

Eric Ahern occupe un poste de professeur régulier à l'Université du Québec à Trois-Rivières. Il est titulaire d'un baccalauréat (1990) et d'une maîtrise (1993) en sciences infirmières de l'Université de Montréal. Il poursuit actuellement des études au doctorat en sciences infirmières.

M. Ahern est l'auteur de nombreux écrits scientifiques et ses champs d'intérêt portent sur la psychiatrie légale, la relation d'aide et la communication ainsi que sur la prévention des agressions dans les milieux de soins.

# TABLE DES MATIÈRES

## DEUXIÈME PARTIE : L'ÉCHANGE THÉRAPEUTIQUE

## CHAPITRE 4

### INTRODUCTION À LA COMMUNICATION ET APTITUDE À MANIFESTER SON ATTENTION AUX CLIENTS

## CHAPITRE 5

### ÉCOUTE ACTIVE : BASE DE LA COMPRÉHENSION

## CHAPITRE 6

### COMPRÉHENSION EMPATHIQUE : COMMUNICATION ET VÉRIFICATION DE LA COMPRÉHENSION

## CHAPITRE 7

### L'ART D'EXPLORER ET DE SYNTHÉTISER

# TROISIÈME PARTIE : PHASE I DU MODÈLE D'AIDE ET HABILETÉS AVANCÉES DE COMMUNICATION

## CHAPITRE 8

### ÉTAPE I.A : « QUELLES SONT MES PRÉOCCUPATIONS ? » AIDER LES CLIENTS À RACONTER LEUR VÉCU

## CHAPITRE 9

### MANQUE DE MOTIVATION ET RÉSISTANCE DE LA PART DU CLIENT

## CHAPITRE 10

### ÉTAPE I.B : I. NATURE DE LA CONFRONTATION

## CHAPITRE 11

### ÉTAPE I.B : II. HABILETÉS SPÉCIFIQUES À LA CONFRONTATION

## CHAPITRE 12

### ÉTAPE I.B : III. PERTINENCE DE LA CONFRONTATION

## CINQUIÈME PARTIE : PHASE III : AIDER LES CLIENTS À ÉLABORER DES STRATÉGIES POUR ATTEINDRE LEURS OBJECTIFS

### CHAPITRE 18

ÉTAPE III.A : « QUELS SONT LES DIFFÉRENTS MOYENS D'OBTENIR CE QUE JE VEUX ET CE DONT J'AI BESOIN ? » STRATÉGIES D'INTERVENTION

### CHAPITRE 19

ÉTAPE III.B : « QUELLES SONT LES STRATÉGIES QUI ME CONVIENNENT ? » STRATÉGIES D'AJUSTEMENT OPTIMAL

### CHAPITRE 20

ÉTAPE III.C : « COMMENT M'Y PRENDRE POUR OBTENIR CE QUE JE VEUX ET CE DONT J'AI BESOIN ? » AIDER LES CLIENTS À ÉLABORER DES PLANS

## SIXIÈME PARTIE : FLÈCHE D'ACTION : PASSER À L'ACTION

### CHAPITRE 21

« COMMENT OBTENIR DES RÉSULTATS ? » AIDER LES CLIENTS À METTRE À EXÉCUTION LEUR PLAN D'ACTION

## RÉFÉRENCES BIBLIOGRAPHIQUES

Ce guide a été développé afin d'aider le lecteur à parcourir le présent ouvrage et à repérer rapidement les notions essentielles à une démarche de relation d'aide. Ce guide s'avère utile dans la mesure où cette nouvelle édition de *Communication dans la relation d'aide* présente un contenu plus riche et diversifié que l'ancienne édition (1987). En outre, les 21 chapitres qu'on y trouve décrivent avec précision le modèle de l'aidant compétent que nous propose Egan. Vous remarquerez que certains symboles apparaissent à la table des matières et au début de chaque chapitre. Ces symboles représentent différents groupes de notions associées à une démarche de relation d'aide. Ils vous serviront de repères tout au long de votre lecture et de vos recherches dans le manuel.

## INTRODUCTION AU MODÈLE DE L'AIDANT COMPÉTENT

Cette brève introduction a pour but de faciliter votre compréhension du modèle de *l'aidant compétent*. Dès le chapitre premier, vous serez à même de constater que le modèle d'aide est centré sur la gestion des problèmes ainsi que sur le développement des perspectives d'avenir et du potentiel inexploité de la personne. Que signifie ce double objectif?

## GESTION ET RÉSOLUTION DE PROBLÈMES

La plupart des gens qui consultent un aidant ou un conseiller cherchent à résoudre un ou des problèmes, afin de vivre plus pleinement leur existence. Nous ne pouvons le nier, chaque être humain fera face, au cours de son existence, à une multitude de problèmes qu'il devra résoudre pour survivre et se développer. Toutefois, la capacité à gérer et à résoudre des problèmes n'est pas innée. Cette capacité est le fruit de l'apprentissage. Nous constatons qu'il n'est pas toujours facile de gérer et de résoudre ses problèmes. C'est pourquoi certaines personnes consultent un aidant afin d'être soutenues dans leur démarche de résolution de problèmes. Plus essentiel encore, il importe pour la personne d'apprendre à gérer et à résoudre ses problèmes de façon autonome. L'apprentissage d'une démarche de résolution et de gestion des problèmes représente donc le premier objectif de cet ouvrage. Il vous sera nécessaire, dans un premier temps, d'apprendre cette démarche pour vous-mêmes. Dans un deuxième temps, vous pourrez utiliser la démarche pour aider d'autres personnes dans le cadre de votre travail d'aidant naturel ou professionnel. En permettant à des personnes en difficulté de résoudre leur problème, vous faciliterez de ce fait l'apprentissage même de ce processus vital. En effet, comme le précise Egan, la gestion et la résolution de problèmes devraient être enseignées de façon formelle dans nos écoles. Il est trop facile de penser qu'il est naturel de savoir gérer et de résoudre des problèmes. Il s'agit d'une démarche logique et structurée en plusieurs phases qui demande de la rigueur et des efforts.

## LE DÉVELOPPEMENT DES PERSPECTIVES

Un deuxième objectif associé à la démarche de la relation d'aide est de nature plus philosophique et existentielle. Elle tient d'un principe humaniste, à la fois très simple et très complexe : *être heureux*. Le modèle de l'aidant compétent aborde ce thème en identifiant une deuxième finalité à la démarche de la relation d'aide. Il s'agit de développer de nouvelles perspectives de vie ou, en d'autres mots, de voir plus grand et de pouvoir choisir parmi un nombre plus grand et plus satisfaisant d'options. La liberté se trouve au cœur de cet objectif : accéder à un univers plus grand, voire indéfini. Cet objectif pour le moins idéaliste se matérialise dans la démarche de la relation d'aide. En effet, développer de nouvelles perspectives, c'est arriver à se représenter soi, les autres et l'existence sous un nouveau jour. C'est aussi envisager de nouvelles possibilités d'avenir, de nouvelles façons d'agir, de penser et de ressentir. Développer ces perspectives, c'est parvenir à se libérer de vieilles façons invalidantes d'entrevoir le monde. Tout au long de l'ouvrage, un nouveau vocabulaire vous est proposé. En développant de nouvelles *perspectives,* la personne accède aux nouvelles *possibilités* qui s'offrent désormais à elle. Ces possibilités s'énoncent en termes de *ressources* et d'*opportunités*. Les *ressources internes* du client sont composées de ses *capacités personnelles,* malheureusement inutilisées dans la situation problématique ou inexploitées jusqu'à ce jour. Les *ressources* sont aussi *externes* lorsqu'elles proviennent de l'environnement du client. Il s'agit d'*opportunités,* par exemple un nouvel emploi. Toutes ces ressources représentent un *potentiel* unique permettant au client de résoudre ses problèmes. Ce potentiel évoque les différentes possibilités qui se présentent au client pour l'aider à résoudre ses problèmes et à accéder à une vie plus pleine et enrichissante. La figure A résume la finalité de la relation d'aide.

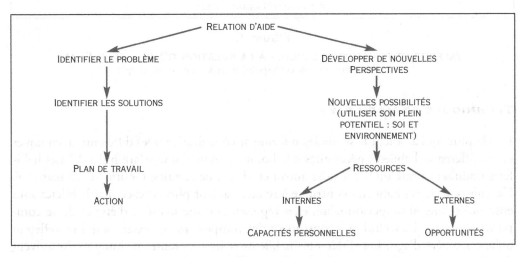

**FIGURE A**

## ESQUISSE DU MODÈLE D'AIDE

Un modèle d'aide tel que celui de *l'aidant compétent* se compose de différents éléments : principes, notions, valeurs, habiletés, étapes, etc. Afin de mieux se retrouver à l'intérieur du présent ouvrage, trois grands groupes de notions sont énoncés et représentés par un symbole (●, ▲, ▣) distinct.

## Généralités

Le symbole en forme de sphère représente les grands principes associés à la démarche de la relation d'aide. Ces principes ont trait à la philosophie et aux valeurs qui sous-tendent la relation d'aide. Les chapitres qui traitent de ces grandes généralités nous permettent d'entrevoir ce en quoi consiste la relation d'aide et quelles sont les limites de celle-ci. Des notions relatives à la thérapie brève (chapitre 2) et aux programmes adaptés à des problématiques particulières (chapitre 20) font partie de ces généralités. Dans la table des matières, les chapitres présentant le symbole en forme de sphère abordent ces généralités.

La figure B résume les valeurs, les principes et les autres notions associés à la démarche de la relation d'aide.

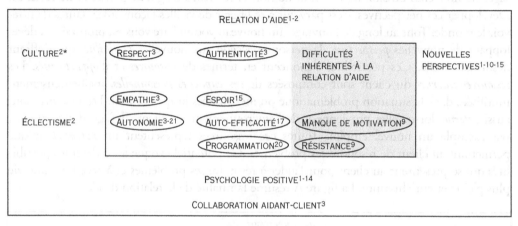

### Figure B

### Valeurs et principes associés à la relation d'aide selon Egan
\* Les chiffres en exposant correspondent aux numéros de chapitre

## Techniques et habiletés

Les chapitres qui arborent le symbole en forme de cône décrivent les différentes techniques et les différentes habiletés nécessaires à la bonne marche d'une relation d'aide. Les habiletés traduisent notre intérêt à aider autrui et, dans une certaine mesure, notre maturité. L'acquisition de ces habiletés contribue à rendre l'aidant plus efficace. Les habiletés sont enracinées dans notre personnalité, elles représentent une manière d'être et de se comporter, alors que les techniques constituent des comportements externes qui ne reflètent qu'une manière d'agir. Les différentes habiletés et les différentes techniques s'inscrivent dans le processus de la communication. Les notions abordées sont les suivantes :

✦ Modes de communication (chapitre 4)
✦ Écoute (chapitre 5)
✦ Reflet empathique (chapitres 6-7)
✦ Synthèse (chapitre 7)
✦ Questions exploratoires (chapitre 7)
✦ Confrontation (chapitres 10-11-12)

- ✦ Empathie de niveau avancé (chapitre 11)
- ✦ Immédiateté (chapitre 11)
- ✦ Focalisation (chapitre 13)
- ✦ Rétroaction (chapitre 17)

La figure C résume ces différentes notions. Les habiletés sont encerclées alors que les techniques sont encadrées.

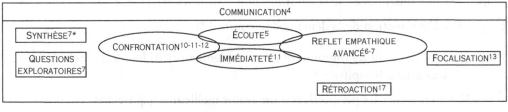

FIGURE C
HABILITÉS ET TECHNIQUES EN RELATION D'AIDE
* Les chiffres en exposant correspondent aux numéros de chapitre

## STRUCTURE : PHASES ET ÉTAPES DE LA RELATION D'AIDE

Le modèle de l'aidant efficace décrit en détail le processus qui s'opère lors d'une démarche complète de relation d'aide. S'investir en relation d'aide ne se fait pas à la légère, sans balise et sans repère. Au contraire, il s'agit d'une démarche à la fois structurée et logique mais souple et non linéaire. En effet, Egan propose un modèle qui se divise en trois phases. Chacune d'elles comporte à son tour trois étapes. Ce total de neuf étapes est soutenu par une flèche d'action qui désigne le passage à l'action.

La figure D présente le modèle dans son ensemble.

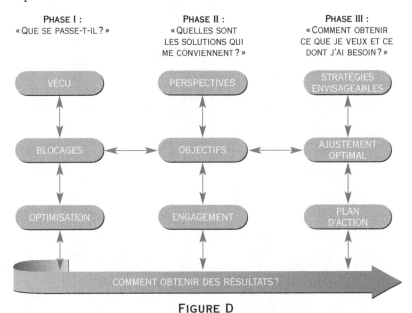

FIGURE D
MODÈLE DE L'AIDANT COMPÉTENT

Notez que le chapitre 2 présente le modèle dans son ensemble. Les chapitres qui arborent le symbole en forme de cube décrivent l'une des phases ou des étapes de la démarche d'aide.

**Phase I** : « Que se passe-t-il ? » Préciser et analyser les problèmes et les perspectives (chapitre 8)

Étape I.A : Aider les clients à raconter leur vécu (chapitre 8)

Étape I.B : Blocages : cibles de la confrontation (chapitres 10-11-12)

Étape I.C : Optimisation de la démarche (chapitre 13)

**Phase II** : « Quelles sont les solutions qui me conviennent ? » Aider les clients à décider de leur avenir (chapitre 14)

Étape II.A : Discerner les perspectives d'un avenir meilleur (chapitre 15)

Étape II.B : Aider les clients à sélectionner des objectifs réalistes (chapitre 16)

Étape II.C : Engagement (chapitre 17)

**Phase III** : « Que dois-je faire pour obtenir ce que je veux ? » Aider les clients à élaborer des stratégies pour qu'ils atteignent leurs objectifs (chapitre 18)

Étape III.A : Interventions possibles (chapitre 18)

Étape III.B : Stratégies d'ajustement optimal (chapitre 19)

Étape III.C : Élaborer un plan d'action (chapitre 20)

Flèche d'action : « Comment obtenir des résultats ? » Aider les clients à mettre à exécution leur plan d'action (chapitre 21)

## PREMIÈRE PARTIE

Cet ouvrage est consacré à la présentation d'un modèle d'aide centré sur la gestion des problèmes ainsi que sur le développement des perspectives d'avenir et du potentiel inexploité de la personne en devenir. Toutefois, pour appliquer ce modèle d'aide par le biais de méthodes données et d'aptitudes à communiquer, il faut au préalable établir certaines bases. Ce travail préparatoire consiste à exposer brièvement la nature et les objectifs de l'aide (chapitre 1), à donner un aperçu de la relation d'aide elle-même (chapitre 2) et à la définir plus avant, entre autres choses par l'étude des valeurs qui devraient l'inspirer (chapitre 3).

# CHAPITRE 1

## PRÉSENTATION DE LA RELATION D'AIDE

**1.1 AIDANTS FORMELS ET AIDANTS INFORMELS : UN BREF APERÇU**

**1.2 EN QUOI CONSISTE LA RELATION D'AIDE?**
Clients aux prises avec des situations problématiques, des perspectives et des ressources inexploitées
- Situations problématiques
- Perspectives et ressources inexploitées

**1.3 PSYCHOLOGIE POSITIVE ET RELATION D'AIDE**

**1.4 LES DEUX PRINCIPAUX OBJECTIFS DE LA RELATION D'AIDE**
- Importance des résultats
- Un cas centré sur l'atteinte de résultats

**1.5 LA RELATION D'AIDE EST-ELLE VRAIMENT EFFICACE?**
- Preuves de l'efficacité de la relation d'aide
- Avis des clients
- Manuels de traitement et études de l'efficacité
- Existe-t-il de bons et de mauvais aidants?
- En guise de conclusion

**1.6 LA RELATION D'AIDE CONVIENT-ELLE À TOUS?**

**1.7 FORCES ET LIMITES DE CET OUVRAGE**
- Cet ouvrage est un modèle pratique
- Cet ouvrage ne présente pas tout ce que couvre un programme d'aide

**1.8 DE L'INTELLIGENCE À LA SAGESSE : COMPOSER AVEC LES DIFFICULTÉS INHÉRENTES À LA RELATION D'AIDE**
Les inconvénients : le caractère flou de la relation d'aide
Les avantages : le bon sens et la sagesse au service de la relation d'aide

Tout au long de l'histoire, on a nourri la conviction selon laquelle, dans des conditions adéquates, certaines personnes sont en mesure d'en aider d'autres à surmonter leurs problèmes existentiels. Une telle conviction revêt bien entendu différentes formes selon les cultures, mais elle se retrouve dans toutes. De nos jours, on a institutionnalisé cette conviction par le biais de toute une série de professions : conseillers, psychiatres, psychologues, travailleurs sociaux et prêtres, entre autres, ont pour mission d'aider les individus à surmonter les difficultés de l'existence.

Il existe également une seconde catégorie de professionnels qui, sans être officiellement considérés comme des aidants, ont souvent affaire à des personnes en situation de crise ou de détresse. Ce groupe comprend les experts-conseils en organisation, les dentistes, les médecins, les avocats, les infirmières, les agents de probation, les professeurs, les gestionnaires, les superviseurs, les agents de police et les autres représentants des services. En plus d'être des spécialistes dans leur domaine, on s'attend également à ce qu'ils viennent en aide à leur clientèle et résolvent bien des situations problématiques. À titre d'exemple, les professeurs qui enseignent le français, l'histoire, les mathématiques et les sciences à des élèves en pleine croissance et maturation intellectuelle, sociale et émotionnelle se trouvent souvent confrontés à des crises existentielles et à des tâches développementales. La situation des enseignants les rend aptes à épauler leurs élèves, de manière directe et indirecte, à analyser, à comprendre et à faire face aux écueils rencontrés par les jeunes à leur entrée dans l'âge adulte. Les gestionnaires et les superviseurs donnent un coup de main à leurs employés en cas de difficultés liées au rendement au travail, au développement professionnel, aux relations interpersonnelles en milieu de travail, et lors de problèmes personnels susceptibles de limiter leur productivité au travail. Cet ouvrage s'adresse directement au premier groupe de professionnels et indirectement au second.

À ces aidants professionnels s'ajoutent tous ceux qui, de près ou de loin, tentent d'aider des proches, des amis, des connaissances, des inconnus (dans un autobus ou dans un avion), et de s'aider eux-mêmes à surmonter les difficultés quotidiennes. En effet, les aidants professionnels n'assurent qu'une faible partie de l'aide apportée chaque jour. Les aidants informels – on cite souvent les barmans et les coiffeurs – abondent dans notre milieu social. Les amis s'entraident quand arrivent les mauvais jours. Les parents doivent régler leurs problèmes conjugaux tout en aidant leurs enfants à grandir et à s'épanouir. D'après une étude, plus d'un quart des Américains reconnaît avoir éprouvé, à un moment ou à un autre, des troubles psychologiques graves. Toutefois, l'immense majorité de ces personnes a recouru à un soutien social informel (amis, proches, etc.) plutôt que de s'adresser à une autre ressource (Swindle, Heller, Pescosolido et Kikuzawa, 2000). Plus près de chez nous, l'enquête sociale et de santé 1998 (Institut de la statistique du Québec) révèle que près de 20 % de la population québécoise âgée de plus de 15 ans se classe dans la catégorie élevée de l'indice de détresse psychologique. Malheureusement, on ne connaît pas exactement la proportion de ces individus qui, aux prises avec un problème de détresse psychologique important, consulte un professionnel de la santé mentale. On sait toutefois (Institut de la statistique du Québec, 1998) que les troubles mentaux comptent pour 3,4 % du nombre total des consultations chez un professionnel de la santé au Québec. On constate donc que la majorité des personnes qui éprouvent des problèmes d'ordre psychologique ne consultent pas pour autant un professionnel en santé mentale. On sait aussi que bon nombre de personnes aux prises avec des problèmes de santé mentale reçoivent l'aide de leurs proches. Ces derniers sont souvent qualifiés d'aidants naturels. En fin de compte, chacun doit apprendre à s'aider soi-même et à aider les autres à affronter les difficultés et les crises de l'existence.

Si, comme nous venons de le voir, l'aide constitue une expérience humaine très répandue, l'art de résoudre ses propres problèmes ou d'aider les autres à résoudre les leurs devrait être enseigné tout comme la lecture, l'écriture ou les mathématiques. Ce n'est malheureusement pas encore le cas.

## 1.2 EN QUOI CONSISTE LA RELATION D'AIDE ?

Pour définir la relation d'aide, nous tenterons tout d'abord de comprendre les motifs qui incitent les gens à demander de l'aide, pour ensuite établir les principaux objectifs de cette relation.

### CLIENTS AUX PRISES AVEC DES SITUATIONS PROBLÉMATIQUES, DES PERSPECTIVES ET DES RESSOURCES INEXPLOITÉES

Beaucoup de gens décident de consulter parce que, d'après eux ou d'après les autres, ils vivent des situations problématiques dont ils ne parviennent pas à se libérer. D'autres personnes se manifestent parce qu'elles ont l'impression de ne pas vivre aussi pleinement qu'elles le pourraient, tandis que d'autres encore sont partagées entre ces deux sentiments. Ainsi, les situations problématiques, les perspectives et les ressources inexploitées constituent les points de départ de la relation d'aide.

**Situations problématiques.** Les clients recherchent de l'aide en situation de crise ou s'ils éprouvent des doutes, des difficultés, des frustrations ou des inquiétudes. Ces situations se résument généralement sous le terme de « problèmes », non pas au sens mathématique du terme, car elles impliquent le plus souvent un désarroi émotionnel et l'absence d'une solution simple. Il s'avère probablement plus juste d'affirmer que les clients se présentent avec des *situations problématiques* – c'est-à-dire avec des *problèmes existentiels* complexes et pénibles, qu'ils affrontent difficilement. La définition de ces situations problématiques reste souvent sommaire et, même si elles sont clairement désignées, les clients n'arrivent pas pour autant à les résoudre. Soit ils ont l'impression de ne pas disposer des ressources nécessaires, soit leurs tentatives de résolution se sont avérées infructueuses.

Les situations problématiques surgissent dans nos interactions avec nous-mêmes ou avec autrui, ainsi que dans notre milieu social, nos organisations et institutions. Les clients – qu'ils soient en proie au doute concernant leurs propres capacités, torturés par des peurs irrationnelles ou affligés par le stress accompagnant une maladie grave comme le cancer, piégés par l'alcoolisme ou la toxicomanie, confrontés à une rupture matrimoniale, exclus de leur emploi en raison des exigences de la « nouvelle économie », désemparés dans un nouveau contexte culturel, victimes d'un sinistre, emprisonnés pour maltraitance, aux prises avec la crise de la cinquantaine, seuls et exclus de la société, sans famille ni amis, battus par leur conjoint ou encore, victimes de racisme – font tous face à des situations problématiques qui les conduisent à chercher de l'aide ou, dans certains cas, amènent d'autres personnes à les inciter ou même à les obliger à consulter.

Même les personnes en situation critique peuvent, avec un peu d'aide, y faire face plus efficacement. Examinons l'exemple suivant :

Marthe, âgée de 58 ans, a subi trois pertes accablantes en l'espace de six mois. L'un de ses quatre fils, qui habitait dans une autre ville, est mort subitement d'un accident vasculaire cérébral. Il n'avait que 32 ans. Peu de temps après, elle a perdu son emploi lors d'une «réduction de l'effectif» résultant d'une fusion de son entreprise et d'une autre société. Pour finir, son mari, malade depuis deux ans, est mort du cancer. Sans que Marthe soit dans la misère, sa situation financière n'a rien de confortable, selon les critères de la classe moyenne canadienne. Deux de ses trois fils sont mariés et ont leur propre famille : l'un d'eux habite une banlieue éloignée, tandis que l'autre vit dans une autre ville. Le dernier de ses fils, célibataire, travaille comme représentant pour une société internationale et voyage constamment à l'étranger. Après la mort de son mari, Marthe a été envahie non seulement par la tristesse, la colère et la dépression, mais aussi par la culpabilité – tout d'abord, parce qu'elle juge qu'elle aurait dû faire davantage pour son mari ; ensuite, parce qu'elle se sent étrangement responsable de la mort prématurée de son fils. Enfin, elle redoute plus que tout de devenir un «fardeau» pour ses enfants.

Au début, complètement repliée sur elle-même, elle a refusé le réconfort ou l'aide de quiconque. Cependant, avec le temps, elle s'est montrée réceptive à la persévérance d'une infirmière qui assurait le suivi de son traitement pour diabète. Celle-ci l'a aidée à se considérer comme membre d'une «famille endeuillée» plutôt que de se sentir exclue et coupable. Elle a commencé à assister aux séances d'un groupe de soutien. Un psychologue, en poste dans une université de son quartier, orientait le travail du groupe. Ses interactions au sein du groupe ont amené graduellement Marthe à accepter l'aide de ses fils. Petit à petit, elle a réalisé qu'elle n'était pas seule dans son deuil, mais qu'elle faisait partie d'une famille dont les membres devaient s'entraider pour surmonter le chagrin qu'ils éprouvaient tous. Elle s'est aussi mise à fréquenter certains membres du groupe à l'extérieur des séances. Ces relations ont comblé le vide social dans lequel l'avait plongé son licenciement. À l'occasion, elle a eu des entretiens informels avec le psychologue qui offrait ses services au groupe. Grâce à ses contacts au sein du groupe, elle a fini par décrocher un nouvel emploi.

Nous voyons ici que l'aide provient de plusieurs horizons. Sa toute nouvelle solidarité avec sa famille, le groupe de soutien, l'intérêt persistant de l'infirmière, ainsi que sa discussion informelle avec le psychologue l'ont énormément aidée. Qui plus est, comme elle avait toujours été une personne débrouillarde, cette aide lui a permis de mettre à profit ses propres ressources.

Il importe de noter qu'aucun de ces événements en soi n'a «résolu» le problème de Marthe ni compensé les pertes subies. En fait, l'objectif de la relation d'aide n'est pas de *résoudre* les problèmes eux-mêmes, mais d'amener la personne qui souffre à les *gérer* plus efficacement ou même à les dépasser, en saisissant les nouvelles occasions qu'offre l'existence.

D'une certaine façon, la gestion des problèmes ne se centre absolument pas sur le problème en tant que tel. Jones, Rasmussen et Moffitt (1997) envisagent la résolution de problèmes comme une véritable occasion d'apprentissage, les difficultés servant de stimulants pour cet apprentissage. Leur ouvrage concerne essentiellement le secteur scolaire, mais nous pouvons transposer la forme d'«apprentissage engagé» décrite par les auteurs à la relation qui existe entre l'aidant et le client. Bien sûr, les apprentissages du client lors des séances d'aide peuvent permettre de solutionner la difficulté en question, mais ils présentent également une application plus large. Les clients qui apprennent à gérer des relations difficiles s'en serviront non seulement pour résoudre d'autres différends, mais également pour éviter l'apparition d'autres conflits.

**Perspectives et ressources inexploitées.** Certains clients viennent consulter non pas parce qu'ils vivent les ennuis mentionnés plus haut, mais parce qu'ils estiment ne pas être aussi efficaces qu'ils le souhaiteraient. Les *perspectives* et les *ressources inexploitées* des clients constituent donc un second point de départ pour la relation d'aide. De nombreux clients disposent de ressources qu'ils n'exploitent pas ou ratent des occasions qui s'offrent à eux. Ils finissent par se retrouver dans une impasse au travail ou dans leur couple, le manque de défis stimulants les frustre ou encore, ils se sentent coupables de ne pas se conformer à leurs valeurs et à leurs idéaux. Ils désirent rendre leur vie plus constructive ou sont déçus de leurs relations sans intérêt – de tels clients recherchent le concours d'aidants non pas pour solutionner leurs problèmes, mais pour vivre plus pleinement.

Dès lors, la question n'est pas de trouver ce qui ne va pas, mais plutôt de voir ce qui pourrait aller mieux. Bon nombre d'entre nous sommes en mesure de nous occuper de façon plus créative de nous-mêmes, de nos relations avec autrui, de notre vie professionnelle et, plus généralement, de la manière dont nous évoluons dans notre environnement social. Examinons le cas suivant :

> Après dix ans en tant qu'aidante dans plusieurs organismes de santé mentale, Carole souffrait d'épuisement professionnel. Lors de son premier entretien avec un aidant, elle se reprochait sévèrement de ne pas se consacrer suffisamment à son travail. Lorsqu'on lui demanda dans quelles situations elle se sentait le plus en accord avec elle-même, Carole répondit que c'était les rares fois où elle apportait son aide à un organisme de santé mentale en difficulté, en raison d'une expansion ou d'une réorganisation. L'aidant l'assista alors à explorer son potentiel de conseillère dans le secteur des services sociaux et à réorienter sa carrière. Elle s'inscrivit à un programme universitaire en développement organisationnel. Elle continua d'œuvrer dans le même domaine, mais cette fois en réorientant ses intérêts et en acquérant de nouvelles compétences.

Cette fois-ci, l'aidant a secondé la cliente dans la gestion de ses problèmes (épuisement professionnel, culpabilité) en l'amenant à explorer ses ressources et à se réorienter (nouvelle carrière).

## 1.3 PSYCHOLOGIE POSITIVE ET RELATION D'AIDE

Le fait d'aider les clients à découvrir et à développer leurs perspectives pour un avenir meilleur et à utiliser les ressources mises à leur disposition correspond à ce que l'on appelle un objectif de *psychologie positive*. Seligman et Csikszentmihalyi (2000), directeurs scientifiques invités de l'édition spéciale du millénaire de l'ouvrage *American Psychologist*, réclament une approche multidimensionnelle de la profession. Selon eux, les aidants s'intéressent trop à la pathologie et trop peu à la psychologie positive : «Notre message consiste à rappeler que la psychologie ne se limite pas uniquement à l'étude des pathologies, des défaillances et des détériorations, mais qu'elle porte également sur les forces et les qualités humaines. Le traitement ne se borne pas à réparer les pots cassés, mais il doit permettre un épanouissement» (p. 7). Ils abordent, avec leurs coauteurs, des sujets favorables tels que :

✦ le bien-être subjectif, le bonheur, l'espoir, l'optimisme (voir Chang, 2001) ;
✦ le sens de la vocation, l'élaboration d'une déontologie ;
✦ l'entregent ; la capacité d'aimer, la capacité de pardonner, la civilité, le dévouement, l'altruisme ;
✦ l'appréciation du beau et de l'art ;
✦ la responsabilité, l'autodétermination, le courage, la persévérance, la modération ;
✦ l'innovation, l'originalité, la créativité, le talent ;
✦ le sens civique ;
✦ la spiritualité, la sagesse.

Seligman et Csikszentmihalyi affirment que, si les aidants véhiculent ces différents thèmes dans leurs interactions avec les clients, ils enrichiront leur pratique. L'approche prônée de la psychologie positive amène, entre autres choses, à envisager la gestion des problèmes comme l'apprentissage d'une vie meilleure et à considérer chaque rencontre comme une séance visant à développer le potentiel unique du client et les perspectives d'avenir qui s'offrent à lui.

En 2000, la fondation Templeton a créé le prix de la psychologie positive Templeton, pour récompenser l'excellence de la recherche dans divers secteurs de la psychologie positive (Azar, 2000). Des prix considérables en numéraire ont été décernés pour la recherche sur les effets bénéfiques des émotions positives, de l'optimisme et de la réflexion prospective ; sur la façon dont les émotions positives aident les individus à nouer et à entretenir des relations ; ainsi que sur la précocité intellectuelle et sur les manières de conscientiser les gens à leur potentiel exceptionnel. De tels thèmes doivent être abordés lors des séances d'aide. Le présent ouvrage reviendra à maintes reprises sur la psychologie positive.

Une mise en garde est cependant nécessaire : La psychologie positive n'a rien à voir avec une conception de l'existence et de la relation d'aide assurant que «tout ira pour le mieux». Richard Lazarus (2000) résume bien cette idée :

*Toutefois, il importe de nous sensibiliser au danger qui nous guette en mettant uniquement l'accent sur l'aspect positif sans adopter une optique plus nuancée et conditionnelle. Dans cet esprit, la psychologie positive risque de ne jamais se détacher d'un optimisme à outrance. On pourrait alors être tenté de la qualifier de conception simpliste, inspirée et quasi religieuse, son message réducteur consistant à dire que « l'affect positif est bon tandis que l'affect négatif est mauvais ». Je souhaite que cet effort ambitieux et motivant fasse réellement progresser, comme il le devrait, la connaissance de l'adaptation humaine et ne soit pas simplement une autre passade qui disparaîtra aussi vite qu'elle est venue.* (p. 670)

Le terme *psychologie positive* se retrouve fréquemment dans cet ouvrage. Le lecteur devra porter un regard critique sur son emploi, celui-ci ne devant pas être banalisé.

## 1.4 LES DEUX PRINCIPAUX OBJECTIFS DE LA RELATION D'AIDE

Les objectifs de la relation d'aide doivent découler des besoins des clients. La psychologie positive nous offre un objectif général en termes de qualité de vie pour tous les clients – le bien-être subjectif ou le bonheur (Diener, 2000 ; Myers, 2000 ; Robbins et Kliewer, 2000). Les clients se tournent vers les aidants parce qu'ils sont mécontents d'un ou de plusieurs aspects de leur existence. Diener fait remarquer que la connaissance scientifique du bien-être subjectif est à la fois possible et souhaitable, mais que la communauté des psychologues ne le prend pas au sérieux. La recherche existante sur le bien-être subjectif est axée davantage sur les personnes ou les groupes qui sont heureux plutôt que de s'interroger sur les raisons, les circonstances et les modalités de leur bonheur. Il va sans dire que l'intérêt philosophique pour le bonheur n'est pas récent, puisqu'il remonte à l'époque de Platon et d'Aristote.

Plus près de nous, les deux principaux objectifs du counseling concernent, d'une part, la gestion plus efficace des problèmes spécifiques de l'existence ou le développement du potentiel et des ressources inexploitées des clients, et, d'autre part, leur aptitude générale à surmonter les problèmes et à découvrir les possibilités que leur offre le quotidien. Ces objectifs contribuent tous deux à accroître le bonheur des clients.

**PREMIER OBJECTIF :** Aider les clients à gérer plus efficacement les problèmes de leur existence et à développer leurs ressources inexploitées et leurs perspectives d'avenir inexplorées.

La réussite des aidants dépend de la mesure selon laquelle les clients – par le biais d'interactions client-aidant – gèrent des situations problématiques spécifiques, envisagent de nouvelles perspectives de vie, exploitent leurs ressources personnelles inexploitées et saisissent les occasions qui s'offrent à eux. Notez que cette formulation se garde d'affirmer que les clients arrivent effectivement à mieux résoudre les problèmes et à mieux tirer parti de toutes ces possibilités. Bien que les aidants accompagnent les clients dans l'atteinte des résultats valables, ils n'exercent pas un contrôle direct sur ces résultats. En définitive, c'est aux clients de décider d'améliorer leur vie.

Étant donné que la relation d'aide est un échange et une collaboration, les clients doivent eux aussi viser un objectif principal. Ainsi, leur succès dépend de leur degré d'engagement dans la relation d'aide et ils tirent parti de ce qu'ils apprennent lors des séances pour mieux affronter les situations problématiques et mettre à profit leurs nouveaux acquis au quotidien.

**Importance des résultats.** Un corollaire du premier objectif conduit à dire que *la relation d'aide est question de résultats, d'atteinte des objectifs, d'accomplissement et de retombées.* Pour plusieurs, ce principe est si primordial qu'ils ont mis sur pied, au fil des ans, ce qu'on appelle la thérapie « axée sur la recherche de solutions » (Manthei, 1998 ; O'Hanlon et Weiner-Davis, 1989 ; Rowan, O'Hanlon et O'Hanlon, 1999). Le terme *relation d'aide* recouvre toute une série d'activités dans laquelle les aidants et les clients doivent s'engager conjointement. La validité de ces activités se mesure uniquement aux résultats obtenus quant au vécu des clients. Au bout du compte, des remarques telles que « On a eu une bonne séance », qu'elles proviennent de l'aidant ou du client, doivent se traduire par une amélioration dans la vie du client. Si un aidant et un client s'engagent pleinement dans une série de séances de counseling, il s'en dégagera alors quelque chose de positif qui rendra ces séances fécondes. Le client se débarrassera de ses peurs déraisonnables ou les maîtrisera mieux, il ne doutera plus de ses propres capacités et développera une confiance en lui, sa dépendance disparaîtra, il envisagera une intervention avec une certaine sérénité, il dénichera un meilleur emploi. Un homme et une femme trouveront un second souffle à leur union, une femme battue aura le courage de quitter son mari, un homme aigri par le racisme institutionnel acquerra un respect de soi et prendra la place qui lui revient de droit au sein de la collectivité. En un mot, la relation d'aide doit avoir des retombées importantes dans la vie du client, car elle doit être synonyme de changement constructif.

**Un cas centré sur l'atteinte de résultats.** Nous prenons clairement conscience de la nécessité d'atteindre des résultats dans le cas d'Andréa, une femme battue, présenté par Driscoll (1984) :

> Les mauvais traitements qu'on infligeait à Andréa lui donnaient l'impression d'être une bonne à rien, même si dans son for intérieur elle se sentait supérieure à ceux qui la maltraitaient. Cette attitude contribuait à son tour à sa passivité persistante. Une remise en question s'imposait pour qu'elle s'affirme et revendique ses propres droits. Grâce à la relation d'aide, elle développa sa confiance en elle et acquit le sentiment de sa propre valeur. Ce fut le premier résultat de la relation d'aide. Plus elle développait une confiance en elle, plus elle s'affirmait ; elle réalisa qu'elle avait le droit de prendre position et choisit de remettre en question ceux qui abusaient d'elle. Elle cessa simplement de leur en vouloir et se prit en main. Le second résultat se traduisit en termes d'affirmation de soi. Bien qu'hésitante au début, cette affirmation de soi remplaça progressivement la passivité. Dès qu'Andréa réussit à prendre position et à s'affirmer, elle fit reconnaître ses droits, améliora ses relations sociales et sa confiance en elle-même, transformant du même coup son comportement autodestructeur et atteignant une troisième série de résultats. Voyant qu'elle devenait chaque jour une véritable

« agente » de son existence plutôt qu'une « patiente », elle renonça plus aisément à ses ressentiments et aux satisfactions autolimitatives de son rôle de victime passive et persévéra dans son affirmation d'elle-même, atteignant par le fait même une quatrième série de résultats. Les activités auxquelles elle prit part, que ce soit lors des séances d'aide ou dans sa vie quotidienne, portèrent fruit parce qu'elles aboutirent à tous ces résultats appréciables. (p. 64)

Les besoins d'Andréa dépassaient de beaucoup les « séances productives » avec un aidant. Elle devait travailler pour changer radicalement sa vie. Aujourd'hui, une autre raison justifie cette orientation sur les résultats. Aux États-Unis, de nombreux établissements de soins gérés offrent des services psychologiques. Dans ces établissements, de plus en plus de tiers payants exigent des plans de traitement concrets et des résultats en termes de gestion des problèmes (Meier et Letsch, 2000). Toutefois, les impératifs économiques ne devraient pas forcer les aidants à s'acquitter des tâches auprès de leurs clients, ce qu'ils feraient de toute façon. Au Québec, les services psychologiques sont aussi offerts par le système de santé publique. Pour répondre de façon efficace aux besoins de la clientèle, les équipes de soins se voient dans l'obligation de développer des plans de services individualisés. Ces plans de services visent des objectifs et des résultats concrets.

**SECOND OBJECTIF :** Aider les clients à mieux s'aider eux-mêmes au quotidien.

Les clients échouent souvent à résoudre les problèmes, à plus forte raison en période de crise, lorsqu'ils perdent tous leurs moyens pour surmonter les difficultés. Les observations faites par Miller, Galanter et Pribram (1960), il y a plusieurs années, se vérifient aujourd'hui encore :

> *Dans la vie de tous les jours, on se débrouille habituellement tant bien que mal en réagissant de façon coutumière même si on est parfois un peu déconcerté lorsque l'on n'obtient pas le résultat escompté. Toutefois, on ne prête pas trop attention aux revers parce qu'il reste encore tant à faire. Puis, les circonstances s'acharnent et on se souvient d'avoir échoué là où on devait réussir – dans des situations dont on ne peut s'extraire, pour lesquelles on ne peut renoncer aux attentes, ni appeler à l'aide, ni piquer une crise. On commence alors parfois à soupçonner la présence d'un problème... Un individu ordinaire n'aborde presque jamais une difficulté de façon systématique et exhaustive, à moins qu'il n'ait été spécifiquement formé pour cela.* (p. 171, 174)

La vaste majorité des individus de notre société n'est pas « éduquée pour réagir ainsi ». Et si de nombreux clients s'avèrent de piètres gestionnaires de leurs problèmes existentiels, ils échouent également à reconnaître et à développer leurs possibilités et leurs ressources inexploitées. Nous nous devons dès lors de trouver des façons de garantir que nos enfants disposent de ce que la plupart considèrent comme des « aptitudes à la vie quotidienne » essentielles telles que la résolution de problèmes, la détection et le développement de nouvelles perspectives et possibilités d'avenir, la prise de décision réfléchie, ainsi que l'application d'habiletés interpersonnelles.

Il n'est pas étonnant que les clients échouent souvent à résoudre leurs problèmes ou que, en période de crise, ils perdent les moyens de surmonter leurs difficultés. Si l'on veut atteindre le second objectif de la relation d'aide – c'est-à-dire si l'on veut que les clients soient à même de gérer plus efficacement les problèmes de leur existence et de tirer parti de leurs ressources, tant personnelles que sociales –, alors il devient essentiel d'aborder avec eux la gestion des problèmes et l'approche ouverte sur le développement du potentiel et des perspectives d'avenir.

Le second objectif de la relation d'aide concerne donc les besoins des clients 1) de participer activement à la démarche de gestion des problèmes lors des séances, 2) de mettre en pratique leurs apprentissages pour gérer les problèmes et profiter des occasions offertes à ce moment et 3) de poursuivre la gestion plus efficace de leur vie une fois la période d'aide formelle terminée. Tout comme les médecins souhaitent voir leurs patients apprendre à prévenir la maladie grâce à l'exercice physique, aux bonnes habitudes alimentaires et en évitant de consommer des substances toxiques ou de se livrer à des activités dangereuses ; tout comme les dentistes désirent que leurs patients préviennent activement les caries en se brossant les dents et en utilisant la soie dentaire, les aidants qualifiés aspirent à ce que leurs clients soient non seulement à même de gérer plus efficacement une situation problématique donnée, mais qu'ils soient également mieux en mesure de faire face aux crises ultérieurement. Cela signifie qu'une relation d'aide parfaitement efficace doit fournir au client les moyens nécessaires pour mieux s'aider lui-même. Même si ce livre traite de la relation d'aide du point de vue des aidants envers les clients, il concerne plus fondamentalement la gestion de problèmes et le développement du potentiel et des ressources inexploités. Ce processus vise à aider les clients à se former plus efficacement à la gestion de problèmes et à la mise à profit des nombreuses possibilités qui s'offrent à eux, à devenir des décideurs aguerris et des « agents de changement » plus responsables. Le chapitre 2 offre un survol de ce processus.

## 1.5 LA RELATION D'AIDE EST-ELLE VRAIMENT EFFICACE ?

Cette question peut sembler étrange dans un ouvrage portant sur ce sujet même. Toutefois, depuis qu'Eysenck (1952) a soulevé la question de l'efficacité de la psychothérapie, une controverse perdure quant à l'efficacité de la relation d'aide en général et de ses différentes approches. Au fil des ans, certains détracteurs ont manifesté de sérieux doutes quant à la légitimité de la profession d'aide, allant jusqu'à prétendre que la relation d'aide était un processus frauduleux, une entreprise malveillante et manipulatrice (voir, à titre d'exemple, Cowen, 1982 ; Eysenck, 1984, 1994 ; Masson, 1988). Masson ira même jusqu'à avancer que l'aide représente aux États-Unis un négoce totalisant plusieurs milliards de dollars gagnés au détriment de la misère d'autrui. Il a également affirmé que la dévalorisation des individus faisait partie intégrante de toute thérapie et que les valeurs et les besoins de l'aidant étaient inévitablement imposés au client. Le côté extrémiste de telles critiques ne doit pas conduire à les écarter d'emblée. Leur contenu risque d'être exact pour certaines formes d'aide et certains aidants.

D'autre part, nous ne sommes toujours pas parvenus à prouver hors de tout doute la validité de la relation d'aide. Cette question suscite des réponses à la fois positives et négatives.

Dès lors, quelques mots à propos de l'efficacité globale de l'aide, de la façon dont les clients la ressentent, et l'efficacité de traitements spécifiques constituent un approfondissement utile pour les débutants. Ce qui suit constitue un avant-goût du débat en cours. Si vous souhaitez consulter le menu tout entier, l'entrée de termes tels que *efficacité* de la *psycho-thérapie, études des résultats* de la *psychothérapie, satisfaction des clients* face à la *psychothéra-pie, études de l'efficacité des traitements,* ainsi que *manuels de traitements* dans un moteur de recherche d'Internet sur la psychologie saura vous mettre en appétit.

**Preuves de l'efficacité de la relation d'aide.** La recherche sur les résultats ne date pas d'hier. Hill et Corbett (1993), ainsi que Whiston et Sexton (1993) nous offrent des réca-pitulatifs remontant à cinquante ans auparavant. De nombreux éléments concourent à prouver l'efficacité de différents types d'aide, incluant le counseling (Lambert et Cattani-Thompson, 1996), dans diverses situations. La publication par le directeur général des services de santé aux États-Unis du tout premier rapport sur la santé mentale (voir Satcher, 2000 pour un survol général) est le signe annonciateur que les professions de l'ai-de ont atteint la maturité. Si, pour bien des personnes, les conclusions de ce rapport ne présentent rien de bien nouveau, on soulignera la pertinence de quatre d'entre elles : 1) la santé mentale est essentielle à la santé physique et participe à l'état de santé global d'un individu ; 2) les troubles mentaux constituent une affection à part entière ; 3) l'efficacité des traitements en santé mentale est reconnue et 4) il existe une gamme de traitements pour la plupart des troubles mentaux. Pour en arriver à ces conclusions, les collaborateurs, sous la direction du bureau du directeur général des services de santé, ont passé en revue des milliers d'études et de comptes rendus rédigés par des individus ayant eux-mêmes souffert de troubles mentaux.

Bien que l'examen conventionnel de groupes d'étude sur les résultats de l'aide ait produit au fil des ans des résultats à la fois variables et ambigus (voir Rossi et Wright, 1984 ; Schmidt, 1992), une approche appelée *méta-analyse* – une sorte de compilation des études comprenant une réinterprétation des conclusions de ces dernières – a contribué fortement à démontrer les résultats obtenus par la relation d'aide (voir Lipsey et Wilson, 1993 ; Smith, Glass et Miller, 1980). Pour reprendre les termes mêmes de Lipsey et Wilson, «L'examen méta-analytique [des résultats de l'aide] révèle une tendance très nette reliée à des effets positifs globaux, laquelle ne peut s'expliquer d'emblée par aucun arte-fact méta-analytique ni par aucun effet placebo généralisé» (p. 1181). On a mené, ces vingt dernières années, des centaines d'études méta-analytiques et, bien que le caractère approximatif de certaines d'entre elles soit admis, elles démontrent incontestablement, aux yeux de bien des gens, la preuve de l'efficacité globale de l'aide. D'autres études por-tant sur l'efficacité de la relation d'aide sont en cours.

Certains doutes persistent néanmoins. À titre d'exemple, on effectue de nombreuses études sur les résultats de l'aide en laboratoire ou dans des conditions similaires. Cependant, on ne peut comparer systématiquement les résultats en laboratoire à des résultats en milieu clinique. L'aide véritable n'a pas lieu en laboratoire (voir Henggeler, Schoenwald et Pickrel, 1995 ; Weisz, Donenberg, Han et Weiss, 1995). En outre, on a même remis en question la méta-analyse elle-même, principal outil utilisé lors d'études de l'efficacité (Matt et Navarro, 1997).

**Avis des clients.** Certaines études consistent à interroger directement les clients pour savoir si le counseling ou la psychothérapie les ont aidés et dans quelle mesure (Pekarik et Guidry, 1999). On a largement eu recours aux études portant sur la satisfaction des clients ces dernières années et elles restent très appréciées de nombreux organismes de santé mentale (Lambert, Salzer et Bickman, 1998). *Consumer Reports* (1994 ; 1995) a publié les résultats d'une enquête à grande échelle portant sur la satisfaction des clients face à la relation d'aide. Les conclusions de cette enquête indiquent que :

✦ les clients estimaient avoir retiré un résultat très positif de la psychothérapie ;

✦ en termes d'efficacité, la psychothérapie seule ne différait pas de la psychothérapie accompagnée d'une médication ;

✦ aucune forme d'aide spécifique ne s'est démarquée par rapport à une autre pour aucun type de problème donné ;

✦ l'efficacité des psychiatres, des psychologues et des travailleurs sociaux était comparable ;

✦ les traitements à long terme ont notoirement donné de meilleurs résultats que les traitements de courte durée ;

✦ lorsque l'assurance ou les systèmes de soins gérés ont imposé des limites au choix de l'aidant ou à la durée de la thérapie, les clients n'ont pas autant profité des soins prodigués que les clients non soumis à ce type de restriction.

L'enquête a relevé les réponses des clients à des questions les concernant et concernant leurs aidants, les démarches utilisées et les avantages retirés (voir l'analyse et la critique de cette enquête, Seligman, 1995). Le dossier est-il classé ? Pas vraiment.

Cette enquête a fait l'objet de nombreuses objections théoriques comme méthodologiques (Brock, Green et Reich, 1998 ; Jacobson et Christensen, 1996). On a également démontré que la satisfaction des clients ne rimait pas systématiquement avec la résolution de problèmes et le développement de nouvelles perspectives et possibilités (Pekarik et Guidry, 1999 ; Pekarik et Wolff, 1996) : « Même s'il s'agit la plupart du temps d'une méthode traditionnelle d'évaluation des résultats, il n'existe que des corrélations faibles à modérées entre la satisfaction éprouvée par les clients et les autres unités de mesure des résultats. Lorsque l'on différencie clairement entre les mesures d'adaptation traditionnelles et les éléments de satisfaction, ces corrélations se révèlent particulièrement faibles » (Pekarik et Guidry, p. 474).

Les clients peuvent être satisfaits pour diverses raisons – parce qu'ils apprécient leur aidant ou parce qu'ils ressentent moins de stress. Cela ne signifie pas pour autant, si l'on se réfère aux termes utilisés dans cet ouvrage, qu'ils gèrent plus efficacement les situations problématiques auxquelles ils font face ni qu'ils développent leur potentiel. L'idéal, évidemment, c'est que les clients soient satisfaits, car ils constatent une amélioration de leur existence (Ankuta et Abeles, 1993).

**Manuels de traitement et études de l'efficacité.** Les études de l'efficacité sont axées sur l'utilité d'une méthode d'aide spécifique, en fonction d'un type de problèmes en particulier – à titre d'exemple, l'approche de la thérapie cognitive avec des clients souffrant d'un trouble panique ou encore, la thérapie comportementale pour le traitement de clients aux prises avec des phobies. Pour réaliser ces études, on effectue des comparaisons, en termes d'efficacité, entre deux traitements différents pour un même trouble ou entre des clients recevant un traitement et d'autres n'en recevant pas. Ces études s'effectuent selon des conditions soigneusement contrôlées. À titre d'exemple, Seligman (1995) propose huit conditions rigoureuses pour la réalisation d'une étude de l'efficacité idéale (voir aussi Luborsky, 1993). Une telle rigueur rend ces études dispendieuses en temps et en argent. Parmi les centaines d'études de l'efficacité, nombreuses sont celles qui sont bien conçues et parviennent à démontrer l'efficacité d'une thérapie spécifique pour un trouble psychologique donné.

Avec les années, ces études ont mené à des traitements éprouvés ou à des traitements validés empiriquement (Nathan, 1998; Waehler, Kalodner, Wampold et Lichtenberg, 2000). Lorsqu'un traitement a démontré son efficacité, on le consigne dans un manuel destiné aux praticiens et qui décrit la manière de l'administrer à un type de client particulier. On trouve des manuels pour toute une gamme de problèmes humains, dont l'anxiété, les phobies, la dépression, les troubles de la personnalité, le syndrome de stress post-traumatique, l'abus d'alcool ou d'autres drogues, le trouble panique et le trouble de la personnalité limite. Selon Waehler et ses collaborateurs, la publication de ces manuels de traitement est le fruit de pressions exercées par les gestionnaires de soins afin de maximiser la valeur de l'ensemble des traitements, y compris les traitements en santé mentale. Ces pressions sont aussi le fait d'une tendance, au sein du courant biomédical, à justifier l'efficacité des approches psychosociales de l'aide d'un point de vue empirique. Il en résulte des manuels qui permettent de codifier l'efficacité des traitements, selon les personnes qui les prodiguent, en fonction des problèmes spécifiques des individus et selon les circonstances (Paul, 1967).

Cependant, une grande controverse perdure également concernant ces manuels. D'une étude menée par 47 thérapeutes (Najavits, Weiss, Shaw et Dierberger, 2000), il ressort une vision très positive de ces manuels, de leur usage généralisé et de très rares mises en garde, ce qui penche en leur faveur. En revanche, Garfield (1996) réagit aux lignes directrices des traitements validés empiriquement et émises par la division de la psychologie clinique de l'American Psychological Association (groupe de travail de la division 12, 1995). Il manifeste plusieurs préoccupations, reprises et amplifiées depuis par d'autres chercheurs et praticiens. Ces inquiétudes concernent essentiellement le ton sans réplique du rapport du groupe de travail, le fait que certaines de ses recommandations sont prématurées et que les manuels idéalisent souvent la psychothérapie en la dénaturant par le fait même. Par ailleurs, les bases scientifiques de certains manuels sont discutables: les clients, souvent incohérents, ne se présentent pas en thérapie avec des troubles clairement définis; les enquêtes ne tiennent pas compte des compétences (ou du manque de compétences) des thérapeutes impliqués; ces manuels ignorent le rôle du thérapeute en tant que modèle de vie pour les clients; le rôle du jugement clinique (voir Soldz et McCullough, 2000; Waddington, 1997) est négligé, voire ignoré. De plus, les manuels de traitement sont souvent ultra-spécialisés, lourds, dispendieux et difficiles à mettre en application.

D'autres réagissent à ces mises en garde et envisagent un bel avenir pour les manuels de traitements (Nathan, 1998; Wilson, 1998). Deux revues proposent, dans des sections spéciales, toute une gamme d'articles sur les thérapies validées empiriquement et les manuels de traitements: Kazdin (1996) présente une série d'articles portant sur les traitements validés empiriquement dans *Clinical Psychology: Science and Practice* (automne) et Kendall (1998) réserve une section spéciale du *Journal of Consulting and Clinical Psychology* (février) aux thérapies ayant démontré des résultats probants.

Ceci étant dit, de nombreux clients vivent des situations problématiques sans pour autant présenter des troubles précis comme des phobies. Ou encore, ils souffrent de ces deux types de troubles. Remettons-nous-en au cas de Marthe, susmentionné. Ses difficultés ne peuvent faire l'objet d'un manuel de traitement. Qui plus est, les manuels se basent sur les problèmes et non sur le développement de nouvelles perspectives, qui devrait être un élément essentiel des relations d'aide. Carole, dont nous avons plus haut décrit l'anxiété et la dépression, n'aurait probablement pas découvert et mis à profit une nouvelle perspective de carrière si on lui avait administré un traitement consigné dans un manuel. Malgré cela, si vous pensez devenir un professionnel de l'aide, restez attentif aux publications des manuels de traitement. Ils ne disparaîtront pas de sitôt (Foxhall, 2000).

**Existe-t-il de bons et de mauvais aidants?** Oui. On peut en effet attester que certaines thérapies, non seulement n'apportent aucun soulagement mais aggravent la situation : c'est-à-dire que certaines formes d'aide aboutissent à des résultats négatifs (voir Mohr, 1995, et Strupp, Hadley et Gomes-Schwartz, 1977, pour une compilation des études sur les résultats négatifs). Les recherches démontrent que certains des facteurs associés à des résultats négatifs dépendent des clients, tandis que d'autres incombent aux aidants. Il arrive parfois que les clients souffrant de graves problèmes interpersonnels et d'une symptomatologie sévère (les clients peu motivés ou ceux qui s'attendent à ce que la relation d'aide n'exige aucun effort) deviennent encore plus dysfonctionnels au cours d'une thérapie. D'autre part, les aidants qui sous-estiment la gravité des troubles des clients, qui ont des relations difficiles avec ces derniers, qui recourent à de mauvaises techniques, qui utilisent à outrance une technique ou ne trouvent pas de terrain d'entente avec les clients à propos de la méthodologie à suivre pour la relation d'aide, aggravent la situation plutôt que de l'améliorer.

Enfin, certains aidants sont tout simplement incompétents. Qui plus est, même les aidants compétents et dévoués connaissent des défaillances. C'est ce que font remarquer Luborsky et ses collaborateurs (1986) :

✦ De grands écarts subsistent entre les taux moyens de réussite chez les thérapeutes.
✦ Il existe une variabilité considérable en ce qui concerne les résultats au sein de la clientèle des thérapeutes privés.
✦ Les variations des taux de réussite sont généralement dues beaucoup plus au thérapeute qu'au type de traitement.

La relation d'aide peut donner de bons résultats et souvent y parvient. Nonobstant, de nombreux éléments prouvent que des relations d'aide inefficaces abondent. L'aide constitue une démarche très efficace qu'il est tout aussi facile de mal employer. On ne doit pas se cacher que, lors d'un traitement, certains aidants incompétents empirent la situation de certains clients. L'aide n'est pas un processus neutre, elle est «pour le meilleur ou pour le pire». Ellis (1984) prétend que les aidants incompétents sont soit inefficaces, soit inefficients. En dépit de leur manque d'efficience, ces derniers parviennent parfois à aider leurs clients mais, généralement, ils recourent à des «méthodes souvent inappropriées qui débouchent sur de piètres résultats éphémères, le plus souvent au prix d'énormes efforts et à des coûts exorbitants» (p. 24). Dès lors que les études de l'efficacité du counseling et de la psychothérapie ne font généralement pas la distinction entre le niveau de compétence des aidants, et parce que la recherche sur les effets de détérioration de la thérapie laisse entendre qu'il existe un grand nombre d'aidants incompétents, les résultats négatifs que l'on retrouve dans de nombreuses études n'ont rien de surprenants.

**En guise de conclusion.** Le bon sens nous dit que, entre les mains de bons aidants, certaines formes d'aide s'avèrent efficaces. En ce qui me concerne, je ne doute pas que la relation d'aide, menée par des aidants qualifiés et intelligents d'un point de vue social, soit bénéfique. Il y a longtemps, Norman Kagan (1973) a déclaré que les professions de l'aide se confrontaient non pas à une question de validité – à savoir, la relation d'aide aide-t-elle ou non – mais de fiabilité. Il faut se demander non pas «Est-ce que le counseling et la psychothérapie fonctionnent?», mais «Est-ce qu'ils fonctionnent de façon systématique?»; non pas «Peut-on former certains individus pour en aider d'autres?», mais «Peut-on mettre sur pied des méthodes susceptibles d'accroître les chances que la plupart de nos diplômés deviennent des professionnels de la santé mentale aussi compétents que le sont certains rares aidants aujourd'hui?» (p. 44). La question ne consiste pas à se demander «Est-ce que la relation d'aide fonctionne?», mais plutôt «Comment et dans quelles circonstances fonctionne-t-elle?» La réponse s'avère plus aisée pour la première question que pour la deuxième (voir Bergin et Garfield, 1994).

Nous vous encourageons à suivre le débat continu sur l'efficacité de l'aide. L'analyse des tenants et des aboutissants de ce débat n'est pas destinée à vous décourager, mais plutôt à vous aider à :

✦ vous conscientiser à la complexité de la relation d'aide;
✦ vous familiariser avec les questions relatives à l'évaluation des résultats de l'aide;
✦ vous sensibiliser aux préjudices qu'une aide mal dirigée peut causer à autrui;
✦ devenir suffisamment prudents en tant qu'aidants;
✦ trouver les incitatifs permettant de devenir un aidant de haut niveau, de connaître et d'appliquer les modèles, les méthodes et les techniques empiriques, ainsi que les principes directeurs de la relation d'aide.

Jusqu'à ce que les questions soulevées ici obtiennent les réponses adéquates, *caveat emptor* – c'est-à-dire «Que l'acheteur [le client] prenne garde». Tout repose sur le fait que le client type n'est pas sensibilisé à ces questions. Les clients, aux prises avec des difficultés parfois oppressantes, ne peuvent qu'appeler à l'aide. Par conséquent, «Que l'aidant prenne garde». Devenez compétents. Ne promettez rien à la légère. Restez critique à l'égard de vous-mêmes dans l'exercice de vos fonctions. Concentrez-vous sur les résultats – c'est-à-dire, sur les résultats visés par le client en termes de gestion des problèmes, de développement de nouvelles perspectives et possibilités. Efforcez-vous continuellement d'améliorer vos compétences. Si, de manière générale, la relation d'aide fonctionne, ne tenez pas pour acquis qu'elle fonctionne toujours et pour tous. Pour finir, ne confondez pas les cas difficiles avec les cas impossibles.

Si l'on affirme de manière générale que l'aide est efficace, cela ne signifie pas qu'elle l'est dans tous les cas. Les aidants ne sont en contact qu'avec une part infime des individus éprouvant des difficultés. Les gens ne font pas appel aux aidants parce qu'ils ne savent pas comment les joindre. D'autres ne se sentent pas prêts à changer, tandis que certains n'ont pas conscience de leurs malaises. Pour d'autres encore, les services de santé mentale revêtent un caractère ennuyeux (Kushner et Sher, 1989) et ils les évitent. La plupart des gens s'en sortent tant bien que mal sans aide professionnelle, dénichant des appuis à droite et à gauche. Je fais souvent visionner une série de vidéocassettes montrant plusieurs séances de counseling, au cours desquelles une cliente reçoit de l'aide de la part de divers aidants ayant tous une approche différente de la relation d'aide. Après le visionnement, je demande aux participants : « Cette cliente nécessite-t-elle un counseling ? », question à laquelle ils s'empressent presque tous de répondre par l'affirmative. Je leur pose alors la question suivante : « Si, comme vous le dites, cette cliente a besoin de counseling, combien d'individus sur cette terre en ont-ils également besoin ? » Cette question donne à réfléchir, parce que la cliente en question est aux prises avec des difficultés qui nous concernent à peu près tous. Elle est ce que l'on pourrait qualifier l'« anxieuse saine ». Le fait qu'une personne puisse bénéficier d'une relation d'aide ne signifie pas automatiquement qu'elle en ait « besoin ». Qui plus est, nombre de clients parviennent à « aller mieux » de toutes sortes de façons, sans bénéficier d'une relation d'aide.

Travailler avec des clients qui, pour une raison quelconque, ne désirent ni s'atteler à résoudre leurs situations problématiques ni mettre à profit leurs ressources inexploitées constitue une perte de temps et d'argent. Bien évidemment, on ne perd rien à essayer, mais l'aidant doit savoir quand abandonner. De plus, les clients aux prises avec certains types de troubles ne sont pas en mesure de profiter de la relation d'aide, du moins au stade actuel des connaissances.

Il est primordial de savoir quand aider, tout comme de savoir quand arrêter.

Bien que diverses études démontrent que la durée de la thérapie augmente les bénéfices qu'on en retire, il n'est pas toujours possible d'y consacrer beaucoup de temps.

La relation d'aide est onéreuse, à la fois d'un point de vue monétaire et psychologique. Même si c'est « gratuit », quelqu'un paye, par le biais des impôts, des primes d'assurance ou de plein gré. C'est pourquoi, sans bousculer le rythme naturel des choses ni expédier vos clients, chaque séance doit avoir un objectif précis et aller droit au but. Ne pensez pas que le client est là pour la vie entière.

## 1.7 FORCES ET LIMITES DE CET OUVRAGE

On dit souvent : « Méfiez-vous de celui qui ne jure que par un seul livre. » Certains font du message central d'un ouvrage une cause, comme c'est le cas pour les livres pieux tels que la Bible ou le Coran. Même si certains individus, inspirés par une cause, en tirent une grande force, nous devrions nous méfier des gens qui s'en remettent aveuglément à une unique source. De tels individus restent réfractaires aux nouvelles idées et au progrès. On ne peut certainement pas trouver toute la vérité à propos de la relation d'aide dans un seul ouvrage. Par conséquent, *La communication dans la relation d'aide* n'est pas et ne peut pas constituer la panacée en la matière. Quelle est alors sa portée et quelles sont ses limites ?

**Cet ouvrage est un modèle d'aide pratique.** Parce qu'il ne couvre pas toutes les dimensions de la relation d'aide, il faut en décrire la portée. Le but de cet ouvrage est de fournir aux aidants – débutants ou chevronnés – un cadre ou un modèle d'aide pratique de même qu'un ensemble de méthodes et de techniques d'application. Il est conçu pour suggérer aux aidants des activités destinées à aider leurs clients à gérer leur existence plus efficacement, et ce, de manière autonome. Dans ce sens, les aidants peuvent également enseigner le fonctionnement de ce modèle à leurs clients.

**Cet ouvrage ne présente pas tout ce que couvre un programme d'aide.** Il s'y inscrit – et en représente une part essentielle – mais n'en constitue pas le tout. Les clients représentent la «clientèle» des aidants, dans le sens mercantile du terme, et sont en droit, en tant que tels, d'exiger le meilleur service qui soit. Au-delà d'un modèle d'aide et des techniques de mise en œuvre, de quelle sorte de formation ont besoin les aidants pour «livrer la marchandise» à leurs clients ? Un programme pratique, qui permette aux aidants de comprendre leurs clients et de travailler de concert avec eux dans le domaine de la gestion des problèmes, du développement des potentiels et la création de nouvelles perspectives d'avenir peut s'avérer nécessaire. Le contenu de l'ouvrage comprend à la fois des connaissances pratiques et des méthodes fondamentales. Les *connaissances pratiques* consistent en une transposition de la théorie et de la recherche à la compréhension appliquée, base du travail des aidants avec leurs clients. Les *méthodes* renvoient à la capacité de fournir un service.

À ce modèle d'aide devrait s'ajouter un programme complet destiné à la formation des aidants professionnels, incluant entre autres choses :

+ une connaissance pratique de la *psychologie du développement* – l'évolution humaine tout au long de l'existence de même que l'impact des divers facteurs environnementaux comme la culture ou le statut socio-économique sur cette évolution ;
+ une présentation des principes de la *psychologie cognitive* appliqués à la relation d'aide – le mode de pensée et de représentation du monde étant directement lié à l'apparition des problèmes et à leur résolution ;
+ une description des *dynamiques de la profession d'aide,* telle que nous la pratiquons dans nos sociétés, et des enjeux auxquels elle est confrontée ;
+ une présentation des clients en tant qu'*êtres psychosomatiques* et des interactions de leurs états physique et psychologique ;
+ l'application des *principes des théories du comportement* – ce que l'on connaît du renforcement positif et négatif, et des punitions – à la relation d'aide, car la résolution des situations problématiques et l'exploitation des ressources inutilisées implique automatiquement des leviers qui permettent le renforcement ;
+ la *psychopathologie* – une présentation méthodique des façons dont l'individu développe un trouble psychologique ;

- un examen de la *diversité,* en termes d'âge, de race, d'ethnie, de religion, d'orientation sexuelle, de statut socio-économique, ainsi que des similarités des clients ;
- un résumé des habitudes sociales des individus, c'est-à-dire le cadre de référence de l'*individu-au-sein-des-systèmes* (Egan et Cowan, 1979), accompagné d'une présentation des clients dans leur contexte, c'est-à-dire dans le milieu social où se déroule leur existence ;
- une liste des besoins et des difficultés des *clientèles particulières* avec lesquelles l'aidant travaille, comme les personnes ayant une déficience physique, les toxicomanes ou les alcooliques, les sans-abri ;
- la *théorie de la personnalité appliquée,* ce domaine de la psychologie permettant d'acquérir une compréhension très pratique des motivations des individus et de ce en quoi ils diffèrent.

En fin de compte, le cursus professionnel complet auquel tous les aidants devraient souscrire n'existe pas. Rien ne lui sert de substitut, même pas le présent ouvrage, qui aborde indirectement une bonne part de ce programme (résumé à la figure 1.1) par le biais de nombreux exemples. Toutefois, le fait que les non-professionnels et les aidants informels ne suivent pas ce rigoureux programme n'en fait pas pour autant des incompétents. Les études ont en effet démontré que les non-professionnels peuvent s'avérer aussi efficaces que les aidants professionnels, et même parfois davantage (Durlak, 1979 ; Hattie, Sharpley et Rogers, 1984).

## 1.8 DE L'INTELLIGENCE À LA SAGESSE : COMPOSER AVEC LES DIFFICULTÉS INHÉRENTES À LA RELATION D'AIDE

Cet ouvrage présente les grandes lignes d'un modèle d'aide rationnel, linéaire et méthodique. À quoi bon un tel modèle dans un monde souvent irrationnel, incohérent et chaotique, direz-vous ? On peut rétorquer qu'un modèle rationnel apporte aux clients la discipline et la maîtrise indispensables à leur vie décousue. Les aidants compétents n'hésitent pas à recourir à de tels modèles. Ils s'assurent toutefois d'y insuffler une chaleur humaine.

L'intelligence ne suffit pas pour bien appliquer ce modèle. L'aidant qui intègre et utilise ce modèle conjointement avec ses méthodes et techniques d'application doit être intelligent, cela va de soi, mais il devra faire preuve de sagesse. Les aidants compétents savent appréhender les limites du modèle d'aide, mais aussi celles des aidants, de la profession, des clients et de l'environnement qui influence la relation d'aide. La sagesse consiste, en quelque sorte, à percevoir et à composer avec ces limites, lesquelles constituent ce que j'appelle les dimensions irrationnelles ou le « côté occulte ou obscur » de l'existence. Il s'agit d'enjeux et de motivations inconscients qui perturbent la relation. On peut définir cet aspect obscur comme :

L'ensemble des éléments exerçant une influence négative sur la relation d'aide, sa démarche, ses résultats, et ayant un impact considérable sans toutefois que l'aidant, le client ou la profession elle-même puissent le déceler ni l'analyser de façon directe.

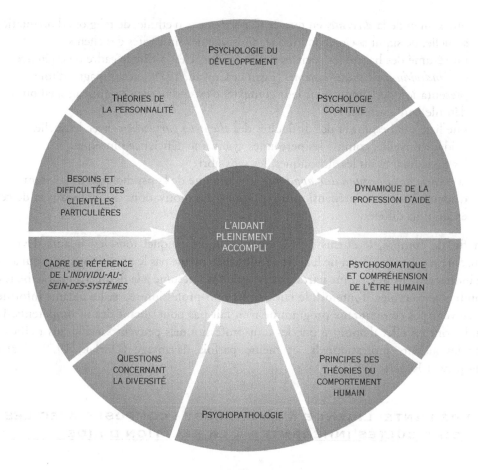

**FIGURE 1.1**
**UN PROGRAMME TYPE POUR LES AIDANTS**

Les modèles d'aide présentent tous des failles ; les aidants sont parfois égoïstes, paresseux et même hostiles en plus d'être sujets à l'épuisement professionnel. Les mêmes défauts se retrouvent chez les clients – égoïsme, paresse et hostilité.

En fait, si le monde était complètement rationnel, on finirait par ne plus avoir de clients. Pas de panique cependant, car nombre d'entre eux créent leurs propres ennuis. Ils s'engagent délibérément dans des voies semées d'embûches. La vie, loin d'être un long fleuve tranquille, s'apparente plutôt à un labyrinthe. Le bien et le mal, le comique et le tragique, la lâcheté et l'héroïsme s'y entremêlent inextricablement, lui conférant son apparence contradictoire. Ce livre décrit et illustre la relation d'aide et sa démarche en des termes très positifs – comme ils devraient être et non toujours comme ils sont.

### LES INCONVÉNIENTS : LE CARACTÈRE FLOU DE LA RELATION D'AIDE

Nous avons déjà évoqué l'importance du caractère flou de la relation d'aide et l'interrogation persistante concernant son efficacité et les modalités qui assurent son efficacité comme son efficience. Ces obstacles font partie du côté obscur de la relation d'aide, passé sous silence par les clients et ignoré par de nombreux praticiens. Il en existe une kyrielle d'exemples. Néanmoins, la prise de conscience des limites de l'aidant, du client, de la relation d'aide et de sa démarche constitue le premier pas dans la gestion des difficultés inhérentes à ce côté obscur.

Pour commencer, mentionnons que les intentions des aidants ne sont pas toujours aussi nobles que cet ouvrage les présente. Certains ne se dévouent pas totalement à leur métier, bien que cette profession exige un très haut degré d'engagement. Il existe des aidants compétents et d'autres qui ne le sont pas. Les incompétents se font passer pour des professionnels. En définitive, les aidants, comme quiconque, s'attirent des ennuis, mais ils sont souvent incapables de se servir de leur formation professionnelle pour se tirer d'affaire – en résumé « faites ce que je dis, pas ce que je fais ».

Les clients jouent trop souvent un jeu avec eux-mêmes, leurs aidants et la relation d'aide. Les aidants séduisent parfois leurs clients – pas nécessairement sexuellement – et inversement. Le client comme l'aidant poursuit des intentions cachées et la relation d'aide elle-même conspire à l'inaction. Les clients, complices de leur aidant, travaillent sur de faux problèmes. Les aidants échouent à faire progresser leur profession. Ils finissent par recourir à des méthodes qui ne conviennent pas à leurs clients. On perpétue la relation d'aide bien qu'elle ne mène nulle part. Et ainsi de suite…

Composer avec les difficultés inhérentes à ce côté obscur requiert une intégrité, une intelligence sociale, une compétence et une absence de cynisme. Manifestement, ces scénarios occultes ne se produisent pas systématiquement ; le penser serait faire preuve de cynisme. Ce côté obscur ne résulte pas toujours d'actes mal intentionnés. Peu de clients prévoient séduire leur aidant. Ces derniers n'ont pas conscience de leur incompétence. Les clients ne réalisent pas qu'ils jouent un jeu et la plupart d'entre eux sont remplis de bonne volonté tandis que la plupart des aidants font leur possible pour laisser de côté leurs propres préoccupations et aider leurs clients du mieux qu'ils le peuvent. Les clients comme les aidants succombent parfois à la tentation. Les clients, comme nous le verrons, ont leurs propres blocages et s'y enlisent, mais les aidants ont aussi les leurs.

Aucune entreprise humaine n'est exempte de ce côté occulte. Les sociétés et les institutions sont souvent dévorées par des conflits internes et guidées par des idées, des valeurs et des normes floues qui servent mal leur intérêt véritable, ou celui de leurs employés ou de leurs intervenants. Si les aidants n'arrivent pas à faire la lumière sur ce qui reste dans l'ombre, ils n'ont qu'à s'en prendre à leur naïveté. S'ils persistent à croire que les enjeux inconscients prennent plus souvent qu'autrement le dessus, alors le cynisme les guette. Pour éviter cette naïveté comme ce cynisme, les aidants doivent s'armer d'optimisme et d'un réalisme compatissant.

Voici un exemple du caractère abstrait et des enjeux souvent cachés de la relation d'aide.

Jean-Pierre est membre d'un groupe anonyme de personnes souffrant d'alcoolisme. Puisque le soutien entre membres représente une valeur essentielle de ce groupe, Jean-Pierre offre son aide à de nouveaux membres qui éprouvent encore des difficultés avec leur sobriété. Il se lie d'amitié avec Martin, un jeune homme sans emploi et sans logement. Jean-Pierre offre le gîte à Martin, le temps que celui-ci se trouve un endroit où demeurer. La dépendance de Martin à l'égard de Jean-Pierre devient manifeste et ce dernier lui demande d'accélérer les démarches pour se trouver un logement. Martin annoncera quelques jours plus tard qu'il s'est enfin trouvé un petit chez-lui. Lors d'une première visite dans le nouveau logis de Martin, Jean-Pierre constate que son protégé demeure dans un endroit insalubre; qui plus est, ses deux colocataires consomment régulièrement de l'alcool et des drogues. Jean-Pierre sent que quelque chose a «dérapé» dans sa relation avec Martin.

Nous voyons ici un exemple de relation difficile entre un aidant disposé à tout mettre en œuvre pour aider son prochain. Toutefois, il est possible d'éviter les nombreux pièges liés à une situation de relation d'aide.

## LES AVANTAGES : LE BON SENS ET LA SAGESSE AU SERVICE DE LA RELATION D'AIDE

Les difficultés inhérentes aux enjeux inconscients renvoient aux désavantages de la relation d'aide, mais on peut y voir également certains avantages (voir Kottler, 1992, 1993, 1997). Bien que l'on décrive la relation d'aide comme un art, les revues mettent le plus souvent l'accent sur ses aspects théoriques et scientifiques. D'une certaine façon, on se trouve alors à valoriser l'intelligence plutôt que la sagesse. Certains auteurs et chercheurs commencent toutefois à s'intéresser à d'autres aspects de la relation d'aide tels que le discernement, la sagacité, l'ingéniosité, l'intelligence pratique ainsi que le bon sens (à titre d'exemple, Baltes et Staudinger, 2000 ; Hanna, 1994 ; Hanna et Ottens, 1995 ; Schmidt et Hunter, 1993 ; Sternberg, 1990 ; Sternberg, Wagner, Williams et Horvath, 1995). Cela fait partie de l'approche de la psychologie positive.

Prenons l'exemple de la maîtrise de soi – un préalable pour les clients désireux de gérer leurs problèmes et de développer leur potentiel. Des recherches récentes nous permettent de mieux comprendre les dynamiques inhérentes à la maîtrise de soi, mais à dire vrai, la plupart des techniques utilisées pour y parvenir ne découlent ni de la théorie ni de la recherche. La Bible, le Coran, le Talmud et les autres ouvrages de la révélation mentionnent déjà une bonne partie de ce que les recherches mettent à jour (voir Karoly, 1995, p. 273). Alors que l'aidant «intelligent» perçoit le client en tant qu'«entité clinique soumise aux modèles et aux méthodes de la psychothérapie», l'aidant sage l'envisage comme un «individu dynamique et plein de vie, ayant sa personnalité propre» (Hanna, 1994, p. 132). On doit l'assister pour l'aider à développer le discernement et le bon sens qu'il porte en lui-même ou qui s'inscrivent dans l'histoire de son groupe social, de sa culture, de son environnement ou de ses aidants.

Les aidants doivent donner des preuves de sagesse et transmettre, même indirectement, un peu de cette sérénité à leurs clients. Baltes et Staudinger (2000) définissent la sagesse comme «la connaissance de la vie, de sa signification et de la façon de la vivre» ou «une vision d'expert des aspects pratiques et fondamentaux de l'existence» (p. 122, 124). En quoi consiste la sagesse? Voici quelques pistes de réponses à cette question (voir Sternberg, 1990, 1998) :

- connaissance de soi et maturité;
- prise de conscience des buts et des devoirs de l'existence;
- compréhension du conditionnement culturel;
- courage d'avouer ses erreurs et bon sens d'apprendre de ces mêmes erreurs;
- compréhension humaine et psychologique d'autrui; compréhension intuitive des interactions humaines;
- capacité de voir clair dans des situations données, de saisir la signification des événements;
- tolérance à l'égard de l'ambiguïté et le fait de s'en accommoder;
- aisance pour affronter les cas difficiles et mal structurés;
- acceptation de l'incohérence humaine;
- ouverture d'esprit face aux événements illogiques ou inusités;
- capacité de cerner un problème pour en tirer parti et aptitude à restructurer l'information;
- rejet des stéréotypes;
- pensée holistique; ouverture d'esprit; flexibilité; pensée contextuelle;
- «méta-pensée», ou capacité de réfléchir sur le raisonnement et de prendre conscience de la prise de conscience;
- capacité d'envisager les relations sous des éclairages différents; talent pour détecter les failles dans le raisonnement; intuition; force de synthèse;
- refus de se laisser oblitérer par les expériences en se créant des blocages;
- capacité d'envisager les problèmes à long terme;
- possibilité de conjuguer des rôles d'aide antithétiques – pouvoir démontrer sa compréhension et son intérêt envers autrui tout en étant capable de le remettre en question et de le «contrarier» (voir Levin et Shepherd, 1974);
- compréhension des dimensions spirituelles de l'existence.

La sagesse est une forme d'excellence dans la gestion de l'existence. En tant que telle, la sagesse doit être axée sur le «comment» (la dimension procédurale) plutôt que sur le «quoi» (la dimension factuelle).

Par conséquent, la sagesse est un élément primordial de la relation d'aide. Elle compte, avec le bon sens, parmi les avantages secrets de la relation d'aide, n'ayant pas souvent fait l'objet d'écrits ni ne faisant partie des programmes de formation des aidants. Peut-être est-ce en train d'évoluer tranquillement.

Même les difficultés inhérentes aux enjeux inconscients qui perturbent et entravent la relation d'aide peuvent s'avérer bénéfiques, si nous prenons l'analogie suivante. Nous pouvons comparer ces «pièges» en relation d'aide à des interférences, de la même façon que nous analysons les «bruits» perturbant un système. Les scientifiques ont découvert que parfois, une petite quantité de bruit, appelée *résonance stochastique,* peut contribuer à rendre le système plus sensible et efficient (*The Economist,* 1995). À titre d'exemple, le bruit suscité par le débat sur les conditions requises pour rendre la relation d'aide efficace et efficiente est susceptible, finalement, de profiter aux clients. De la même façon, analyser les difficultés inhérentes au processus d'aide peut éclairer grandement le client et lui permettre de comprendre ses dysfonctions relationnelles.

Malgré les désavantages et les nombreuses difficultés qui découlent de la relation d'aide, le ton de cet ouvrage reste résolument optimiste. Cependant, les aidants en devenir ne doivent pas négliger les dimensions rebutantes de la relation d'aide. Dès lors, tout au long de ce livre, nous nous attacherons à dégager certains des obstacles qui affligent le plus souvent les clients, les aidants et la profession elle-même, pour chercher à nous en accommoder. Ce livre n'est en aucun cas un traité sur les difficultés de la relation d'aide ; il vise plutôt à sensibiliser les aidants à cet aspect. Les aidants sages sont idéalistes plutôt que d'être naïfs. Ils savent également distinguer entre réalisme et cynisme, et ils optent pour le premier. Ils envisagent la conquête de la sagesse comme une perpétuelle évolution.

# CHAPITRE 2
## VUE D'ENSEMBLE DU MODÈLE D'AIDE

**2.1 LA RÉSOLUTION DE PROBLÈMES ET SES LIMITES**

**2.2 MODÈLE DE L'AIDANT COMPÉTENT : RELATION D'AIDE CENTRÉE SUR LA GESTION DE PROBLÈMES ET LE DÉVELOPPEMENT DE NOUVELLES PERSPECTIVES D'AVENIR**

**2.3 PHASES ET ÉTAPES DU MODÈLE D'AIDE**

**2.4 PHASE I : «QUE SE PASSE-T-IL ?» AIDER LES CLIENTS À PRÉCISER LES PROBLÈMES MAJEURS NÉCESSITANT UN CHANGEMENT**

Les trois étapes de la phase I

- Étape I.A : Aider les clients à se raconter
- Étape I.B : Aider les clients à déceler les *blocages* qui les empêchent de se percevoir et d'envisager leurs situations problématiques, leurs potentiels et leurs ressources inexploités
- Étape I.C : Aider les clients à se concentrer sur les *vrais* problèmes et les perspectives d'avenir qui s'ouvrent à eux

**2.5 PHASE II : «QUELLES SONT LES SOLUTIONS QUI ME CONVIENNENT ?» AIDER LES CLIENTS DANS LA FORMULATION DES RÉSULTATS**

Les trois étapes de la phase II

- Étape II.A : Aider les clients à faire preuve d'imagination pour qu'ils puissent discerner les *perspectives d'un avenir meilleur*
- Étape II.B : Aider les clients à *sélectionner des objectifs réalistes et à les formuler de façon qu'ils puissent résoudre* leurs problèmes fondamentaux et réaliser les perspectives envisagées lors de la phase I
- Étape II.C : Aider les clients à *s'engager* dans la réalisation de leurs objectifs

**2.6 PHASE III : «COMMENT OBTENIR CE QUE JE VEUX ET CE DONT J'AI BESOIN ?» AIDER LES CLIENTS À ÉLABORER DES STRATÉGIES POUR QU'ILS ATTEIGNENT LEURS OBJECTIFS**

Les trois étapes de la phase III

- Étape III.A : Interventions possibles : Aider les clients à réaliser qu'il existe plusieurs manières d'atteindre les objectifs
- Étape III.B : Aider les clients à sélectionner les stratégies d'ajustement optimal
- Étape III.C : Aider les clients à établir un plan d'action

La résolution de problèmes est souvent décrite comme un processus rationnel, naturel et plus ou moins direct de prise de décision. À titre d'exemple, Yankelovich (1992) décrit un tel processus en sept étapes. En l'appliquant à la relation d'aide, cela revient à peu près à ceci :

◆ **Prise de conscience initiale.** Tout d'abord, le client se rend compte de l'existence d'un problème ou d'une série de problèmes. Par exemple, un couple, après plusieurs disputes concernant des problèmes d'argent, sentira confusément une insatisfaction sur le plan de sa relation.

◆ **Urgence.** En deuxième lieu, une sensation d'urgence se fait jour, tout spécialement si la difficulté sous-jacente – une tension dans la relation elle-même – s'accentue. Les petits tracas prennent plus d'importance dans une ambiance générale de mécontentement.

◆ **Recherche initiale de solutions.** Troisièmement, le client cherche à remédier à la situation. Même de façon sommaire ou implicite, il analyse les différentes stratégies pour y parvenir. En reprenant l'exemple précité, un client insatisfait de son couple commence à envisager différentes possibilités : se plaindre ouvertement à son conjoint ou à des amis, se séparer, divorcer, prendre des mesures subtiles de coercition, entamer une relation extra-conjugale, aller voir un conseiller matrimonial, se détacher unilatéralement de la relation, et ainsi de suite. Il essaie parfois une ou plusieurs de ces solutions sans évaluer leurs coûts ou leurs conséquences.

◆ **Évaluation des coûts.** Quatrièmement, les coûts des différentes stratégies apparaissent. Une femme impliquée dans une relation difficile finira par se convaincre qu'« il ne sert à rien d'être franche et honnête parce que cela ne donne rien. « Si je continue à jouer cartes sur table, je devrai faire face à la confrontation, au déni, aux discussions, aux accusations et à quoi d'autre encore ? » Elle pensera aussi « Le fait de me détacher tranquillement de cette relation a déjà été douloureux. Qu'est-ce que je ferais si je devais me retrouver toute seule ? » ou alors « Qu'adviendra-t-il des enfants ? » Arrivée à ce point, la cliente refuse souvent d'affronter la situation, parce que toutes les solutions coûtent cher, soit en argent, soit en souffrance.

◆ **Délibération.** Cinquièmement, comme la situation problématique ne se résout pas d'elle-même, il est impossible de reculer complètement. C'est le moment où s'offre un choix plus crucial. À titre d'exemple, on soupèse le coût de la confrontation par rapport à un repli. En son for intérieur, la cliente oscille entre l'étape 4 et l'étape 5 : « Pour le bien des enfants, il faudra peut-être me résoudre à une séparation. Nous avons peut-être besoin de nous éloigner quelque temps. »

◆ **Décision rationnelle.** Sixièmement, on en vient à prendre une décision pour entériner un choix et amorcer une intervention : « Je vais en parler à mon conjoint et lui proposer qu'on voit un conseiller matrimonial. » ou « Je vais m'occuper de ma vie, trouver d'autres intérêts et on verra bien ce qui se passera dans notre couple. »

✦ **Décision rationnelle émotionnelle.** Néanmoins, une décision purement intellectuelle ne suffit pas toujours pour susciter une intervention. On prend alors non seulement la décision avec sa tête mais on écoute aussi son cœur. L'un des conjoints finit par déclarer : « J'en ai assez! Je m'en vais. Ce ne sera pas facile, mais cela me semble préférable que de continuer comme cela. » L'autre sera susceptible de répondre : « Ce n'est pas juste pour notre couple que tu t'en ailles ainsi et ce n'est pas bien pour les enfants. » Cet échange les incitera peut-être à chercher de l'aide, même si cela aboutit à une séparation. Une décision guidée à la fois par la raison et l'émotion a beaucoup plus de chance de déboucher sur l'action.

Il importe de noter quelques éléments. Tout d'abord, ces étapes consignées logiquement sur papier demeurent souvent confuses dans la réalité. Ensuite, ce processus naturel peut dérailler à n'importe quel moment. À défaut de maîtriser ses émotions, on risque d'aggraver la situation. Il arrive que les efforts requis pour régler la question semblent insurmontables et qu'on laisse les choses en plan. Enfin, la prise de décision en cas de difficultés est rarement aussi rationnelle que cette démarche ne le laisse supposer. En fait, on considère que la prise de décision est aussi complexe que la vie elle-même (Scott, 2000). Finalement, ce processus naturel de décision manque de méthode et ne conduit pas à une résolution concrète de la situation.

L'approche centrée sur la gestion des problèmes et le développement de nouvelles perspectives présentée dans ce chapitre, et décrite en détail dans les chapitres suivants, s'inspire de ce processus naturel et le complète par d'autres étapes et diverses techniques. Pour ce faire, elle propose des moyens d'aider les clients à passer de la décision à l'action, afin d'obtenir des résultats tangibles qui simplifient l'existence et évitent les récidives et, dans le meilleur des cas, accélèrent l'ensemble du processus.

## 2.2 MODÈLE DE L'AIDANT COMPÉTENT : RELATION D'AIDE CENTRÉE SUR LA GESTION DE PROBLÈMES ET LE DÉVELOPPEMENT DE NOUVELLES PERSPECTIVES D'AVENIR

Le simple bon sens indique que les modèles, les techniques et les méthodes de résolution de problèmes s'avèrent essentiels pour chacun de nous, puisque nous sommes confrontés quotidiennement à des difficultés plus ou moins grandes. Les parents, interrogés sur la pertinence des méthodes de résolution de problèmes, abondent dans ce sens. Toutefois, si on leur demande où et comment leurs enfants peuvent apprendre ces techniques, ils marmonneront vaguement : « À la maison, mais pas toujours. » Ils ne se considèrent pas comme des modèles de la résolution de problèmes. « Peut-être à l'école », se demanderont certains. Cependant, une analyse approfondie des programmes scolaires primaire, secondaire et universitaire apporte bien peu d'information sur la résolution des problèmes quotidiens. Certains rétorquent que l'enseignement scolaire en la matière ne convient nullement, puisqu'on ne tire une leçon que de l'expérience vécue. Ils ont raison dans une certaine mesure. Cependant, si de telles aptitudes sont si importantes, on se demande pourquoi la société s'en remet au hasard pour leur acquisition. La résolution de problèmes devrait être une seconde nature. Le monde sert probablement de laboratoire, mais les connaissances nécessaires à l'optimisation de l'apprentissage de la résolution de problèmes devraient être enseignées. Ces questions sont trop importantes pour être laissées au hasard.

Passons maintenant à la relation d'aide. Il suffit d'une recherche dans Internet pour découvrir rapidement qu'il existe des dizaines, voire des centaines, de modèles et d'approches dans le domaine, toutes se targuant de leur pourcentage élevé de réussite. Les livres sur le counseling et la psychothérapie – tant sur le plan de la théorie, de la recherche que sur celui de la pratique – remplissent les rayons des bibliothèques. Durant les années quatre-vingts, on considérait qu'il existait entre 250 et 400 approches distinctes dans le domaine (voir Herink, 1980; Karasu, 1986). Certaines des approches discutées à l'époque ont bien évidemment été abandonnées, mais beaucoup d'autres se sont ajoutées depuis. Toutes revendiquent un même sérieux et leurs partisans garantissent leur efficacité. Devant cette profusion de documentation, les aidants, particulièrement les novices, ont besoin d'un modèle simple, pratique et efficace.

Comme toutes les approches doivent finalement aider le client à surmonter ses difficultés et à tirer parti de son potentiel, le modèle décrit dans ce chapitre se veut à la fois souple, humaniste et il repose sur une approche centrée sur la gestion des problèmes et le développement de nouvelles perspectives d'avenir. Sa simplicité d'application tient compte toutefois de la complexité de la vie du client ou de la démarche d'aide elle-même. De fait, comme le processus décrit ici se retrouve dans pratiquement toutes les démarches d'aide, il facilitera la compréhension de ces « écoles de pensée » que vous finirez par choisir. Cet ouvrage convient à toutes ces écoles. Finalement, un modèle de gestion de problèmes en counseling et en thérapie profite des nombreuses recherches réalisées sur le processus de résolution de problèmes. Le modèle, les techniques et les méthodes décrites dans ce livre puisent à même ces sources.

## 2.3 PHASES ET ÉTAPES DU MODÈLE D'AIDE

Tous les processus, toutes les démarches ou tous les modèles valables ont pour but d'aider le client à se poser quatre questions fondamentales et à y répondre :

✦ **Que se passe-t-il?** Quels sont les problèmes, les questions, les préoccupations ou les ressources inutilisées sur lesquelles je devrais travailler?

✦ **De quoi ai-je besoin?** Qu'est-ce que je veux faire de ma vie? Quels sont les changements qui me rendraient plus heureux?

✦ **Que dois-je faire pour obtenir ce que je veux?** Comment m'y prendre pour y arriver?

✦ **Comment obtenir des résultats?** Comment concrétiser les plans et les objectifs sous forme de solutions, de résultats et de réussites? Par où commencer et comment poursuivre?

Ces quatre questions – une fois reprises sous forme de trois «phases» logiques et d'une «phase» d'application à la figure 2.1 – encadrent la démarche d'aide. Le terme *phase* est placé entre guillemets parce qu'il suggère l'idée, quelquefois trompeuse, d'une séquence linéaire. Chaque phase comprend une série de tâches centrées sur un thème, lesquelles tâches permettent aux clients d'avancer dans la résolution de leurs problèmes et l'exploitation de leurs ressources. La phase I porte sur la clarification et l'identification des problèmes et des perspectives d'avenir. La phase II concerne la formulation et l'adoption des objectifs. La phase III décrit les stratégies utiles à l'atteinte de ces objectifs. Dans la pratique, ces trois phases se superposent et s'imbriquent alors que les clients cherchent à surmonter leurs difficultés et à découvrir de nouvelles perspectives de vie. Comme nous le verrons, la relation d'aide, comme la vie elle-même, n'est pas aussi logique que les modèles le laissent croire.

Pour bien illustrer la démarche, nous avons utilisé un exemple révélateur. Ce cas, bien que réel, a été remanié et simplifié. Il ne s'agit pas d'une présentation séquentielle, mais plutôt d'une illustration de la manière dont nous avons amené un client à se poser les quatre questions fondamentales susmentionnées et à y répondre. Carlos, le client, était consentant, désireux de s'exprimer et la plupart du temps coopératif. Dans la pratique, les choses ne sont pas toujours aussi faciles que dans cet exemple. Cette simplification sert à démontrer les principales caractéristiques de la démarche d'aide en action.

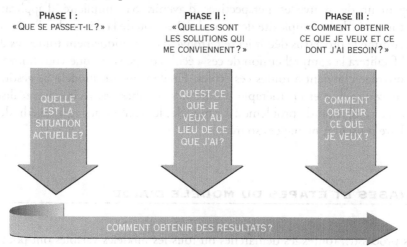

**FIGURE 2.1**
MODÈLE DE L'AIDANT COMPÉTENT

## 2.4 PHASE I : «QUE SE PASSE-T-IL ?» AIDER LES CLIENTS À PRÉCISER LES PROBLÈMES MAJEURS NÉCESSITANT UN CHANGEMENT

Cette formulation décrit la gamme des difficultés auxquelles le client fait face. Quels problèmes, quelles questions, quelles préoccupations et quelles perspectives ignorées Carlos doit-il affronter ? En voici un résumé :

Carlos, un jeune homme dans la vingtaine, travaille pour une société d'experts-conseils depuis environ un an. Il dispose d'une formation solide, mais, à la différence de ses collègues, son diplôme de premier cycle et sa maîtrise en administration des affaires ne proviennent pas d'une université prestigieuse. Il est intelligent, même s'il est plus doué pour le côté pratique que pour la théorie. Il sait se montrer charmant quand il veut, ce qui n'est pas toujours le cas. Sa famille d'origine hispanique conserve des valeurs culturelles traditionnelles. Il parle très bien l'espagnol, mais s'y refuse, même à la maison.

Les ennuis ont commencé lorsque l'un de ses collègues, de vingt ans son aîné, l'a interpellé un jour après une réunion, en lui disant : « Cela fait plusieurs fois que je t'observe. Tu sais, tu es ton pire ennemi. Tu cours vers l'échec sans le savoir. Si j'étais toi, je chercherais de l'aide. » Cela dit, il a tourné les talons et Carlos n'a plus eu l'occasion de lui parler.

Même si cet incident l'a contrarié sur le moment, Carlos l'a plus ou moins oublié. Néanmoins, quelques semaines plus tard, lors d'une conversation avec l'un de ses collègues qui travaillait pour la même compagnie depuis trois ans, Carlos lui a rapporté l'incident sur le ton de la blague. Cependant, le collègue n'a pas ri et s'est contenté de dire de manière détachée : « On ne sait jamais, Carlos, il y a peut-être quelque chose de vrai dans tout cela. »

Comme sa compagnie lui offrait les services de deux « conseillers en développement », même si Carlos était un peu rebuté par le fait qu'il s'agissait de deux femmes, il décida de prendre rendez-vous avec l'une d'elles.

Voilà un jeune homme qui vient de recevoir deux avertissements sérieux. Sur le moment, il ne pense pas avoir vraiment besoin d'aide, mais par la suite il se sent suffisamment troublé pour vouloir parler à quelqu'un.

## LES TROIS ÉTAPES DE LA PHASE I

Comme nous le verrons dans les chapitres suivants, chacune des « phases » se compose de trois « étapes ». Ces étapes, tout comme les phases elles-mêmes, ne se succèdent pas automatiquement. Comme les phases, elles s'interpénètrent. Les activités de la phase I consistent à inciter les clients à répondre à deux questions : « Que se passe-t-il dans ma vie ? Sur quoi devrais-je travailler ? »

**Étape I.A : Aider les clients à se raconter.** Même si la relation d'aide vise avant tout des solutions, il importe d'analyser les problèmes ou les ressources inutilisées à ce jour pour les résoudre. C'est ainsi qu'Elena, l'aidante de Carlos, l'invite à raconter son histoire. Au cours de leur échange, elle passe en revue avec lui ce qui est arrivé au travail. Elena sait que si elle lui permet d'avoir une perception plus exacte de lui-même, de ses ennuis, de ses ressources et de ses capacités inexploitées, il sera en meilleure posture pour réagir. Son objectif principal consiste à épauler Carlos, afin qu'il puisse mieux gérer ses relations interpersonnelles dans son milieu professionnel. Sa manière de communiquer représente à la fois un danger et un avantage.

Après avoir surmonté sa résistance initiale, Carlos est en mesure d'exprimer certaines de ses préoccupations. Il a l'impression que l'on fait preuve de discrimination à son égard au bureau. Il ne figure pas sur la liste pour une promotion accélérée, comme il pense le mériter. Ses collègues ne le comprennent pas et ne l'apprécient guère. Pour des raisons budgétaires, il continue à vivre avec sa famille, même s'il s'en croit détaché. «Nous n'avons plus rien en commun. Ils ne veulent pas s'intégrer socialement.» Sa petite amie et lui se disputent souvent et, à un moment donné, il déclare que cette relation touche probablement à sa fin.

**Étape I.B : Aider les clients à déceler les *blocages* qui les empêchent de se percevoir et d'envisager leurs situations problématiques, leurs potentiels et leurs ressources inexploités.** Les clients progressent vraiment lorsque les aidants leur permettent de déceler les blocages importants liés à leurs difficultés ou leur potentiel inexploité. Une remise en question efficace relativement à ces blocages offre de nouvelles perspectives aux clients, qui envisagent alors de manière plus réaliste les difficultés, les ressources disponibles et les solutions. Les blocages peuvent se définir comme *toutes les contradictions, déformations, fuites, subterfuges, excuses et tous les écrans derrière lesquels le client peut se cacher et qui concourent à le maintenir dans ses difficultés.*

Elena n'a pas pris de temps à se rendre compte des importants blocages de Carlos. Il a particulièrement tendance à rendre les autres responsables de ses ennuis : «Ils m'empêchent d'avancer.» Il ne réalise pas à quel point il est égocentrique. Il se met en colère lorsque les autres se trouvent sur son chemin ou ne répondent pas à ses besoins. En revanche, il ne se préoccupe guère des besoins d'autrui. Son arrogance agace à la fois ses collègues et ses clients. Sans se montrer brutale, Elena lui permet de se voir comme les autres le perçoivent. Elle lui fait remarquer que le fait d'être hispanique et de ne pas être diplômé de la «bonne» école n'a rien à voir avec l'hostilité de ses collègues. D'origine hispanique également, Elena comprend à la fois les conflits de Carlos et ses justifications.

**Étape I.C : Aider les clients à se concentrer sur les *vrais* problèmes et les perspectives d'avenir qui s'ouvrent à eux.** Si les clients se trouvent confrontés à une série de problèmes, il faut les aider à optimiser leurs options en travaillant sur ce qui est réellement efficace. Si un client se consacre uniquement à des futilités ou refuse tout simplement de travailler, il est alors préférable de surseoir au counseling.

Carlos se montre plus coopératif en prenant progressivement conscience qu'Elena défend à la fois ses intérêts et ceux de la compagnie. Il juge qu'elle est bien – sérieuse, efficace et ne «vend» pas trop la psychologie. Il finit par se rendre compte que, dans l'ensemble de ses préoccupations, il ferait mieux de travailler sur sa façon de communiquer, et sur ses relations avec ses collègues et clients s'il veut progresser professionnellement. Il veut également consacrer du temps à son attitude de victime. Grâce à Elena, il prend conscience de son potentiel et des différentes perspectives d'avenir susceptibles de s'ouvrir à lui s'il règle son problème de communication. En apprenant à échanger et à entretenir des rapports harmonieux avec les gens, il peut avancer sur tous les plans. Comme ils se trouvent tous deux dans un cadre de travail et disposent d'un temps limité, Elena ne l'incite pas à se concentrer sur ses problèmes vécus à la maison ou en dehors du bureau. Cependant, elle suppose que les changements réalisés au bureau s'appliqueront également à l'extérieur.

## 2.5 PHASE II : « QUELLES SONT LES SOLUTIONS QUI ME CONVIENNENT ? » AIDER LES CLIENTS DANS LA FORMULATION DES RÉSULTATS

À la phase II, les conseillers aident les clients à envisager plusieurs possibilités et à choisir celles qui permettraient d'atteindre des objectifs pour un futur meilleur – dans lequel ils surmontent les situations problématiques et exploitent les ressources qui sont à leur portée. Les aidants formulent la question suivante : « Que demandez-vous à l'avenir ? » La réponse des clients représente leurs « attentes face au changement ». Cette seconde phase concerne les résultats.

Elena aide Carlos à formuler certaines questions du genre « Qu'est-ce que je veux ? De quoi ai-je besoin, même si je ne le veux pas maintenant ? Comment serait ma vie professionnelle si elle était plus tolérable – ou même plus agréable et plus enrichissante ?

Malheureusement, certaines approches de la résolution de problèmes escamotent la deuxième phase et passent directement de « Qu'est-ce qui ne va pas ? » (phase I) à « Qu'est-ce que je peux faire ? » (phase III). Comme nous le verrons, le fait de permettre aux clients de découvrir ce dont ils ont besoin retentit profondément sur toute la démarche de la relation d'aide.

### LES TROIS ÉTAPES DE LA PHASE II

La phase II comporte également trois étapes – trois manières d'amener le client à répondre de façon aussi créative que possible à cette question : « De quoi ai-je besoin et qu'est-ce que je veux ? »

**Étape II.A : Aider les clients à faire preuve d'imagination pour qu'ils puissent discerner les *perspectives d'un avenir meilleur*.** Cela permet souvent aux clients de dépasser leur tristesse et leur morosité, et de reprendre espoir. Le fait de se creuser les méninges pour envisager un avenir meilleur les amène également à mieux saisir leurs difficultés : « Je commence maintenant à cerner plus précisément ce que je veux, et je vois plus clairement mes problèmes et mes ressources inexploitées. »

Elena encourage Carlos à réfléchir pour trouver des objectifs qui lui permettent de se concilier ses collègues et ses clients, et de modifier son attitude de victime. Carlos déclare qu'il veut devenir un « meilleur communicateur ». Elena lui répond qu'il s'agit d'une idée plutôt vague et lui demande : « À quoi ressemblent les bons communicateurs que tu connais ? » Carlos suggère une série de comparaisons. « Je serais capable de faire d'excellents exposés comme Jean. Je trouverais de bonnes solutions comme Carole. Antoine écoute beaucoup mieux que moi. Je manque de patience, mais j'apprécie qu'Ariane se montre patiente avec moi. Roger semble bien s'entendre avec tout le monde. » Il multiplie les exemples pour illustrer de quelle manière il pourrait améliorer ses habiletés à communiquer. Elena l'incite également à chercher d'autres options en lui demandant ce que signifierait une amélioration dans ses relations, de son point de vue ainsi que du point de vue des clients et des collègues qu'il a froissés.

**Étape II.B : Aider les clients à *sélectionner des objectifs réalistes et à les formuler de façon qu'ils puissent résoudre* leurs problèmes fondamentaux et réaliser les perspectives envisagées lors de la phase I.** La relation d'aide est axée sur les solutions et les résultats ; il faut donc concrétiser les perspectives d'avenir sous forme d'objectifs. Ces objectifs constituent les *changements attendus* du client. Afin de poursuivre et d'atteindre ces objectifs, ceux-ci doivent être clairement formulés et directement reliés aux problèmes et aux ressources inexploitées sur lesquels le client a choisi de mobiliser ses efforts. Ils doivent être aussi positifs, réalistes, prudents, viables, souples, en correspondance avec les valeurs du client et, enfin, s'échelonner selon un échéancier réaliste. Les aidants compétents incitent les clients à formuler leurs attentes pour respecter leurs exigences et susciter leur motivation.

Elena demande à Carlos de sélectionner quelques possibilités parmi toutes celles qu'il a suggérées. Il devient évident que des changements dans sa manière de communiquer permettront à Carlos de résoudre certains problèmes et simultanément d'exploiter au maximum certaines aptitudes et ressources mises à sa disposition. S'il devient capable de communiquer efficacement – à la fois en termes de modalités d'échange et de valeurs soutenant cet échange –, il sera capable de faire passer le message adéquatement et d'améliorer ses relations interpersonnelles. Cependant, pour cela, il doit aller au-delà de l'acquisition d'aptitudes. Il lui faut modifier sa conduite égocentrique et geignarde. Certaines des suggestions évoquées par Carlos lors de sa séance avec Elena sont reléguées au second plan. À titre d'exemple, pour Carlos, le fait de réaliser d'excellents exposés n'a rien d'urgent.

Devenir un meilleur communicateur demande un grand effort et exige d'adopter des attitudes et des valeurs optimistes sur le plan des relations interpersonnelles. Pour Carlos, cela signifie se montrer conciliant dans les échanges et acquérir des habiletés pour y parvenir. Au nombre de ces aptitudes, on considère le fait de s'intéresser aux autres, de les écouter attentivement, de réfléchir à ce qu'ils ont dit, de démontrer que l'essentiel de leur message a été assimilé, de faire valoir son point de vue clairement, d'intégrer les autres dans la conversation et ainsi de suite. Cela implique également d'intérioriser des valeurs qui permettent de cultiver une relation lors des conversations : le respect mutuel, une certaine sensibilité sociale, la maîtrise des émotions et la collaboration.

**Étape II.C : Aider les clients à *s'engager* dans la réalisation de leurs objectifs.** Les clients devraient se poser la question suivante : « Quel prix suis-je prêt à payer pour obtenir ce que je veux et ce dont j'ai besoin ? » En effet, sans un engagement profond de la part du client, ses attentes se résument à une série de « bonnes idées ». Cela ne signifie pas pour autant que les clients manquent de sincérité lorsqu'ils formulent leurs objectifs, mais plutôt qu'à la sortie de la séance de counseling ils retrouvent les exigences de la vie quotidienne. Les objectifs qu'ils viennent de formuler, quelle que soit leur validité, se retrouvent face à une rude concurrence. L'aidant rend un très grand service à ses clients lorsqu'il les amène à tester leurs engagements pour un avenir meilleur, selon les objectifs choisis. Pour parvenir à cette étape, l'analyse des incitatifs constitue une tâche importante. Les incitatifs représentent les avantages, les leviers et les différentes raisons qui motivent le client à s'engager.

Devenir un bon communicateur afin d'améliorer ses relations interpersonnelles et d'en bâtir de nouvelles constitue un redoutable défi. Pour qu'il se lance dans une telle tâche, Elena incite Carlos à analyser les incitatifs. L'un de ses arguments s'avère particulièrement convaincant : il n'a guère le choix. Sa façon de traiter les autres risque de lui valoir la porte, limitant ainsi son évolution professionnelle. Il lui est encore plus difficile d'adopter des valeurs qui permettent et sous-tendent le dialogue, car il doit se débarrasser de mauvaises habitudes acquises au fil des ans. Tout cela n'a rien de facile, même pour un client résolument décidé. Elena n'insiste pas sur les mauvaises habitudes de Carlos. Elle considère, au contraire, que le fait d'en adopter de bonnes – développer un intérêt pour les autres et s'assurer d'avoir bien compris ce qu'ils ont dit – finira par supplanter les mauvaises. Si Carlos y parvient, ses perspectives d'avenir sont immenses. Les communications se trouvent au centre de toutes ses actions. De plus, de fortes chances existent que l'amélioration de ses habiletés et de ses valeurs dans ce domaine se répercute positivement sur sa vie. Elena n'éprouve aucune difficulté à faire admettre à Carlos le côté évident de ces incitatifs et nous pouvons porter cela au crédit de la psychologie positive. Dans ce cas précis, le développement des ressources de la personne et l'ouverture à de nouvelles perspectives d'avenir constituent ses moyens essentiels de gestion de problèmes.

## 2.6 PHASE III : « COMMENT OBTENIR CE QUE JE VEUX ET CE DONT J'AI BESOIN ? » AIDER LES CLIENTS À ÉLABORER DES STRATÉGIES POUR QU'ILS ATTEIGNENT LEURS OBJECTIFS

À la phase III, on définit les interventions à réaliser pour traduire les objectifs en modalités de gestion de problèmes. À la phase II, on répondait à la question « Comment puis-je y parvenir ? » Il faut maintenant élaborer les stratégies d'intervention et définir le plan d'action.

### LES TROIS ÉTAPES DE LA PHASE III

La phase III comporte également trois étapes qui s'imbriquent les unes dans les autres, comme celles des autres phases.

**Étape III.A : Interventions possibles : Aider les clients à réaliser qu'il existe plusieurs manières d'atteindre les objectifs.** En incitant les clients à penser de manière différente pour atteindre leurs objectifs, l'aidant utilise de manière productive le temps passé avec les clients. Cela dit, ces derniers ne devraient pas pour autant se précipiter dans l'action. Une intervention inconsidérée et incohérente risque de se retourner contre eux. Les doléances du genre « J'ai déjà essayé ça et ça ne marche pas, et j'ai aussi essayé ça et ça ne marche pas non plus ! » indiquent davantage une mauvaise planification qu'une tâche insurmontable.

Elena propose à Carlos d'examiner différents moyens pour qu'il devienne un communicateur compétent, selon ses vœux, afin qu'il soit en mesure de modifier l'image qu'il a de lui, de développer et d'entretenir des relations de travail agréables avec ses clients et ses collègues. Pour qu'il acquière les habiletés nécessaires, elle lui mentionne différentes possibilités : lire des livres, suivre des cours dans une université ou s'inscrire à des cours pour professionnels, engager un tuteur ou un mentor, ou encore, élaborer sa propre approche. Elena l'épaule lors du survol des différentes possibilités qui s'offrent à lui. Elle lui signale également les endroits où il peut trouver de l'information, mais elle le laisse se débrouiller seul.

**Étape III.B : Aider les clients à sélectionner les stratégies d'ajustement optimal.** À l'étape III.A, les clients établissent les stratégies possibles ; à l'étape III.B, ils sont en mesure de choisir le type d'intervention qui convient le mieux à leurs talents, leurs aptitudes et leurs ressources personnelles, leur façon d'être, leur tempérament, leur environnement ainsi que leur horaire.

Grâce à Elena, Carlos fait certains choix. Il décide de suivre un programme de communication interpersonnelle destiné aux professionnels. Même s'il est plus cher qu'un cours universitaire, le programme a le mérite d'être suffisamment souple pour s'adapter aux déplacements constants de Carlos. Ensuite, Elena démontre à Carlos que la vie même est un laboratoire, ce qui signifie que chaque conversation fait partie de ce programme et constitue une occasion de pratiquer les techniques acquises et de démontrer ses aptitudes à nouer de bonnes relations. Carlos a la présence d'esprit de faire remarquer qu'il doit trouver un moyen de vérifier dans quelle mesure les qualités d'un échange efficace transparaissent dans sa conversation. Il décide de se trouver un mentor – un collègue doué d'une grande facilité de communication et qui entretient des relations positives avec ses homologues et ses clients. L'un des collègues, correspondant à ce profil, accepte de jouer ce rôle. Carlos lui demande de se montrer franc et de lui dire les choses comme elles sont.

**Étape III.C : Aider les clients à établir un plan d'action.** Cela revient à permettre aux clients de structurer les interventions requises pour atteindre les objectifs choisis. Les plans d'action consistent en de simples cartes dont les clients se servent pour voir où ils veulent aller. Un tel plan peut être très simple. De fait, les plans trop complexes mènent souvent à l'échec.

Le plan adopté par Carlos est à la fois simple et concret. Il commencera le cours en communication interpersonnelle dans les quinze jours suivants. Il considérera ensuite chaque conversation avec ses collègues et ses clients comme une expérience de laboratoire. Le soir, après le travail, il se remémorera les échanges qu'il a eus, en considérant à la fois les valeurs véhiculées lors de ses entretiens et ses talents de communicateur. Il a dressé une liste incluant des questions du genre : «Ai-je écouté attentivement ? Ai-je formulé mon point de vue clairement ? Me suis-je montré respectueux et coopératif ? Comment me suis-je débrouillé lors de conversations délicates avec des clients et des collègues que j'ai déjà froissés par ma façon de m'exprimer ?» Dans la mesure où son horaire le lui permet, il prévoit qu'il rencontrera son mentor une fois par semaine et Elena une fois par mois.

## 2.7 INTERVENTION : « COMMENT OBTENIR DES RÉSULTATS ? » AIDER LES CLIENTS À METTRE À EXÉCUTION LEUR PLAN D'ACTION

Les trois phases du modèle d'aide se retrouvent dans la flèche d'action, signifiant ainsi que les clients doivent intervenir dès le début de la démarche pour améliorer leur situation.

Les phases I, II et III incluent des tâches de planification, mais ne constituent pas le changement constructif en soi. Planifier n'est pas synonyme d'agir. Parler des problèmes et des perspectives d'avenir, discuter des objectifs et élaborer des stratégies n'est rien d'autre que du «bla-bla», si aucune intervention concrète ne suit. Le changement n'a rien de magique; il ne s'obtient qu'en travaillant très dur. Comme nous le verrons dans les prochains chapitres, chaque phase et chaque étape de la démarche prévoit dès le début une intervention qui permettra de gérer les problèmes et de développer de nouvelles aptitudes.

Carlos, comme la plupart des clients, se heurte à de nombreux obstacles en essayant de suivre son plan d'action. Ses déplacements constants entrent en conflit avec le programme de communication interpersonnelle auquel il est inscrit, en dépit de la flexibilité de ce programme. Persuadé du bien-fondé de cet enseignement, il décide de demander à l'un des tuteurs du programme d'assurer son rattrapage en raison de ses absences fréquentes lors de déplacements. Même si la société assume les frais de ce programme, il doit défrayer les honoraires de ce tuteur. Toutefois, cela en vaut la peine. Il découvre également qu'il ne met pas en pratique de manière rigoureuse ce qu'il apprend dans «le laboratoire de la vie». Ses progrès sont beaucoup plus lents qu'il ne l'aurait pensé et, parfois, il se décourage. Rencontrer son mentor se révèle presque impossible. Alors qu'il remarque une amélioration dans ses relations avec ses clients, il ne voit pas vraiment de rapprochement avec ses collègues. Au cours d'une des discussions avec Elena, il revoit les éléments positifs et négatifs, et exprime son découragement devant la lenteur avec laquelle ses collègues, un peu refroidis, lui manifestent de la sympathie.

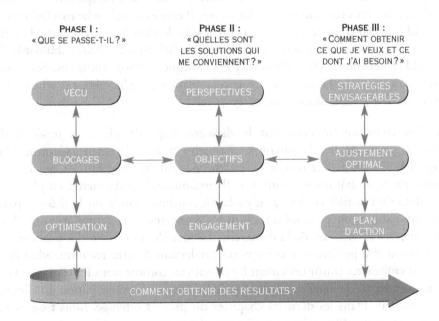

**PHASE I :**
«QUE SE PASSE-T-IL?»

**PHASE II :**
«QUELLES SONT LES SOLUTIONS QUI ME CONVIENNENT?»

**PHASE III :**
«COMMENT OBTENIR CE QUE JE VEUX ET CE DONT J'AI BESOIN?»

VÉCU · PERSPECTIVES · STRATÉGIES ENVISAGEABLES

BLOCAGES · OBJECTIFS · AJUSTEMENT OPTIMAL

OPTIMISATION · ENGAGEMENT · PLAN D'ACTION

COMMENT OBTENIR DES RÉSULTATS?

**FIGURE 2.2**
**INTERRELATION DES PHASES ET DES ÉTAPES DU MODÈLE D'AIDE**

**LE MODÈLE DE L'AIDANT COMPÉTENT**

À la suite de cette conversation avec Elena, Carlos décide de revoir tout son programme. Tout d'abord, il accepte de la rencontrer une demi-heure par quinzaine. Cela le motive, car il a envie de lui donner un compte rendu positif. Ensuite, il aborde ses «mauvaises» attitudes. Même si elle l'avait prévenu qu'il aurait à fournir beaucoup d'efforts, il n'avait pas réalisé jusqu'à quel point. Il se rend compte qu'il ne peut suivre ce programme sans modifier certaines habitudes et attitudes fondamentales. Il ne s'agit pas simplement d'acquérir des techniques. Cela va beaucoup plus loin. Il faut qu'il s'engage à changer radicalement d'attitude. Cela semble facile en théorie, mais dans la pratique c'est une autre histoire. Carlos progresse – deux petits pas en avant et un demi-pas en arrière. Il réorganise son horaire de façon à pouvoir rencontrer son mentor. Ses séances avec ce dernier et Elena lui permettent de progresser.

La figure 2.2 représente toutes les phases et les étapes du modèle et leurs liens avec la flèche d'action. Les flèches à double sens, entre les étapes et les phases, indiquent le type de souplesse requise pour progresser dans cette démarche.

## 2.8 « Y A-T-IL DU PROGRÈS ? » ÉVALUATION CONTINUE DE LA DÉMARCHE D'AIDE

À la lumière de la discussion concernant l'efficacité de la relation d'aide du premier chapitre, comment les aidants parviennent-ils à évaluer la progression de chaque client grâce au modèle de gestion de problèmes et de développement des perspectives d'avenir ? En faisant de chaque cas une mini-expérience en soi. Il existe en recherche psychologique une longue tradition qui consiste à créer ce qu'on appelle le Plan N = 1, qui sert à la fois pour évaluer la pratique et conduire une recherche (Blampied, 2000 ; Hilliard, 1993 ; Lundervold et Belwood, 2000 ; Persons, 1991 ; Valsiner, 1986). Toutefois, nous pouvons nous demander quel est l'intérêt de savoir si la relation est généralement efficace si nous ne savons pas si elle fonctionne dans ce cas précis ?

L'évaluation constitue fréquemment la dernière étape de plusieurs modèles d'aide. Néanmoins, placée en fin de parcours, elle arrive trop tardivement. Comme Mash et Hunsley (1993) l'ont fait remarquer, c'est en décelant dès le début les écueils de cette démarche que nous évitons les naufrages. Ils recommandent de mettre en place un système de détection initiale et s'exerçant de façon continue, fondé sur la théorie, pratique, et suffisamment sensible pour détecter tous les changements et toutes les nouvelles perspectives émergeant au cours de la démarche. Le modèle de gestion des problèmes et de développement des perspectives correspond totalement à cette recommandation. Il est conçu pour enregistrer continuellement les progrès et, comme nous le verrons, ses critères d'analyse permettent de juger de l'efficacité de l'aidant, de la participation du client et des résultats obtenus. Dans les derniers chapitres du présent ouvrage, nous trouverons des questions pour évaluer cette démarche à toutes les étapes.

Sachant que les clients et les aidants doivent collaborer à cette évaluation continue, Elena se sert du système d'évaluation en travaillant avec Carlos et ce dernier en vient à apprécier la maîtrise qu'elle a du modèle. Dès lors qu'il prend le processus d'évaluation continue au sérieux, il commence à progresser. Le processus constant d'autoévaluation ainsi que les observations de son mentor et d'Elena lui fournissent une rétroaction. Cependant, l'atteinte des objectifs constitue la plus importante des rétroactions. Comment et dans quelle mesure améliore-t-il ses habiletés de communication ? ses relations avec ses clients et ses collègues ? Abandonne-t-il progressivement son attitude égocentrique pour cesser de penser que les autres lui en veulent ?

## 2.9 UTILISATION FLEXIBLE DU MODÈLE

Une utilisation flexible du modèle se justifie de bien des façons, en premier lieu par les besoins mêmes du client. Ces derniers doivent avoir préséance sur tout type de modèle. Une fois le modèle bien compris, il faut passer en revue les questions concernant cette flexibilité.

Tout d'abord, chaque client diffère dans sa façon d'entamer ou de poursuivre la relation d'aide. Par conséquent, chaque étape de cette relation peut servir de point d'entrée, comme nous le voyons dans les exemples suivants. Le client A reprend une solution irréaliste pour résoudre un problème : « J'ai menacé de démissionner s'ils refusaient de m'autoriser un congé, mais cela s'est retourné contre moi. Ils m'ont demandé de démissionner. » Le point de départ est un échec. La cliente B commence par ce qu'elle croit vouloir et qu'elle n'a pas : « Je veux un compagnon qui m'accepte comme je suis. Nicolas essaie de me changer. » Elle entre à la phase II. Le client C explique l'origine de son problème : « Je ne me suis jamais remis de l'agression sexuelle de mon oncle. » Il entre à la phase I. La cliente D se contente de dire qu'elle n'a pas de véritable problème, mais que son existence lui semble vide. « Je ne sais pas. Tout le monde me dit que j'ai une vie merveilleuse, mais quelque chose me manque. » Cela implique qu'elle n'a pas encore trouvé ce qui la rend vraiment heureuse. Elle ne part pas d'un problème mais d'une attente.

Ensuite, les clients abordent différemment chaque phase et chaque étape du modèle. Comme nous le verrons dans les exemples suivants, certains clients déballent tout leur vécu d'un seul coup, alors que d'autres en « échappent » certains éléments tout au long de la démarche. Certains, enfin, se limitent à raconter ce qui les place sous un éclairage flatteur. La majorité des clients parlent de leurs problèmes plutôt que de leurs ressources. Comme les clients n'abordent pas leurs problèmes clairement et globalement, il est impossible de terminer complètement et rigoureusement la phase I avant d'en arriver aux phases II et III, et de passer à l'action. Ce n'est d'ailleurs pas recommandable. Certains clients ne prennent pas conscience de leurs difficultés avant de commencer à parler de ce qu'ils veulent mais ne possèdent pas. D'autres doivent commencer à remédier à certains aspects avant de pouvoir définir adéquatement leurs problèmes ; il arrive donc que l'action précède la prise de conscience. Lorsque l'intervention destinée à régler le problème n'apporte aucun soulagement, l'aidant incitera alors le client à en tirer des conclusions et à tenter de nouveau de cerner le problème ou les solutions possibles afin d'adopter des objectifs réalistes. C'est ce que nous voyons dans le cas concret de Sébastien :

Sébastien, un étudiant de deuxième année à l'université, s'est présenté au service de counseling des étudiants pour un certain nombre de problèmes personnels et de plaintes somatiques. Attiré par plusieurs jeunes femmes sur le campus, il n'a pourtant rien fait pour nouer une relation avec elles. Après avoir abordé rapidement cette question, il a déclaré au conseiller : « En fait, il me suffit de sortir et de me lancer. » Deux mois plus tard, il revient en déclarant que ses tentatives s'étaient soldées par un échec. Il était sorti avec quelques jeunes filles, mais sans résultat. Il a fini par rencontrer une femme qui lui plaisait et il est sorti avec elle deux fois. Cependant, lorsqu'il l'a rappelée la troisième fois, elle lui a répondu qu'elle ne voulait plus le voir. Il a demandé pourquoi et elle a marmonné vaguement qu'elle le trouvait trop centré sur lui-même. Ensuite, elle lui a raccroché au nez. Complètement démuni, il a décidé de revenir au service de counseling. Avec l'aide du conseiller, il a réexaminé ses relations sociales. Cette fois, il disposait d'une certaine expérience à analyser. Il voulait explorer toute la question de la compatibilité avec autrui et sa réaction lorsqu'on lui avait dit qu'il « était trop centré sur lui-même ».

Le cas de Sébastien est une illustration pratique de l'observation de Weick (1979), selon laquelle une action chaotique s'avère souvent préférable à une inertie bien ordonnée. Après être passé à l'action, Sébastien dispose maintenant d'une meilleure appréciation de lui-même. Ce type d'apprentissage est parfois douloureux, mais il constitue une occasion d'analyser concrètement ses propres modes de communication.

Enfin, comme les phases et les étapes du modèle se chevauchent, les aidants passent de l'une à l'autre sans suivre l'ordre établi. Il n'est pas rare que deux étapes ou même deux phases se confondent. Durant la même séance, les clients peuvent décrire les éléments d'une situation problématique, formuler des objectifs et établir des stratégies. Le fait même de formuler des objectifs suscite une problématique nouvelle et importante, et oblige à revenir à une phase exploratoire située antérieurement dans la démarche. La relation d'aide n'est pas un processus linéaire. C'est ce que nous voyons dans la description d'une relation difficile avec une amie que fait un client :

Chaque fois que j'essaie d'être gentil avec elle, elle se rebiffe. De toute évidence, on n'obtient rien en étant gentil. Le problème, c'est que je n'ai rien du crétin égoïste pour lequel elle veut me faire passer. Je suis peut-être une lavette avec vous, mais cela ne vous dérange pas. Il est grand temps que je commence à me préoccuper de moi-même – de mes attentes – plutôt que d'essayer de me conformer à celles de tout le monde. Je dois réévaluer le genre de personne que je souhaite être vis-à-vis des autres.

En quelques phrases, le client a décrit une stratégie ratée, questionné des objectifs antérieurs, soulevé un nouveau problème, laissé entrevoir une difficulté dans la relation d'aide elle-même, offert – au moins dans les grandes lignes – une approche différente pour résoudre son problème et reformuler celui-ci comme une occasion de s'affirmer. Tout le défi consiste à comprendre où en est rendu le client et à le guider dans la démarche de gestion de problèmes et dans l'action centrée sur les perspectives d'avenir.

La souplesse n'est pas synonyme de hasard ni de chaos. Une orientation claire et bien définie s'avère primordiale dans la relation d'aide. Nous n'arrivons à rien, sous couvert de flexibilité, en laissant les clients se perdre dans les dédales des situations problématiques. En raison de sa structure, le modèle d'aide permet cette souplesse ; il constitue une démarche systématique destinée à éviter les errements. Il sert en quelque sorte de plan pour « s'y retrouver » à un moment donné et indique les interventions les plus fructueuses. Dans le meilleur des cas, en *consultant* ce plan, les clients arrivent à participer pleinement à la démarche, car, eux aussi, ils ont besoin de savoir où ils s'en vont.

## 2.10 THÉRAPIE DE COURTE DURÉE ET APPROCHE HOLOGRAPHIQUE

Combien de temps dure une thérapie ? C'est un peu comme si on demandait la longueur d'un élastique. Cela dépend. J'ai connu des gens qui suivaient une thérapie la majeure partie de leur existence et d'autres qui pouvaient réorganiser certains aspects de leur vie en une seule séance. Au cours de la dernière décennie, les thérapies de courte durée ont suscité un intérêt croissant, ce que Nick et Janet Cummings (2000) ont baptisé les « thérapies temporaires ».

> *Nombre de faits portent à croire que les thérapies temporaires sont efficaces pour une grande majorité des clients, allant jusqu'à 85 % de ceux qui consultent dans la pratique normale (Austad, 1996 ; Budman et Steenbarger, 1997 ; Cummings, Pallak et Cummings, 1996 ; Hoyt, 1995b), ce qui ne conduit pas pour autant à recommander la généralisation de la psychothérapie de courte durée. Même I. P. Miller (1996b), un farouche opposant aux thérapies à court terme, se voit obligé de reconnaître leur utilité dans certains cas et l'intérêt de former les psychothérapeutes à la fois pour des interventions à court et à long terme, afin qu'ils recourent à l'une ou à l'autre selon les circonstances. (p. 44)*

Ils sont partisans des thérapies « en accord avec les symptômes cliniques » plutôt que des thérapies adaptées aux contraintes économiques des cliniciens ou des organismes de soins gérés. Les soins devraient viser une relation d'aide efficace et efficiente (Cummings, Budman et Thomas, 1998) plutôt qu'une durée définie.

Même si la démarche d'aide peut prendre des jours, des mois, des semaines ou même des années, il lui arrive de ne durer que quelques minutes. Nous en voyons un exemple dans l'anecdote suivante :

Laurence, travailleuse sociale dans un quartier défavorisé, reçoit un appel d'un professeur qui lui raconte qu'un adolescent, inquiet pour ses jours en raison des activités des bandes de délinquants, a besoin de voir quelqu'un. Elle rencontre ce jeune garçon, l'écoute exposer ses problèmes et perçoit son anxiété. Même si le professeur est convaincu que cet adolescent est directement menacé, Laurence se rend compte que son angoisse dérive d'un récent règlement de comptes qui ne le concerne absolument pas. Elle lui demande de décrire ses allées et venues quotidiennes, et constate, de toute évidence, qu'il ne cherche aucunement les ennuis. Elle aborde alors le type de précautions qu'il pourrait prendre pour éviter tout incident «dans un quartier comme le nôtre» et durant leur échange, il ressort que son comportement est passablement prudent. Elle remet doucement en cause sa perception faussée concernant son implication apparente dans les échanges de coups de feu, ce qui le soulage de son angoisse. Toutefois, il réalise qu'il devrait faire certaines choses, comme se trouver des amis «corrects» et ne pas traîner tout seul dans les rues. Elle lui rappelle qu'il court un plus grand risque de se faire tuer par un éclair que par une balle perdue. En se rendant compte qu'il est responsable de son existence, il parvient à se calmer.

En écoutant les inquiétudes de l'adolescent, Laurence peut se faire une bonne idée de sa réalité quotidienne dans le quartier (phase I). Consciente qu'il doit se libérer de son anxiété (phase II), elle lui permet «d'arriver en ville». Durant leur échange, l'adolescent apprend les moyens d'assurer sa sécurité (phase III). Laurence l'assiste également à contourner ses fausses perceptions – à savoir, qu'il est une cible probable pour la bande et en grand danger de recevoir un coup de feu. Par conséquent, même si vous ne devez rencontrer le client qu'une seule fois, c'est une erreur de penser que vous n'en resterez qu'à la phase I. Preston, Varzos et Liebert (2000) ont rédigé un manuel destiné aux clients qui suivent une thérapie de courte durée ou pensent en entamer une.

La démarche d'aide peut être réduite à sa plus simple expression, sans pourtant cesser d'être profondément humaine. Un de mes collègues a tenté, avec succès, de raccourcir son heure de counseling. Il en est arrivé à commencer une séance en disant : «Nous avons cinq minutes à passer ensemble. Voyons ce que nous pouvons en faire.» Il se montrait très attentionné. Ce qu'il pouvait arriver à faire avec un client dans un délai aussi court est ahurissant. Il est vrai que la profession d'aidant, en raison des contraintes politiques et financières des soins gérés, se dirige de plus en plus vers une psychothérapie de courte durée, orientée sur les résultats. Cependant, en dehors même de cette réalité, les aidants doivent en donner aux clients «pour leur argent». Dans certains cas, nous devons parfois nous contenter de résultats partiels.

Les aidants gagneraient à adopter une «approche globale». En effet, si les résultats s'avèrent positifs pour le client, nous pouvons commencer à n'importe quelle phase ou à n'importe quelle étape, et ce, à n'importe quel moment au cours d'une séance. La démarche d'aide se compare ainsi à un hologramme – l'image tridimensionnelle réalisée au laser et qui semble flotter dans l'espace. Dans un hologramme, le tout se retrouve dans chacune des parties. Dans sa conception, le modèle d'aide ressemble davantage à un hologramme qu'à une boîte à outils. Il fonctionne efficacement lorsque le tout se retrouve dans chacune des parties. L'hologramme se retrouve au centre de la thérapie de courte durée.

## 2.11 GESTION DE PROBLÈMES ET CULTURE : À LA RECHERCHE DE L'UNIVERSALITÉ

En raison même de la diversité des clients, les modalités d'aide visent l'épanouissement personnel plutôt que la domination culturelle (le chapitre 3 traite de cette diversité). L'intérêt du modèle centré sur la gestion des problèmes et le développement des perspectives d'avenir se fonde sur sa diffusion internationale. La résolution des problèmes est considérée par McCrae et Costa (1997) comme une attitude universelle. Il y a déjà longtemps, avant de présenter une version antérieure de la démarche d'aide décrite dans ce livre à 300 étudiants du niveau collégial et universitaire en Tanzanie, j'ai précisé : « Tout ce que je peux faire, c'est de vous présenter le modèle que j'enseigne et que j'utilise. C'est à vous de décider s'il s'adapte à votre culture. » À la fin de la présentation, les assistants ont formulé deux commentaires : tout d'abord, il faudrait modifier légèrement les habiletés de communication du modèle pour l'adapter à leur culture. Deuxièmement, la démarche d'aide proprement dite, basée sur la gestion des problèmes, est tout à fait applicable.

Depuis lors, la même scène s'est répétée – lors de conférences et d'ateliers de formation donnés par d'autres ou par moi-même – sur tous les continents. Le modèle présenté ici énonce de façon souple et progressive la façon dont les individus conçoivent le changement constructif. Ce concept transculturel s'enchâsse dans la conscience humaine. Les gens n'ont pas véritablement besoin d'apprendre la structuration du modèle, parce qu'ils la connaissent déjà instinctivement. Pour reprendre l'expression d'Orlinsky et d'Howard (1987), il s'agit d'un modèle d'aide générique. Bien évidemment, la démarche présentée dans ces pages et les modalités et techniques qui permettent de la mettre en œuvre doivent être adaptées selon les cultures et les individus, et cela exige une sensibilité culturelle de la part des aidants.

## 2.12 LE MODÈLE D'AIDE EN TANT QUE NAVIGATEUR : RECHERCHE DE LA MEILLEURE PRATIQUE

Le présent ouvrage affirme que l'approche centrée sur la gestion des problèmes et le développement des perspectives constitue l'une des démarches essentielles – et peut-être « la » démarche essentielle – soutenant l'efficacité de la psychothérapie et du counseling. La multitude de modèles et de méthodes offerts déconcerte les novices dans le domaine. Même s'il n'existe qu'une douzaine de « grandes écoles » de psychothérapie (voir Capauzzi et Gross, 1999 ; Corey, 1996 ; Gilliand et James, 1997 ; Prochaska et Norcross, 1998 ; Sharf, 1999 ; Wachtel et Messer, 1997), il leur faut faire un choix.

**Éclectisme.** Bien des aidants chevronnés, et même ceux qui se réclament d'une école ou d'une approche particulière, empruntent fréquemment les méthodes et les techniques des autres. Certains aidants, sans prêter allégeance à une école particulière, se taillent une approche sur mesure. Ce type d'emprunt ou d'assemblage se nomme éclectisme (Jensen, Bergin et Greaves, 1990 ; Lazarus, Beutler et Norcross, 1992 ; Prochaska et Norcross, 1998). Lors d'une enquête, 40 % des aidants ont déclaré qu'ils adoptaient une approche éclectique (Milan, Montgomery et Rogers, 1994). L'éclectisme efficace devrait dépasser l'emprunt d'idées et de techniques par-ci, par-là pour les intégrer dans une structure qui assure une cohérence à l'ensemble de la démarche. Dans un souci d'efficacité, l'éclectisme devrait être systématique.

**Gestion de problèmes en tant que démarche sous-jacente.** La popularité des doctrines, des modèles ou de l'approche éclectique résulte des résultats concrets obtenus par les clients qui 1) reconnaissent et analysent les situations problématiques ainsi que les ressources et les potentiels inutilisés, 2) décident de leurs besoins, 3) trouvent les moyens d'obtenir ce qu'ils veulent et 4) transposent leurs apprentissages dans la résolution de leurs difficultés. L'approche centrée sur la gestion de problèmes et le développement de nouvelles perspectives ici décrite sous-tend toutes les démarches d'aide, car ces dernières reposent sur un changement constructif du client. Par conséquent, le modèle d'aide présenté ici, ainsi que ses méthodes et ses techniques d'application, constitue un excellent point de départ pour les novices, quels que soient leur école de pensée, leur approche ou le système éclectique qu'ils privilégient.

**L'approche « navigateur ».** Le modèle d'aide présenté ici se conçoit également comme un outil – un « navigateur », pour reprendre un terme emprunté dans Internet – pour fouiller, organiser ou évaluer les concepts et les techniques efficaces pour les clients, quelle qu'en soit la provenance.

✦ **Recherche approfondie.** Tout d'abord, les aidants peuvent se servir du modèle de gestion des problèmes pour extraire tout ce qui leur semble utile des approches ou des écoles de pensée sans adhérer complètement à ce qui leur est proposé. Ils se servent alors des phases et des étapes du modèle pour découvrir les méthodes et les techniques convenant au client.

✦ **Organisation.** Ensuite, comme le modèle se compose de phases et d'étapes, il permet d'organiser les méthodes et les techniques retenues au terme d'une recherche documentaire sur le sujet. Un certain nombre de thérapies actuelles proposent d'excellentes techniques pour inciter le client à prendre conscience de ses blocages et à envisager les problèmes selon une autre optique. Comme nous le verrons plus tard, l'étape I.B permet d'organiser ces techniques et de dépasser ces blocages en ouvrant de nouvelles perspectives.

✦ **Évaluation.** Pragmatique en essence et orienté sur l'obtention de résultats, le modèle de gestion de problèmes permet d'évaluer la myriade de techniques constamment mises au point. Les aidants cernent ainsi la contribution d'une technique ou d'une méthode à l'atteinte du résultat final pour le bien des clients.

Le modèle de gestion des problèmes et de développement de nouvelles perspectives intègre ces fonctions, car il s'agit d'un modèle ouvert et non pas d'une école de pensée. Même s'il prend position sur la manière d'aider les clients, cela n'empêche pas les autres approches, modèles ou doctrines de s'en servir comme d'un complément, de le corroborer, de l'enrichir ou de le remettre en question. Dans la démarche d'aide, les besoins des clients restent la priorité majeure, bien avant la personnalité des théoriciens. Les clients méritent la meilleure pratique possible, quelle qu'en soit la source.

## 2.13 COMPRENDRE ET COMPOSER AVEC LES DIFFICULTÉS INHÉRENTES AUX MODÈLES D'AIDE

Au-delà des difficultés mentionnées dans le chapitre 1, il en existe d'autres, reliées à l'utilisation du modèle d'aide.

**Absence de modèles.** Pour faire un suivi des progrès du client, certains aidants se contentent d'y aller au petit bonheur, sans aucun modèle cohérent. Les programmes de formation mettent souvent à leur disposition une gamme d'approches issues des grandes écoles de pensée du moment. Les futurs aidants sortant de ces programmes sont bien informés de toutes ces approches, mais ils n'ont pas développé une approche intégrée qui leur soit propre. Ils devraient se hâter d'en adopter une.

**Pratiques en vogue.** La profession d'aidant n'y échappe nullement. Une pratique en vogue est une technique ou une modalité thérapeutique qui serait intéressante si elle s'insérait dans un modèle ou un système d'intervention plus vaste. Au lieu de cela, on la présente comme la panacée, pour ne pas dire la seule forme d'intervention valide. Une pratique en vogue n'est pas forcément une nouveauté ; il s'agit parfois de la redécouverte d'un concept ou d'une technique n'ayant jamais été intégré dans une démarche d'aide. L'effet de mode dure un moment, jusqu'à ce que la profession s'en lasse. Il y a toujours quelque chose de nouveau dans l'air. Prenez-en bonne note pour l'intégrer à votre approche globale. Nombre de ces concepts sont notoirement surfaits. Vous ne devez pas les rejeter pour autant, mais ne les prenez pas pour argent comptant et testez leur validité.

**Application rigide des modèles d'aide.** Certains aidants commencent par élaborer un modèle dès le début, sans le remettre en question par la suite ou le modifier. Ils cessent tout simplement d'apprendre. La « pureté » du modèle leur importe plus que les besoins des clients. D'autres aidants, souvent inexpérimentés, appliquent le modèle de manière trop rigide. Ils imposent une progression linéaire aux clients contre leur gré. Tout cela découle d'un besoin excessif de contrôle. En se servant adéquatement d'un modèle efficace, on libère le client plutôt que de le dominer.

**Virtuosité.** La virtuosité se définit ici comme une surspécialisation, une utilisation abusive d'une ou de plusieurs techniques, une adhésion stricte à certains éléments d'un modèle d'aide. Il s'agit là d'un autre type de piège dans lequel les aidants risquent de tomber, alors qu'ils maîtrisent bien les techniques et les méthodes spécifiques – retour sur le passé, évaluation, formulation d'objectifs, questions exploratoires, remise en cause, etc. En se spécialisant, les aidants courent non seulement le risque d'ignorer les besoins du client, mais également celui de réduire leur efficacité, y compris dans leurs domaines de spécialisation. À titre d'exemple, un conseiller qui a l'habitude de remettre en question les clients est bien souvent inefficace, et ce, pour une raison évidente : la remise en cause repose sur la compréhension, elle ne constitue qu'un élément, qu'une partie de l'hologramme. L'antidote à ces pratiques contestables est simple :

**SE CONCENTRER** totalement sur le client.

Une telle approche consiste à faire de ce dernier le point de départ et le collaborateur de la démarche d'aide, en reléguant au second plan les modèles et les méthodes de l'aidant.

**LA SOUPLESSE** est par conséquent essentielle. La relation d'aide est axée sur les solutions, les résultats et les retombées plutôt que sur le processus.

Le chapitre 3 aborde les valeurs qui sous-tendent cette relation d'aide centrée sur le client.

# CHAPITRE 3

## VALEURS FONDAMENTALES DE LA RELATION D'AIDE

**3.1 RELATION D'AIDE**
- Relation en tant que fin
- Relation en tant que moyen
- Relation et résultats

**3.2 RELATION D'AIDE COMME MODE DE COLLABORATION**
- Relation d'aide en tant que collaboration
- Relation d'aide en tant que mode de réapprentissage
- Souplesse de la relation d'aide

**3.3 VALEURS EN PRATIQUE**
Situer les valeurs dans le contexte de la culture personnelle
Aspect pragmatique des valeurs

**3.4 RESPECT EN TANT QUE VALEUR FONDAMENTALE**
- Protéger avant tout
- Être compétent et déterminé
- S'intéresser au client
- Se fier à la bonne volonté du client
- Ne pas se hâter de juger
- Se concentrer sur les attentes du client

**3.5 EMPATHIE COMME VALEUR PRIORITAIRE**
Nature de l'empathie
- Un terme signifiant
- Valeur essentielle de la relation d'aide

L'empathie – compréhension des clients dans leur réalité : diversité et multiculturalisme
- Accepter la diversité
- Se confronter à ses blocages
- Adapter son intervention à la diversité de la clientèle
- Œuvrer avec des individus

Principes pour considérer la diversité et le multiculturalisme dans le counseling

## 3.6 AUTHENTICITÉ EN TANT QUE VALEUR PROFESSIONNELLE

- ◆ Ne pas se réfugier dans son rôle professionnel
- ◆ Être spontané
- ◆ Éviter d'être sur la défensive
- ◆ Adopter une attitude ouverte

## 3.7 RENFORCEMENT DE L'AUTONOMIE DU CLIENT EN TANT QUE RÉSULTAT FONDAMENTAL

La relation d'aide en tant que processus d'influence sociale

Normes pour le renforcement de l'autonomie et de la responsabilité

- ◆ Partir du principe que les clients peuvent changer s'ils le veulent
- ◆ Ne pas prendre les clients pour des victimes
- ◆ Faire participer les clients
- ◆ Aider les clients à considérer les séances de counseling comme un travail
- ◆ Devenir le consultant des clients
- ◆ Accepter la relation d'aide comme un processus naturel interactif
- ◆ Se centrer sur l'apprentissage plutôt que sur l'aide
- ◆ Ne pas exagérer la fragilité des clients

## 3.8 PLAN DE TRAVAIL : ENTENTE ENTRE LE CLIENT ET L'AIDANT

## 3.9 DIFFICULTÉS INHÉRENTES À LA RELATION D'AIDE

- ◆ Questions de déontologie
- ◆ Nature humaine des aidants et des clients
- ◆ Problèmes relationnels
- ◆ Valeurs incertaines et transgressions
- ◆ Difficultés à échanger sur la démarche d'aide
- ◆ Ententes mal formulées
- ◆ Conflits professionnels

Bien que les théoriciens, les chercheurs et les praticiens – sans oublier les clients – s'accordent tous sur l'importance de la relation entre le client et l'aidant, il existe des différences significatives dans la manière dont cette relation se définit et se déroule au cours de la démarche d'aide (Gaston et autres, 1995 ; Hill, 1994 ; Sexton et Whiston, 1994 ; Weinberger, 1995). Certains insistent sur la *relation* elle-même (voir Bailey, Wood et Nava, 1992 ; Kahn, 1990 ; Kelly, 1994, 1997 ; Patterson, 1985) ; d'autres mettent l'accent sur le *travail* réalisé dans le cadre de cette relation (voir Reandeau et Wampold, 1991) ; d'autres encore se centrent sur les *résultats* atteints au cours du processus (voir Horvath et Symonds, 1991).

**Relation en tant que fin.** Patterson (1985) situe la relation en elle-même au centre de toute la démarche. Il affirme que le counseling ou la psychothérapie ne *reposent* pas seulement sur une relation interpersonnelle, mais qu'ils *s'y incarnent*. Kelly (1994, 1997), dans son modèle humaniste, fait remarquer que le counseling consiste avant tout en une relation fondamentalement humaine. Certaines écoles de psychothérapie plus traditionnelles insistent sur l'aspect primordial de la relation d'aide. À titre d'exemple, dans les approches psychanalytiques ou psychodynamiques, le transfert – la dynamique interpersonnelle complexe, bien souvent inconsciente entre l'aidant et le client, qui découle du passé du client et même de celui de l'aidant – apparaît cruciale (Gelso, Hill, Mohr, Rochlen et Zack, 1999 ; Gelso, Kivlighan, Wise, Jones et Friedman, 1997 ; Hill et Williams, 2000). On considère que la réussite de la démarche thérapeutique repose sur la résolution de ces rapports changeants et parfois troubles. Schneider (1999), dans son analyse des manuels de traitement mentionnés au chapitre 1, fait remarquer que les clients méritent de vivre avec leur aidant un type de relation qui leur permet d'explorer la signification, les buts et les valeurs humaines.

Dans un registre différent, Carl Rogers (1951, 1957), l'un des pionniers dans le domaine de la psychothérapie et du counseling, insiste sur la qualité de cette relation en présentant son approche humaniste-expérientielle (voir Kelly, 1994, 1997). Rogers déclare que le regard positif inconditionnel, l'empathie bien dirigée et l'authenticité de l'aidant, tels que perçus par le client, sont à la fois nécessaires et bien souvent suffisants pour que l'on note un progrès. Par le biais de cette relation profondément empathique, les aidants permettent aux clients de se comprendre eux-mêmes, de puiser à même leurs ressources et de mieux diriger leur vie. Les travaux de Rogers (1965) ont déclenché un vaste débat sur cette approche centrée sur le client (Rogers, 1965). Cependant, à la différence des approches psychodynamiques, l'empathie est considérée comme une condition essentielle plutôt que comme un « problème » à analyser et à résoudre.

**Relation en tant que moyen.** D'autres considèrent que la relation est certes très importante mais en tant que moyen et non en tant que fin. Selon cette conception, une bonne relation permet au client et à l'aidant de progresser dans la relation d'aide quelles qu'en soient les modalités. Cette relation contribue à l'atteinte des objectifs fixés dans la démarche. Les praticiens qui suivent l'approche cognitive et comportementale, tout en tenant compte des aspects de la relation (Arnkoff, 1995), ont tendance à la considérer simplement comme un moyen. En donnant trop d'importance à cette relation, on commet une erreur parce que l'on perd alors de vue l'objectif fondamental : permettre au client de résoudre une difficulté spécifique. Il ne pourra y parvenir si la relation est mauvaise, mais, en insistant trop sur la relation elle-même, le client et l'aidant risquent de perdre de vue le véritable objectif.

**Relation et résultats.** D'autres enfin insistent sur les résultats beaucoup plus que sur les modalités ou la relation. Les partisans de l'approche centrée sur les solutions (voir de Shazer, 1985, 1994 ; Manthei, 1998 ; O'Hanlon et Weiner-Davis, 1989 ; Rowan, O'Hanlon et O'Hanlon, 1999) ont tendance à reléguer au second plan la relation en tant que fin ou moyen – même lorsqu'ils sont poussés dans leurs retranchements, ils la définissent comme un moyen – pour se concentrer sur les interventions du client afin que ce dernier arrive à surmonter sa situation problématique. D'après eux, en raison de la durée limitée de la relation d'aide, il est inutile de consacrer beaucoup de temps à la définition et aux origines du problème. Par conséquent, leur approche pragmatique consiste à « s'attaquer au problème sur-le-champ ».

## 3.2 RELATION D'AIDE COMME MODE DE COLLABORATION

Le terme *collaboration active,* pour reprendre l'expression de Greenson (1967) maintenant utilisée par différentes écoles de pensée, permet de synthétiser les concepts de relation en tant que fin ou moyen et de relation centrée sur les résultats. Bordin (1979) définit cette collaboration active comme l'adhésion du client et de l'aidant aux objectifs définis dans l'entente et la démarche de counseling. En dépit des divergences prévisibles dans le milieu des praticiens sur la dimension critique de la collaboration active, sa mise en œuvre et ses résultats (voir Hill et Williams, 2000 ; Horvath, 2000 ; Weineberg, 1995), il est relativement facile d'en donner une définition dans le contexte de l'approche de gestion des problèmes et de développement de nouvelles perspectives. Notons auparavant que l'expression « alliance thérapeutique » est souvent utilisée pour désigner cette collaboration active.

**Relation d'aide en tant que collaboration.** Cette approche implique une collaboration des aidants et des clients. Les aidants ne se contentent pas d'intervenir auprès du client ; les deux parties travaillent plutôt de concert. L'aidant ne « guérit » pas son patient, mais il participe, tout comme celui-ci, aux différentes étapes et aux différentes phases de l'approche de gestion des problèmes, de développement de nouvelles perspectives et de possibilités. L'aidant et le client portent conjointement la responsabilité des résultats, qui dépendent de la motivation et de la compétence des deux parties, et de la qualité de leurs interactions. La relation d'aide est un travail d'équipe auquel chacun contribue, client ou aidant. Si l'un des partenaires refuse de jouer ou joue mal, l'entreprise risque de tourner court.

**Relation d'aide en tant que mode de réapprentissage.** Même si les aidants n'arrivent pas à guérir leurs clients, la relation en elle-même possède une valeur thérapeutique. Cette collaboration active sert souvent de véhicule à un réapprentissage socio-émotionnel (Mallinckrodt, 1996). Les aidants adoptent des attitudes et des comportements que les clients reproduisent également. C'est un peu comme si le client se disait à lui-même (sans le formuler ainsi) : « De toute évidence, elle (l'aidante) se préoccupe de moi et me fait confiance. Il est donc normal que je me prenne en charge et que je développe ma confiance en moi. » ou bien « Il n'hésite pas à me remettre en question, ce n'est donc pas si risqué si c'est fait correctement. » ou encore « Lorsque j'ai commencé, les interactions me troublaient complètement et maintenant je me sens bien dans ce type de relation sans exploitation. » Au cours des séances, le client peut expérimenter lui-même un changement de comportement, parce qu'il se sent protégé par la relation d'aide. Le timide ne craint pas de s'exprimer, le solitaire n'a pas peur de s'ouvrir aux autres, l'agressif se montre plus coopératif, l'hypersensible se hasarde à être contesté, et ainsi de suite.

Ces apprentissages peuvent se transposer dans d'autres contextes. C'est un peu comme si le client se disait en son for intérieur : « Il (l'aidant) m'écoute attentivement et cherche à comprendre mon point de vue, même s'il croit que je devrais revoir mes positions. Si je pouvais faire la même chose avec les gens que je connais, les choses seraient bien différentes. » ou bien « Au cours des séances, je dis une foule de choses qui mettraient en colère bien des gens, mais il ne se laisse pas piéger par les émotions, les siennes ou les miennes. Pourtant, même s'il se maîtrise, il n'en reste pas moins très humain. Si j'adoptais une telle attitude, je changerais bien des choses dans ma vie. » Un tel réapprentissage dynamique, bien que subtil ou discret, s'avère souvent très efficace. En résumé, les changements nécessaires, tant sur le plan des attitudes que sur celui des comportements, se produisent souvent durant les séances elles-mêmes et dans le cadre de la relation d'aide.

**Souplesse de la relation d'aide.** L'idée selon laquelle un seul type de relation parfaite convient pour tous les clients relève du mythe. Chaque client a des besoins différents qui peuvent être comblés grâce à différents types de relations et différentes modulations dans le cadre d'une même relation. Une personne progressera beaucoup avec un aidant très chaleureux, alors qu'une autre se sentira mieux avec quelqu'un de beaucoup plus objectif et méthodique. Certains clients ont recours au counseling par peur de l'intimité et risquent de se sentir rebutés par un aidant qui, dès le début, se montre extrêmement chaleureux et empathique. Une fois que ces clients font confiance à l'aidant, il est possible à ce dernier de varier ses interventions. Les aidants compétents adaptent la relation à chaque client, grâce à diverses habiletés et techniques (Lazarus, 1993 ; Mahrer, 1993), tout en restant eux-mêmes.

Il ne faut donc pas surestimer ni sous-estimer l'importance de la relation d'aide. Les aidants gagneraient à se concentrer sur la signification de cette relation pour chaque client, en dépit de ce que disent les ouvrages scientifiques. Cette relation contribue certainement à l'atteinte du résultat, mais elle n'en constitue qu'une des variables clés (Albano, 2000).


## 3.3 VALEURS EN PRATIQUE

Une des meilleures façons de définir une relation d'aide consiste à examiner les valeurs qui l'imprègnent et l'orientent. Ces valeurs s'expriment concrètement dans la collaboration active, et leur rôle s'avère essentiel dans la démarche thérapeutique (Bergin, 1991 ; Beutler et Bergan, 1991 ; Kerr et Erb, 1991 ; Norcross et Wogan, 1987 ; Vachon et Agresti, 1992). Comme les valeurs des aidants influencent celles des clients au cours de cette démarche, il est essentiel de les préciser.

## SITUER LES VALEURS DANS LE CONTEXTE DE LA CULTURE PERSONNELLE

Une culture se définit, certes, selon ses valeurs, mais elle englobe une réalité plus vaste. Cette réalité – celle qui concerne les sociétés et les différents sous-groupes tels que les associations et les organisations – se compose globalement des idées et des convictions communes qui, associées aux valeurs, régissent les normes générales de comportement. Le rôle des aidants n'étant pas de traiter une société mais plutôt des individus, on appliquera cette « démarche culturelle » à ceux-ci en procédant comme suit :

✦ Tout au long de leur existence, les individus adoptent des idées et des convictions sur eux-mêmes, les autres et le monde environnant. À titre d'exemple, Marc, un client souffrant du syndrome de stress post-traumatique, est convaincu que le monde est sans pitié après avoir été attaqué brutalement et avoir été témoin des activités d'une bande dans son quartier.

✦ Les valeurs, servant de référence aux gens, sont adoptées ou inculquées tout au long de l'existence. Marc, qui a connu des hauts et des bas au cours de sa vie, en est venu à valoriser la sécurité personnelle.

✦ Les idées et les convictions, combinées aux valeurs, en viennent à constituer des normes – ce que nous pensons qu'il faut faire ou ne pas faire. Dans le cas de Marc, cela le conduit à penser : « Ne fais confiance à personne, cela te jouera des tours. »

✦ Ces normes conditionnent les modes (*patterns*) de comportement, qui à leur tour constituent la base de la culture personnelle – la façon dont nous entendons vivre notre vie. Dans le cas de Marc, cela revient à dire : « Ne te fie à personne. » Il demeure donc solitaire.

Les aidants efficaces finissent par comprendre la culture personnelle de leurs clients et ses conséquences dans leur quotidien et au cours des séances. Bien évidemment, comme personne ne vit isolément, une culture personnelle ne se construit pas en vase clos. Les convictions, les valeurs et les normes des gens dépendent grandement de leur milieu.

Lorsqu'on parle de culture, on pense beaucoup plus aux sociétés, aux institutions, aux compagnies, aux professions, aux groupes et aux familles qu'aux individus. Les idées et les croyances communes, associées aux valeurs, finissent par constituer des normes qui dictent les modes de comportement. Toutefois, cela étant admis, les individus dans une culture donnée auront bien des chances de développer une culture personnelle bien différente. Même si ces individus se trouvent grandement influencés à la fois par le patrimoine génétique et leur héritage culturel, au cours de leur existence, leur milieu et leur psyché les conduisent à sélectionner des intérêts, des valeurs et des activités pour créer leur propre culture (Massimini et Delle Fave, 2000). C'est par exemple le cas de Mélanie, qui présente les caractéristiques culturelles de la famille Tremblay mais s'avère bien différente de ses parents, de ses frères et sœurs et des autres membres de la sous-culture à laquelle elle appartient.

Comme les modes de comportement constituent l'aspect essentiel d'une culture, « la façon dont on fait les choses ici » est une façon simple de définir les critères sociaux et institutionnels. Cette définition s'applique également à l'aidant et à sa pratique professionnelle. La culture de l'aidant interagit inévitablement avec celle du client, pour le meilleur et pour le pire. La façon dont l'aidant intervient auprès du client traduit sa propre culture « dans la relation d'aide ». Le présent chapitre concerne directement les valeurs véhiculées dans le contexte de la relation d'aide et les normes qui en découlent. De manière indirecte, l'ensemble de cet ouvrage concerne la culture dans la relation d'aide – c'est-à-dire les croyances, les valeurs et les normes qui sous-tendent la démarche thérapeutique.

## ASPECT PRAGMATIQUE DES VALEURS

Les valeurs ne constituent pas uniquement des idéaux. Elles représentent également une série de critères guidant la prise de décision et orientant ainsi les comportements. À titre d'exemple, durant une séance avec un client difficile, l'aidant pourra penser en son for intérieur :

> Quel arrogant ! Il me faut remettre en cause son attitude suffisante. Mais je dois le faire adroitement si je ne veux éviter de le froisser. L'authenticité et la franchise me semblent essentielles. Par conséquent, de façon délicate et sans me montrer désobligeant, je dois lui décrire son comportement et ce qui peut en résulter sur les autres et sur moi-même.

En clarifiant ses valeurs, l'aidant parvient à déterminer sa façon d'agir. S'il omet de le faire, il risque d'aller à la dérive. Les aidants qui n'ont pas analysé leur propre système de valeurs se basent sur des valeurs implicites, « par défaut », qui ne conviennent pas toujours à la démarche thérapeutique.

Les valeurs qui s'appliquent à la relation d'aide, comme toutes les autres, ne vous sont pas servies sur un plateau, pas plus qu'elles ne surgissent spontanément dans votre esprit. L'objectif de ce chapitre est donc de vous permettre d'étudier les valeurs qui doivent orienter la relation d'aide. Finalement, lorsque vous serez assis en face de vos clients, ce sont ces convictions, ces valeurs et ces normes qui vous permettront de les aider efficacement. Par conséquent, vous devez les examiner en profondeur, car elles guident vos interactions avec les clients.

Cela ne signifie pas pour autant que vous devez inventer un autre système de valeurs différent de celui des autres. La tradition joue un rôle important dans la formation des valeurs et les professionnels de l'aide puisent tous dans la riche tradition de la profession. Dans ce chapitre, les quatre valeurs essentielles de cette tradition – respect, empathie, authenticité et renforcement de l'autonomie du client – constituent les normes fondamentales de la relation d'aide. Le respect est une valeur fondamentale ; l'empathie permet à l'aidant de se mettre à l'écoute du client ; l'authenticité se réfère à une attitude franche et professionnelle ; enfin, le renforcement de l'autonomie du client concerne les résultats. Ces valeurs constituent le point de départ du processus d'aide. Ne les tenez pas pour acquises. Analysez-les, réfléchissez-y et discutez-en.

## 3.4 RESPECT EN TANT QUE VALEUR FONDAMENTALE

Toute relation d'aide repose sur le respect du client. Il s'agit d'un concept si fondamental que, comme bien d'autres de sa catégorie, il échappe à une définition précise. Ce mot, d'origine latine, inclut l'idée de regard. En effet, le respect est une façon particulière de se regarder et de regarder les autres. Le respect, pour aller plus loin, ne doit pas se borner à une attitude ou à une façon de considérer les autres. Les normes suivantes découlent de l'interaction entre la conviction de la dignité des personnes et le respect en tant que valeur.

**Protéger avant tout.** C'est la première règle du code de déontologie des médecins et également celle des aidants. Cependant, il arrive que certains aidants ne s'y conforment pas, par manque de principes ou à cause de leur incompétence. La relation d'aide n'est pas une démarche neutre – elle débouche sur le meilleur ou sur le pire. Dans un monde dans lequel la maltraitance, la violence sexiste et l'exploitation des travailleurs sont beaucoup plus répandues qu'on ne le croit, il faut insister sur une approche exempte de toute manipulation ou de toute exploitation du client. Les études démontrent que certains formateurs profitent des stagiaires non seulement sexuellement mais de plusieurs manières et que les aidants agissent de même avec leurs clients. De tels comportements enfreignent le code de déontologie de toutes les professions thérapeutiques.

**Être compétent et déterminé.** Quel que soit le modèle de relation d'aide employé, il est fort souhaitable de l'avoir intégré. Apprenez l'approche centrée sur la gestion des problèmes et le développement de nouvelles perspectives présentées dans cet ouvrage, et développez les habiletés qui permettront de les mettre en pratique. La profession d'aide n'a, en aucun cas, besoin de « soignants incompétents ». Il serait réconfortant de penser que tous ceux qui obtiennent leur diplôme à la fin de leurs études sont non seulement compétents mais continuent de progresser au cours de leur carrière. Ce n'est malheureusement pas le cas.

**S'intéresser au client.** Votre comportement révèle grandement votre attitude envers le client. Vous devez manifester que vous êtes au service de chacun de vos clients et que vous vous en occupez d'une manière pragmatique, dénuée de sensiblerie. Votre attitude et votre comportement doivent révéler que vous leur consacrerez le temps et l'énergie nécessaires. Le respect est à la fois affable et résolu. Se mettre au service du client ne signifie pas pour autant soutenir son point de vue ou lui servir de défenseur. Cela consiste à accepter son point de vue sérieusement, même si l'on doit le remettre en question par la suite. Respecter le client, c'est également l'aider à formuler des attentes réalistes. Cette ligne dure n'implique nullement un manque de chaleur humaine.

**Se fier à la bonne volonté du client.** Jusqu'à preuve du contraire, l'aidant partira de l'hypothèse que les clients veulent améliorer leur existence. Leurs hésitations et leur résistance, particulièrement dans le cas des clients qui n'ont pas choisi la consultation, ne prouvent pas leur mauvaise foi. Si vous respectez vos clients, vous voudrez pénétrer dans leur univers pour comprendre leur résistance et leur donner un coup de main pour la surmonter. Il va de soi que cela se traduit à la base par l'instauration d'un climat de confiance.

**Ne pas se hâter de juger.** Vous n'avez pas à juger les clients ni à leur imposer vos propres valeurs. Votre rôle consiste à les aider à reconnaître, à analyser, à revoir et à remettre en question les conséquences des valeurs qu'ils ont adoptées. Imaginez qu'un client, au cours de la première séance, déclare de manière un tantinet arrogante : « Dans mes relations avec les autres, je dis tout ce qui me passe par la tête, sur-le-champ. Si cela ne leur plaît pas, tant pis pour eux. Je dois avant tout être moi-même. » Un aidant, agacé par une telle attitude, risque de lui répondre catégoriquement : « Vous venez juste de mettre le doigt sur le problème ! Comment pouvez-vous vous entendre avec les autres si vous êtes aussi égocentrique ? » Un autre aidant, adoptant une approche radicalement différente, lui répondra : « Une de vos priorités semble être de vous montrer tel que vous êtes et le franc-parler en fait partie. » Le premier aidant juge trop rapidement. Le second s'abstient de juger ou de condamner ; il essaie de comprendre le point de vue du client et de démontrer qu'il le comprend – tout en réalisant que ce point de vue devra être réexaminé puis remis en question plus tard.

**Se concentrer sur les attentes du client.** Les aidants doivent se concentrer sur les attentes du client et oublier les leurs. Voici trois exemples d'aidants ayant perdu leurs clients pour avoir négligé leurs préoccupations. Parce qu'il était plus centré sur ses propres théories concernant la dépression que sur les épisodes dépressifs de son client, l'un d'eux a perdu un client. Un autre aidant, faisant fi du chagrin d'une cliente à la suite de la mort d'un animal domestique, a été abasourdi et profondément peiné d'apprendre que celle-ci avait attenté à ses jours. Plus tard, la cliente a établi un lien entre son geste désespéré et la perte de son animal. Le troisième, un homme de race blanche, qui se targuait de sa grande ouverture d'esprit dans sa pratique vis-à-vis des communautés ethniques, a dû recourir à son tour au counseling, quand l'un de ses clients italiens lui a déclaré au moment de cesser la thérapie : « Vous ne faites pas attention à ce que je dis. Vous êtes plus intéressé par les considérations sociales des Italiens qui vivent au Québec que par ma situation personnelle. »

## 3.5 EMPATHIE COMME VALEUR PRIORITAIRE

L'empathie, dans le domaine de la thérapie professionnelle, est un concept à la fois riche et varié mais déroutant (pour en avoir un aperçu, consultez Bohart et Greenberg, 1997, Duan et Hill, 1996). Théoriciens et chercheurs lui donnent une multiplicité de définitions. Certains considèrent qu'il s'agit d'un trait de caractère, prédisposant à sentir ce que les autres ressentent, ou d'une facilité à comprendre « de l'intérieur » les sentiments d'autrui. Selon cette approche, certaines personnes sont, par nature, plus empathiques que d'autres. D'autres théoriciens considèrent que l'empathie n'est pas un trait de caractère mais plutôt un état particulier qui permet de ressentir et de comprendre l'expérience d'autrui. Cela implique donc que les aidants sont en mesure d'apprendre à se placer dans cet état, en raison de son utilité dans la démarche de counseling. D'autres chercheurs, partant de cette approche, considèrent que l'empathie est un processus qui se construit en plusieurs étapes. À titre d'exemple, Barrett-Lennard (1981) indique trois phases : la résonance empathique, l'expression de l'empathie et la réception de l'empathie ; de son côté, Carl Rogers (1975) parle de la manière de ressentir le monde intérieur du client et de lui communiquer cette sensation. Enfin, Egan (1998) insiste sur l'empathie comme mode de communication interpersonnelle. Les aidants compétents s'efforcent de comprendre leurs clients et de leur exprimer cette compréhension pour leur permettre de mieux se percevoir et de prendre conscience de leur situation problématique, de leurs ressources inutilisées et de leurs sentiments, dans le but de les aider à mieux gérer leur vécu.

## NATURE DE L'EMPATHIE

La présente édition de cet ouvrage simplifie et clarifie la notion d'empathie. Dans ce chapitre, nous considérons que l'empathie constitue une valeur fondamentale qui explique et oriente *tout* le comportement dans la relation d'aide. En tant qu'habileté à communiquer, l'empathie sera redéfinie, analysée et illustrée au chapitre 6.

**Un terme signifiant.** Un certain nombre d'auteurs considèrent l'empathie comme une valeur et s'intéressent aux comportements qui en découlent. Ils font même preuve d'un certain lyrisme. Kohut (1978) déclare que «L'empathie se fait l'écho de l'acceptation, de la confirmation et de la compréhension de notre propre humanité. C'est une richesse sans laquelle l'existence humaine telle que nous la connaissons et l'apprécions ne pourrait pas se manifester» (p. 705). L'empathie, pour Kohut, se définit à la fois comme une valeur, un principe philosophique et un thème aux connotations pratiquement mystiques. Comme l'empathie ne court pas les rues, il paraît plus prudent de penser que l'empathie mutuelle enrichit l'existence. Covey (1989) considère que la communication empathique figure parmi l'une des «sept habitudes des gens efficaces» et qu'elle leur octroie un certain espace de liberté dans leurs relations avec les autres. Goleman (1995, 1998) fait de l'empathie l'une des composantes de l'intelligence émotionnelle, une sorte de «radar social» qui permet de ressentir les sentiments et le point de vue des autres, et de s'intéresser véritablement à leurs préoccupations.

Rogers (1980) ne tarit pas d'éloges sur l'écoute empathique, qu'il définit comme – un accompagnement et une compréhension d'autrui – «une façon d'être bien souvent sous-estimé» (p. 137). Il emploie ce qualificatif parce que, d'après lui, bien peu de gens disposent de cette aptitude à écouter réellement les autres et que même les prétendus aidants professionnels ne lui accordent pas l'attention qu'elle mérite. Voici la description qu'il fait de l'écoute empathique :

> *Cela consiste à entrer dans la perception même d'autrui et à s'y sentir à l'aise. Il faut pour cela une sensibilité immédiate aux fluctuations émotives de l'autre, allant de la peur à la rage en passant par la tendresse ou la confusion, quelle que soit l'émotion du moment. Cela revient à expérimenter temporairement l'existence de l'autre en la ressentant avec délicatesse sans poser de jugement.* (p. 142)

Une telle écoute empathique est dénuée de tout égoïsme, parce que les aidants doivent reléguer leurs propres préoccupations pour se consacrer totalement à leurs clients.

**Valeur essentielle de la relation d'aide.** En tant que valeur, l'empathie implique un engagement total de la part de l'aidant pour comprendre le client autant que possible, et ce, selon trois modes. Tout d'abord, il s'agit de s'efforcer de comprendre le point de vue de chaque client, ainsi que les émotions qui y sont reliées, et de lui communiquer cette compréhension au moment opportun. Ensuite, il faut comprendre les individus en les replaçant dans leur contexte social. Cet environnement, global ou spécifique, dans lequel ils ont grandi et où ils continuent «à vivre et à évoluer» permet de mieux les saisir. Enfin, on doit arriver à comprendre la dissonance entre le point de vue du client et la réalité. Toutefois, comme Goleman (1995, 1998) le fait remarquer, l'empathie n'a rien de passif. Les aidants empathiques exposent ces trois modes de compréhension à leurs clients, en adoptant généralement un intérêt marqué pour leurs préoccupations.

### L'EMPATHIE – COMPRÉHENSION DES CLIENTS DANS LEUR RÉALITÉ : DIVERSITÉ ET MULTICULTURALISME

Même si le respect et l'empathie impliquent un grand intérêt et une sensibilité particulière à la diversité – et à cet aspect particulier que l'on appelle le multiculturalisme –, ce thème fait l'objet d'une attention toute spéciale en raison de son importance dans le milieu de travail et dans la profession d'aidant. Ces dernières années, on a vu se multiplier les publications sur la diversité et le multiculturalisme (voir Axelson, 1999 ; Bernstein, 1994 ; Cuellar et Paniagua, 2000 ; Das, 1995 ; Herman et Kempen, 1998 ; Hogan-Garcia, 1999 ; Ivey et Ivey, 1999 ; Ivey, Ivey et Simek-Morgan, 1997 ; Lee, 1997 ; Okun, Fried et Okun, 1999 ; Patterson, 1996 ; Pedersen, 1994, 1997 ; Ponterotto, Fuertes et Chen, 2000 ; Richards et Bergin, 2000 ; Sue, Carter, Casas et Fouad, 1998 ; Sue, Ivey et Pedersen, 1996 ; Sue et Sue, 1999 ; Weinrach et Thomas, 1996 ; pour n'en citer que quelques-unes). Une telle avalanche est à la fois une bénédiction et un fardeau. Elle a le mérite d'obliger les aidants à reconsidérer leurs éventuels blocages face à ces réalités et à porter un regard différent sur le monde qui les entoure. En même temps, le multiculturalisme est devenu sous plusieurs aspects un engouement, sinon un véritable commerce.

Commençons par un exemple concret. Suzanne, une Québécoise, mariée à Lee, un immigrant originaire de Singapour, vient consulter pour un problème de couple. Nombre de clients s'adressent aux aidants en raison de relations personnelles difficiles ou parce que ces difficultés s'inscrivent dans une problématique plus large. Par conséquent, il importe de bien comprendre les motivations et le contexte culturel des clients afin d'établir et de poursuivre une relation avec eux. Guisinger et Blatt (1994) ont replacé en perspective le rapport l'individuel, le relationnel et le social.

> *La psychologie occidentale accorde traditionnellement plus d'importance à l'épanouissement personnel qu'aux relations interpersonnelles, en mettant l'accent sur le développement de l'autonomie, de l'identité et de l'indépendance en tant que facteurs prépondérants pour la constitution d'une personnalité solide. En revanche, les femmes et de nombreux groupes minoritaires ainsi que toutes les sociétés, à l'exception de la culture occidentale, privilégient les rapports sociaux.* (p. 104)

Poursuivant une brillante carrière, Suzanne accorde énormément d'importance à son autonomie, à son indépendance et à son identité. La petite compagnie de Lee réalise des sites Internet et connaît du succès. Outre les dimensions sociales et culturelles, Guisinger et Blatt font remarquer que les relations interpersonnelles et la quête de soi contribuent également à la maturité. Afin de permettre à Suzanne et à Lee, issus de deux cultures différentes, d'atteindre leur équilibre, il faut comprendre ce que ce «juste équilibre» signifie dans une culture donnée.

Pour en revenir à la discussion sur l'efficacité de la relation d'aide, il importe de clarifier le débat au sujet de la diversité et du multiculturalisme. Certaines publications sur le sujet s'avèrent à la fois enrichissantes et stimulantes, d'autres frôlent le ridicule et provoquent l'exaspération. Nombre de spécialistes ont souligné les différences existantes entre les groupes minoritaires et la diversité de leurs besoins – quelle que soit la caractéristique de ces différences : race, nationalité ou handicap –, et le fait que leur contribution (influences possibles et souhaitables) à la société soit systématiquement ignorée ou incomprise. Il s'agit là d'un problème social important qui a des répercussions sur la profession d'aidant. Néanmoins, le lien entre le counseling et les mouvements sociaux reste à la fois équivoque et difficile.

**Accepter la diversité.** Même si les clients appartiennent tous à la grande famille humaine, ils diffèrent par bien des aspects : l'accent, l'âge, la séduction, la couleur, le stade de développement, les attitudes, le statut économique, l'éducation, l'origine ethnique, la forme physique, le sexe, le groupe culturel, la santé, la nationalité, la profession, la culture, les caractéristiques personnelles, l'appartenance politique, le type de préoccupations, la religion, l'orientation sexuelle, le statut social pour ne citer que les plus importants. Il existe des centaines de façons de se distinguer des autres. Bien malin qui pourrait dire lesquelles comptent le plus ? Cela complique d'autant la tâche des aidants. Avant tout, il est essentiel que ceux-ci comprennent les clients et leur situation en les replaçant dans leur contexte. À titre d'exemple, une maladie mortelle sera probablement perçue différemment à 20 ans et à 80 ans. Nous savons que l'itinérance est un phénomène complexe ; et un sans-abri avec des antécédents de consommation de drogue qui a décroché au niveau de la maîtrise est très différent d'un itinérant qui refuse de manière véhémente d'entrer dans un refuge.

Il est exact que les aidants, au fil des ans, finissent par bien connaître les caractéristiques de la population à laquelle ils ont affaire. Par exemple, ils peuvent et doivent comprendre les différentes tâches développementales et les défis qui se posent au cours de l'existence. En travaillant avec des personnes âgées, ils finissent par comprendre les enjeux, les besoins, les problèmes et les ressources de cette population. Néanmoins, il est impossible de posséder une connaissance approfondie de toutes les clientèles. C'est particulièrement vrai lorsque les combinaisons et les permutations de caractéristiques entrent en jeu. Une jeune psychologue, afro-américaine, épiscopalienne, cultivée, appartenant à la classe moyenne et vivant en milieu urbain peut-elle vraiment comprendre un chômeur sans-abri, d'âge mûr, sans formation, catholique non pratiquant, né de deux travailleurs immigrants, un père mexicain et une mère polonaise ? En effet, comment un individu peut-il vraiment en saisir un autre ? En partant des principes équitables de la diversité et en les poussant à l'extrême, on arrive à la conclusion que personne ne peut vraiment comprendre et aider personne.

**Se confronter à ses blocages.** Les aidants diffèrent très souvent de leurs clients, ce qui les oblige à se remettre en question pour déceler les éventuels blocages culturels susceptibles de les amener à intervenir ou à interagir de façon inadéquate dans la pratique. À titre d'exemple, un aidant séduisant et extraverti risque de manquer de sensibilité face à l'inadaptation sociale et à la faible estime de soi d'un client introverti et doté d'un physique ingrat. L'immense majorité des publications sur la diversité et le multiculturalisme mentionne de tels blocages. Les aidants devraient donc prendre conscience de leurs propres valeurs culturelles et de leurs préjugés, et consacrer tous leurs efforts à comprendre les points de vue de leur clientèle. Des blocages dans ce domaine constituent pour eux un véritable handicap. Il importe qu'ils prennent conscience de ce qui les différencie de leurs clients et s'efforcent de ressentir ces différences.

**Adapter son intervention à la diversité de la clientèle.** Des interventions appropriées doivent reposer sur une bonne connaissance de soi-même et une compréhension pratique de la diversité. Les méthodes qu'un aidant hispanique utilise pour remettre en cause un client hispanique risquent de ne pas convenir à un Anglo-Saxon et réciproquement. La façon dont un jeune aidant explique son expérience à un jeune client ne convient pas forcément à un client d'âge mûr et l'inverse est également vrai. Un client nord-américain ne craindra pas de relater son expérience, même dans les détails les plus intimes, alors qu'un client d'une autre culture éprouvera beaucoup de difficultés à se confier, par exemple un Asiatique ou un Anglais. Ceux-ci auront tendance à juger toute révélation de soi comme inconvenante. Même un client, originaire d'une culture plus habituée aux confidences, risque de se sentir gravement menacé au moment de s'exprimer émotivement. En présence de clients venant de cultures qui ont une perception différente de la révélation de soi, il sera préférable, après avoir abordé la situation problématique de manière générale, de s'intéresser à ce qui semble manquer au client (donc passer à la phase II) plutôt que de l'interroger sur les détails les plus intimes de cette situation. Une fois la relation d'aide consolidée, le client sera plus en mesure de travailler sur les éléments qu'il perçoit comme étant plus confidentiels ou plus difficiles. Même si le modèle de relation d'aide se veut universel, il faut moduler son application à chaque phase ou à chaque étape.

**Œuvrer avec des individus.** Le principe de la diversité est simple : plus les aidants comprennent les caractéristiques, les besoins et les comportements de leurs publics – Québécois d'origine haïtienne, Blancs, diabétiques, personnes âgées, drogués, sans-abri, et ainsi de suite –, plus ils seront en mesure d'adapter les paramètres et la démarche de counseling aux individus avec lesquels ils travaillent. Néanmoins, en se concentrant sur la différence qui existe à l'intérieur des groupes et entre les groupes – cultures et sous-cultures –, l'aidant ne doit pas oublier qu'il traite des individus, et non pas des cultures, des sous-cultures ou des groupes. Il doit se souvenir que les catégories culturelles facilitent certes la compréhension, mais la limitent également. Il a donc fortement avantage à se centrer sur la personne et non sur son problème.

Évidemment, les individus présentent souvent les caractéristiques du groupe auquel ils appartiennent, mais ils en diffèrent également, car il n'existe pas de groupe parfaitement homogène. C'est l'une des principales conclusions à laquelle aboutit la psychologie sociale : les différences sont parfois plus marquées à l'intérieur d'un même groupe qu'entre deux groupes (voir Weinrach et Thomas, 1996, p. 473-474). Cet homme noir de la classe moyenne n'en est pas moins un individu. Cette pauvre femme asiatique demeure avant tout une personne. Dans un autre ordre d'idées, une conversation entre deux jumeaux monozygotes est aussi un échange pluriculturel, puisqu'il s'agit de deux individus distincts avec des acquis, des convictions, des valeurs, des normes et des comportements différents. Les traits communs des individus sont issus de la génétique et d'une culture commune, mais la personnalité et la culture individuelle font de chacun un individu unique. Il peut donc être aussi blessant d'insister sur les différences d'un client que de les ignorer.

Pour conclure, la considération de la diversité ne devrait pas automatiquement conduire à une perception antagoniste et fragmentaire de la société, dans laquelle l'appartenance à un groupe a priorité sur la propre individualité. En outre, cette valorisation de l'individualité ne signifie pas vivre en dehors de la collectivité – l'individualisme forcené représentant la diversité poussée à l'extrême. Dans un tel contexte, le counseling et toute autre forme d'interaction humaine deviennent impossibles. Prenons le cas de Pietro, un client que vous rencontrez pour la deuxième fois. Homosexuel d'origine italienne, il est très intelligent, loquace, beau garçon, indifférent à ses origines catholiques même s'il est pratiquant, sous-employé. À 26 ans, il se sent perdu et, alors que l'avenir devrait lui appartenir, il ne voit aucune issue. Vous pouvez le classifier de bien des manières, mais c'est avec Pietro que vous travaillerez.

## PRINCIPES POUR CONSIDÉRER LA DIVERSITÉ ET LE MULTICULTURALISME DANS LE COUNSELING

Comme il est impossible d'établir des règles applicables à tous les cas, les grands principes de base en termes de diversité servent à guider l'action. Les normes proposées ont une valeur indicative, mais finalement il vous faudra établir vos propres règles et vous adapter à une telle réalité. Les normes suivantes, extraites d'un article de Weinrach et Thomas (1996, p. 475-476) ont été légèrement modifiées et adaptées :

+ Donnez priorité aux besoins du client.
+ Identifiez et analysez ses schèmes de référence, sa conscience de soi ou son système de valeurs en tenant compte de la question culturelle mais sans vous y limiter.
+ Sélectionnez les interventions de counseling en fonction de ses attentes et sans imposer de considérations sociopolitiques dans le cadre de cette relation.
+ Prenez garde à ne pas imposer vos propres valeurs au détriment des intérêts du client.
+ Évitez les stéréotypes culturels et les généralisations abusives, en vous rappelant que les différences au sein d'un groupe sont parfois plus importantes que celles qui existent entre des groupes distincts.
+ N'adoptez pas une conception étroite de la diversité. Un client au physique ingrat a autant besoin de votre attention qu'un autre qui souffre de discrimination raciale.
+ Dans le cadre de la formation pratique et de l'acquisition d'habiletés des aidants, prévoyez d'aborder le thème du multiculturalisme.
+ Scrutez les hypothèses, les modèles et les techniques de ce counseling axé sur la diversité avec la même rigueur que les autres aspects de la discipline.
+ Faites régner la tolérance dans votre milieu de travail.

Tous les praticiens n'adhèrent pas obligatoirement à cet ensemble de règles, ce qui démontre l'importance cruciale de traiter non seulement de la diversité mais aussi de tout le système de valeurs véhiculé par la profession.

D'une certaine façon, le débat sur la diversité et le multiculturalisme a rendu un mauvais service à la discipline (voir la critique savamment dosée de Weinrach et Thomas, 1998). Plusieurs aidants ont eu l'impression de se faire rabrouer – souvent par leurs collègues qui se sont érigés en juges au nom des autres, partant du principe qu'ils ne pouvaient pas se défendre eux-mêmes. Lorsqu'il s'agit du client, le meilleur des aidants a toujours quelque chose à apprendre. D'instinct, il sait qu'il est très différent de son client par bien des côtés et que ces différences constituent des obstacles. Conscient qu'il ne peut tout connaître de chaque individu, il ne renonce pas pour autant. Il s'efforce de comprendre le monde à partir du point de vue de son client, sans ressentir toutefois le besoin de s'excuser pour ce qu'il est. Pourquoi le devrait-il ? La compréhension culturelle – et celle de toute forme de diversité – fonctionne à double sens. Ses principes s'appliquent à tous. Je dois vous comprendre dans votre contexte et la réciproque est vraie. Si la relation d'aide repose sur une collaboration, elle implique automatiquement une compréhension mutuelle.

## 3.6 AUTHENTICITÉ EN TANT QUE VALEUR PROFESSIONNELLE

Tout comme le respect, l'authenticité de l'aidant s'exprime par une série d'attitudes et de comportements. Certains auteurs définissent l'authenticité comme une « congruence ». Les personnes authentiques sont en harmonie avec elles-mêmes et se sentent, par conséquent, à l'aise dans toutes leurs interactions. Un tel comportement présente des implications à la fois positives et négatives, ce qui conduit à faire certaines choses et pas d'autres. Cela demande aussi de nuancer et d'utiliser son jugement.

**Ne pas se réfugier dans son rôle professionnel.** L'aidant authentique se garde d'insister sur son rôle. Ses liens profonds et sa fonction d'aide auprès d'autrui font partie intégrante de son mode de vie. Il ne s'agit pas d'un masque qu'il met ou enlève selon les circonstances. Il évite ainsi de se montrer supérieur ou condescendant. Il y a déjà quelques décennies, Gibb (1968, 1978) a proposé quelques moyens pour éviter de « jouer » à l'aidant. Les voici :

◆ Exprimer directement à l'autre ce que l'on ressent sur le moment.
◆ Communiquer sans dénaturer son propre message.
◆ Écouter les autres sans déformer ce que l'on a entendu.
◆ Révéler sa véritable motivation au moment de communiquer ses messages.
◆ Faire preuve de spontanéité dans ses échanges avec les autres, au lieu de s'en remettre aux stratégies habituelles.
◆ Réagir immédiatement aux besoins et aux émotions des autres au lieu d'attendre le moment propice pour pouvoir formuler la « bonne » réponse.
◆ Manifester sa vulnérabilité, et de manière générale, sa psyché.

- ✦ Vivre et échanger dans le moment présent.
- ✦ Rechercher l'interdépendance plutôt que la dépendance ou la contredépendance dans la relation avec le client.
- ✦ Savoir apprécier l'intimité.
- ✦ S'exprimer de manière concrète.
- ✦ Accepter de s'engager envers l'autre.

Gibb ne veut pas dire par là que les aidants devraient être des « esprits libres » qui s'imposent aux autres. De fait, ce type d'aidant risque même d'être dangereux. S'affranchir de son rôle ne signifie pas se libérer de toute contrainte mais plutôt éviter d'endosser l'uniforme professionnel pour se protéger, feindre une compétence inexistante ou tromper les clients.

**Être spontané.** La plupart des comportements recommandés par Gibb se résument à exprimer sa spontanéité. Les aidants efficaces, tout en agissant avec tact pour démontrer leur respect d'autrui, ne passent pas leur temps à soupeser leurs mots. Ils ne posent pas un filtre entre leurs pensées et les paroles des autres.

NÉANMOINS, CETTE AUTHENTICITÉ ne les conduit pas à révéler toutes leurs pensées au client.

**Éviter d'être sur la défensive.** Les aidants authentiques ne sont pas sur leurs gardes. Conscients de leurs forces et de leurs limites, ils essaient de faire preuve de maturité et de donner un sens à leur vie. Face à des clients qui les contestent, ils analysent leur comportement en essayant de comprendre leur point de vue pour pouvoir continuer à travailler avec eux, comme le démontre l'exemple suivant :

> CLIENTE : Je ne crois pas que ces séances me servent à grand-chose, je continue à me sentir vidée en permanence. J'ai vraiment l'impression de perdre mon temps en venant ici.

> AIDANT A : Si vous étiez honnête avec vous-même, vous vous rendriez compte que c'est vous qui perdez votre temps. C'est difficile de changer et vous vous y refusez.

> AIDANT B : Bien, c'est votre point de vue.

Les aidants A et B se montrent tous deux sur la défensive, mais d'une manière différente. Il est probable que la cliente réagira à leur attitude plutôt que de progresser.

> AIDANT C : D'après vous, il n'y a rien à retirer de ces séances. Beaucoup d'efforts pénibles et aucun résultat.

L'aidant C part de l'expérience de la cliente, dans l'intention de situer son intervention et de l'aider à cerner ses responsabilités dans la démarche de counseling. Le fait d'être authentique lui permet d'être à l'aise avec lui-même et d'examiner honnêtement une critique négative. Des trois aidants, c'est le plus susceptible de se demander s'il contribue lui-même à cette situation apparemment sans issue.

**Adopter une attitude ouverte.** Les aidants authentiques ne craignent pas de se révéler tels qu'ils sont, même dans le cadre de la relation d'aide. Ils ne considèrent pas cette auto-révélation comme une fin en soi, mais plutôt comme un moyen et ils l'utilisent à bon escient. En adoptant une attitude ouverte, l'aidant démontre qu'il n'a pas d'intentions cachées et se montre tel qu'il est.

## 3.7 RENFORCEMENT DE L'AUTONOMIE DU CLIENT EN TANT QUE RÉSULTAT FONDAMENTAL

Le second objectif de la relation d'aide, décrit dans le chapitre 1, concerne le renforcement de l'autonomie – il s'agit d'aider le client à cerner les ressources qui lui permettront de participer activement au changement, à la fois au cours des séances de counseling et dans sa vie quotidienne, à les développer et à en tirer parti (Strong, Yoder et Corcoran, 1995). Le contraire de l'autonomie, c'est la dépendance (Abramson, Cloud, Keese et Keese, 1994; Bornstein et Bowen, 1995), la docilité (Rennie, 1994) et la soumission (McWhirter, 1996). Les clients perçoivent souvent les aidants comme des personnes toutes-puissantes, et même les aidants profondément égalitaires et centrés sur les besoins des clients exercent sur ces derniers une influence importante. Il faut donc traiter de l'influence sociale dans le cadre de la relation d'aide.

### LA RELATION D'AIDE EN TANT QUE PROCESSUS D'INFLUENCE SOCIALE

Dans la vie de tous les jours, les gens s'influencent mutuellement. Smith et Mackie (2000) considèrent que cette influence fait partie de l'un des huit principes de base du comportement humain. William Crano (2000) affirme que «la recherche concernant l'influence sociale a été et reste la caractéristique prédominante de la psychologie sociale» (p. 68). Les parents influencent leurs enfants et s'influencent réciproquement. Ils sont à leur tour influencés par leurs enfants. Les professeurs influencent leurs étudiants et réciproquement. Les patrons influencent leurs subordonnés et inversement. Le chef influence les membres d'une équipe, qui, à leur tour, l'influencent et s'influencent les uns les autres. De toute évidence, l'influence sociale domine le monde. Néanmoins, elle représente une sorte de pouvoir qui, trop souvent, se transforme en manipulation et en oppression.

Il ne faudra pas se surprendre que les ouvrages concernant la relation d'aide aient accordé une grande importance à cette influence (voir Dorn, 1986; Heppner et Claiborn, 1989; Heppner et Frazier, 1992; Houser, Feldman, Williams et Fierstien, 1998; Hoyt, 1996; McCarthy et Frieze, 1999; McNeill et Stolenberg, 1989; Strong, 1968, 1991; Tracey, 1991). Les aidants ont la possibilité d'influencer leurs clients sans les dépouiller de leur libre arbitre. Mieux, ils peuvent même parvenir, grâce à leur talent, à renforcer l'autonomie des clients (pour utiliser l'argot du métier) plutôt que de les opprimer, à la fois au cours des séances et dans leur milieu de vie. Ce type de renforcement augmente leur responsabilité.

Imaginez un continuum comportant, à l'une des extrémités, une attitude extrêmement directive face au client et, à l'autre, un laisser-faire total. Quelque part entre ces deux extrêmes, on retrouve une attitude qui consiste à aider le client à prendre ses propres décisions et à les mettre en pratique. La plupart des interventions auprès des clients se situeront entre ces deux pôles. Face à un client qui menace de se jeter du haut d'un pont, on adoptera un comportement absolument autoritaire tandis qu'on laissera toute latitude à une cliente qui repousse la décision de mettre fin à une relation difficile parce qu'elle ne se sent pas prête. Comme Hare-Mustin et Marecek (1986) le font remarquer, la dynamique se situe entre le droit du client à disposer de lui-même et l'obligation du thérapeute de l'aider à mieux vivre.

## NORMES POUR LE RENFORCEMENT DE L'AUTONOMIE ET DE LA RESPONSABILITÉ

Les aidants ne confèrent pas l'autonomie à leurs clients. Une telle attitude serait à la fois condescendante et arrogante. Dans son ouvrage classique, Freire (1970) met en garde les aidants contre le danger de transformer la relation d'aide en une autre forme de coercition pour des individus déjà opprimés. Les aidants efficaces contribuent à la découverte, au développement et à l'utilisation des ressources inexploitées de leurs clients. On trouvera ici une série de normes contribuant au renforcement de l'autonomie, tirées des travaux de Farrelly et Brandsma (1974).

**Partir du principe que les clients peuvent changer s'ils le veulent.** Les clients disposent souvent de plus de ressources pour gérer leurs problèmes et tirer parti de leurs ressources qu'ils ne le croient – ou que leurs aidants ne le pensent. Ces derniers devraient partir du principe que les clients sont capables de prendre part à la démarche d'aide et de mieux diriger leur existence. Pour toutes sortes de raisons, ils n'ont pas accès à ces ressources ou tout simplement ne les utilisent pas. Le rôle de l'aidant est justement de permettre à leurs clients de reconnaître leurs ressources, de les exploiter et d'en avoir une perception réaliste, de façon que leurs aspirations s'ajustent aux possibilités qui s'offrent à eux.

**Ne pas prendre les clients pour des victimes.** Même si les clients ont subi les persécutions des institutions ou d'autres individus, cela n'en fait pas des victimes sans défense. Notre société n'a que trop souvent tendance à les cantonner dans ce rôle. Si l'autonomie de la personne est limitée par des circonstances graves – incapacité du conjoint maltraité de quitter une relation abusive –, il faut partir de l'autonomie qui lui reste.

Ne vous fiez pas aux apparences. Lors d'une rencontre avec l'un de ses collègues, un formateur déclara péremptoirement qu'une des élèves, réservée et portée à se dévaloriser, « n'arriverait jamais à rien, car elle avait beaucoup plus le profil d'une cliente que d'une étudiante ». Heureusement, ses collègues ne partageaient pas ce point de vue. Plus tard, cette jeune femme devint l'une des meilleures élèves du programme et fut ensuite acceptée comme stagiaire par un prestigieux établissement de santé mentale, qui finit par l'engager à la fin de ses études.

**Faire participer les clients.** Les clients, comme les aidants, ont intérêt à suivre les plans de la démarche d'aide. Ils ne doivent pas se fier aveuglément à l'aidant, car la relation d'aide n'est pas une boîte noire. Ils ont le droit de savoir à quoi ils s'engagent (Heinssen, 1994 ; Heinssen, Levendusky et Hunter, 1995 ; Hunter, 1995 ; Manthei et Miller, 2000). Cependant, leur fournir de l'information sur la démarche d'aide est une autre histoire. Les aidants peuvent commencer par leur expliquer de quoi il s'agit. Une simple brochure décrivant les phases et les étapes de la démarche, dans la mesure où elle est rédigée dans un langage facile à comprendre, sera très utile. Les éléments explicatifs que nous devons fournir varient selon le client. Au départ, il est préférable de ne pas le noyer dans les détails. L'aidant ne devrait pas non plus exiger qu'un client traumatisé refrène son anxiété jusqu'à ce qu'il lui ait expliqué le modèle d'aide. Cette explication pourra s'étaler sur plusieurs séances. Il n'existe pas une seule bonne méthode. D'après moi, on doit informer les clients en fonction de leur capacité d'assimilation.

**Aider les clients à considérer les séances de counseling comme un travail.** La relation d'aide consiste à susciter un changement chez le client. Dans ces conditions, les séances de counseling se centrent sur la nécessité d'effectuer des changements, le type de changement, l'élaboration de programmes de changement constructif, la participation à des « projets pilotes » et les façons de surmonter les obstacles. Il s'agit ni plus ni moins d'un travail. La recherche et l'adoption de solutions s'avèrent parfois ardues, et même déchirantes, mais elles sont également profondément gratifiantes et même exaltantes. La tâche fondamentale de l'aidant consiste à inciter les clients à s'engager complètement pour devenir des partenaires dans la démarche d'aide. Certains aidants vont même jusqu'à annuler les séances de counseling jusqu'à ce que les clients soient prêts à travailler. C'est également un défi, certes moins spectaculaire, que d'aider les clients à découvrir les incitatifs qui les motivent pour entreprendre ce travail.

**Devenir le consultant des clients.** Les aidants se considèrent parfois comme des experts-conseils engagés par les clients pour leur permettre d'affronter leurs problèmes et mieux profiter de l'existence. Dans le milieu des affaires, les experts-conseils interviennent de diverses manières. Ils écoutent, observent, compilent des données, synthétisent leurs observations, enseignent, forment, entraînent, jouent le rôle de mentor, stimulent, conseillent, proposent des suggestions et se posent même en défenseurs dans certaines circonstances. Cependant, ceux qui retiennent leurs services n'en continuent pas moins de diriger l'entreprise. Dès lors, même si certaines des fonctions de consultants paraissent exigeantes, les gestionnaires n'en continuent pas moins de décider. La consultation est une forme d'influence sociale, qui possède un caractère de collaboration, sans pour autant éliminer les responsabilités propres des gestionnaires. L'analogie convient particulièrement à la relation d'aide. Les meilleurs clients, comme les meilleurs dirigeants, savent écouter les recommandations de leurs experts pour résoudre leurs problèmes et mettre à profit les potentiels inexploités.

**Accepter la relation d'aide comme un processus naturel interactif.** Tyler, Pargament et Gatz (1983) vont au-delà de ce rôle de consultant en passant à ce qu'ils appellent le « rôle de collaborateur ressource ». Partant du principe que l'aidant et le client sont des êtres humains avec leurs défauts, ces chercheurs se sont intéressés aux concessions mutuelles qui devraient caractériser la démarche d'aide. Les deux partenaires se trouvent à égalité dans l'établissement de la relation, des initiatives qu'ils peuvent y prendre, de l'évaluation des résultats et de la relation elle-même. Dans le meilleur des cas, chacune des parties enregistre un changement positif.

La relation d'aide est à double sens. Le client et le thérapeute échangent au cours de cette démarche. Une observation superficielle suffit à révéler que les clients ont, par bien des façons, une incidence sur l'aidant. À titre d'exemple, Wei-Lian doit souvent reprendre Robert, son aidant, lorsque ce dernier tente de lui démontrer qu'il l'a bien compris. À un certain moment, lorsque Robert lui dit : «Cela te déplaît que ton père t'assène ses opinions», Wei-Lian lui rétorque : «Non, car c'est mon père et je lui dois le respect. Il me faut écouter sa sagesse.» Le problème, c'est que Robert a répondu en se basant par inadvertance sur ses propres schèmes culturels plutôt que sur ceux de Wei-Lian. Lorsqu'il s'en rend compte finalement, il dit à Wei-Lian : «Lorsque je parle avec toi, je dois écouter beaucoup plus. Je réalise alors que la culture chinoise est très différente de la mienne. Ta collaboration m'est nécessaire.»

**Se centrer sur l'apprentissage plutôt que sur l'aide.** Même si plusieurs personnes considèrent que la relation d'aide est une démarche éducative, elle se définit probablement mieux comme un processus d'apprentissage. L'aidant efficace parvient à faire participer ses clients à un tel processus. Chacune des séances et l'intervalle qui les sépare représente un apprentissage, un désapprentissage et un réapprentissage. Howell (1982) fournit une bonne description de ce phénomène, lorsqu'il déclare que «l'apprentissage s'incorpore dans l'expérience personnelle et l'enrichit» (p. 14). L'apprentissage se produit tout au long de la démarche, lorsque l'on trouve des options valables et enrichissantes et que l'on s'en saisit pour les exploiter. Si les clients et les aidants collaborent bien, ces derniers acquièrent un savoir-faire. Ils disposent d'une marge d'action dans leur existence et, ce faisant, sont capables de considérer les diverses possibilités et d'en tirer parti. C'est justement ce qui s'est passé dans le cas de Carlos (voir chapitre 2). Il a désappris, réappris et mis en valeur ses acquis.

**Ne pas exagérer la fragilité des clients.** On n'agit pas dans l'intérêt du client en le brutalisant ni en le surprotégeant. La plupart du temps, les clients sont moins fragiles que les aidants ne le croient. Si ces derniers sont constamment préoccupés par la vulnérabilité des clients, ils risquent de démontrer des attitudes de surprotection. Cela ne favorise pas l'autonomie et l'affirmation des clients. Driscoll (1984) a remarqué que de nombreux aidants se limitent essentiellement à écouter dans les premières phases de la démarche d'aide. L'attitude déférente, naturelle de la part des clients au début de ce processus (Rennie, 1994) – comprenant la crainte de critiquer le thérapeute, l'acceptation du schème de référence de ce dernier, le besoin de répondre à ses attentes et les manifestations de reconnaissance à son égard – risque de déformer le message pour les aidants. Au tout début, il est probable que les clients craignent de commettre une erreur impardonnable. Cela ne signifie pas qu'ils sont fragiles. Il est normal que les aidants se montrent prudents, mais il est facile de devenir craintif. Driscoll recommande aux aidants d'intervenir davantage au début, en remettant en cause la façon de penser et d'agir du client, de façon à le pousser à définir ce qu'il veut et ce pourquoi il est prêt à lutter.

## 3.8 PLAN DE TRAVAIL : ENTENTE ENTRE LE CLIENT ET L'AIDANT

Des clauses à la fois implicites et explicites régissent les ententes passées entre les gens dans une foule de circonstances, y compris le mariage (dans lequel certaines dispositions du contrat sont explicites) et l'amitié (dans laquelle les stipulations sont généralement implicites). Pour que la relation d'aide soit une initiative de collaboration, les deux parties doivent comprendre parfaitement leurs responsabilités. L'expression « plan de travail » semble mieux convenir que le terme « entente » ou « contrat », car il est exempt de connotations légales et transmet l'idée d'une entreprise en collaboration.

Pour atteindre ces objectifs, ce plan de travail doit généralement inclure les questions abordées dans les chapitres 1 à 3 : a) la nature et les objectifs de la démarche d'aide ; b) un aperçu général du modèle d'aide ainsi que les techniques utilisées et la souplesse faisant partie intégrante du processus ; c) les modalités qui permettront au client d'atteindre ses objectifs ; d) l'information pertinente incluant la formation de l'aidant ; e) le mode de structuration de la relation et les responsabilités respectives du client et de l'aidant ; f) les valeurs qui sous-tendent cette démarche et g) les questions de procédure. Ce dernier terme recouvre les aspects pratiques de la démarche, comme l'endroit et la durée des séances. On doit aussi fixer certaines limites – à titre d'exemple, la possibilité pour le client de contacter l'aidant entre deux séances : « Habituellement, nous n'avons pas à nous rejoindre entre les séances, à moins d'accord préalable pour un motif précis. » Ces règles de base ne devraient aucunement constituer une surprise pour les clients. Manthei et Miller (2000), détaillant les caractéristiques de cette entente, ont rédigé un manuel pratique à leur intention. Ce type de contrat sert également dans le cas de malades mentaux gravement atteints (Heinssen, Levendusky, et Hunter, 1995).

Cette entente n'a pas à être exhaustive ni trop rigide. Elle doit permettre d'encadrer adéquatement la relation avec le client, à un moment donné, et de structurer le travail à réaliser sans pour autant effrayer le client ou l'accabler. Idéalement, cette entente est un instrument destiné à l'informer de la démarche suivie. Le but est de favoriser la collaboration du client avec l'aidant, pour qu'il puisse adopter une attitude proactive et résoudre ainsi ses difficultés. Dans l'hypothèse la plus optimiste, une telle entente permet au client et à l'aidant de formuler des attentes mutuelles réalistes. Elle renseigne le client sur la démarche, afin de diminuer son anxiété initiale et de vaincre ses résistances, en lui fournissant une orientation et en favorisant son libre arbitre.

## 3.9 DIFFICULTÉS INHÉRENTES À LA RELATION D'AIDE

Pour différentes raisons, certains aspects délicats de cette entente ne sont pas dévoilés. Règle générale, il s'agit de points complexes et subtils qui ne feraient qu'alourdir le plan ou le contrat de travail. Toutefois, ces points doivent être abordés et résolus lorsqu'ils se présentent.

**Questions de déontologie.** Jusqu'à présent, on n'a fait qu'effleurer ce thème dans la démarche d'aide, non pas en raison de son manque de pertinence mais au contraire parce qu'il s'agit d'une question primordiale. Une foule d'ouvrages scientifiques traitent des responsabilités professionnelles de la discipline (voir Bersoff, 1995; Canter, Bennett, Jones et Nagy, 1994; Claiborn, Berberoglu, Nerison et Somberg, 1994; Corey, Corey et Callanan, 1997; Cottone et Claus, 2000; Fisher et Younggren, 1997; Keith-Spiegel, 1994, Loman, 1998). Les publications concernant les infractions à la déontologie se sont également multipliées. Comme il s'agit d'un sujet beaucoup trop vaste pour être résumé ici, nous recommandons instamment aux futurs aidants de l'intégrer dans leur programme de formation professionnelle.

**Nature humaine des aidants et des clients.** Les aidants, pas plus que les clients, ne sont des héros. Ils demeurent des êtres humains avec tous leurs défauts. À titre d'exemple, les aidants peuvent trouver un client séduisant ou repoussant, et cela est tout à fait normal. Cependant, ils doivent être capables de gérer l'intimité dans la relation thérapeutique de manière à progresser dans la démarche (Schwartz, 1993). Ils doivent par conséquent surmonter leurs sentiments positifs ou négatifs envers le client avant d'en arriver à des comportements inacceptables. Il leur faudra refréner leur tendance à se montrer «plus coulants» avec les clients charmants et à n'écouter que d'une oreille les clients «moins intéressants». Les clients aussi ont leurs limites. Certains nourrissent des attentes irréalistes face au counseling (Tinsley, Bowman et Barich, 1993), alors que d'autres butent sur la perception faussée qu'ils ont de l'aidant. Si tel est le cas, l'aidant se doit de gérer à la fois les attentes et la relation. Il arrive bien souvent que ces attitudes de la part du client comme de l'aidant ne soient pas vraiment perçues consciemment. Elles apparaissent plutôt en filigrane dans la relation. Les aidants inexpérimentés risquent de se faire prendre à leur propre jeu ou à celui de leurs clients, ce qui met fin à leur entente. Par contre, les aidants chevronnés connaissant les enjeux troubles de leur comportement et de celui du client, parviennent à les surmonter. Nous reviendrons, aux chapitres 10, 11 et 12, sur les techniques de remise en cause de l'aidant et du client – en particulier, l'immédiateté.

**Problèmes relationnels.** Il arrive que la relation parte d'un mauvais pied et qu'il existe une incompatibilité entre le client et l'aidant. Pour une foule de raisons, ce dernier n'est pas en mesure de dire à son client: «Je ne pense pas être la personne adéquate pour vous.» En revanche, les aidants compétents et actualisés sur le plan personnel peuvent travailler avec une grande diversité de clients. Ils établissent une sorte de complicité et savent orienter la relation.

Dans le cadre d'une entreprise, on demanda une fois à un aidant de collaborer avec un directeur, fort intelligent, mais dont le comportement social laissait beaucoup à désirer. La relation s'amorça difficilement dès le début. L'aidant se rendit compte assez rapidement que le client voulait qu'il rapporte à la haute direction des propos flatteurs le concernant. Le client avait également l'habitude de jouer au plus fin en disant: «Je me demande à quoi vous pensez en ce moment même. Je parie que cela me concerne et que vous ne m'en direz rien.» Répondre à ses attentes et maintenir la relation à flot n'était pas une mince affaire. Néanmoins, l'aidant connaissait suffisamment l'entreprise pour savoir que les membres de la direction questionnaient sérieusement ce style de communication. L'intelligence et la capacité d'innovation du client justifiaient certes une promotion, mais son comportement risquait de la lui faire perdre. Tout en se montrant empathique et respectueux, l'aidant commença à remettre en question le comportement aberrant du client. Cela le choqua, parce qu'il avait toujours pensé être capable de garder la haute main dans les échanges avec ses subordonnés ou ses collègues. Il cessa ses petits jeux, améliora sa conduite, car il finit par réaliser qu'il avait tout à y gagner.

Même lorsque la relation s'amorce sur une note positive, il arrive qu'elle se détériore (Arnkoff, 2000; Omer, 2000). C'est à vrai dire naturel. Kivlighan et Shaugnessy (2000) parlent d'un phénomène d'usure et de rétablissement. Nombre de relations thérapeutiques commencent bien, connaissent des ratés pour ensuite se rétablir. Les aidants chevronnés n'en sont pas surpris. Il arrive néanmoins que certaines relations dégénèrent selon le processus négatif décrit par Binder et Strupp (1997), qui considèrent que l'on surestime la capacité des thérapeutes à établir et à maintenir une bonne relation. Les échanges verbaux hostiles entre les clients et les aidants n'ont rien de rare dans toutes les situations de traitement. Lorsque la relation aboutit à une impasse ou à une rupture, les aidants inefficaces s'enlisent. Nombre d'entre eux manquent à la fois de volonté et de talent pour y remédier, tout comme leurs clients (Watson et Greenberg, 2000). De telles ruptures s'expliquent par les facteurs suivants : «un client ayant des antécédents de problèmes interpersonnels, une absence d'entente entre le thérapeute et le client concernant les objectifs et les modalités du traitement, des interventions extérieures dans le traitement, une réaction de transfert, une erreur ou un ennui personnel du thérapeute» (Hill, Nutt-Williams, Heaton, Thompson et Rhodes, 1996, p. 207). Si rien n'est fait pour surmonter ces difficultés, la relation risque bien de s'achever prématurément. Les aidants ont alors tendance à jeter le blâme sur les clients : «Elle n'était pas prête», «Il ne voulait pas s'y mettre vraiment», «Elle était très difficile» et ainsi de suite. En réalité, ce sont les aidants qui n'ont pas su faire passer le courant.

**Valeurs incertaines et transgressions.** Les aidants ne perçoivent pas toujours très clairement leurs propres valeurs ou ne font pas toujours coïncider leurs actions avec les valeurs qu'ils disent avoir adoptées. On n'a que trop tendance à considérer celles-ci comme des principes intéressants en s'abstenant d'en faire des lignes de conduite pour guider le comportement de l'aidant. À titre d'exemple, même si les aidants valorisent la responsabilité de leurs clients, ils les considèrent souvent comme démunis, ont tendance à prendre les décisions à leur place et à leur dicter leur conduite plutôt que de les guider. Dans bien des cas, l'impatience explique ce comportement. En voulant être expéditifs, ils renoncent à leurs valeurs pour ensuite rationaliser leurs erreurs. «Je me suis emporté contre un client aujourd'hui, mais il le méritait bien. Cela a sûrement été plus utile que si j'avais été patient.» Vous voulez parier?

**Difficultés à échanger sur la démarche d'aide.** Lorsque l'on en vient à commenter la démarche elle-même, bien des aidants se montrent réticents à aborder le sujet avec les clients. Évidemment, les aidants qui «y vont au radar» ne peuvent expliquer aux clients ce qu'ils ne comprennent pas eux-mêmes. D'autres, par contre, semblent penser que la démarche d'aide doit rester secrète ou sacrée et qu'il est dangereux de l'expliquer, même si rien ne vient corroborer une telle conception (Dauser, Hedstrom et Croteau, 1995; Somberg, Stone et Claiborn, 1993; Sullivan, Martin et Handelsman, 1993; Winborn, 1977).

**Ententes mal formulées.** Les ententes, qu'elles soient explicites ou implicites, présentent toutes d'importantes zones grises. Même si le contrat est écrit, chacune des parties a sa propre interprétation des clauses. Au fil du temps, elles oublient les termes de leur accord et accentuent leurs différences. On n'aborde que très rarement ces différences. Lors du counseling, l'entente entre l'aidant et le client demeure généralement implicite, même si l'on discute depuis des années de la nécessité d'une structure plus explicite (Proctor et Rosen, 1983). Voilà pourquoi les attentes du client diffèrent souvent de celles de l'aidant (Benbenishty et Schul, 1987). Les ententes implicites ne suffisent pas, même si elles demeurent monnaie courante (Handelsman et Galvin, 1988 ; Weinrach, 1989 ; Woody, 1991).

**Conflits professionnels.** La profession d'aide ne se contente pas de débats, mais elle connaît également des conflits ouverts dégénérant parfois en guerres intestines. À ce titre, la controverse concernant la manière adéquate d'approcher la diversité et le multiculturalisme a fait apparaître le pire et le meilleur dans le corps professionnel. On a échangé des accusations déguisées ou flagrantes, de rectitude politique d'une part ou d'impérialisme culturel de l'autre. Le débat sur la possibilité pour la profession de s'engager sur le plan politique et sur celui de la sociologie appliquée a embrouillé de toute évidence la question plutôt que de l'éclaircir. On ne peut plus publier maintenant un article important sur un thème significatif du counseling sans recevoir une avalanche de réponses, souvent fort critiques. Qu'a-t-on appris les uns des autres et de l'intégration de tous ces savoirs ? La recherche de la vérité cède souvent le pas au désir d'avoir raison. Il est difficile de dire dans quelle mesure cela répond aux besoins du client, qui bien souvent fait les frais d'un tel débat. À l'instar des entreprises qui, de nos jours, se réinventent en se recentrant sur les clients et les marchés, la profession d'aidant devrait se renouveler constamment en partant du regard que posent sur elle ses propres clients.

Dans cette deuxième partie, nous reprenons, tout en les illustrant, les habiletés requises pour devenir un aidant efficace. Ces habiletés se concrétisent dans un contexte que nous nommons le dialogue thérapeutique. Il s'agit d'aptitudes désignées plus simplement sous les termes d'échange dans la relation d'aide, échange pour la gestion des problèmes et échange pour le développement de nouvelles perspectives. Chaque fois cependant, le dialogue se retrouve au centre de la communication entre l'aidant et le client.

Le chapitre 4 comprend un aperçu de la communication interpersonnelle et du dialogue, en rapport avec une aptitude fondamentale souvent désignée sous le terme de « présence » et qui consiste plus pragmatiquement à manifester son attention au client. Il s'agit en fait pour l'aidant de faire sentir sa présence empathique. Le chapitre 5 décrit les techniques de l'écoute active. Les aidants se tournent vers les clients, non seulement pour se montrer solidaires mais aussi pour comprendre ce qu'ils leur disent de manière directe ou indirecte. Le chapitre 6 conclut à la nécessité pour l'aidant de vérifier sa compréhension auprès du client. Dans les éditions antérieures, il s'agissait d'empathie fondamentale ; celle-ci est maintenant désignée sous le terme de « reflet empathique » pour la distinguer de l'empathie en tant que valeur imprégnant l'ensemble de la démarche d'aide.

# CHAPITRE 4

## INTRODUCTION À LA COMMUNICATION ET APTITUDE À MANIFESTER SON ATTENTION AUX CLIENTS

**4.1 IMPORTANCE DE L'ÉCHANGE DANS LA RELATION D'AIDE**

**4.2 PRÉSENCE EMPATHIQUE : MANIFESTER SON ATTENTION AU CLIENT**

Comportement non verbal comme mode de communication

Comportement non verbal des aidants

Art de manifester son attention au client

- ◆ F : Faites *face* au client
- ◆ O : Adoptez une attitude *ouverte*
- ◆ P : N'oubliez pas de vous *pencher* vers l'autre
- ◆ Y : Maintenez un contact des *yeux*
- ◆ D : Soyez relativement *détendu et naturel*

**4.3 DIFFICULTÉS INHÉRENTES AUX HABILETÉS À COMMUNIQUER : MISES EN GARDE**

Les conversations entre l'aidant et le client devraient constituer le dialogue thérapeutique ou dialogue de la relation d'aide. La compétence en termes de communication interpersonnelle ne se limite pas aux aptitudes décrites dans ce chapitre et les suivants. Elle comprend également leur intégration dans le dialogue. Un véritable échange requiert quatre conditions fondamentales (Egan, sous presse) :

✦ **Attendre son tour.** Un dialogue est par essence interactif, puisque chaque interlocuteur parle à son tour. En termes de counseling, cela signifie généralement que les monologues, ceux du client ou de l'aidant, n'apportent pas grand-chose. En revanche, le fait de s'exprimer l'un après l'autre offre la possibilité d'un apprentissage mutuel. Les aidants apprennent à connaître leurs clients et basent leurs interventions sur ce qu'ils retirent de leur échange mutuel. Les clients en viennent à se comprendre eux-mêmes et à prendre conscience de leurs difficultés, ce qui leur permettra de surmonter leurs problèmes et de tirer parti des possibilités qui s'offrent à eux.

✦ **Être sur la même longueur d'onde.** Au cours de la conversation, une personne doit répondre plus ou moins à ce que vient de dire l'autre. Les commentaires de l'aidant doivent faire référence aux remarques du client et réciproquement. L'aidant, tout comme le client, doit participer activement pour que la collaboration entre les deux soit productive.

✦ **S'influencer.** Dans le cadre de cet échange, chaque partie doit accepter d'être influencée par l'autre, comme nous l'avons vu au chapitre 3 en ce qui concerne l'influence sociale du counseling. Si les aidants influencent leurs clients, les meilleurs d'entre eux sont influencés par leurs clients. Les spécialistes en psychologie doivent donc posséder une grande ouverture d'esprit et inciter leurs clients à faire de nouveaux apprentissages.

✦ **Travailler dans un but commun.** Un échange productif débouche sur des résultats qui conviennent aux deux parties. Comme nous l'avons déjà vu, le counseling vise avant tout les solutions, les résultats et les réussites. Le rôle du conseiller n'est pas de dicter aux clients leurs actions ni de les laisser à eux-mêmes. Au cours de l'échange, l'aidant sert en quelque sort de catalyseur visant à résoudre les problèmes et il incite les clients à trouver leur solution. Aucune des deux parties engagées dans un véritable dialogue ne sait exactement où cela mènera. Si l'aidant prépare ce qu'il dira à son client ou si le client a déjà décidé de ce qu'il dira et fera, les deux personnes prendront part à une conversation mais sans doute pas à un échange. Seuls les clients sont en mesure de se changer eux-mêmes, mais ces changements portent la marque des aidants efficaces qui sont entrés en **communication avec eux.**

On commence maintenant à aborder le thème de l'échange dans le cadre de la santé mentale (Corrigan, Lickey, Schmook, Virgil et Juricek, 1999) et des services sociaux comme la médecine (Hellstroem, 1998). La relation d'aide tendant vers une collaboration, l'échange y tient une place essentielle (Roberts, 1998). C'est par le biais de cet échange que les aidants deviennent des catalyseurs pour le changement, et que les clients parviennent à se responsabiliser et à se prendre en charge. Bugas et Silberschatz (2000) vont même jusqu'à considérer les clients comme les « mentors » de leurs aidants. Les clients doivent « entraîner, former et instruire » leurs aidants sur leurs propres traits de personnalité et leurs plans d'action pour atteindre les objectifs thérapeutiques. Si les aidants et les clients veulent éviter les écueils mentionnés au chapitre 3, ils devront échanger de façon franche et claire.

L'habileté à dialoguer fait obligatoirement partie des compétences à communiquer et l'échange en constitue le mécanisme intégrant. Les aptitudes personnelles constituent les éléments constitutifs d'un dialogue efficace. Le présent chapitre porte sur la première de ces habiletés – la présence, qui consiste dans la pratique à se montrer attentif au client. Le chapitre 5 concerne l'écoute active. Le reflet, qui consiste à offrir une compréhension empathique, fait l'objet du chapitre 6. Enfin, le questionnement et la synthèse, dernières habiletés fondamentales de la communication, sont traités au chapitre 7. Les habiletés plus avancées, qui permettent de remettre en question le client ou de l'aider à se remettre en question, sont présentées et illustrées dans les chapitres 10, 11 et 12. Ces aptitudes s'avèrent utiles à toutes les phases et à toutes les étapes de la démarche d'aide.

Ces habiletés ne font pas spécifiquement partie de la relation d'aide. Elles constituent des manières d'être et de communiquer que chacun met à contribution dans ses relations quotidiennes. Idéalement, les futurs aidants devraient commencer leur formation dotés de cette facilité de communication avec autrui, leurs études se bornant à adapter cette habileté à la démarche d'aide. Malheureusement, ce n'est pas souvent le cas. En fait, certains des problèmes des clients découlent du manque de facilité à communiquer des aidants ou sont aggravés par ce manque.

De toute évidence, les aidants efficaces utilisent avec aisance leurs habiletés à communiquer dans leurs interactions avec les clients. S'ils désirent faire progresser la démarche et répondre aux besoins du client, cela devient en quelque sorte une seconde nature. Bob Carkhuff (1987), Allen Ivey (Ivey et Ivey, 1999) et Carl Rogers (1951, 1957, 1965) ont été des pionniers dans le développement et l'enrichissement des habiletés de communication et leur intégration dans la démarche d'aide. Leur influence se retrouve tout au long de cet ouvrage. Ce livre se limite à décrire, à présenter et à illustrer ces habiletés.

## 4.2 PRÉSENCE EMPATHIQUE : MANIFESTER SON ATTENTION AU CLIENT

À certains moments difficiles de l'existence, le fait d'être simplement aux côtés d'une autre personne revêt une extrême importance. Si l'un de vos amis est hospitalisé, le fait d'être auprès de lui peut tout changer, même si toute conversation est exclue. De la même manière, quelqu'un qui vient de perdre sa femme se sentira réconforté par une présence, même si on se limite à n'échanger que quelques paroles. Une présence empathique représente un réconfort. La plupart des gens apprécient que l'on s'occupe d'eux et se sentent, en revanche, blessés lorsqu'on les ignore. Un visage fermé correspond trop souvent à un cœur sec. Compte tenu de notre sensibilité face aux marques d'intérêt ou de froideur d'autrui, notre absence de sensibilité et notre indifférence ont quelque chose de paradoxal.

La relation d'aide, comme toute autre communication profonde, exige une présence à la fois chaleureuse et intense. Cette présence consiste à manifester son attention envers l'autre. En étant attentif, nous nous montrons empathique, nous rassurons l'autre sur notre présence et nous nous mettons à l'écoute de ses préoccupations. Les manifestations de cette attention sont à la fois physiques et psychologiques. Commençons par analyser le comportement non verbal comme mode de communication.

## COMPORTEMENT NON VERBAL COMME MODE DE COMMUNICATION

Au fil du temps, chercheurs et praticiens en sont venus à apprécier l'importance du comportement non verbal dans le counseling (Andersen, 1999 ; Ekman, 1992, 1993 ; Ekman et Friesen, 1975 ; Ekman et Rosenberg, 1998 ; Grace, Kivlighan et Kunce, 1995 ; Hicksen et Stacks, 1993 ; Highlen et Hill, 1984 ; Knapp et Hall, 1996 ; McCroskey, 1993 ; Mehrabian, 1971, 1972, 1981 ; Norton, 1983 ; Richmond et McCroskey, 2000 ; Russell, 1995 ; Russell, Fernandez-Dols et Mandler, 1997). Highlen et Hill font remarquer que les comportements non verbaux régissent les conversations, transmettent les émotions, modifient les messages verbaux et constituent l'essentiel du message de la relation d'aide. Ils renforcent la perception de soi ou trahissent les clients (ou les aidants) qui camouflent leurs pensées. La considération de la dimension multiculturelle a renforcé d'autant l'importance de cette question.

L'extrême importance du langage corporel ne fait aucun doute. Nous savons d'expérience que, même dans le silence le plus complet, l'atmosphère est pleine de significations. Il arrive que les expressions, les mouvements, le ton de la voix et les réactions physiques des gens en disent bien plus long que leurs paroles.

Nous nous garderons de pousser trop loin l'interprétation de tels comportements. Néanmoins, dans leur ensemble, ils démontrent l'importance des messages non verbaux dans la communication. Chez les aidants comme chez les clients, les facteurs suivants jouent un rôle important dans l'échange thérapeutique :

- ✦ **Langage corporel :** posture, mouvements et gestes.
- ✦ **Regard :** contact visuel, mouvement ou fixité des yeux.
- ✦ **Expressions du visage :** sourires, froncements des sourcils ou du nez et moues.
- ✦ **Qualité de la voix :** ton, modulation, volume, intensité, inflexion, débit, accentuation, pause, silence et facilité d'expression.
- ✦ **Réactions physiologiques observables :** respiration saccadée, rougissement, blêmissement et dilatation des pupilles.
- ✦ **Caractéristiques physiques :** forme, taille, poids et teint.
- ✦ **Distance :** proximité ou éloignement de la personne durant la conversation.
- ✦ **Apparence générale :** soin de son apparence et habillement.

Les gens communiquent constamment les uns avec les autres de manière non verbale. Les aidants efficaces apprennent ce « langage » pour s'en servir dans leurs interactions avec le client. Ils apprennent également à décoder son comportement.

## COMPORTEMENT NON VERBAL DES AIDANTS

Avant de vous lancer dans l'interprétation des comportements non verbaux de vos clients (qui fait l'objet du chapitre 5), commencez par vous observer. Tous les moyens susmentionnés vous servent à vous exprimer. À certains moments, votre comportement non verbal est aussi, sinon plus, important que vos paroles. Un tel comportement retentit sur les clients, à la fois positivement et négativement. Il leur fournit des indices de la qualité de votre présence. Une présence attentive les met en confiance et les incite à se révéler pour analyser les éléments significatifs de leurs situations problématiques. Une attitude peu avenante risque de les rebuter et de les conduire à se replier sur eux-mêmes. Les clients sont également susceptibles de mal interpréter votre comportement non verbal. À titre d'exemple, la distance qui vous sépare du client peut vous paraître confortable mais lui paraîtra peut-être trop petite. En demeurant silencieux, vous croyez lui laisser le temps de réfléchir, mais cela peut l'embarrasser. Une partie de l'écoute consiste donc à enregistrer les réactions du client à votre comportement non verbal.

Les aidants efficaces surveillent les messages non verbaux qu'ils émettent à l'intention de leurs clients. La première chose à faire consiste donc à déchiffrer votre langage corporel. Supposons que vous ressentiez une tension musculaire lorsqu'un client s'adresse à vous, vous vous direz : « Je suis anxieux. Pourquoi ? Mon inconfort transparaît-il aux yeux du client ? » Encore une fois, il est probable que vous ne vous le formulerez pas exactement ainsi. Vous vous contenterez d'enregistrer vos sensations sans détourner votre attention de votre interlocuteur.

Vous pouvez également réprimer vos réactions impulsives ou instinctives. Si un client vous dit quelque chose qui, instinctivement, vous met en colère, vous pouvez contrôler l'expression de votre visage (par exemple un regard furieux) afin de prendre le temps de réfléchir. Le fait de ne pas vous extérioriser n'a rien d'hypocrite, car vous faites passer le respect envers le client avant vos réactions immédiates. En ne manifestant pas son ennui ou sa colère, on ne les nie pas pour autant. Avant même de gérer ses sentiments, il faut avant tout en prendre conscience.

Sur une note plus positive, vous pouvez ponctuer vos remarques de messages non verbaux. À titre d'exemple, Denise se montre très attentive lorsque Johanne décrit les interventions susceptibles de l'aider à régler ses difficultés. Elle se penche légèrement en avant en disant « hum, hum », afin de renforcer l'intention d'agir de Johanne.

En revanche, ne vous préoccupez pas outre mesure de la signification de vos mouvements ou de la qualité de votre voix. Apprenez plutôt à communiquer grâce à vos réactions spontanées. Vous manifesterez votre paix intérieure, votre accord avec la relation d'aide et avec vos clients, en prenant conscience de vos messages non verbaux et en étant à l'aise avec vous-même. Cette façon de vous extérioriser facilite la collaboration avec vos clients au lieu d'interférer avec elle.

On peut parfaitement apprendre à manifester son attention au client, dans la mesure où cela correspond aux attitudes et aux valeurs, telles que le respect et l'empathie, abordées dans le chapitre 3. Autrement, le résultat sera artificiel. Votre façon de penser – celle qui vient du cœur – compte tout autant que votre présence physique. Si le bien du client vous importe peu ou si vous lui en voulez carrément, votre comportement vous trahira par des indices subtils, ou beaucoup moins subtils. Alors que je manifestais mon inquiétude à un médecin au sujet d'une technique diagnostique invasive qu'il se proposait d'employer, il utilisa les mots justes pour me rassurer. Cependant, sa présence et son débit accéléré signifiaient : « J'ai déjà entendu ce genre de question des dizaines de fois. Je perds mon temps à répondre. Passons à l'essentiel. » Son attitude contredisait ses paroles et constituait le véritable message.

## ART DE MANIFESTER SON ATTENTION AU CLIENT

Un certain nombre d'habiletés non verbales vous permettent de démontrer votre intérêt au client. Ces habiletés se résument par l'acronyme FOPYD. En raison de la spécificité de chaque culture en termes de communication, on les adaptera avec précaution dans des contextes différents. Les recommandations suivantes sont donc formulées à titre indicatif :

**F : Faites *face* au client.** Adoptez une posture qui indique votre implication. Dans la culture nord-américaine, le fait de se placer face à son interlocuteur s'interprète comme une manifestation d'intérêt. Cela signifie : « Je suis avec vous, à votre disposition. » En vous détournant de votre interlocuteur, même si vous continuez à lui parler, vous semblez vous en désintéresser. Même s'ils sont assis en cercle, les gens essaient de se tourner vers celui à qui ils s'adressent. L'expression *faire face* ne doit pas être prise ici dans son sens littéral. Il ne s'agit pas de se confronter à la personne comme à un ennemi. L'idée est de se placer vis-à-vis d'elle pour manifester son intérêt. Si, pour une raison quelconque, un tel face-à-face semble trop menaçant, on préférera alors une position oblique. Ce n'est pas une question de centimètres ou d'inclinaison mais de qualité de la présence. Que vous le vouliez ou non, votre corps envoie des messages. Assurez-vous que ceux-ci concordent avec vos intentions.

**O : Adoptez une attitude *ouverte*.** Le fait de croiser les bras ou les jambes peut s'interpréter comme un manque d'intérêt ou de disponibilité pour autrui. En adoptant une attitude ouverte, vous indiquez que vous êtes prêt à écouter. Dans le contexte nord-américain, ce type de posture est généralement considéré comme non défensif. Là encore, il ne faut pas prendre le mot dans son sens littéral ou métaphorique. En croisant les jambes, on n'exprime pas automatiquement son manque d'intérêt pour le client. Toutefois, il importe de se demander : « Dans quelle mesure mon attitude reflète-t-elle mon ouverture et mon intérêt à l'égard du client ? » Si vous êtes empathique et tolérant, votre attitude doit le démontrer.

**P : N'oubliez pas de vous *pencher* vers l'autre.** Observez deux personnes en grande conversation et vous les verrez se pencher fréquemment l'une vers l'autre en signe d'intérêt mutuel. N'oubliez pas que la partie supérieure de votre corps est mobile et peut s'incliner d'avant en arrière. Dans le contexte nord-américain, le fait de se pencher légèrement vers l'autre est une façon de lui indiquer : « Je te suis, ce que tu as à me dire m'intéresse. » En se reculant sur sa chaise (ou pis encore, en s'enfonçant dans son fauteuil), on donne l'impression à l'interlocuteur qu'il vous ennuie. Par contre, en se penchant trop souvent en avant ou en le faisant prématurément, on risque d'effrayer le client, ce geste pouvant être interprété comme une demande de rapprochement ou d'intimité. Pris dans un sens plus large, le verbe *se pencher* s'interprète comme une souplesse corporelle ou une concordance avec le client. Dans ce sens, cette souplesse physique traduit une flexibilité mentale.

**Y : Maintenez un contact des *yeux*.** En Amérique du Nord, deux individus en pleine conversation échangeront des regards pratiquement constamment, sans pour autant se dévisager. Encore une fois, observez deux personnes en train de bavarder et vous serez surpris du nombre de regards qu'elles échangent. En maintenant un bon contact visuel avec le client, vous l'assurez de votre présence et de votre intérêt. De toute évidence, en détournant les yeux à l'occasion, vous n'enfreindrez pas cette règle et cela vous évitera de dévisager la personne. Cependant, si vous vous surprenez à détourner le regard fréquemment, votre comportement indique peut-être une certaine réticence et une indifférence vis-à-vis de votre interlocuteur. Cela peut trahir également un certain malaise de votre part. Pour certaines cultures, un contact visuel constant est inconvenant, spécialement avec une personne en position d'autorité. Mes étudiants et mes clients d'origine asiatique m'ont beaucoup appris sur la signification du contact visuel.

**D : Soyez relativement *détendu et naturel*.** Il importe de tenir compte de deux choses. Tout d'abord, évitez de déconcentrer votre client par votre agitation ou vos mimiques, car il s'interrogera sur les raisons de votre nervosité. Ensuite, apprenez à vous exprimer et à établir un contact facile avec les autres. En étant naturel, vous les mettez à l'aise.

Une conseillère, formée selon le modèle de l'aidant compétent, enseignait au Royal National College for the Blind à des personnes ayant une déficience visuelle. La plupart de ses clients étaient malvoyants. Néanmoins, elle fit les remarques suivantes concernant FOPYD :

> Le contact visuel n'a que peu ou pas d'importance pour les étudiants qui sont aveugles ou qui présentent une déficience visuelle. Par contre, la direction de la voix compte beaucoup. Les gens qui souffrent de ce type de handicap avouent se sentir blessés par quelqu'un qui leur adresse la parole en regardant ailleurs.

> J'enseigne FOPYD dans le cadre des habiletés d'écoute et je n'ai aucun problème pour adapter les lettres de cet acronyme [à l'intention de mes étudiants malvoyants], à l'exception du Y. Après mûre réflexion, j'aimerais remplacer cet acronyme par FOPAD, le Y étant remplacé par A pour « axe ». Cela signifie que vous devez tourner votre visage et votre corps vers votre interlocuteur pour qu'en entendant votre voix il sache, par un indice linguistique ou paralinguistique, que vous lui accordez toute votre attention.

Les commentaires de cette conseillère soulignent le fait que les gens sont beaucoup plus sensibles à la façon dont vous vous tournez vers eux que vous ne pourriez le supposer.

Toute interférence qui amoindrit votre présence risque de diminuer la qualité de l'échange. Il faut savoir qu'une attitude compatissante, authentique et respectueuse ne sera pas ressentie comme telle si le client ne la perçoit pas dans le comportement de l'aidant. Au début, vous risquez de vous préoccuper exagérément de la manière dont vous manifestez votre attention, spécialement si vous n'avez pas l'habitude d'écouter les autres. Les règles ici présentées ne sont que des lignes directrices. Il ne faut donc pas les prendre au pied de la lettre et les appliquer uniformément et de manière stricte. L'encadré 4.1 résume, sous forme de questions, les principaux points concernant l'attention aux clients.

## 4.3 DIFFICULTÉS INHÉRENTES AUX HABILETÉS À COMMUNIQUER : MISES EN GARDE

Dans notre vie quotidienne, la compétence sur le plan de la communication interpersonnelle est cruciale. Elle conditionne l'ensemble de nos activités. Pourtant, selon moi, la société l'ignore encore beaucoup. La communication est traitée à la même enseigne que bien d'autres habiletés essentielles, telles que la gestion de problèmes et le développement de nouvelles perspectives, l'art d'être parent et la réussite (la connaissance du mode de fonctionnement de certains systèmes), pour n'en citer que quelques-unes.

---

**ENCADRÉ 4.1**
**QUESTIONS POUR ÉVALUER SON ATTENTION**

◎ Quelles sont mes attitudes envers ce client ?

◎ Comment évaluer la qualité de ma présence auprès de ce client ?

◎ Dans quelle mesure mon comportement non verbal indique-t-il ma disponibilité ?

◎ Comment mes attitudes s'expriment-elles dans mon comportement ?

◎ Comment mes attitudes s'expriment-elles dans mes paroles ?

◎ Dans quelle mesure le client sent-il ma présence et ma disponibilité ?

◎ Comment mon comportement non verbal traduit-il mes émotions ?

◎ Qu'est-ce qui m'empêche d'accorder toute mon attention à ce client ? Que puis-je faire pour éviter ces distractions ? Comment puis-je renforcer ma présence vis-à-vis de cette personne ?

---

J'aimerais revenir sur ce point. Quand je donne une conférence, il m'arrive souvent de poser deux questions à mon auditoire. La première se formule comme suit :

Compte tenu de l'importance des relations humaines dans tous les aspects de l'existence, pensez-vous qu'il est essentiel que vos enfants apprennent à bien communiquer avec les autres ? Comment qualifieriez-vous cette importance sur une échelle de 1 à 100 ?

Invariablement, les cotations sont fort élevées et avoisinent 100. La deuxième question se résume à peu près ainsi :

En raison de l'importance de ces apprentissages, où vos enfants peuvent-ils les acquérir ? Dans quel contexte ? Comment pouvez-vous le vérifier ?

Il s'ensuit des bafouillages et des hésitations : « Je crois qu'ils apprennent cela à la maison. Si on leur donne le bon exemple dans la famille. » ou bien : « L'expérience est le meilleur moyen d'apprendre. On apprend sur le tas. » Le public tourne autour du pot pendant un moment, jusqu'à ce que j'intervienne :

Pour résumer ce que je viens d'entendre, et en fait cela ne diffère absolument pas de ce que j'ai entendu ailleurs, les parents accordent une grande importance à ce type d'éducation, mais nous vivons dans une société qui laisse cette formation au hasard. Rien n'est entrepris systématiquement pour s'assurer que nos enfants acquièrent ces habiletés. Par conséquent, rien ne garantit qu'ils les apprennent au cours de leur formation.

Les enfants les apprennent en partie grâce à leurs parents, ils acquièrent quelques rudiments à l'école et la télévision y contribue probablement. Toutefois, dans l'ensemble, ils rencontrent beaucoup plus de mauvais communicateurs que de bons.

Dans un monde idéal, les futurs aidants devraient arriver dans les programmes de formation dotés d'un solide bagage (habiletés) dans le domaine de la communication interpersonnelle. L'enseignement consisterait à tirer parti de ce savoir-faire dans la démarche d'aide. Après tout, ces aptitudes ne sont pas spécifiques à la profession. Elles ne constituent qu'un perfectionnement des habiletés que nous utilisons dans nos échanges quotidiens. Néanmoins, comme les étudiants ne sont généralement pas dotés de telles compétences, il leur faut du temps pour les acquérir, ce qui, curieusement, pose un problème. Certains programmes de formation des aidants sont centrés exclusivement sur ces habiletés de communication et les étudiants en sortent en sachant communiquer, mais sans pour autant être des aidants compétents. En outre, la plupart des adultes considèrent qu'ils sont passablement doués dans le domaine des communications. Cela signifie qu'ils se considèrent aussi bons que les autres.

# CHAPITRE 5
## ÉCOUTE ACTIVE : BASE DE LA COMPRÉHENSION

**5.1 ÉCOUTE INADÉQUATE**
- Absence d'écoute
- Écoute partielle
- Écoute mécanique
- Réponse anticipée

**5.2 ÉCOUTE EMPATHIQUE**

**5.3 ÉCOUTE DES MOTS : VÉCU, POINTS DE VUE, DÉCISIONS, INTENTIONS OU PROPOSITIONS DES CLIENTS**

Écouter le vécu des clients
- Expériences
- Comportements
- Affects : sentiments, émotions et humeurs

Écouter les points de vue des clients

Écouter les décisions des clients

Écouter les intentions ou les propositions des clients

Discerner les opportunités et les ressources disponibles

**5.4 ÉCOUTE DES MESSAGES NON VERBAUX DES CLIENTS ET LEURS VARIANTES**
- Confirmation ou redite
- Déni ou ambiguïté
- Renforcement ou insistance
- Intensification
- Maîtrise ou régulation

**5.5 ANALYSE DES MESSAGES : RECHERCHE APPROFONDIE DE LA SIGNIFICATION**
- Repérer les messages clés et les sentiments essentiels
- Comprendre les clients dans leur contexte
- Distorsions : écoute réflexive
- Éléments manquants

**5.6 ÉCOUTE DE SOI : LANGAGE INTÉRIEUR DE L'AIDANT**

**5.7 DIFFICULTÉS INHÉRENTES À L'ÉCOUTE DES CLIENTS : MISES EN GARDE**

Diverses formes d'écoute biaisée

- ◆ Écoute filtrée
- ◆ Écoute évaluative
- ◆ Écoute basée sur la théorie et le diagnostic
- ◆ Écoute centrée sur les faits plutôt que sur la personne
- ◆ Écoute sympathique
- ◆ Interruptions

Mythes concernant le comportement non verbal

La présence n'est pas, de toute évidence, une fin en soi. Vous manifestez votre attention au client, en écoutant son vécu, son point de vue, ses décisions, ses intentions et ses propositions. L'écoute active des problèmes du client semble un concept si simple et si facile que vous vous demandez peut-être pourquoi elle est traitée de manière aussi explicite dans cet ouvrage. Pourtant, il est troublant de constater à quel point les gens ne s'écoutent pas les uns les autres. Une écoute attentive signifie une écoute active, précise, à la recherche d'une signification. Écouter ne représente pas seulement une habileté, c'est une grande qualité pour la relation d'aide et pour tous les types de relations. Nous essaierons dans ces pages de donner un aperçu de cette richesse.

L'exemple suivant servira à rendre plus compréhensibles les concepts de présence et d'écoute.

Jennie, une Québécoise d'origine haïtienne qui étudiait à l'université, a été violée par un ami. Elle a été reçue rapidement en consultation au service aux étudiants et a bénéficié d'un certain type d'aide psychologique durant l'enquête qui s'en est suivie. Bien qu'elle ait été violée, il lui a été impossible de prouver les faits. Toute cette expérience – le viol et l'enquête subséquente – l'a profondément marquée et elle a perdu toute confiance en elle-même, se sent furieuse et ne fait plus confiance aux institutions qui ne l'ont pas soutenue (particulièrement l'université et le système judiciaire). Denise, une travailleuse sociale d'âge mûr appartenant à la classe moyenne et d'origine haïtienne également, conseillère dans un organisme de santé, l'a rencontrée quelques années après cet incident. Jennie souffrait de plusieurs troubles somatiques, entre autres des céphalées et des malaises gastriques. Au travail, elle réagissait très mal chaque fois qu'elle se sentait exploitée. De plus, elle était devenue très passive et souffrait de dépression chronique. Elle se considérait comme une victime de la société et se laissait aller.

Nous reviendrons sur les interactions entre Denise et Jennie pour illustrer les principaux éléments de l'écoute.

## 5.1 ÉCOUTE INADÉQUATE

L'écoute efficace est un état d'esprit qui n'a rien de comparable avec le fait d'être heureux ou détendu. Ce n'est pas un phénomène spontané mais une activité. En d'autres mots, l'écoute efficace demande un effort. Commençons donc par examiner le contraire de l'écoute active. Nous avons tous souffert à un moment ou à un autre des diverses formes de cette écoute inadéquate, ou nous l'avons infligée aux autres.

**Absence d'écoute.** Il nous arrive de faire semblant d'écouter sans vraiment prêter attention. Il est parfois possible de s'en sortir, mais pas toujours. « Qu'est-ce que tu ferais ? » demande Pascale à son collègue Kieran, après avoir décrit un problème qui existe entre le service psychologique de l'université et l'administration. Mal à l'aise, Kieran lui répond : « Je ne sais pas. » Pascale lui jette un regard outré en lui disant : « Tu n'as absolument rien écouté de ce que je t'ai dit. » Pour une quelconque raison, il n'a pas porté attention à ses paroles. De toute évidence, aucun aidant ne cesse volontairement d'écouter, mais même le meilleur professionnel laisse parfois son esprit vagabonder lorsqu'il entend sans arrêt les mêmes histoires, en oubliant que, pour le client, cette histoire est unique.

**Écoute partielle.** Ce type d'écoute reste à la surface des choses. L'aidant récolte certains fragments mais pas forcément les éléments cruciaux exposés par le client. À titre d'exemple, Jean-Claude, le client de Charlotte, lui raconte une rencontre amoureuse qui a mal tourné. Charlotte n'écoute qu'à demi. Il semblerait que Jean-Claude n'est guère passionnant. Il arrête de parler et semble déçu. Charlotte essaie de reconstituer l'histoire qu'elle vient d'entendre, mais sa tentative manque de conviction. Après une pause, Jean-Claude change de sujet. Une écoute inadéquate ne favorise ni la compréhension ni les relations humaines.

**Écoute mécanique.** Les clients n'ont nul besoin que les aidants répètent leurs paroles. Les magnétophones sont là pour cela. Ils veulent une communication humaine qui ne se limite pas à la présence physique ; ils souhaitent que l'autre soit présent à la fois psychologiquement, socialement et émotionnellement. L'aidant n'arrive pas toujours à manifester suffisamment son attention et sa présence. Le client note quelques indices qui démontrent que l'aidant ne l'écoute que d'une oreille. Combien de fois vous est-il arrivé de reprocher à l'autre son manque d'écoute ? Celui qui vient de se faire accuser vous rétorque alors, comme prévu : « Je t'écoute et je peux même te répéter tout ce que tu viens de dire. » Cela n'a rien de bien réconfortant. En général, les clients sont trop polis, trop intimidés ou trop préoccupés par leurs propres difficultés pour dénoncer cette situation. Toutefois, cette situation constitue un véritable gâchis si vous êtes présent physiquement, mais qu'en réalité vous êtes ailleurs. Vos clients ont besoin d'un conseiller humain et entier, pas d'une enregistreuse.

**Réponse anticipée.** Regardez Paul, un tout nouveau diplômé en psychologie, assis avec son client, Jean-Guy. Durant leur conversation, ce dernier mentionne ses rêves complètement délirants ; en son for intérieur, Paul se dit qu'il ne connaît presque rien sur le sujet et se demande ce qu'il pourra bien lui répondre. En fait, Paul cesse d'écouter pour commencer à préparer sa réponse. Cela arrive même aux aidants chevronnés, lorsqu'ils commencent à réfléchir à une réponse parfaite pour le client. Les aidants efficaces écoutent attentivement leurs clients, les thèmes et les messages contenus dans leurs propos. Ils savent souvent quoi répondre et n'ont pas besoin de se préparer. Leurs réponses sont alors beaucoup plus susceptibles d'aider le client à progresser dans sa démarche de gestion de problèmes. Lorsqu'un client cesse de parler, les aidants efficaces font souvent une pause pour réfléchir à ce qu'il vient de dire et prennent ensuite la parole. Cette pause signifie : « Je suis en train de repasser ce que vous venez de dire afin de vous donner une réponse mûrement réfléchie. » Cette pause prouve qu'ils ont écouté.

## 5.2 ÉCOUTE EMPATHIQUE

Le contraire de l'écoute inadéquate, c'est l'écoute empathique. Ce type d'écoute repose sur la présence, l'observation et l'écoute active. L'écoute empathique permet d'accompagner le client afin de mieux le comprendre et de pénétrer son univers. Même s'il est métaphysiquement impossible de pénétrer dans le monde intérieur d'une autre personne et d'adopter sa perception du monde, nous pouvons au moins nous en approcher.

Carl Rogers (1980) décrit avec passion l'écoute empathique comme une façon d'être avec l'autre, de le comprendre ; il parle d'une façon d'être peu reconnue. Il emploie ce qualificatif parce que, selon lui, bien peu de gens sont parvenus à cette « écoute en profondeur » et que même ceux qui se font passer pour des experts ne lui accordent pas l'attention qu'elle mérite. Voici sa description de l'écoute empathique ou d'accompagnement :

> *Cela consiste à pénétrer dans le monde perceptuel intime de l'autre et à s'y sentir à l'aise. Il faut pour cela ressentir, au moment même, les perceptions changeantes de cette personne, de la peur à la colère, à la tendresse et à la confusion et toutes les émotions qui l'habitent. Cela signifie qu'il s'agit d'accompagner temporairement cette personne dans son vécu, sans porter de jugement.* (p. 147)

Une telle écoute est par essence désintéressée, car les aidants doivent reléguer leurs propres préoccupations pour être complètement avec leurs clients. Rogers fait bien évidemment remarquer qu'une telle écoute reste stérile, à moins que l'on ne puisse la faire partager. Même si les clients apprécient une écoute et une présence intenses, il faut les comprendre avec tous leurs problèmes. Une écoute empathique débouche sur une compréhension empathique, qui elle-même conduit à une réponse empathique.

La perception empathique de la psyché d'un autre est une question de degrés. Votre rôle en tant qu'aidant est de comprendre suffisamment les conflits internes de votre client ou la mobilisation de ses ressources pour participer activement à la gestion de ses problèmes, et au développement de solutions valables et sérieuses. Si votre intervention est basée sur une perception fausse ou incorrecte de la personne, vous risquez d'induire le client en erreur. Si votre perception est valable mais superficielle, il se peut aussi que vous passiez à côté de ses problèmes essentiels.

Revenons à Jennie et à Denise. Cette dernière est une professionnelle confirmée et n'achoppe pas aux questions d'écoute inadéquate. C'est l'interlocutrice empathique par excellence et elle sait qu'elle doit suivre sa cliente tout au long du processus.

## 5.3 ÉCOUTE DES MOTS : VÉCU, POINTS DE VUE, DÉCISIONS, INTENTIONS OU PROPOSITIONS DES CLIENTS

L'écoute des clients n'est pas une activité libre mais un travail. Les aidants doivent polariser leur attention. Pour structurer cette écoute et déceler les aspects essentiels et les détails pertinents, il faut identifier les différentes composantes du discours du client : son *vécu*, ses *points de vue*, ses *décisions* et la formulation de ses *intentions* ou de ses *propositions*.

Au tout début, les aidants écoutent le vécu de leurs clients, qui se résume essentiellement en difficultés et en ressources inexploitées. Ce récit comprend les *expériences,* les *comportements* et les *émotions.* On divise habituellement l'activité humaine en trois domaines : la pensée, les sentiments et l'action. L'approche adoptée ici diffère légèrement.

Les clients racontent leur *expérience* – ce qui leur est arrivé. Si une cliente vous dit qu'elle vient d'être mise à la porte, elle vous décrit une situation difficile comme une expérience vécue. Évidemment, Jennie a dit qu'elle avait été violée, rabaissée et rejetée. Les clients décrivent également leur *comportement,* ce qu'ils font ou s'abstiennent de faire. Si une personne vous dit qu'elle boit beaucoup et fume énormément, elle décrit son comportement extérieur. Si une autre vous raconte qu'elle passe beaucoup de temps à rêvasser, elle fait référence à son comportement intérieur. Jennie a mentionné qu'elle s'était distanciée de sa famille et de ses amis après l'enquête sur le viol. Les clients discutent également de leurs *affects* : les sentiments, les émotions et les humeurs qui sont associés à leurs comportements extérieurs ou intérieurs, ou qui en dérivent. Si une cliente vous dit qu'elle se sent déprimée après une dispute avec son ami, elle décrit l'humeur associée à cette expérience vécue et à ce comportement. Jennie a exprimé sa honte, son impression d'avoir été dupée et sa colère. Dans la vie de tous les jours, les expériences vécues, les actions et les émotions sont intimement mêlées ; les clients les amalgament également dans leurs récits. Nous le voyons dans l'exemple suivant :

> Un client confie au conseiller du service du personnel d'une grande compagnie : « Hier, j'ai vécu une des pires journées de ma vie. » Le conseiller sait immédiatement que quelque chose ne va pas et que le client est très préoccupé, mais il n'en sait pas beaucoup plus sur l'expérience vécue, les comportements et les émotions spécifiques qui ont fait de cette journée un enfer. Néanmoins, le client poursuit : « À la fin de la journée, mon patron a commencé à m'incendier devant mes collègues, parce que je n'avais pas obtenu la commande d'un nouveau client [expérience]. J'ai perdu mon sang-froid [émotion] et je lui ai répondu sur le même ton [comportement]. Il est devenu fou furieux et m'a fichu à la porte sur-le-champ [expérience]. Et maintenant, je me sens complètement abattu [émotion] et j'essaie de voir si on m'a vraiment congédié ou si je peux récupérer mon emploi [comportement]. »

Les situations problématiques paraissent beaucoup plus simples lorsqu'elles sont décrites en termes d'expériences, de comportements et de sentiments dans le cadre d'une situation spécifique.

Comme les clients passent énormément de temps à raconter leur vécu, il est nécessaire de préciser ces divers éléments.

**Expériences.** La plupart des clients expliquent longuement, parfois trop longuement, ce qui leur est arrivé.

◆ « Ma femme ne me comprend pas. »
◆ « Mon ulcère me fait souffrir à chaque dispute familiale. »

- ✦ « Mon patron ne me fournit aucune information. »
- ✦ « J'ai sans cesse mal à la tête. »

Il est essentiel d'écouter et de comprendre l'expérience des clients. Néanmoins, comme elles reposent essentiellement sur ce que font les autres ou ce qu'ils ne font pas, ce type de récit a tendance à être essentiellement passif. Cela implique que le client blâme souvent les autres, ou le monde en général, pour ses difficultés.

- ✦ « Elle ne fait rien de la journée. La maison est toujours en désordre lorsque je rentre. Rien d'étonnant à ce que je ne puisse pas me concentrer sur mon travail. »
- ✦ « Il aime raconter des blagues, mais j'en suis toujours la cible. Il me donne constamment l'impression que je ne vaux rien. »

Certains clients mentionnent ce qu'ils éprouvent et qui les dépasse.

- ✦ « Ces pensées dépressives arrivent de je ne sais où et elles m'engloutissent. »
- ✦ « Je ne peux m'empêcher de penser à lui. »

La dernière remarque pourrait passer pour une action, mais elle s'exprime sous forme d'expérience vécue : quelque chose qui arrive à la cliente ou du moins qui décrit sa façon de penser. Une des raisons qui empêchent les clients de surmonter leurs difficultés, c'est qu'ils sont trop passifs ou se perçoivent comme des victimes. Ils se croient à la merci des autres. Ils ont l'impression de subir la situation dans laquelle ils se trouvent et de n'avoir aucune emprise sur celle-ci. Les pressions liées aux normes et conflits qui existent dans la société, par exemple au travail et dans la famille, déstabilisent ces personnes. Ils considèrent qu'ils n'arrivent plus à diriger leur existence ou certains aspects de leur existence. Cela les conduit à s'étendre longuement sur le sujet.

- ✦ « C'est bien simple, la compagnie a une politique discriminatoire envers les femmes. »
- ✦ « Même si l'économie tourne à plein rendement, le genre de poste que je veux est toujours occupé. »
- ✦ « Un professeur ayant des idées innovatrices ne peut pas aller bien loin. »

Il est vrai que certains clients sont traités de façon injuste et qu'ils sont les victimes du comportement des autres dans leur contexte social ou institutionnel. Même si nous pouvons les aider à surmonter leur victimisation, ils doivent réaliser des changements dans leur contexte social pour régler complètement leurs problèmes. Par exemple, il est possible d'aider une cliente à supporter un conjoint brutal, mais, en dernier lieu, les tribunaux doivent intervenir pour limiter les actions de celui-ci.

Pour d'autres clients, le fait de décrire leur vécu est un moyen d'éviter de prendre leurs responsabilités : « Ce n'est pas de ma faute. Cela m'est arrivé. » Dans son livre *A Nation of Victims*, Sykes (1992) fait part de son inquiétude face à la tendance américaine à devenir une nation de geignards, incapables de se responsabiliser vis-à-vis de leurs actions. Que cela corresponde ou non à la réalité, les conseillers doivent différencier les pleurnicheurs des vraies victimes.

**Comportements.** Il nous arrive à tous de nous retrouver dans des situations impossibles ou de ne pas faire ce qu'il faudrait pour nous en sortir ou tirer parti de nos ressources et des opportunités qui s'offrent à nous. Les clients ne sont pas différents.

✦ « Lorsqu'il m'ignore, je pense aux différents moyens de prendre ma revanche. »
✦ « Chaque fois que quelqu'un me tombe dessus parce que mon père est en prison, je me laisse faire. Pourtant, dans tout autre situation, je ne tolère ce type de comportement de personne. »
✦ « Même si je commence à me sentir déprimée, je ne prends pas les médicaments que le médecin m'a prescrits. »
✦ « Quand je m'ennuie, je sors avec des amis pour me saouler. »
✦ « J'ai eu de nombreux partenaires sexuels et je ne mets aucune protection chaque fois que mes partenaires ne l'exigent pas. »

Certains clients n'hésitent pas à raconter librement leurs expériences, alors que d'autres montrent des réticences à décrire leur comportement. C'est peut-être parce qu'ils ne peuvent aborder ces comportements sans se confronter à leur responsabilité personnelle.

**Affects : sentiments, émotions et humeurs.** Les sentiments, les émotions et les humeurs constituent une sorte de flux constant – paisible, décousu, turbulent ou violent – souvent bénéfique, parfois dangereux, rarement neutre. Ils contribuent grandement aux situations problématiques des clients et à leur incapacité à utiliser leurs ressources inexploitées (Greenberg et Paivio, 1997 ; Plutchik, 2001). Certains ont critiqué les psychologues, tant les chercheurs que les praticiens, leur reprochant de ne pas accorder assez d'importance aux émotions. Par exemple, la colère est une émotion extrêmement importante et omniprésente, mais curieusement négligée par les cliniciens (Norcross et Kobayashi, 1999, p. 275 ; il s'agit du premier article d'une série sur la colère dans une section spéciale du *Journal of Clinical Psychology*, n° 55, mars 1999). Toutefois, certains indices annoncent un changement de tendance. Depuis 2001, la publication d'une nouvelle revue professionnelle de l'American Psychological Association, *Emotion*, atteste de l'importance fondamentale de l'émotion dans l'existence humaine. Ce journal comprend des articles allant de la simple vulgarisation psychologique aux sciences moléculaires les plus pointues. Les livres sur l'art de s'aider soi-même, écrits par des professionnels et largement diffusés, se sont révélés extrêmement utiles aux clients et aux praticiens durant des années (McKay et Dinkmeyer, 1994 ; McKay, Davis et Fanning, 1997). Il s'agit de publications très pragmatiques qui ont tendance à adopter l'approche de la psychologie positive pour reconnaître, maîtriser et exploiter les émotions dans la vie quotidienne.

La reconnaissance des sentiments, des émotions et des humeurs (ou de leur absence) s'avère très importante pour trois raisons. Tout d'abord, elles sont omniprésentes dans notre vie. Toutes nos actions sont teintées d'émotivité. Les sentiments, les émotions et les humeurs imprègnent le vécu des clients, leurs points de vue, leurs décisions et leurs intentions. Ensuite, elles retentissent très largement sur la qualité de notre vie. Une dépression peut nous faire lâcher les rênes. Un client déprimé est un client malheureux. Une personne respire plus librement si elle parvient à rejeter le doute concernant ses capacités. Enfin, les sentiments, les émotions et les humeurs conditionnent l'ensemble de notre comportement et, comme Lang (1995) l'a fait remarquer, ce sont des incitatifs à l'action. Aveuglés par la colère, les individus en arrivent à prendre des décisions désespérées. En revanche, une personne enthousiaste accomplira beaucoup plus qu'elle ne le prévoyait. L'élément positif, c'est que nous pouvons apprendre à manifester notre attention aux sentiments, aux émotions et aux humeurs de nos clients (Machado, Beutler et Greenberg, 1999) dans le but de les aider à trouver le moyen de composer avec ces affects.

Toute la démarche d'aide se centre sur la compréhension de l'importance des sentiments, des émotions et des humeurs des clients en difficulté, et de leur désir de discerner et de développer leurs ressources. Les émotions permettent de mettre en évidence les possibilités d'apprentissage. Selon Vallerand (2000), les émotions influencent l'ajustement psychologique de différents types de victimes en modifiant leur façon de penser.

◆ « Ma vie n'est pas drôle depuis qu'il m'a quittée. » En s'apitoyant sur son sort, cette cliente limite sa perception du monde et les possibilités de résoudre son problème.
◆ « Je me suis fâchée avec ma mère hier soir et maintenant j'ai vraiment honte de moi. » Dans ce cas, la honte peut servir de signal d'alarme dans sa relation avec sa mère.
◆ « Au cours des dernières semaines, je me sentais anxieuse sans savoir pourquoi. Je me réveillais angoissée et cette sensation finissait par disparaître, pour revenir ensuite plusieurs fois au cours de la journée. » L'anxiété est devenue une mauvaise habitude pour cette cliente et elle se perpétue d'elle-même. Que peut-elle faire pour rompre ce cercle vicieux ?
◆ « J'ai finalement remis mon travail de session, après l'avoir traîné durant des semaines, et je me sens vraiment bien ! » L'émotion dans ce cas est devenue une arme dans la lutte contre les atermoiements.

Le dernier élément de cette liste soulève un point important. Les ouvrages de psychologie accordent généralement plus d'importance aux émotions négatives qu'aux émotions positives, mais on étudie actuellement les émotions positives et leurs effets bénéfiques. Certains indices laissent croire que ces émotions positives permettent d'atteindre un bien-être à la fois physique et psychologique (Salovey, Rothman, Detweiler et Steward, 2000). Les recherches indiquent également que les émotions peuvent libérer l'énergie psychologique, constituer des occasions d'apprentissage et promouvoir des comportements sains. Le soutien social joue un rôle essentiel dans la gestion de problèmes et le développement de nouvelles perspectives. Comme Salovey et ses collègues l'ont fait remarquer, les clients seront beaucoup plus susceptibles de rechercher un soutien social s'ils manifestent une attitude positive vis-à-vis de l'existence. Les sympathisants potentiels ont tendance à se détourner des clients qui se laissent aller à leurs émotions négatives.

Bien entendu, les clients expriment bien souvent leurs sentiments autrement qu'en paroles. Lorsqu'une cliente raconte que son patron lui a donné une augmentation sans qu'elle ait eu à le demander, son émotion transparaît dans sa voix. Un client qui parle sans enthousiasme en regardant sans arrêt le plancher n'a pas besoin de dire qu'il se sent déprimé. Un individu à l'approche de la mort exprimera des sentiments de colère et de dépression sans avoir besoin d'en parler. D'autres clients sont très affectés par certaines choses, mais ils refoulent leurs sentiments du mieux qu'ils peuvent. Néanmoins, les aidants efficaces parviennent à relever les indices, verbaux ou non verbaux, qui révèlent les émotions et les sentiments que le client ressent intérieurement.

L'essentiel de la question se résume ainsi : le récit du client est un amalgame d'expériences vécues, de comportements et de sentiments. En racontant son vécu, la personne illustre souvent par des exemples son point de vue, ses décisions, ses intentions et ses propositions. Votre première tâche consiste donc à écouter soigneusement cet amalgame par lequel elle exprime ses difficultés et ce qu'elle aimerait faire pour les résoudre.

### ÉCOUTER LES POINTS DE VUE DES CLIENTS

Lorsqu'ils racontent leur vécu, envisagent les perspectives et possibilités d'un avenir meilleur, établissent des objectifs, dressent des plans d'action et analysent les obstacles, les clients expriment souvent leurs points de vue. Un point de vue est une manière particulière de considérer les choses. L'expression complète d'un point de vue comprend cette manière de considérer les choses, les raisons qui la justifient, les exemples servant à l'illustrer et certaines indications du client concernant de possibles changements. En général, le client ne formule aucune attente concernant l'acceptation de son point de vue par les autres ; cela deviendrait alors une tentative de persuasion ou un argument de vente. Cependant, dans la réalité, cette formulation signifie implicitement que les autres devraient penser de la même façon. À titre d'exemple, Aurore, une femme âgée de 80 ans, parle à son conseiller des contraintes de la vieillesse. Elle finit par lui dire :

> Ma sœur vit en Gaspésie [elle a 85 ans] et elle est malade. Il est probable qu'elle mourra, mais elle veut rester chez elle. Elle me demande d'aller la rejoindre et de m'occuper d'elle. C'est beaucoup trop me demander. Moi aussi, j'ai besoin d'aide. Mais elle n'arrête pas de m'appeler.

Le point de vue d'Aurore, c'est que la demande de sa sœur manque de réalisme, car elle-même a besoin d'assistance. Néanmoins, sa sœur insiste pour qu'elle change d'avis. Les points de vue des clients révèlent leurs convictions, leurs croyances, leurs valeurs et leurs attitudes. Ils donnent leurs points de vue sur presque tout. Toutefois, il faut écouter et comprendre les points de vue qui concernent leurs situations problématiques ou leurs ressources inexploitées. C'est le cas de Jennie, lorsqu'elle dit à Denise :

> On ne peut pas faire confiance au système. Ils ne sont pas là pour vous aider et cherchent tous les moyens pour se débarrasser de vous. Quelles que soient les institutions : l'église, le gouvernement, la collectivité et même parfois la famille, je sais qu'ils ne m'apporteront pas beaucoup d'aide.

Denise écoute attentivement ce point de vue et prend conscience de son importance dans le comportement de Jennie. Dans ce cas précis, il est facile de voir d'où vient ce point de vue. Cependant, Denise sait également qu'il lui faudra le remettre en question à un moment donné, parce que c'est l'une des choses qui transforment la vie de Jennie en enfer. Le point de vue revêt énormément d'importance.

## ÉCOUTER LES DÉCISIONS DES CLIENTS

Il nous arrive, de temps en temps, de discuter avec les autres des décisions que nous nous apprêtons à prendre ou que nous venons de prendre. Un client dira alors qu'il a cessé de boire d'un seul coup ou qu'il en a assez d'être seul et qu'il consultera une agence matrimoniale. Ces décisions ont généralement des implications non seulement pour celui qui les prend, mais aussi pour les autres. Le client qui a décidé d'un sevrage complet y arrivera difficilement et sa conjointe sera également concernée. Si elle est habituée à vivre avec un alcoolique qui consomme, il lui faudra maintenant s'adapter à une personne différente. Les décisions concernant le comportement des autres sont formulées en termes d'instructions, de recommandations ou même d'indices. Par exemple, une cliente demandera alors à son aidante de ne plus lui parler de son ex-mari, car elle en a terminé avec lui.

En annonçant une décision, il faut d'abord la formuler, en justifier les raisons, en expliquer les conséquences pour soi-même et pour autrui ; si cette décision peut être remise en question, du moins partiellement, il faut également le mentionner. À titre d'exemple, lorsque Jennie parle à Denise d'un emploi éventuel, elle lui dit d'un ton passablement désabusé : « Je n'ai pas du tout l'intention d'accepter un travail dans lequel il me faudra lutter contre des préjugés racistes ou antiféministes. J'en ai marre de lutter. Je sais que cela réduit mes chances, mais je ne suis plus capable de le supporter. » Remarquez que cela dépasse le simple point de vue. Jennie est plus ou moins en train de dire : « J'ai pris ma décision. » Elle en connaît les conséquences, à savoir, une réduction de ses possibilités d'emploi, mais ses paroles signifient : « C'est ma décision et n'essayez pas de me convaincre du contraire. » Denise a capté le message et l'ordre implicite. Cela ne l'empêche pas de penser qu'il faut remettre en question certaines des décisions de sa cliente. Bien souvent, la façon d'exprimer une décision en dit long. Le ton peu convaincu sur lequel Jennie a formulé sa décision conduit Denise à penser que cette décision n'est peut-être pas définitive ; elle devra le vérifier. En analysant avec Jennie les raisons qui motivent cette décision et les conséquences possibles, elle aura l'occasion de la remettre en question.

## ÉCOUTER LES INTENTIONS OU LES PROPOSITIONS DES CLIENTS

Les clients déclarent leurs intentions, formulent des propositions ou se donnent des moyens d'action. Prenons le cas de Nathalie, une mère célibataire de deux jeunes enfants qui fait partie des petits salariés. Ses revenus ne couvrent pas ses dépenses, elle n'a pas d'assurance-médicament et le père de ses enfants a disparu depuis longtemps. Elle dit à la travailleuse sociale :

« Je pense que je devrais quitter mon emploi. Je gagne le salaire minimum et avec toutes les dépenses de transport et autres, je n'arrive pas à joindre les deux bouts. Je perds beaucoup de temps dans les déplacements et je ne vois pas suffisamment mes enfants. Des amis les gardent lorsque je suis absente, mais cela va un peu n'importe comment et c'est beaucoup leur demander. Si je me mets sur le bien-être, je gagnerai presque autant d'argent, car je pourrais travailler au noir. J'ai des amis qui font ça. Je crois que cela me permettrait de pouvoir arriver. Cela serait mieux pour moi et pour les enfants. Et je ne serais pas aussi stressée. »

Nathalie est en train de présenter des arguments ; elle n'annonce pas une décision. Elle dit ce qu'elle veut faire (démissionner et passer dans l'économie souterraine), explique les raisons qui justifient son action (sa situation professionnelle précaire, les fins de mois difficiles) et décrit les conséquences de ce choix pour elle-même et ses enfants (elle serait moins tendue, aurait plus de temps à passer avec eux et se sentirait mieux).

Bien sûr, en parlant de leurs problèmes, les clients amalgament un peu toutes les formes de discours. En voici un exemple, tiré d'une conversation entre Jennie et Denise durant une séance. Dans un souci de simplification, nous présentons ici un résumé des paroles de Jennie :

> Il y a quelques semaines, au travail, j'ai rencontré une femme qui a vécu une expérience similaire à la mienne. Nous en avons parlé pendant un moment, pour finalement décider de nous revoir à l'extérieur du bureau. Je suis allée dîner avec elle hier soir. Elle m'a raconté son histoire plus en détail et je suis restée abasourdie. À certains moments, j'avais l'impression que je m'écoutais parler ! Elle avait été profondément blessée et c'est pour cela qu'elle avait limité son existence afin de pouvoir y exercer un contrôle complet et de ne plus être blessée par personne. J'ai immédiatement réalisé que je faisais la même chose. Vous m'avez déjà dit cela, mais je n'avais pas vraiment écouté. Et maintenant, je me trouve face à une femme qui a beaucoup de potentiel et qui se terre. En rentrant, je me suis dit : « Il faut que tu changes. » C'est pourquoi je veux revenir sur deux points que nous avons déjà discutés : ma carrière et ma vie sociale. Je ne veux plus vivre dans le terrier que je me suis moi-même creusé. Il m'est facile de voir ce qu'elle devrait faire. Alors voici ce que, moi, je vais faire. Je veux d'abord élargir mon cercle de connaissances, en commençant par ma famille. Je veux également discuter du type d'emploi qui me conviendrait sans me limiter aucunement. Je veux émerger de l'abîme dans lequel je suis et aider ma nouvelle amie à en faire autant.

Tout se retrouve ici, du moins partiellement : le récit de sa nouvelle amitié, y compris les expériences vécues, les actions et les sentiments ; son point de vue sur sa nouvelle amie ; ses décisions concernant la réorientation de son existence ; des propositions pour améliorer sa vie sociale et sa relation avec son amie. L'essentiel est d'établir une démarche d'écoute qui vous permette de délimiter les messages essentiels de votre client, de discerner et de comprendre les sentiments, les émotions et les humeurs qui s'y rattachent.

## DISCERNER LES OPPORTUNITÉS ET LES RESSOURCES DISPONIBLES

Si vous vous limitez à n'écouter que les problèmes, vous finirez par ne parler que de cela et vous induirez en erreur vos clients. Chacun d'eux dispose d'un potentiel à exploiter. C'est à vous de le découvrir et d'aider vos clients à mobiliser leurs ressources pour résoudre leurs difficultés et tirer parti des opportunités qui s'offrent à eux. Si les gens n'utilisent qu'une fraction de leur potentiel, il y a forcément beaucoup de place pour l'amélioration, comme nous le voyons dans l'exemple suivant. Un conseiller travaille avec un brillant homme d'affaires de 65 ans, père de trois enfants. Ces derniers ont reçu une bonne éducation et réussissent chacun dans leur domaine. Cet individu éprouve des ennuis de santé. L'aidant finit par apprendre que son client faisait partie, lors d'une étude longitudinale, d'un groupe d'enfants d'un quartier déshérité. Ces garçons avaient un coefficient intellectuel moyen de 80 et souffraient d'une série de problèmes sociaux (voir Vaillant et Davis, 2000). En écoutant le récit de son client, l'aidant y trouve la preuve d'une résilience. En passant en revue les stratégies qu'il avait utilisées alors, cet homme se rend compte qu'il pourrait les utiliser de nouveau, en combinaison avec d'autres, pour affronter ses ennuis de santé. À un moment donné, il fait cette remarque : « Je n'ai jamais renoncé. Pourquoi devrais-je commencer à renoncer maintenant ? »

## 5.4 ÉCOUTE DES MESSAGES NON VERBAUX DES CLIENTS ET LEURS VARIANTES

Souvenez-vous de ce que nous disions au chapitre 4 sur les comportements non verbaux. Les clients expriment leurs messages à travers ce type de comportements et l'habileté des gens à interpréter ces messages contribue à l'harmonie de leurs relations (Carton, Kessler et Pape, 1999). Les aidants doivent apprendre à décoder ces messages, sans les dénaturer ni en faire une interprétation trop poussée. Dans l'exemple précité, lorsque Denise dit à Jennie : « Vous avez du mal à parler de vous », Jennie lui répond : « Non, pas du tout ». Toutefois, son comportement non verbal correspond beaucoup plus à la réalité, car elle parle sur un ton hésitant, en détournant le regard et en fronçant les sourcils. De tels indices permettent à Denise de mieux la comprendre. Notre comportement non verbal nous trahit souvent. En raison de sa spontanéité même, ce type de comportement contribue à laisser filtrer des messages, y compris chez des clients qui se tiennent sur leurs gardes. Il est très difficile de feindre un comportement non verbal (Wahlsten, 1991). Le véritable message finit toujours par transparaître.

En plus de représenter un mode de communication en soi, ces comportements, qui vont des expressions du visage aux mouvements du corps, en passant par la qualité de la voix, modifient et délimitent les messages verbaux comme les virgules, les points d'interrogation ou les soulignements qui ponctuent les écrits. Toutes les formes de comportement non verbal mentionnées dans le chapitre 4 ponctuent ou modifient l'échange verbal selon les modalités suivantes.

**Confirmation ou redite.** Le comportement non verbal confirme ou réitère ce qui vient d'être dit. Dans l'exemple susmentionné, lorsque la réponse de Denise démontre qu'elle a bien compris Jennie, non seulement Jennie lui répond : « C'est bien ça ! », mais son regard s'illumine (expression), elle s'incline légèrement en avant (mouvement corporel) et sa voix s'éclaircit (ton de voix). Son comportement non verbal confirme son message verbal.

**Déni ou ambiguïté.** Le comportement non verbal peut également infirmer ou masquer ce qui vient d'être dit. Lorsque Denise la remet en question, Jennie refuse d'admettre qu'elle est touchée, mais sa voix vacille légèrement (ton de voix) et sa lèvre supérieure tremble (expression). Son comportement non verbal transmet le message réel.

**Renforcement ou insistance.** Le comportement non verbal peut accentuer ou souligner ce qui vient d'être dit. Lorsque Denise suggère à Jennie de demander à son patron ce qu'il entend par « comportement erratique », Jennie répond d'un ton surpris, en s'affaissant et en se prenant la tête à deux mains : « Oh ! Je ne crois pas que je suis capable de faire cela ! » Son comportement accentue son message.

**Intensification.** Le comportement non verbal ajoute parfois une touche émotive et amplifie ce qui vient d'être dit. Lorsque Jennie dit à Denise qu'elle n'aime pas être remise en question avant qu'on la comprenne et qu'ensuite elle la dévisage silencieusement avec un visage tendu, son comportement non verbal indique à Denise l'intensité de ses sentiments.

**Maîtrise ou régulation.** Nous utilisons fréquemment les indices non verbaux pour maîtriser ou réguler une conversation. Prenons le cas d'une séance collective de counseling. Nina regarde Thomas et tout porte à croire qu'elle s'apprête à lui adresser la parole. Cependant, il détourne son regard. Nina hésite, puis choisit de se taire. Par son attitude, Thomas a réussi à influencer le comportement de Nina.

Lorsque nous décodons le comportement non verbal – le verbe *décoder* est employé au lieu du verbe *interpréter* –, la prudence reste de mise. Nous écoutons les clients dans le but de les comprendre, pas de les disséquer. Le fait de décoder le comportement non verbal ne suffit pas. Il peut être très utile de détecter les indices pertinents des interactions au cours d'un enregistrement vidéo (Costanzo, 1992). Une fois que vous aurez acquis une connaissance pratique du comportement non verbal et de ses multiples significations, l'expérience vous enseignera à en prendre conscience et à décoder sa signification dans toutes les situations.

Le comportement non verbal revêt souvent de nombreuses significations. Comment être sûr que nous avons bien compris le vrai message ? L'analyse du contexte devient alors essentielle. Les aidants efficaces se concentrent sur l'ensemble du contexte de l'échange, sans se laisser obnubiler par certains détails de comportement. Ils sont conscients du système de communication non verbale et ils l'utilisent, sans pour autant s'y laisser submerger. Les novices ont tendance à faire une fixation sur tel ou tel aspect du comportement non verbal et font grand cas d'un demi-sourire ou d'un froncement de sourcils. En donnant trop d'importance à ce sourire ou à cette expression de désapprobation, ils perdent de vue la personne. Nous ne devons pas pousser trop loin l'écoute. N'oubliez pas que vous êtes un être humain qui en écoute un autre et non un aspirateur qui ramasse tous les débris sans discernement. Visez la qualité, pas la quantité. Ceci nous amène au thème suivant.

## 5.5 ANALYSE DES MESSAGES : RECHERCHE APPROFONDIE DE LA SIGNIFICATION

Pendant que nous écoutons, nous traitons l'information entendue. L'astuce, c'est de traiter l'information de façon réfléchie. Comme nous le verrons un peu plus loin, il existe bien des façons peu rationnelles d'analyser les récits des clients, leurs points de vue et leurs décisions. Voyons tout d'abord comment traiter l'information intelligemment.

**Repérer les messages clés et les sentiments essentiels.** Denise écoute ce que Jennie lui raconte concernant ses expériences, ses actions et ses émotions. Elle écoute également ses points de vue et les décisions qu'elle a prises ou qu'elle s'apprête à prendre. Elle prête également une oreille attentive à ses intentions et à ses propositions lorsque celle-ci lui fait part d'une de ses actions qui s'est soldée par un échec et de sa réaction émotive. « Au début de l'enquête, j'étais bien décidée à faire valoir mes arguments, car je savais que quelques étudiants sur le campus pouvaient tout se permettre. Mais j'ai commencé à réaliser que les gens ne me prenaient pas au sérieux à cause de mon origine haïtienne. Tout d'abord, j'ai été furieuse, mais ensuite je me suis sentie hébétée… » Plus tard, Jennie déclare qu'elle souffre souvent de maux de tête mais n'aime pas prendre des médicaments. Elle préfère endurer sa douleur. Elle se montre également hypersensible à toute forme d'injustice, même au cinéma ou à la télévision, mais elle a cessé de militer, car cela ne la mène nulle part. Tout en l'écoutant, Denise voit surgir dans son esprit une série de questions, selon le cadre de référence d'écoute suivant :

- ✦ Quels sont les éléments essentiels dans ce cas ?
- ✦ Quelles expériences vécues ou quelles actions revêtent le plus d'importance ?
- ✦ Quels sont les thèmes récurrents ?
- ✦ Quel est le point de vue de Jennie ?
- ✦ Qu'est-ce qui compte le plus pour elle ?
- ✦ Qu'est-ce qu'elle veut me faire comprendre ?
- ✦ Qu'est-ce qui implique une décision dans ce qu'elle dit ?
- ✦ Qu'est-ce qu'elle se propose de faire ?

Si l'aidant pense que tout ce que dit son client est important, alors plus rien n'est important. En fin de compte, l'aidant doit poser un jugement clinique sur ce qui compte vraiment. Bien sûr, comme nous le verrons un peu plus loin, il existe des moyens de vérifier sa compréhension. Denise ne néglige pas Jennie en s'interrogeant personnellement, car cela fait partie de l'écoute active et contribue à son intérêt pour la réalité de Jennie. Ce que Denise a appris sur les plans théorique et pratique, avec l'expérience des années, constitue la base du jugement clinique qu'elle pose.

**Comprendre les clients dans leur contexte.** Les individus sont plus que la somme de leurs messages verbaux et non verbaux. Écouter, au sens le plus profond du terme, c'est écouter les clients et observer leur façon d'être. En effet, ceux-ci sont influencés par les contextes dans lesquels ils vivent, se meuvent et évoluent en tant que personnes. Nous avons déjà mentionné antérieurement l'importance de l'interprétation du comportement non verbal du client dans la relation d'aide. Il faut également comprendre le vécu du client, ses points de vue et ses décisions dans le contexte plus vaste de son existence. Tout ce qui contribue à rendre les gens différents – culture, personnalité, façon d'être, origine ethnique, expériences vécues, éducation, niveau de vie ainsi que les autres formes de différenciations abordées dans le chapitre 3 – fournit le contexte des difficultés du client et de son potentiel inexploité. Les éléments clés de ce contexte font partie du vécu du client, qu'ils soient ou non mentionnés explicitement. Les aidants efficaces replacent ce qu'ils écoutent dans ce contexte, sans se laisser noyer dans les détails.

McAuliffe et Eriksen (1999) proposent un modèle du type *où-quand-comment-et-quoi* pour permettre aux aidants de replacer leurs clients dans leur contexte. Quatre questions composent ce modèle. La première concerne la situation générale du client, ses origines, ses circonstances de vie actuelle : dans quel cadre le client évolue-t-il et comment cela influence-t-il sa façon de comprendre ses difficultés et de tirer parti de ses ressources ? La seconde question concerne l'étape développementale : à quelles tâches et à quels défis, correspondant à son âge, le client se trouve-t-il confronté actuellement et comment sa façon de réagir influence-t-elle sa situation problématique et ses moyens de la résoudre ? La troisième question concerne l'approche du client, sa perception et son décodage du monde environnant : comment le client parvient-il à donner une signification aux événements qui surviennent dans son contexte de vie ? Comment parvient-il à cette quête de signification qui l'amène à se prononcer sur ce qu'il considère important, fondamental ou juste ? La dernière question porte sur la personnalité : comment le style du client et son tempérament influent-ils sur sa perception de lui-même et du monde ? Il ne s'agit en fait que d'une grille d'interprétation. Vous devez découvrir seul les grilles d'interprétation contextuelles qui vous permettent de comprendre vos clients comme des individus dans un système (Egan et Cowan, 1979). Ces grilles d'interprétation contextuelles doivent être mises à jour. À titre d'exemple, Arnett (2000) propose une grille pour les gens qui arrivent à l'âge adulte afin de comprendre les tâches développementales et les enjeux qui attendent les jeunes dans la vingtaine qui vivent dans des sociétés qui leur donnent la possibilité de faire une exploration personnelle durant ces années. De leur côté, Qualls et Abeles (2000) s'intéressent à l'autre extrémité de la vie et décrivent les tâches de l'entrée dans la vieillesse en démystifiant un certain nombre de préjugés largement répandus sur le vieillissement.

Denise essaie de comprendre les messages verbaux et non verbaux de Jennie, et d'y discerner l'essentiel, spécialement dans le contexte de la vie de Jennie. Alors qu'elle l'écoute raconter son vécu, Denise pense depuis le début quelque chose du genre :

> C'est une femme d'origine haïtienne, intelligente, issue d'un milieu catholique conservateur. Elle a toujours eu foi en son église parce qu'elle y a trouvé refuge dans un milieu urbain défavorisé. Cet endroit a été un lieu de rencontre pour sa famille et ses amis. Elle en a retiré une formation adéquate aux niveaux primaire et secondaire, et même la possibilité d'aller au cégep et à l'université. Elle a été une excellente étudiante. Au début, son entrée dans un milieu essentiellement blanc et laïc a été un choc. Toutefois, en sélectionnant soigneusement ses amis, elle a réussi à se tailler une place. Comme les exigences scolaires étaient beaucoup plus élevées, elle a dû se faire à l'idée que ses résultats seraient moyens. Le viol et l'enquête ont grandement perturbé son réseau social peu développé. Son existence s'est écroulée. Elle s'est éloignée de sa famille, de son église et du cercle d'amis restreint à l'université. Au moment où elle avait le plus besoin d'un soutien, elle l'a refusé. Après l'obtention de son diplôme, elle a continué à se tenir à l'écart des autres. Maintenant, elle est sous-employée comme secrétaire dans une petite compagnie. Cela ne l'aide nullement à se faire une idée positive d'elle-même.

Denise écoute la description du contexte présenté par Jennie, sans pour autant supposer que cela lui correspond. Le contexte de la relation d'aide est également important. Denise doit tenir compte du fait que Jennie est peut-être mal à l'aise de parler avec une femme si différente d'elle-même. Elle doit également comprendre que Jennie a peut-être des réticences vis-à-vis de la profession d'aidant.

En somme, Denise essaie de rassembler tous les thèmes présents dans le récit de Jennie et de les situer dans le contexte. Elle replace la description des maux de tête de Jennie (expériences), son isolement voulu (comportement) et sa dépression chronique (affect) dans son milieu socioculturel – l'obligation d'être pratiquante dans un milieu scolaire non confessionnel, le fait d'être une femme d'origine haïtienne en pleine ascension sociale dans une société majoritairement blanche et masculine. Denise considère le viol et l'enquête comme des événements sociaux et non pas comme un incident personnel. Elle s'efforce d'être attentive et prudente, car elle sait que son habileté en tant qu'aidante consiste à ne pas dénaturer ce qu'elle entend. Elle ne se concentre pas uniquement sur le monde intérieur de Jennie en faisant abstraction de son contexte social. Pour finir, Denise replace Jennie dans son contexte, mais ne se perd pas dans ce contexte. Elle s'en sert pour comprendre sa cliente, pour l'aider à surmonter ses difficultés et à tirer un meilleur parti de ses ressources.

**Distorsions : écoute réflexive.** Ce type d'écoute est nécessaire pour aider les clients à analyser les questions de façon approfondie et à se rendre compte des blocages à considérer. Les aidants compétents écoutent non seulement le vécu de leurs clients, leurs points de vue, leurs décisions et leurs intentions, mais ils repèrent également les distorsions et les idées fausses que le client nourrit sur lui-même et sur autrui. Même si l'idée que les clients se font d'eux-mêmes, des autres et du monde est tout à fait réelle et doit être comprise, il se peut que cette perception souffre de distorsions. À titre d'exemple, si une cliente se trouve laide alors qu'elle est belle, il faut l'écouter et la comprendre. Même si sa perception d'elle-même ne colle pas avec la réalité, il faut demeurer à son écoute et lui offrir notre compréhension. Si un client se considère comme très doué sur le plan des échanges interpersonnels, alors qu'en réalité ses compétences sont inférieures à la moyenne, nous devons également comprendre sa perception, sans pour autant ignorer les faits. Une écoute résolue implique de déceler les divergences, les distorsions et les dissonances qui font partie de la réalité vécue par le client.

Dès le départ, Denise se rend compte que certaines des perceptions de Jennie sur elle-même et le monde sont inexactes. En revenant sur ce qui lui est arrivé, elle fait remarquer que c'est probablement de sa faute. Lorsque Denise lui demande ce qu'elle veut dire par là, elle répond : « J'étais beaucoup trop ambitieuse. Je ne voulais pas me contenter de la place qui était la mienne dans la société. » Cela représente la distorsion de Jennie par rapport à ses aspirations professionnelles. D'une part, il faut comprendre pourquoi elle interprète ce qui s'est passé de cette manière ; mais d'autre part, nous devons considérer que cette interprétation ne correspond pas à la réalité. Pour se centrer sur leurs clients, les aidants doivent également se centrer sur la réalité.

Bien entendu, cela ne signifie pas qu'en entendant ce type de distorsion, ils doivent immédiatement remettre en question les clients. Ils noteront ces divergences et ces distorsions ; ils sélectionneront les principales et remettront en question leurs clients au moment opportun (voir les chapitres 10 à 12).

**Éléments manquants.** Les clients omettent souvent certains éléments essentiels lorsqu'ils parlent de leurs problèmes et de leurs moyens pour les résoudre. Le fait d'avoir une grille de référence permet de détecter les éléments manquants lors de l'écoute. Bien souvent, en racontant leur vécu, les clients oublient les expériences, les comportements ou les sentiments primordiaux. Ils présentent leurs points de vue sans les justifier ni en déduire les implications. Ils formulent leurs décisions sans en donner les raisons ni en anticiper les retombées. Ils proposent certaines interventions sans pour autant en donner une justification et en prévoir les conséquences pour eux-mêmes et pour les autres, les ressources à mobiliser et la souplesse à démontrer. Lorsque vous les écoutez, vous devez noter aussi bien ce qu'ils mentionnent que ce qu'ils laissent de côté. Il arrive bien souvent aux clients, lorsqu'ils racontent leur vécu, de ne pas parler de leurs émotions ni de leur comportement. Jennie déclare : « Une vieille amie m'a appelée la semaine dernière. Je ne sais pas trop comment elle a pu me retrouver. Nous avons bien dû parler durant vingt minutes pour rattraper le temps perdu. » Comme elle s'exprime d'une façon dégagée, il est difficile de connaître sa réaction sur le moment et ce qu'elle ressent maintenant. Elle ne donne également aucune indication sur ce qu'elle se propose de faire – à savoir, poursuivre ou non cette relation.

Au cours d'une autre séance, Jennie déclare : « J'ai parlé à mon frère l'autre jour. Il a une petite compagnie et m'a demandé de venir travailler pour lui. J'ai refusé… Ah ! J'oubliais. Je dois changer l'heure de notre prochain rendez-vous, car je dois aller chez le médecin. » Denise note l'expérience (une offre d'emploi) et le comportement ou la réaction de Jennie (un refus poli). Cependant, avant de changer de sujet, Jennie n'a pas donné les raisons de son refus ni les conséquences pour elle, pour son frère ou pour leur relation.

Il ne s'agit pas de chercher les secrets que le client refuse de révéler. Il nous arrive à tous d'oublier des détails essentiels de temps à autre. Denise se contente de noter les éléments manquants, car elle sait ce que signifient un récit, un point de vue ou des messages complets. Elle pose ensuite un jugement clinique, basé en grande partie sur le sens commun, afin de décider si elle doit ou non requérir les éléments manquants. Dans cet exemple, elle demande à Jennie pourquoi elle a refusé catégoriquement l'offre de son frère. Celle-ci lui répond : « C'est quelqu'un de bien et je crois que le travail me plairait, mais ce n'est pas le moment de m'impliquer avec la famille. » Voilà un indice supplémentaire de la façon dont elle limite ses interactions sociales. Elle a peut-être décidé de refuser purement et simplement le concours de sa famille. Le chapitre 7 présente et illustre les façons d'aider le client à compléter son récit par des détails, des points de vue et des messages essentiels qui lui font défaut.

## 5.6 ÉCOUTE DE SOI : LANGAGE INTÉRIEUR DE L'AIDANT

La conversation que les aidants poursuivent avec eux-mêmes durant les séances d'aide constitue le langage intérieur. Pour être un aidant efficace, vous devez non seulement écouter le client mais également vous écouter vous-même. Cependant, il ne s'agit pas de plonger dans vos pensées mais, en quelque sorte, d'ouvrir un autre canal pour trouver un moyen de mieux aider le client et déceler les obstacles (venant de soi) pouvant survenir dans le contexte de la relation d'aide. Il s'agit d'une forme positive de conscience de soi.

Il y a quelques années, cet autre canal ne fonctionnait pas très bien pour moi. Un de mes amis, qui séjournait fréquemment dans les hôpitaux psychiatriques depuis plusieurs années et que je n'avais pas vu depuis six mois, vint me rendre visite sans s'annoncer. Il était fort excité et débitait sans interruption une foule d'idées, certaines bizarres, d'autres brillantes. Je voulais sincèrement l'accompagner du mieux possible, mais je me sentais très mal à l'aise. J'ai commencé par lui démontrer mon attention plus ou moins naturellement, mais je me surprenais à me retrouver, bras et jambes croisés, à l'autre bout du divan sur lequel nous étions tous deux assis. Je pensais alors que je me défendais contre ce torrent d'idées. Lorsque je me suis rendu compte que j'étais complètement crispé, j'ai décroisé les bras et les jambes, mais quelques minutes plus tard, j'avais déjà repris la même position. Il m'était très difficile de me centrer sur lui. Rétrospectivement, je me suis rendu compte que je craignais pour ma propre sécurité. Depuis, j'ai appris à écouter un peu mieux ce second canal. Le fait de prêter attention à mon comportement non verbal et à mon langage intérieur me permet d'améliorer mes interactions avec les clients.

Les aidants peuvent se servir de ce second canal pour percevoir leurs messages internes, leur comportement non verbal, leurs sentiments et leurs émotions. Ces messages peuvent concerner l'aidant, le client ou la relation elle-même.

- ✦ « Je me laisse trop atteindre par le client. Je ferais mieux de recentrer le dialogue. »
- ✦ « Je ne suis pas très attentive. Je pense à ce que je dois faire demain, il vaudrait mieux que je me sorte cela de la tête. »
- ✦ « Cette cliente vient de passer par une phase très difficile, mais elle s'apitoie sur elle-même, ce qui l'empêche d'avancer. J'ai une tendance instinctive à être sympathique à sa cause. Il faut que je lui parle de ses jérémiades continues, mais je ferais mieux d'y aller doucement. »
- ✦ « Difficile de dire si ce client veut vraiment changer. C'est le moment de tâter le terrain. »

Ce langage intérieur se poursuit continuellement, c'est un fait. Cela peut être une distraction ou, au contraire, une occasion d'aider le client. Le client lui-même poursuit un langage intérieur. Dans une étude fort intéressante, Hill, Thompson, Cogar et Denman (1993) sous-entendent que le client et les thérapeutes sont plus ou moins conscients de ces processus secrets se déroulant en parallèle. L'étude démontre que les aidants, même s'ils savent que les clients poursuivent un langage intérieur et ne révèlent pas certaines choses, parviennent rarement à deviner de quoi il s'agit. Il arrive parfois que le langage intérieur du client soit révélé par des indices verbaux ou non verbaux. Au cours de l'échange, il est essentiel d'aider les clients à formuler les points essentiels de leur soliloque. Nous reviendrons sur ce point dans les chapitres 7, 10, 11 et 12.

## 5.7 DIFFICULTÉS INHÉRENTES À L'ÉCOUTE DES CLIENTS : MISES EN GARDE

L'écoute, telle que décrite ici, n'est pas aussi facile qu'il y paraît. Les obstacles et les distractions ne manquent pas. Certains proviennent de l'écoute en général, d'autres découlent plus spécifiquement de la perception et de l'interprétation du comportement non verbal des clients.

### DIVERSES FORMES D'ÉCOUTE BIAISÉE

La communication humaine est, comme vous le constaterez au fil du temps, sujette à diverses formes d'écoute biaisée que ce soit en relation d'aide ou dans tout rapport humain. Il arrive même que plusieurs formes d'écoute biaisée viennent fausser la relation d'aide. Cela fait partie des difficultés inhérentes à cette relation et les aidants s'efforcent d'éviter ce type d'écoute. Il leur arrive néanmoins de tomber dans le piège à leur insu. Ces distorsions dans la communication empêchent une écoute ouverte et un échange véritable. L'écoute biaisée entrave toute la démarche d'aide.

**Écoute filtrée.** Il est impossible d'écouter les autres de manière complètement objective. Au cours de la socialisation, nous acquérons une série de filtres pour nous écouter nous-même, et écouter les autres et le monde environnant. Hall (1977) a fait remarquer qu'une des fonctions de la culture est de créer un filtre extrêmement sélectif entre l'individu et le monde extérieur. Sous ses différents aspects, la culture détermine ce que nous retenons et ce que nous ignorons. Cette sélection structure notre perception du monde. Nous avons besoin de ces filtres pour nous structurer nous-mêmes dans nos interactions avec le milieu. Cependant, les divers filtres culturels, sociologiques, familiaux et personnels introduisent des distorsions inconscientes dans notre écoute.

Plus ces filtres culturels sont puissants, plus la probabilité de ces préjugés augmente. À titre d'exemple, un aidant appartenant à la classe moyenne et à la race blanche utilisera les filtres de sa propre culture pour écouter les autres. Dans le cas d'un client appartenant à la même catégorie sociale, cela ne risque pas de faire une grande différence. Toutefois, s'il écoute un client asiatique appartenant à la bourgeoisie et jouissant d'un statut social élevé dans la collectivité, une mère hispanophone venant d'un quartier défavorisé ou un pauvre fermier blanc, les filtres culturels de cet aidant peuvent se transformer en préjugés. Ces préjugés, conscients ou non, viennent dénaturer sa compréhension. Comme tout un chacun, les aidants ont tendance à cataloguer les clients selon le sexe, la race, l'orientation sexuelle, la nationalité, le statut social, les convictions religieuses, l'appartenance politique, le style de vie, etc. Il est essentiel que l'aidant se connaisse lui-même. Si tel est le cas, il aura conscientisé les préjugés et les partis pris qui biaisent son écoute.

**Écoute évaluative.** La plupart des gens, même lorsqu'ils écoutent attentivement, pratiquent une écoute évaluative. Autrement dit, tout en écoutant, ils jugent les paroles de la personne : bien ou mal, vrai ou faux, acceptable ou inacceptable, sympathique ou antipathique, pertinent ou hors sujet, et ainsi de suite. Les aidants n'échappent pas à cette tendance universelle. Jennie raconte partiellement à Denise la conversation suivante avec l'une de ses amies.

JENNIE : Tu sais, le viol et l'enquête continuent d'être présents dans ma mémoire. Ils ne sont plus aussi intenses qu'avant mais ils me poursuivent.

L'AMIE : C'est justement le problème. Pourquoi n'essaies-tu pas d'oublier ? Tu te rendrais un fier service. Pour l'amour de Dieu, prends-toi en main !

Une écoute évaluative aboutit à donner des conseils. Il peut s'agir de conseils judicieux, certes, mais le fait est que l'amie de Jennie l'écoute et lui répond de manière évaluative. Avant tout, il faut comprendre le client et ensuite, si nécessaire, le remettre en question ou l'aider à se remettre en question. Nous le rebutons par une écoute évaluative qui aboutit à lui donner des conseils. En fait, après avoir compris le point de vue du client, il est bien plus utile de l'amplifier ou de le transcender. De la même façon, après avoir compris son type de comportement, il est préférable de le modifier au lieu de le juger. Il ne faut pas oublier que, tant qu'un individu ne se sent pas compris et accepté, il y aura refus de changement. La personne comprise sent qu'elle peut enfin tourner la page et modifier son point de vue. Au lieu de juger, l'aidant aide son client à porter un jugement sur lui-même. D'une certaine façon, il existe donc des formes productives d'écoute évaluative. Il est d'ailleurs pratiquement impossible de s'empêcher de formuler un jugement. Néanmoins, il est possible de réserver ce jugement afin de comprendre les clients de l'intérieur, dans leur contexte, leur vécu, leurs points de vue et leurs décisions.

**Écoute basée sur la théorie et le diagnostic.** Je me souviens de ma réaction lorsque j'ai entendu un médecin parler de moi comme de l'« hernie de la salle 304 ». Nous détestons être traités comme des numéros, même si cela correspond à une certaine réalité. Les « étiquettes » apprises au cours de notre formation – paranoïa, névrose, troubles sexuels, personnalité fragile – vont à l'encontre d'une compréhension empathique. Les livres sur la théorie de la personnalité ne manquent pas de clichés : « C'est un perfectionniste. » Nous nous classifions nous-mêmes : « Je suis une personnalité de type A. » En psychothérapie, les catégories de diagnostics ont la préséance sur les clients diagnostiqués. Les aidants ont tendance à oublier que leurs étiquettes ne sont que des interprétations et ne correspondent pas à la compréhension du client. Vous pouvez parfaitement formuler un diagnostic exact mais perdre de vue la personne. À dire vrai, ce que vous avez appris durant vos études de psychologie vous permet d'organiser ce que vous écoutez mais risque aussi de dénaturer votre écoute. Pour reprendre un terme du gestaltisme, assurez-vous que le client reste la « forme », au premier plan de votre perception ; et que les modèles et les théories sont dans le « fond », une connaissance qui reste en retrait et qui vous permet uniquement de comprendre et d'aider ce client spécifique.

**Écoute centrée sur les faits plutôt que sur la personne.** Certains aidants posent beaucoup de questions à leurs clients, comme si la guérison de ces derniers dépendait d'une accumulation de faits les concernant. Il est parfaitement possible de recueillir des faits et de passer à côté de la personne. L'antidote consiste à écouter les clients dans leur contexte, en essayant de se centrer sur les thèmes et les messages essentiels. Lorsque Denise écoute Jennie, elle sélectionne ce que l'on appelle le thème « style d'explication pessimiste » (Peterson, Seligman et Vaillant, 1988). Lorsqu'il s'agit d'événements douloureux, les clients qui ont adopté ce style tendent à émettre, directement ou indirectement, des messages du genre : « Cela ne disparaîtra jamais… Cela conditionne tout ce que je fais… C'est de ma faute. » Denise sait que les recherches démontrent que les personnes aux prises avec ce genre de rhétorique connaissent souvent plus d'ennuis de santé que les autres. Elle suppose qu'il existe un lien entre les problèmes somatiques de Jennie (céphalées, malaises gastriques) et son style d'explication. C'est alors un thème à explorer.

**Écoute sympathique.** Comme la plupart des clients vivent des moments difficiles et que certains sont victimes des autres ou de la société, il est naturel que les aidants ressentent de la sympathie à leur égard. Il arrive néanmoins que ce sentiment dénature les dires des clients. Prenons le cas suivant :

> Diane s'occupe de Benoît, qui a perdu sa femme et sa fille dans un accident de la circulation. Diane vient de perdre son mari, mort d'un cancer. Alors que Benoît raconte sa propre tragédie, lors de leur première rencontre, elle a envie de le prendre dans ses bras. Un peu plus tard, en faisant une longue marche, elle réalise à quel point sa sympathie pour Benoît a dénaturé son écoute. En prenant conscience de l'intensité de son chagrin, cela lui a rappelé son propre deuil et l'a empêchée de voir que cette perte lui interdit de se prendre en main.

La sympathie joue un rôle majeur dans les relations humaines. Toutefois, sans vouloir nier notre sensibilité, nous ne devons lui accorder qu'une place limitée dans la relation d'aide. Lorsque je compatis avec quelqu'un, je deviens en quelque sorte son complice. Lorsque je suis d'accord avec ma cliente qui me dit à quel point son mari est intolérable, je prends parti sans connaître toute l'histoire. La sympathie a tendance à renforcer l'apitoiement des clients sur leur sort. Cet apitoiement est une façon pour les clients de refuser toute intervention susceptible de les aider à régler la question.

**Interruptions.** J'hésite à ajouter, comme certains le font, les interruptions à cette liste d'obstacles à une écoute efficace. Certes, lorsque les aidants interrompent leurs clients, ils cessent par définition de les écouter. En les interrompant, ils disent des choses qu'ils ont déjà préparées, ce qui signifie qu'ils n'écoutaient que d'une oreille. Néanmoins, ma réticence prend sa source dans le fait que, selon moi, la relation d'aide devrait être un échange. Il existe des façons bénignes et malignes d'interrompre les autres. L'aidant qui arrête son client à mi-chemin d'un exposé important procède de façon maligne. Toutefois, il en va tout autrement de celui qui marque, d'un simple geste, un temps d'arrêt dans un monologue pour faire un commentaire du type : « Vous avez formulé plusieurs idées. Je veux m'assurer d'avoir bien compris. » En relançant le dialogue par ce type d'interruption, il favorise la démarche d'aide. Néanmoins, il faudra tenir compte du facteur culturel dans le récit du client.

Cette tendance des conseillers à tomber dans les pièges de cette écoute biaisée s'explique par l'hypothèse, non fondée, selon laquelle l'écoute totale et entière avec un esprit ouvert équivaut à l'approbation des dires du client. Ce n'est évidemment pas le cas. Écouter avec un esprit ouvert, c'est apprendre, comprendre et surtout vérifier sa compréhension. Quelles que soient les raisons qui motivent cette déformation de l'écoute, le résultat peut être catastrophique, pour une raison donnée par les philosophes il y a bien longtemps : une petite erreur initiale peut devenir une erreur absolue en fin de parcours. Si les fondations d'un immeuble ne sont pas à l'équerre, on ne s'en rend pas compte à l'œil nu. Cependant, lorsque l'immeuble atteint neuf étages, il commence à ressembler à la tour penchée de Pise. Les bases mêmes des habiletés en counseling reposent sur l'attention aux clients et sur l'écoute active. Si nous l'ignorons, tout échange devient impossible.

## MYTHES CONCERNANT LE COMPORTEMENT NON VERBAL

Les mythes concernant le comportement font partie des difficultés qui guettent les aidants. Richmond et McCroskey (2000) décrivent les mythes communément acceptés qui se rapportent au comportement non verbal (p. 2-3) :

1. *La communication non verbale n'existe pas. Toute communication passe par le langage et elle est par conséquent verbale.* Ce mythe tend à disparaître, car il ne résiste pas à un examen un tant soit peu rigoureux.

2. *L'essentiel de l'interaction humaine s'effectue sous forme de comportement non verbal.* Les études préliminaires qui semblaient prouver cette idée manquaient de rigueur, car elles étaient destinées à dissiper le mythe numéro un et outrepassaient leurs paramètres.

3. *On peut lire dans les gens comme dans un livre.* Certaines personnes, y compris les professionnels, aimeraient penser ainsi. On peut fort bien déchiffrer le comportement non verbal, les messages verbaux et le contexte et néanmoins se tromper.

4. *Une personne qui ne vous regarde pas dans les yeux lorsqu'elle vous parle est en train de vous mentir.* Allez dire cela aux menteurs ! Le même comportement non verbal peut avoir plusieurs significations.

5. *Même si les comportements non verbaux varient d'une personne à l'autre, ils sont communs à tous.* Les études transculturelles ont réfuté ce concept, qui ne se vérifie pas non plus dans une même culture.

6. *Le comportement non verbal garde la même signification dans des situations différentes.* Bien souvent, le contexte est un élément majeur. Cela n'empêche pas certains professionnels d'adhérer à ce mythe et même d'y fonder leur système d'interprétation.

# CHAPITRE **6**

## COMPRÉHENSION EMPATHIQUE : COMMUNICATION ET VÉRIFICATION DE LA COMPRÉHENSION

**6.1 RÉPONDRE DE FAÇON EMPATHIQUE**

**6.2 LES TROIS DIMENSIONS DE LA RÉPONSE EMPATHIQUE : PERSPICACITÉ, SAVOIR-FAIRE ET ASSERTIVITÉ (AFFIRMATION DE SOI)**
- Perspicacité
- Savoir-faire
- Assertivité

**6.3 REFLET EMPATHIQUE : MANIFESTER SA COMPRÉHENSION AUX CLIENTS**

**6.4 ÉLÉMENTS CONSTITUTIFS DE LA RÉPONSE EMPATHIQUE**
Formule de base

Réagir adéquatement aux sentiments, aux émotions et aux humeurs des clients
- Choisir la bonne gamme d'émotions et l'intensité appropriée
- Distinguer entre les sentiments ressentis et les sentiments décrits
- Relever les sentiments et les émotions qui découlent du comportement des clients et y réagir
- Se montrer prudent en nommant les émotions
- Utiliser divers moyens pour refléter les sentiments et les émotions
- Ne pas surestimer ni sous-estimer les sentiments, les émotions et les humeurs

Réagir adéquatement aux expériences et aux comportements essentiels du vécu des clients

Reflet empathique des points de vue, des décisions et des intentions des clients
- Communiquer sa compréhension des points de vue des clients
- Communiquer sa compréhension des décisions des clients
- Communiquer sa compréhension des intentions ou des projets des clients

6.5 COMMUNIQUER SA COMPRÉHENSION EMPATHIQUE :
QUELQUES PRINCIPES

- ◆ Utiliser le reflet empathique à chaque phase et à chaque étape de la démarche d'aide
- ◆ Répondre de manière sélective aux messages essentiels des clients
- ◆ Répondre au contexte, pas uniquement aux mots
- ◆ Faire du reflet empathique une forme d'influence sociale
- ◆ Se servir du reflet empathique pour progresser dans la relation d'aide
- ◆ Rectifier une mauvaise compréhension
- ◆ Se servir de la compréhension empathique pour réduire les écarts culturels

6.6 MOYENS POUR COMMUNIQUER SA COMPRÉHENSION EMPATHIQUE

- ◆ Prendre le temps de réfléchir
- ◆ Répondre brièvement
- ◆ S'adapter aux clients en restant soi-même

6.7 IMPORTANCE DES RELATIONS EMPATHIQUES

6.8 DIFFICULTÉS INHÉRENTES À LA COMPRÉHENSION EMPATHIQUE :
MISES EN GARDE

- ◆ Aucune réponse
- ◆ Questions inopportunes
- ◆ Clichés
- ◆ Interprétations théoriques
- ◆ Conseils
- ◆ Redites
- ◆ Sympathie et acquiescement
- ◆ Compréhension simulée

## 6.1 RÉPONDRE DE FAÇON EMPATHIQUE

En écoutant les clients, les aidants essaient de leur répondre en établissant un échange thérapeutique. Comme nous l'avons déjà vu, cette écoute consiste à la fois à manifester son attention, à diriger activement son attention, à replacer ce qui est dit dans le contexte, à discerner l'essentiel des messages et des points de vue que les clients essaient de communiquer, le tout, dans le but de les comprendre. L'écoute est une démarche au service de la compréhension. Cependant, les aidants réagissent également de diverses manières à ce que disent leurs clients. Ils communiquent leur compréhension des choses pour vérifier qu'ils ont effectivement bien saisi, ils questionnent et s'assurent de clarifier les choses afin de susciter une réaction chez les clients. Le présent chapitre est consacré au reflet empathique en tant que moyen de communiquer notre compréhension aux clients et de s'assurer que nous avons effectivement bien compris. Ce faisant, nous aidons les clients à mieux se percevoir eux-mêmes.

## 6.2 LES TROIS DIMENSIONS DE LA RÉPONSE EMPATHIQUE : PERSPICACITÉ, SAVOIR-FAIRE ET ASSERTIVITÉ (AFFIRMATION DE SOI)

L'établissement d'une bonne communication repose sur la perspicacité, le savoir-faire et l'assertivité.

**Perspicacité.** Votre perspicacité dépend directement de l'exactitude de vos perceptions, comme nous le voyons dans les deux exemples suivants :

> François consulte Élisabeth, une psychologue conseillère dans un CLSC. Il craint beaucoup de lui avouer une erreur de déontologie qu'il a commise au travail. Élisabeth sent bien son malaise mais l'attribue à la colère plutôt qu'à la peur. Elle lui dit : « François, je me demande ce qui vous rend si furieux. » Comme il n'éprouve aucune colère, il ne répond pas. En fait, les paroles d'Élisabeth le stupéfient et cela l'insécurise encore plus. Elle interprète son silence comme une confirmation de sa colère et essaie de l'amener à en parler.

La perception faussée d'Élisabeth vient perturber toute la démarche d'aide. Elle se trompe sur l'état émotionnel de François et elle fait reposer son intervention sur cette erreur. La différence avec l'exemple suivant est frappante :

> Mario, le gérant de l'entreprise, discute avec Jean-Jacques, un nouveau venu dans l'équipe. Au cours de la semaine, Jean-Jacques a contribué de façon significative à un projet majeur, mais il a également commis une erreur fort coûteuse. Il rumine sa gaffe, sans jouir de son succès. Mario, qui se rend compte de son embarras, lui dit : « Votre idée lors de la réunion de lundi dernier nous a permis de restructurer complètement le projet. Cette contribution a vraiment tout changé. Cette façon de penser en dehors des sentiers battus s'avère vraiment intéressante. » Il fait une pause.

« J'aimerais aussi reparler de ce qui s'est passé mercredi. L'acheteur d'Acmé était passablement furieux après votre conversation. » Il fait de nouveau une pause. « Quelque chose me dit que vous pensez beaucoup plus à votre erreur de mercredi qu'à votre réussite de lundi. Je veux simplement vous dire que je ne partage pas ce point de vue. » Jean-Jacques se sent profondément soulagé. Ils poursuivent alors la discussion en examinant ce qui marchait bien lundi et les leçons à tirer de la bévue de mercredi.

La perspicacité de Mario et son talent pour désamorcer une situation tendue ont permis d'engager un dialogue positif.

La perspicacité nécessaire pour devenir un bon aidant repose à la fois sur l'intelligence, la sensibilité sociale, l'expérience de vie, la sagesse et, de manière plus immédiate, sur une présence et une écoute du client et sur l'interprétation de son vécu. La perspicacité est une question de maturité socio-émotionnelle.

**Savoir-faire.** Une fois que vous êtes conscient du genre de réponse requise, il vous faut la transmettre efficacement. À titre d'exemple, si, à la première visite de votre client, vous vous rendez compte de son anxiété mais que vous êtes incapable de trouver les paroles pour le lui dire, vous n'êtes pas plus avancé. Revenons rapidement sur l'exemple d'Élisabeth et de François :

François et Élisabeth finissent par se disputer au sujet de sa colère. Il se lève et prend la porte. Élisabeth, bien entendu, y voit la preuve qu'elle avait raison depuis le début. Le lendemain, François va voir un ami de la famille, un avocat de profession maintenant à la retraite. Ce dernier se rend immédiatement compte de son angoisse et de son malaise, et cette perception est la bonne. Il lui dit alors quelque chose du genre : « François, vous m'avez l'air très mal à l'aise. C'est peut-être que vous avez quelque chose de grave à me dire. Mais, quoi que ce soit, je suis là pour vous écouter, sans pour autant vous forcer. » François marmonne alors : « J'ai fait quelque chose de terrible. » L'avocat s'arrête un moment, puis reprend : « Bon, essayons d'y voir un peu plus clair. » François hésite un moment, se cale dans sa chaise, prend une grande inspiration et se lance dans son récit.

Non seulement l'ami de la famille se montre très perspicace, mais il sait comment réagir à l'anxiété et à l'hésitation de François. En lui-même, il pense : « Voilà quelqu'un qui est sur le point de craquer parce qu'il a absolument besoin de raconter son histoire, mais la peur, la honte ou autre chose l'en empêche. Comment puis-je le mettre à l'aise, pour lui faire comprendre qu'il ne risque rien ici ? Il faut que je reconnaisse son anxiété et que je lui offre une porte de sortie. » Bien entendu, il n'emploie pas exactement ces mots-là, mais c'est le type de raisonnement qui traverse son esprit.

**Assertivité.** Une perception exacte et un bon savoir-faire ne riment à rien si vous êtes incapable de les exprimer, car ils font partie du dialogue thérapeutique. L'assertivité est la capacité d'agir et de s'exprimer avec confiance et efficacité. Vous manquez d'assertivité si vous décelez le doute qui affleure dans le récit d'une cliente relatant ses essais infructueux pour se rapprocher de son frère mais que vous n'arrivez pas à lui communiquer votre intuition. Examinez l'exemple suivant :

Caroline, une jeune conseillère au service aux étudiants, est en pleine séance avec Antoine, un étudiant de niveau collégial. Au cours de cet échange, Antoine mentionne une séance particulièrement fructueuse qu'il a eue avec Gilles, un aidant chevronné qui appartenait à l'équipe mais qui ne travaille plus dans le service, car il vient d'accepter un poste universitaire. Caroline sent qu'Antoine est un peu déçu de ne pas pouvoir le rencontrer et qu'il a peut-être des craintes à l'idée de consulter un autre conseiller – et une jeune femme en plus. Elle s'est déjà trouvée dans une telle situation et elle ne le prendra pas mal, advenant qu'Antoine décide de changer de psychologue. Durant un silence, elle lui dit quelque chose comme cela : « Antoine, pouvons-nous nous arrêter un moment ? Je crois que vous êtes déçu de voir que Gilles n'est plus ici. En tout cas, c'est probablement ce que je penserais à votre place. On vous a plus ou moins adressé à moi et je ne sais pas si cela vous convient. Alors, si vous pensez que je peux vraiment vous aider, nous pouvons fixer un autre rendez-vous. Mais vous êtes parfaitement libre de revoir la liste des gens qui travaillent ici et de choisir quelqu'un qui vous convient. »

Dans cet exemple, nous retrouvons à la fois la perspicacité, le savoir-faire et l'assertivité. Cela ne signifie pas nécessairement que l'assertivité représente une valeur suffisante en soi. L'assertivité sans perspicacité et sans savoir-faire conduit bien souvent au désastre.

## 6.3 REFLET EMPATHIQUE : MANIFESTER SA COMPRÉHENSION AUX CLIENTS

Le fait de se sentir empathique sans avoir une perception exacte de la situation du client ne sert à rien. Ickes (1993, 1997) parle de « précision empathique », qu'il définit comme une habileté à percevoir exactement les pensées et les sentiments d'autrui (1993). D'après lui, cette habileté constitue l'une des composantes de la réussite dans plusieurs circonstances.

> *Ceux qui perçoivent précisément les autres ont une facilité constante pour « déchiffrer » leurs pensées et sentiments. Toutes choses étant égales, ils ont tendance à être des conseillers prévenants, des représentants diplomates, des négociateurs compétents, des hommes politiques susceptibles de se faire élire, des vendeurs très productifs, des professeurs aimés de leurs élèves et des thérapeutes intuitifs.* (1997, p. 2)

Cela repose sur l'hypothèse que de telles personnes sont non seulement douées pour percevoir les autres mais qu'elles arrivent à bien transmettre leur perception dans leurs échanges avec les électeurs, les étudiants et les clients. Les aidants y parviennent en communiquant leur compréhension empathique aux clients.

Dans les éditions antérieures de *Communication dans la relation d'aide*, ce même mot – *empathie* – servait à désigner la valeur décrite au chapitre 3 et l'habileté de communication décrite dans le présent chapitre. Pour éviter toute confusion, le terme *reflet empathique* désigne l'habileté des aidants à comprendre l'essentiel des expériences, des comportements et des sentiments des clients. Ces reflets sont empathiques dans la mesure où ils sont guidés par la volonté de l'aidant de comprendre du mieux possible le client et de lui démontrer cette compréhension. Il s'agit de *reflets* parce qu'ils sont centrés sur les points clés soulevés par le client. J'essaie d'éviter les expressions comme *paraphraser* et *reformulation*. Si vous êtes réellement empathique, que vous écoutez activement en analysant soigneusement ce qui est dit et en le replaçant dans le contexte, alors vous faites beaucoup plus que paraphraser ou reformuler. Vous mettez du vôtre dans la réponse et cela demande une attitude bienveillante et intéressée, associée à un travail profond de réflexion. Il s'agit de transmettre au client notre compréhension profonde de sa situation. Une réaction empathique est empreinte de soin (*caring*) et représente un travail intense. Le reflet empathique est une forme d'interprétation profondément humaine qui n'a rien d'automatique. Cependant, un aidant ne peut aisément faire preuve de cette compréhension profonde en tout temps et avec tous ses clients. Pour cette raison, nous pouvons affirmer qu'il existe des niveaux de compréhension empathique qui se reflètent dans nos réponses. Ainsi, on retrouve un **niveau de base** qui se limite plus ou moins à reformuler les propos du client. Il s'agit de réitération, redonner au client ses propos. Le **niveau intermédiaire** implique le reflet des sentiments du client. Il implique aussi le reflet des différents contenus plus ou moins bien exprimés par le client. À ce niveau, le reflet facilite chez le client la reconnaissance de ses émotions. Plus encore, l'aidant fait preuve de perspicacité dans la mesure où il parvient à nommer l'émotion mais aussi à lire entre les lignes et à redonner au client ce que celui-ci ne communique pas clairement. À ce niveau, le reflet permet de comprendre le client à partir du cadre de référence de celui-ci, de sa vision c'est-à-dire sa perspective toute personnelle. Il y a de fortes chances pour que le client vous exprime qu'il se sent compris par un simple mot (« *exactement* ») ou par une expression (« *Vous vous êtes vraiment mis dans mes souliers* »). Le reflet empathique de **niveau avancé** consiste à élucider ou à interpréter le vécu du client à partir de la vision personnelle de celui-ci mais en allant au-delà. En effet, par le reflet empathique de niveau avancé, l'aidant facilite l'ouverture du client à une perspective nouvelle de sa situation. Le client réalise quelle est sa vision actuelle du monde et comment celle-ci peut évoluer. Le reflet de niveau avancé ouvre sur de nouvelles perspectives en révélant au client le contenu implicite de son discours (nous y reviendront au chapitre 11). Même si reflet empathique est surtout associé au niveau avancé, il exprime aussi les niveaux précédents. En fait, notre réponse empathique s'exprime dans la combinaison de ces trois niveaux de reflets.

Si la présence et l'écoute permettent aux aidants de pénétrer la réalité du client, les reflets empathiques les aident à communiquer leur compréhension de cette réalité tout en vérifiant l'exactitude de cette compréhension. Nous partirons du bon pied en écoutant soigneusement le client, en s'efforçant de comprendre ses préoccupations et en lui démontrant que nous les avons comprises. Le reflet empathique atteste notre compréhension empathique.

Même si bien des gens montrent une certaine empathie pour les autres – ce qui revient à dire qu'ils sont motivés d'une manière ou d'une autre par la valeur de l'empathie décrite au chapitre 3 –, en réalité, bien peu d'entre eux savent comment formuler cette compréhension. Au cours d'une conversation courante, cette perception empathique reste rare. C'est peut-être ce qui confère au counseling sa grande efficacité. Quand nous demandons aux clients de dire ce qui leur paraît le plus utile au cours d'une telle séance, le fait d'être compris arrive en première position. Il existe donc un immense besoin non comblé de compréhension.

Cette section est en quelque sorte une leçon d'anatomie ; elle consiste à disséquer le « processus » qui permet la réponse empathique et à en analyser les diverses composantes. Nous procéderons ensuite à une réorganisation de ce concept.

### FORMULE DE BASE

La réponse empathique par l'intermédiaire du reflet peut s'exprimer selon la formule suivante :

*Vous sentez...* [indiquez ici le nom de l'émotion exacte exprimée par le client] *parce que...* [indiquez ici les expériences et les comportements qui sont à l'origine de ce sentiment].

À titre d'exemple, Léon parle à son aidant de son arthrite et de tous les maux qui en découlent. Il est question de douleur, évidemment, mais plus spécifiquement, du fait qu'il ne peut plus se déplacer comme avant.

AIDANT : Vous vous sentez mal, moins en raison de la douleur que parce que vos déplacements sont réduits. Vous avez perdu une certaine indépendance.

LÉON : C'est exactement cela. La douleur, je peux l'endurer. Mais le fait de ne plus pouvoir bouger me rend fou. J'ai l'impression d'être en prison.

L'aidant et le client continuent de discuter pour voir comment Léon, grâce à l'aide de la famille et des amis, pourrait sortir de cette « prison », c'est-à-dire devenir plus mobile et trouver le moyen de s'adapter lorsqu'il se sent comme un lion en cage.

La formule « Vous sentez... parce que... » permet aux novices de se familiariser avec le reflet empathique. Le reflet porte essentiellement sur l'essentiel du vécu du client, ses points de vue, ses décisions et ses intentions ainsi que sur les sentiments, les émotions et les humeurs qui s'y rattachent directement. Les exemples suivants reprennent cette formule. Il convient de faire abstraction, pour le moment, de leur formulation peu naturelle. Nous réintégrerons plus tard la façon de parler habituelle. Dans le premier exemple, une mère divorcée ayant deux jeunes enfants parle de son ex-mari à une travailleuse sociale. Elle raconte comment il les a abandonnés, elle et ses enfants.

CLIENTE : J'ai envie de le tuer ! Il n'est pas venu prendre les enfants la fin de semaine dernière. C'est la troisième fois en six semaines.

AIDANT : Vous êtes en colère parce qu'il ne respecte pas ses engagements.

CLIENTE : Je veux juste trouver un moyen pour l'obliger à tenir ses promesses, ce qu'il a dit qu'il ferait devant le tribunal.

Le fait qu'il ne se charge pas des enfants, contrairement à ce qui était entendu (une expérience vécue), la rend furieuse (une émotion). L'aidant prend note à la fois de l'émotion et de ce qui la provoque. La cliente poursuit son raisonnement sur les diverses mesures qu'elle pourrait prendre.

Dans l'exemple suivant, une femme qui vient de connaître de très sérieux ennuis gastriques et intestinaux doit passer une coloscopie. Elle en parle à la conseillère de l'hôpital, la veille de l'intervention.

> PATIENTE : Je me demande bien ce qu'ils vont me trouver. Je leur pose toutes sortes de questions, mais je n'obtiens que des réponses vagues.

> AIDANTE : Vous êtes inquiète parce que vous avez l'impression qu'on vous laisse complètement dans l'ignorance.

> PATIENTE : On ne me dit rien de ce qui concerne mon corps et ma santé ! Si seulement ils pouvaient me dire quelque chose ! Je pourrais me préparer un peu mieux.

Elles poursuivent la conversation pour voir ce qu'elle pourrait faire pour obtenir l'information dont elle a besoin. Les réponses précises de l'aidante ne permettent pas de résoudre le problème de la cliente, mais celle-ci progresse un peu. Elle a au moins eu l'occasion d'exprimer ses préoccupations, d'être comprise et de dire pourquoi elle veut cette information. Cela lui permettra peut-être d'établir une relation plus franche avec ses médecins.

Les éléments essentiels d'un reflet empathique sont les mêmes que ceux du vécu du client abordés dans le chapitre 5 : à savoir, les expériences, les comportements et les sentiments qui constituent le vécu du client. Notre leçon d'anatomie se poursuit par quelques principes directeurs.

### RÉAGIR ADÉQUATEMENT AUX SENTIMENTS, AUX ÉMOTIONS ET AUX HUMEURS DES CLIENTS

Nous avons déjà abordé l'importance des manifestations affectives au chapitre 5. Les aidants doivent réagir aux émotions des clients de manière à faire progresser la démarche d'aide. Cela implique de distinguer les émotions ressenties des émotions décrites (perspicacité de l'aidant) et de les insérer dans le dialogue (savoir-faire de l'aidant), même si elles sont douloureuses ou renvoient le client à une situation pénible (courage ou assertivité de l'aidant). Pour cela, il vous suffit d'évoquer la dernière fois qu'un bon représentant du service à la clientèle a résolu votre problème en disant : « Je sais bien que vous êtes en colère, et avec raison, parce que la pièce n'est pas arrivée. Après tout, on vous l'avait promise. Voyons maintenant ce qu'on peut faire pour arranger les choses. » Au lieu de passer sous silence les émotions du client, les bons représentants les affrontent aussi efficacement que possible.

**Choisir la bonne gamme d'émotions et l'intensité appropriée.** Dans la formule de base pour le reflet, la phrase « Vous vous sentez… » doit être suivie de la bonne gamme d'émotions, selon l'intensité exacte.

> **Gamme :** Les expressions « Vous vous sentez blessée », « Vous vous sentez soulagé » et « Vous êtes content » permettent de préciser les différentes gammes d'émotions.

> **Intensité :** Les expressions « Vous êtes ennuyée », « Vous êtes en colère » et « Vous êtes furieux » précisent le degré dans une même gamme d'émotion (la colère).

Les mots *triste, furieux, inquiet* ou *content* correspondent aux quatre grandes gammes d'émotions, alors que les expressions *content, heureux* et *fou de joie* traduisent différentes intensités dans la même gamme.

**Distinguer entre les sentiments ressentis et les sentiments décrits.** Les clients *expriment* ce qu'ils ressentent durant l'entrevue et *décrivent* les sentiments qu'ils ont ressentis durant un incident quelconque. Considérez ce dialogue entre un conseiller et une cliente en pleine démarche d'attribution de la garde des enfants. Elle parle de son mari.

CLIENTE (sur un ton calme) : Je suis vraiment furieuse [affect] lorsqu'il se met à insinuer de manière blessante que je ne m'occupe pas bien des enfants [expérience].

AIDANT : Vous vous sentez particulièrement en colère lorsqu'il laisse sous-entendre que vous n'êtes pas une bonne mère.

Pour l'instant, la cliente n'est pas en colère. Elle ne fait que décrire sa colère. L'exemple suivant concerne l'expression des sentiments plutôt que leur description. Il s'agit d'une femme qui parle d'un de ses collègues.

CLIENTE (sur un ton enjoué) : J'ai osé réagir spontanément à l'une de ses remarques sarcastiques [action] et cela a donné des résultats. Non seulement il s'est excusé, mais il s'est très bien comporté durant le reste du voyage [expérience vécue].

AIDANT : Vous êtes contente parce que vous avez pris un risque et que cela a marché.

Les clients ne reconnaissent pas toujours bien leurs sentiments et leurs émotions. Pourtant, lorsqu'ils les ressentent, ils font partie du message. Il est donc nécessaire de les détecter et de les comprendre.

**Relever les sentiments et les émotions qui découlent du comportement des clients et y réagir.** Très souvent, les aidants doivent relever la gamme et l'intensité des émotions de leurs clients à partir de leur comportement non verbal. L'exemple suivant concerne un étudiant universitaire, assis en train de fixer le plancher, complètement penché et qui s'adresse au conseiller de façon hésitante :

CLIENT : Je ne sais par où commencer. (Il se tait.)

AIDANT : Vous avez l'air complètement abattu. Pouvons-nous voir pourquoi ?

CLIENT (après un moment) : Eh bien, je vais vous raconter ce qui s'est passé.

Il a l'air déprimé (affect) et son comportement non verbal indique qu'il s'agit d'un sentiment intense. Un tel comportement révèle la gamme de ses sentiments et de ses émotions (il se sent triste) et son intensité (il se sent accablé). Toutefois, nous ne savons pas encore quelles expériences ou quels comportements donnent lieu à une telle réaction émotive.

**Se montrer prudent en nommant les émotions.** Certains clients peuvent se sentir menacés par le simple fait de nommer une émotion ou d'en parler. Dans de tels cas, il est souvent préférable de se concentrer sur les expériences et les comportements pour n'aborder les sentiments que très graduellement. Le client suivant, un célibataire dans la trentaine, est venu pour parler de l'insatisfaction qu'il ressent et se montre très réticent à exprimer ou à décrire ses sentiments.

CLIENT (sur un ton plaisant et détendu) : Ma mère continue de me traiter comme un enfant. J'ai 35 ans ! La semaine dernière, devant mes amis, elle m'a apporté mes bottes de caoutchouc et un parapluie, et elle m'a sermonné sur la façon de m'habiller quand il fait mauvais (rires).

CONSEILLER A : C'est peut-être difficile à admettre, mais j'ai l'impression que dans votre for intérieur vous étiez furieux.

CLIENT : À vrai dire, je n'en sais rien. Bon, au bureau…

Ce conseiller aborde la question émotionnelle, mais il rencontre de la résistance, car le client change de sujet.

CONSEILLER B (sur un ton assez dégagé) : Alors, elle joue encore à la maman – un peu trop, on dirait.

CLIENT (sur un ton plus mordant) : En fait, elle n'accepte pas que j'aie grandi. Mais je suis un adulte maintenant… Enfin, plus ou moins, car je ne me comporte pas toujours comme un adulte avec elle.

Cet autre conseiller choisit d'aborder la question sous l'angle de la « mère poule », afin d'éviter une zone sensible : être traité comme un enfant et se sentir comme un moins que rien. En donnant un peu de latitude au client, cela porte fruit parce que ce dernier aborde lui-même le point épineux : son attitude parfois infantile, du moins vis-à-vis de sa mère.

Il arrive que des clients montrent une réticence à aborder certains de leurs états affectifs. Ils peuvent très bien décrire leur colère mais refuser de parler de leur souffrance. Ce client exprime sa déception parce qu'il n'a pas été choisi pour faire partie d'une équipe spéciale au travail :

CLIENT : J'ai travaillé aussi dur que les autres pour monter le projet. D'ailleurs, j'ai assisté à la première réunion lorsque nous avons eu l'idée initiale. Et maintenant, ils me mettent à l'écart.

CONSEILLER A : Vous devez vraiment vous sentir blessé – ils vous ont laissé tomber.

CLIENT (sur un ton hésitant) : Hum ! Je suis vraiment embêté. Et il y a de quoi !

Voilà un client qui a une forte personnalité et qui n'aime pas reconnaître qu'il a été blessé. Le conseiller B adopte une tactique différente :

CONSEILLER B : C'est très contrariant d'être écarté d'un projet qui, dans une certaine mesure, vous appartenait.

CLIENT : Comment peuvent-ils faire une chose pareille ? C'est plus que contrariant. C'est passablement humiliant !

Ce second conseiller, tenant compte de la personnalité du client, se contente de nommer la colère et laisse le client décrire l'émotion la plus difficile à admettre. L'écoute contextuelle – et dans ce cas précis, l'écoute des émotions du client dans le contexte de la haute opinion qu'il a de lui-même et de ses compétences – est une forme de sensibilité sociale ou relationnelle. Néanmoins, le fait de tenir compte des émotions du client ne doit pas limiter la démarche. Nous ne rendons pas service au client en le traitant comme s'il était fragile. Souvenez-vous de ce qui a déjà été dit : nous faisons souvent passer les clients pour plus vulnérables qu'ils ne le sont.

**Utiliser divers moyens pour refléter les sentiments et les émotions.** Tout comme les clients expriment leurs sentiments de diverses façons, les aidants peuvent communiquer leur compréhension de plusieurs manières.

✦ *En quelques mots :* Vous vous sentez bien. Vous êtes déprimée. Vous vous sentez abandonné. Vous êtes ravie. Vous vous sentez piégé. Vous êtes en colère.

✦ *Par une série d'expressions :* Vous êtes aux anges. Vous avez le cafard. Vous vous trouvez dans le pétrin. Vous êtes acculé au pied du mur. Vous êtes dans tous vos états. Vous traversez une bonne période.

✦ *En décrivant un comportement :* Vous voulez tout lâcher (émotion implicite : le désespoir). Vous aviez envie de lui sauter au cou (émotion implicite qu'il vous a fait, vous en avez la nausée (émotion implicite : le dégoût).

✦ *En relevant un sentiment implicite à une situation de vie :* Vous avez l'impression qu'on se décharge de tout sur vous (sentiment implicite : se sentir comme une victime). Vous avez l'impression que l'on a une opinion toute faite de vous (sentiment implicite : le ressentiment). Vous avez l'impression qu'elle vous fait passer en premier (sentiment implicite : allégresse). Vous sentez que vous allez vous faire prendre (sentiment implicite : l'appréhension). Remarquez qu'il est possible de mettre en évidence les implications et les réactions de chacun dans une situation donnée: Vous êtes en colère (soi) parce qu'on (les autres) vous submerge de dossiers. Vous (soi) ne supportez pas le fait qu'on (les autres) ait une image préconçue de vous. Vous êtes ravi, car elle vous tient en grande estime.

Comme, en fin de compte, il vous faudra cesser d'utiliser des formules toutes faites et choisir vos propres mots au lieu de ceux des manuels, il est pratique d'avoir une série de moyens pour indiquer votre compréhension des sentiments et des émotions du client. Vos réactions seront ainsi plus spontanées. Prenez l'exemple suivant : votre cliente vous annonce qu'elle vient juste de décrocher le type d'emploi qu'elle cherchait depuis plus de deux ans. Voilà une série de réponses qui correspondent à son état d'esprit :

*Quelques mots :* « Vous êtes vraiment heureuse. »

*Une expression :* « Vous êtes aux anges. »

*Considération d'une expérience :* « Vous avez finalement obtenu ce que vous méritiez. »

*Identification d'un comportement :* « Vous devez avoir envie d'aller fêter cela. »

Manifestement, ces réponses doivent venir de vous et non d'un livre. L'expérience aidant, vous finirez par enrichir cette gamme d'expressions pour mieux servir vos clients. La recherche d'une variété deviendra une seconde nature.

**Ne pas surestimer ni sous-estimer les sentiments, les émotions et les humeurs.** Certains conseillers adoptent une approche trop rationnelle de la relation d'aide et font peu de cas des sentiments des clients. D'autres s'en préoccupent outre mesure. Ils criblent les clients de questions sur leurs sentiments et vont même jusqu'à leur extorquer des réponses. Le fait de donner une grande importance à l'état affectif n'équivaut pas à lui donner une priorité absolue. Pour éviter ces positions extrémistes, il suffit d'établir le lien entre ces sentiments, ces émotions et ces humeurs, et les expériences ou les comportements qui en sont à l'origine (voir Anderson et Leitner, 1996).

### RÉAGIR ADÉQUATEMENT AUX EXPÉRIENCES ET AUX COMPORTEMENTS ESSENTIELS DU VÉCU DES CLIENTS

Les sentiments, les émotions et les humeurs des clients dépendent directement de leurs expériences et de leur comportement. Dans la formule de base, le « parce que » doit être suivi d'une indication des expériences et des comportements qui sous-tendent l'état affectif du client. Dans l'exemple suivant, un étudiant de maîtrise en droit exprime sa frustration :

> CLIENT (avec véhémence) : Vous savez pourquoi il a obtenu un A ? Parce qu'il a filé avec mes notes de cours. Je n'ai même pas pu les consulter. Et je ne lui en ai jamais touché mot.

> AIDANTE : Vous êtes doublement furieux, d'abord parce qu'il vous a volé vos notes et ensuite parce que vous l'avez laissé s'en tirer.

Une telle réponse précise à la fois l'expérience vécue par le client (le vol) et son comportement (dans ce cas, une impossibilité à agir) qui sont à l'origine de son désarroi. Il est non seulement furieux à l'égard de son camarade de classe mais aussi contre lui-même.

Dans l'exemple suivant, la victime d'une agression parle à un conseiller pour surmonter sa crainte de sortir. Avant cette attaque, il n'avait jamais vraiment pensé à l'insécurité en milieu urbain. Maintenant, il voit le danger partout.

> CLIENT : Le fait de revenir progressivement à la normale semble marcher. Hier soir, je suis sorti avec un copain. Pour la première fois, j'ai admis que j'avais peur. Mais je pense que j'ai appris à être prudent. La soirée d'hier a été un pas important pour moi, je crois que je commence à pouvoir circuler de nouveau.

> AIDANT : Vous vous sentez à l'aise en faisant les choses graduellement. Et cela a marché, puisque hier soir vous avez récupéré une bonne partie de votre capacité d'agir.

CLIENT : C'est ça ! Je sais que je vais bientôt m'en sortir… Voilà ce que je pense faire…

Le client progresse dans le processus de résolution de son problème. Il envisage des solutions et les applique avec fierté. L'aidant entérine sa satisfaction et reconnaît l'importance de cette impression de sécurité et de liberté. Le client passe à la prochaine phase du modèle d'aide.

Une autre cliente, après plusieurs séances étalées sur environ six mois, décrit à son thérapeute les progrès qu'elle fait pour réorganiser sa vie après un terrible accident de voiture. Elle a repris le travail et rebâti son couple avec l'aide de son mari.

CLIENTE (sur un ton enjoué) : Ça ne peut pas mieux aller. Je réussis très bien dans mon nouveau travail et mon mari non seulement l'accepte mais s'en réjouit. Nous nous entendons beaucoup mieux, même sur le plan sexuel, je ne m'attendais pas à cela. Nous essayons vraiment de vivre en harmonie. Je redoute un peu de descendre de mon petit nuage.

AIDANT : Vous êtes contente parce que les choses vont beaucoup mieux que prévu – et cela paraît trop beau pour être vrai.

CLIENTE : En fait, l'idée du nuage n'est pas tout à fait la bonne. Je crois qu'il y a une différence entre se montrer prudente et redouter une catastrophe. Je suis toujours prudente, mais je découvre que je peux changer les choses au lieu d'attendre qu'elles m'arrivent, comme je l'ai toujours fait. Je crois que l'on peut vraiment créer sa chance.

Par ses nombreux reflets, l'aidant arrive à cerner des expériences, des comportements et des sentiments de sa cliente. En englobant à la fois son enthousiasme et ses craintes tenaces, sa réponse a le mérite de lui faire sentir la distinction entre la prudence raisonnable et la crainte du pire. Cette cliente mentionne également son besoin de voir les choses changer, de jouer un rôle plus actif.

En tant qu'outil de mise en évidence et d'interprétation empathique pour les débutants, la formule quelque peu simpliste « Vous vous sentez… parce que… » a perdu désormais de son utilité et ne sera plus reprise dans les exemples suivants. Elle rigidifie les échanges et les formateurs chevronnés ne s'en servent que lorsqu'elle leur vient naturellement. Autrement, ils recourent au langage habituel pour le reflet empathique.

### REFLET EMPATHIQUE DES POINTS DE VUE, DES DÉCISIONS ET DES INTENTIONS DES CLIENTS

En communiquant de manière empathique avec vos clients, vous leur démontrez vos efforts pour les comprendre afin de favoriser des changements favorables. Cela ne se limite pas à appréhender l'essentiel de leur vécu, mais il convient également de se centrer sur certains contenus spécifiques, à savoir les points de vue, les décisions et les intentions qu'ils expriment. Les exemples suivants concernent les points de vue, les décisions et les intentions des clients. Il va sans dire que ces points de vue, ces décisions et ces intentions sont, comme le vécu même, imprégnés d'émotions et de sentiments.

**Communiquer sa compréhension des points de vue des clients.** L'exemple ci-dessous concerne un homme de 45 ans, marié et père de quatre enfants de 16 à 9 ans. Il s'inquiète pour ceux-ci.

> CLIENT : Je ne pense pas être vieux jeu, mais je trouve qu'à l'heure actuelle les enfants sont beaucoup trop gâtés. On passe notre temps à leur donner tout ce qu'ils demandent et à les laisser faire tout ce qu'ils veulent. Ce n'est pas bon pour eux. On croit que l'économie va continuer de tourner à plein. Et tout le monde pense qu'on a tout pour rien. Ce n'est pas rendre un service aux enfants.

> CONSEILLER : Vous pensez que les slogans du type « Faites tout ce que vous voulez » et « Il y en a pour tout le monde » sont de la foutaise. Cela peut se retourner contre nous et les enfants en souffriront.

> CLIENT : Tout à fait… Mais je ne peux rien faire. Je transmets à mes enfants un certain message, mais ils en reçoivent un autre bien différent de la télévision et d'Internet. Je ne veux pas être un tyran ni passer pour un rabat-joie, cela ne marche pas de toute façon. Au travail, je vois les problèmes et j'essaie de les régler. Mais avec les enfants, je suis dans une impasse.

> CONSEILLER : On dirait que la situation est passablement sombre actuellement. Vous ne savez pas trop quoi faire. Et cela n'est pas exactement comme vos difficultés au travail. Vous êtes habitué à les régler. Qu'est-ce qui fait que ces problèmes sont tellement différents ?

Lorsque le conseiller relate sa compréhension du point de vue du client, ce dernier en vient à exprimer sa vulnérabilité. Le conseiller se rend alors compte que le client doit réaliser les conséquences de ses opinions. À titre d'exemple, bien des parents arrivent à donner à leur progéniture une perspective plus large de l'existence que celle qui est véhiculée par les médias. Le client n'est probablement pas aussi dépourvu qu'il le prétend.

**Communiquer sa compréhension des décisions des clients.** Lorsque les clients annoncent une décision importante ou expriment leur intention de faire quelque chose, il faut reconnaître leurs messages essentiels. Dans l'exemple qui suit, un client traité pour une phobie sociale a beaucoup progressé, grâce à la thérapie cognitivo-comportementale. Dans les situations inconfortables, il a appris à repousser ses pensées destructives pour se concentrer sur l'extérieur : la situation elle-même et les gens susceptibles de lui servir de ressource. Voici un échantillon de cette mise en application, sous forme de dialogue :

> CLIENT (en insistant) : Je ne veux pas revenir en arrière. J'ai beaucoup lutté pour arriver là où je suis maintenant. Mais je vois aussi combien il serait facile de retomber dans mes vieilles habitudes. J'imagine que cela arrive à bien des gens. Je le vois autour de moi. Les gens prennent des bonnes résolutions, mais cela tourne court.

> AIDANT : Même s'il est possible de renoncer à vos victoires durement acquises, cela ne vous arrivera pas. Certainement pas.

CLIENT : Mais comment en être sûr ? Je crois que je ne retomberais pas, mais…

AIDANT : Vous avez besoin d'une crémaillère. Vous savez, le mécanisme qui empêche les wagons des montagnes russes de redescendre et qui produit les déclics que l'on entend tout au long de la montée.

CLIENT : Parfait ! Mais ce sera une crémaillère psychologique.

AIDANT : Et sociale… Jusqu'à présent, qu'est-ce qui vous a empêché de retomber ?

Sur le mode de la psychologie positive, le conseiller se centre sur les réussites passées. Ils continuent à discuter de la « crémaillère » dont il a besoin pour se maintenir à niveau.

**Communiquer sa compréhension des intentions ou des projets des clients.** Dans l'exemple suivant, la cliente, qui est malentendante, discute des moyens de devenir, selon ses propres termes, un « membre à part entière de sa famille étendue ». La discussion entre la cliente et l'aidante s'effectue au moyen de la lecture labiale et de l'interprétation gestuelle.

CLIENTE (de manière enthousiaste) : Laissez-moi vous dire ce que je pense faire… Tout d'abord, je vais arrêter de me fondre dans l'arrière-plan de ma famille et de mes amis lors d'une conversation. Je serai celle qui écoute le mieux. Et j'arriverai à transmettre mon point de vue, même s'il faut m'impliquer avec plus de vigueur. C'est vraiment comme cela que je suis, vous savez, au fond de moi-même.

AIDANTE : Cela m'a l'air formidable. Vous vous lancez dans la mêlée, une mêlée à laquelle vous appartenez. En utilisant même des moyens un peu spectaculaires.

CLIENTE : Et je pense que, sur le plan des relations sociales, je me débrouille bien. Je ne parle pas de quelque chose de mélodramatique. Mais j'ai assez de tact et je ne bouscule personne.

AIDANTE : Ils verront que vous savez vous y prendre avec les gens et que vous êtes naturelle. Dites-moi un peu ce que vous comptez faire.

La cliente exprime son intention d'arriver à prendre ce qu'elle considère « sa » place dans la conversation en famille et avec les amis en fixant ses priorités (phase III). L'aidante, par ses réponses, reconnaît son enthousiasme et sa détermination. Elles poursuivent toutes deux leur conversation en abordant des tactiques possibles et des exemples pratiques pour voir les conséquences possibles des façons d'agir qui sont envisagées.

## 6.5 COMMUNIQUER SA COMPRÉHENSION EMPATHIQUE : QUELQUES PRINCIPES

Les principes qui suivent vous permettront de communiquer votre compréhension. Il ne s'agit cependant pas de formules à appliquer aveuglément.

**Utiliser le reflet empathique à chaque phase et à chaque étape de la démarche d'aide.** Il est important de le faire, car il est toujours utile de communiquer et de vérifier sa compréhension tout au long de cette démarche. Les exemples suivants illustrent la compréhension empathique des aidants, via des reflets, à toutes les phases de la relation d'aide.

*Phase I : Que se passe-t-il ? Clarification des problèmes et adoption de nouvelles perspectives.* Un adolescent en troisième année du secondaire vient d'apprendre que sa famille déménage dans une autre ville. Le conseiller pédagogique lui répond : « Tu te sens triste parce que tu dois quitter tous tes amis. Tu as même un peu l'impression d'avoir été trahi, car tu ne t'y attendais pas. » Le conseiller réalise qu'il doit aider l'élève à tourner la page, mais en lui communiquant ce qu'il comprend de la situation, il l'aide à avancer. L'adolescent continue en parlant positivement de la grande ville dans laquelle il ira vivre et des nouvelles possibilités d'avenir qui s'offrent à lui. C'est à ce moment que le conseiller pédagogique lui répond : « Alors, il y a quand même un aspect positif dans tout cela. Les grandes villes ont beaucoup à offrir. Toi qui aimes le théâtre, tu pourras y aller souvent et c'est une chose dont tu dois te réjouir d'avance. »

*Phase II : Quelles sont les solutions qui me conviennent ? Formulation des objectifs.* Une femme s'interroge sur les compromis à faire entre le mariage et la carrière. L'aidant lui dit alors : « Vous semblez ambivalente. D'un côté, si vous épousez Pierre, vous ne pourrez pas avoir le genre de travail que vous vouliez. Ou ai-je entendu que vous sous-entendiez qu'il serait possible de concilier les deux ? Avoir le meilleur des deux mondes. » La cliente explore alors les possibilités d'« avoir le beurre et l'argent du beurre ». Cela lui permet de préparer sa prochaine conversation avec Pierre.

*Phase III : Comment obtenir ce que je veux et ce dont j'ai besoin ? Choisir des stratégies pour atteindre les objectifs.* Un homme déclare qu'il veut contrôler son taux de cholestérol sans prendre des médicaments, car les effets secondaires l'inquiètent. Il pense que ce serait possible d'éviter la médication. Son aidant lui répond : « C'est un soulagement de savoir qu'avec un régime adéquat et des exercices vous pourriez peut-être vous passer de médicaments. Néanmoins, il y a un *peut-être*. J'aimerais discuter de ce que vous a dit le médecin, car ça ne me semble pas clair. » L'aidant reconnaît l'essentiel du message, mais cherche à le clarifier.

*Les flèches d'action : passer aux réalisations.* Un couple essaie avec beaucoup de difficultés un certain nombre de stratégies pour améliorer sa communication. Les deux partenaires reconnaissent qu'ils aboutissent à un désastre. Le conseiller leur répond : « D'accord, cela vous embête tous les deux de ne pas arriver à atteindre les objectifs d'écoute active que vous vous étiez fixés. Voyons ce que nous pouvons tirer de cet échec (le tout d'un ton relativement dégagé). » Il leur montre bien qu'il a compris leur déception due à l'impossibilité de suivre leur plan d'action, mais, en s'inspirant de la psychologie positive, il s'intéresse surtout à ce qu'ils peuvent retirer de cet échec.

La communication de la compréhension empathique par le biais de reflets est une forme de contact humain, un moyen de faire avancer la relation, une façon de corroborer les perceptions du client et une manière douce d'influence sociale. Tout cela est fort utile. Driscoll (1984), avec beaucoup de bon sens, considère que le reflet empathique est une

« habileté de peu de valeur à court terme, mais sans laquelle les progrès seraient notoirement plus lents » (p. 90). Précisons que le reflet empathique est une forme d'interprétation du vécu du client selon le point de vue de celui-ci, son schème de référence personnel et culturel. Il fournit constamment des indices pour comprendre les clients, il permet de les aider tout au long de la démarche. Ce n'est jamais mauvais de laisser voir aux clients que vous essayez de les comprendre à partir de leur cadre de référence. Une écoute attentive et une analyse appropriée apportent beaucoup plus que de simples conseils. Les clients qui se sentent compris participent beaucoup plus pleinement et efficacement à la relation d'aide. Communiquer sa compréhension de l'autre par des reflets attire la confiance et ouvre la voie à des interventions plus radicales de la part de l'aidant, comme amener le client à questionner sa façon d'entrevoir la vie.

**Répondre de manière sélective aux messages essentiels des clients.** Il est impossible de refléter de manière empathique tout ce que dit le client. Par conséquent, en l'écoutant, essayez de reconnaître les messages que vous considérez comme essentiels – les messages centraux de son discours – et d'y réagir, spécialement si le client parle durant un bon moment. Ce type de sélection implique parfois de ne retenir qu'un ou deux messages, même si le client en communique plusieurs autres. À titre d'exemple, une jeune femme qui émet des doutes concernant la possibilité d'épouser son compagnon se dit surprise par son manque de curiosité intellectuelle, se montre préoccupée par son absence d'ambition professionnelle et s'insurge contre le fait qu'il trouve à redire à son propre carriérisme. Pendant toute la séance, le conseiller suit ce que dit la cliente, en relevant de nombreux points pour l'aider à exprimer ce qui est essentiel. Il résume ensuite le tout par une question concernant l'avenir pour elle et son compagnon :

> CONSEILLER : Le tableau que vous en dressez ne me semble guère prometteur, mais les divergences en ce qui concerne la vie professionnelle semblent particulièrement préoccupantes.

> CLIENTE : Vous savez, je commence à croire que Pierre et moi nous pourrions être de très bons amis, en dépit de nos grandes différences. Mais devenir des conjoints, c'est peut-être un peu trop demander.

Cependant, comme les clients ne sont pas toujours aussi disposés à communiquer, les aidants doivent repérer les éléments essentiels tout en les écoutant, et ce, afin de leur permettre de clarifier ce qui ne leur semble pas évident.

En répondant de manière sélective, on mettra alternativement l'accent sur les expériences, les actions ou les émotions, mais pas sur les trois en même temps. Examinons l'exemple qui suit. Il s'agit d'un client très préoccupé par les graves problèmes de santé de sa femme et par ses difficultés au travail :

> CLIENT : Cette semaine, j'ai voulu convaincre ma femme d'aller chez le médecin, mais elle a refusé, même si elle s'est évanouie plusieurs fois. Les enfants avaient congé et ils étaient dans mes jambes pratiquement tout le temps. Je n'ai pas pu finir le rapport que mon patron m'avait demandé pour lundi prochain.

AIDANTE : Cela a été une dure semaine, à tous points de vue.

CLIENT : Une catastrophe. Quand les choses vont mal au travail et à la maison, je n'ai pas une minute pour me détendre. J'aurais envie de tout plaquer là et de m'en aller loin… de m'enfuir. Mais, c'est impossible, jamais je ne ferai cela.

La psychologue choisit de mettre l'accent sur les sentiments du client, parce qu'elle considère que la frustration et l'irritation dominent le champ de sa conscience pour le moment. Cela permet au client d'analyser la situation – et de trouver une certaine détermination, malgré les difficultés.

Avec un autre client et dans d'autres circonstances, il faudra insister sur autre chose. Prenons l'exemple d'une jeune femme qui parle des problèmes qu'elle vit avec son père.

CLIENTE : Durant toute l'année, mon père n'a pas arrêté de critiquer ma façon de m'habiller. Mais la semaine dernière, je l'ai entendu dire à quelqu'un que j'étais vraiment jolie. Il se fâche avec ma sœur pour des choses qu'il tolère parfaitement lorsque cela vient de mon petit frère. Des fois, il est très gentil avec ma mère mais d'autres fois, et bien trop souvent, il se montre exigeant, grognon et sarcastique.

AIDANTE : C'est son attitude incohérente qui vous blesse.

CLIENTE : C'est cela. Et c'est difficile pour tout le monde. On ne sait jamais où on en est. J'ai horreur de rentrer à la maison en ne sachant pas de quelle humeur il sera. Il m'arrive de rentrer tard pour éviter cela, mais cela le rend encore plus furieux.

En lui répondant, l'aidante insiste sur son expérience concernant la conduite changeante de son père. Cela tombe pile et elle peut alors analyser plus en profondeur la situation.

**Répondre au contexte, pas uniquement aux mots.** Un reflet vraiment empathique ne se limite pas seulement aux mots et au comportement non verbal, mais il intègre aussi le contexte dans lequel ces paroles sont dites et tout ce qui tourne autour. Il est possible que le client traverse une crise ou qu'il veuille tout simplement faire le point. Vous écoutez les clients dans leur contexte de vie et ce contexte influe sur tout ce qu'ils disent.

Prenez le cas de Jules, un adolescent accusé d'avoir agressé un jeune Noir dont le véhicule était tombé en panne dans un quartier blanc. Le jeune garçon est toujours dans le coma. Lorsque Jules parle à son psychologue assigné, ce dernier l'écoute en tenant compte de son éducation et de son milieu. Cela comprend les attitudes racistes de plusieurs personnes dans ce quartier ouvrier, la violence sporadique, la facilité d'accès aux drogues, son appartenance à une bande, le fait que son père soit mort lorsqu'il était à l'école primaire et que sa mère, plutôt complaisante, ait un problème d'alcoolisme. Leur échange se résume comme suit :

JULES : Je ne sais pas pourquoi j'ai fait cela. Mais je l'ai fait avec les autres gars. On avait bu et fumé du pot, mais pas beaucoup. Voilà comment c'est arrivé.

AIDANT : En revenant en arrière, c'est un peu comme si cela t'était arrivé, pas vraiment quelque chose que tu as fait. Mais même si c'est dur, tu sais que tu l'as fait.

JULES : Dur ? J'ai fichu toute ma vie en l'air ! Ce n'est pas comme si je m'étais levé le matin en disant : « Je vais cogner sur quelqu'un. »

Le conseiller n'essaie nullement d'excuser le comportement de Jules, mais il considère certains éléments de sa réalité. Plus tard, il demandera à son client de décider si son milieu le contrôle – préjugés, appartenance à une bande, contexte familial – ou si, dans la mesure du possible, il garde le contrôle malgré son milieu.

**Faire du reflet empathique une forme d'influence sociale.** Comme les aidants ne peuvent reprendre et interpréter tout ce que disent leurs clients, il leur faut déceler les messages essentiels. Ceci les oblige à faire une sélection qui influence le déroulement de l'échange thérapeutique. Le reflet empathique fait donc partie du processus d'influence sociale présenté dans le chapitre 3. Les aidants pensent que les messages qu'ils retiennent sont essentiels, avant tout parce que les clients leur donnent une grande importance. Toutefois, ils pensent également qu'à un certain niveau certains messages devraient compter pour leurs clients. Dans l'exemple suivant, un père incestueux, lui-même victime d'inceste, est incarcéré en attente de son procès. Durant une séance, il essaie de s'exonérer en jetant la responsabilité sur ce qui lui est arrivé. Il parle si rapidement que l'aidant a du mal à l'interrompre. Finalement, ce dernier, qui a établi une excellente relation avec son client, intervient pour arrêter son monologue.

AIDANT : Vous employez des mots passablement complexes pour vous décrire. Voyons si j'ai bien compris. Vous vous considérez comme « structurellement déformé ». Vous avez également parlé de « réactions automatiques ». Vous pensez que vous êtes possédé et manipulé.

CLIENT : Pour sûr, ce sont des mots très forts… j'ai l'air d'un détraqué. Mais ce n'est pas le cas.

L'aidant veut que le client l'écoute et il décide donc de lui refléter son discours en insistant sur le non-dit, le fil conducteur implicite qui consiste pour le client à se prétendre non responsable de son comportement. L'aidant reflète la suite des idées contenue dans le discours du client, à savoir la folie des gens incapables de contrôler leurs comportements. À la limite, un reflet de sentiment profond peut s'apparenter à la confrontation lorsqu'il permet de relever ou d'extrapoler une idée, ou une intention non explicite. Ce reflet empathique donne un résultat, puisque le client s'arrête dans son élan. Il est bien évident que l'aidant ne doit pas faire dire au client ce qu'il n'a pas dit.

**Se servir du reflet empathique pour progresser dans la relation d'aide.** Le reflet empathique est fort utile pour établir une bonne relation d'aide, mais il permet également d'atteindre les objectifs de cette relation. Il sert dans la mesure où il permet au client de progresser. Qu'entendons-nous par progresser ? Cela dépend de la phase ou de l'étape à laquelle nous nous situons. À titre d'exemple, un ensemble de reflets empathiques permet de progresser à l'intérieur de la phase I s'il incite le client à analyser de manière plus réaliste une situation problématique ou une ressource inexploitée. Un client avancera à la phase II dans la mesure où le reflet empathique lui permet de reconnaître et de considérer de nouvelles perspectives d'avenir, de modifier ses objectifs et ses plans d'avenir, d'analyser sa motivation et son désir de s'engager dans la voie du changement. Progresser à la phase III signifie clarifier ses stratégies, choisir une intervention spécifique et établir un plan d'action. Dans la phase d'action, cette progression se traduira par le fait de reconnaître et de surmonter les obstacles et d'atteindre les objectifs fixés.

Dans l'exemple suivant, une stagiaire en counseling, passablement tendue, discute avec son superviseur :

> STAGIAIRE : Je n'ai pas l'impression que je serai une bonne conseillère. Les autres stagiaires ont l'air beaucoup plus intelligents. Ils ont tout de suite le truc pour faire de bons reflets. Je crains encore de répondre directement aux gens. Je me demande si je ne devrais pas réévaluer ma participation au programme.

> SUPERVISEUR : Tu te surprends à te faire des réflexions du genre : « Elle est meilleure que moi » et « Il apprend beaucoup plus vite que moi », et tu finis par penser que tu devrais peut-être abandonner ou quelque chose du genre.

> STAGIAIRE : Oui… Je connais ma tendance à me dévaloriser et à renoncer. Cela fait partie du problème et de ma façon de réagir. Je ne suis pas la plus intelligente, mais pas la plus bête non plus. Depuis mon arrivée, j'ai beaucoup amélioré mes habiletés de communication et j'en tire parti dans la vie de tous les jours.

Lorsque le superviseur met le doigt sur la difficulté, la stagiaire se recentre sur ses forces plutôt que sur ses faiblesses.

L'exemple suivant concerne une jeune femme qui se rend au service aux étudiants de son collège pour parler d'une grossesse non désirée.

> CLIENTE : Je suis enceinte de deux mois et je ne veux pas de cet enfant. Je ne suis pas mariée et je n'aime pas le père. Pour être bien honnête, je ne pense même pas qu'il me plaît. J'ai toujours cru que cela n'arrivait qu'aux autres ! Je me réveille en pensant que tout cela est un cauchemar. Maintenant, les gens essaient de me convaincre de me faire avorter.

> AIDANTE : Vous êtes tellement surprise que vous avez du mal à accepter que cela soit vrai. Pour tout arranger, les gens vous disent quoi faire.

> CLIENTE : Surprise ? Je suis stupéfiée. Surtout de ma propre idiotie pour m'être mise dans un tel pétrin. Je n'ai jamais pris une aussi dure leçon dans ma vie. Mais j'ai décidé d'une chose. Personne ne me dira quoi faire. Je déciderai moi-même.

Après le reflet empathique de l'aidante et la mise en évidence du thème de la responsabilité, la cliente est en mesure de prendre une position. Elle dit qu'elle veut tirer parti d'une très grave erreur pour progresser. Le reflet empathique permet de communiquer la compréhension, mais il est aussi une forme d'influence sociale.

**Rectifier une mauvaise compréhension.** Même si les aidants doivent s'efforcer de communiquer une compréhension exacte, ils ne peuvent pas toujours tomber pile. Vous pouvez croire que vous comprenez ce que dit le client pour découvrir, en communiquant cette compréhension, que vous êtes hors sujet. Le reflet empathique est une façon de vérifier votre perception. Si la réponse de l'aidant est exacte, le client aura tendance à la confirmer de deux manières. Premièrement, le client peut confirmer par une indication verbale ou non verbale : en hochant la tête ou par un geste similaire ou par une phrase d'assentiment, du type « d'accord » ou « exactement ». C'est ce qui arrive à ce client qui vient d'être arrêté parce qu'il vendait de la drogue et qui parle à son agent de probation :

AIDANTE : Il semble que vous viviez dans un quartier où il est facile de faire des choses qui vous attirent des ennuis.

CLIENT : Certainement ! Tout le monde vend de la drogue. Non seulement on finit par en prendre, mais on devient aussi revendeur.

Deuxièmement, et de manière plus positive, le client répond à une interprétation correcte de l'aidant en progressant dans la démarche d'aide. Il peut, à titre d'exemple, clarifier une situation problématique ou développer de nouveaux scénarios pour l'avenir. Dans le cas précédent, non seulement le client reconnaît l'exactitude des paroles de l'aidante par un « Certainement » mais, en outre, il décrit en détail la situation problématique. En répondant de nouveau par un reflet empathique, l'aidante permet au client de passer au cycle suivant : une clarification approfondie du problème ou des perspectives d'avenir, vers la formulation de certains objectifs ou d'actions visant à résoudre le problème.

En revanche, lorsque la réponse est inadéquate, le client le laisse savoir au conseiller de différentes manières. Il peut se figer, chercher ses mots, prendre une tangente, dire au conseiller qu'il ne voulait pas vraiment dire cela ou même essayer de le remettre sur la bonne piste. L'aidant doit relever tous ces indices. Dans l'exemple suivant, Bernard, qui vient de perdre sa femme et sa fille dans un accident de train, parle des changements qui se sont produits depuis cet événement.

AIDANT : Il y a beaucoup de choses que vous ne voulez plus faire depuis l'accident. Vous ne voulez plus rencontrer personne.

BERNARD (après un long moment) : Je ne suis pas sûr qu'il s'agisse de vouloir ou de ne pas vouloir. Il y a bien des choses qui demandent beaucoup d'énergie. C'est un tel effort de téléphoner aux gens. C'est si difficile parfois d'être avec eux que je n'essaie même pas.

AIDANT : Votre vie est comme un film au ralenti – c'est difficile de faire quoi que ce soit.

BERNARD : Je roule en première et cela avance lentement. Je ne sais pas comment m'en sortir.

Ce client assure que ce n'est pas une question de motivation, mais de manque d'énergie. Pour lui, cela fait une grande différence. L'aidant s'en rend compte et en profite pour relancer la conversation. Bernard veut récupérer son énergie, mais sans trop savoir comment. Ce manque de dynamisme trahit une forme de dépression et il existe plusieurs façons d'aider un client dépressif. C'est une manière de relancer la démarche d'aide.

Si vous êtes bien décidé à comprendre vos clients, une petite erreur de votre part ne les scandalisera pas. La figure 6.1 indique deux parcours différents : celui de gauche, où le reflet empathique de l'aidant tombe juste du premier coup ; et celui de droite, où son reflet est inexact mais finit par s'ajuster.

**Se servir de la compréhension empathique pour réduire les écarts culturels.** Ce principe est un corollaire des deux précédents. L'interprétation empathique basée sur la présence et l'écoute représente un outil primordial dans l'interaction avec des clients passablement différents de vous. Elle vous permet de dire à ces clients que vous avez beaucoup à apprendre d'eux, spécialement si vous venez d'horizons très divers. Scott et Borodovsky (1990) parlent de l'écoute empathique comme d'un « jeu de rôle dans une autre culture ». L'exemple suivant concerne l'échange entre un jeune aidant blanc et une femme âgée haïtienne qui vient de perdre son mari. Elle est hospitalisée pour une fracture de la jambe.

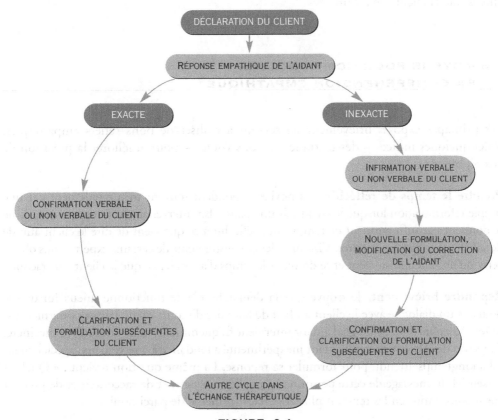

FIGURE 6.1
CYCLE DE LA COMPRÉHENSION EMPATHIQUE EXACTE ET INEXACTE

CLIENTE : On m'a dit qu'ils essayaient de nous donner notre congé aussi vite que possible. Mais on dirait que je reste alitée à ne rien faire. Jean [son mari décédé] ne me reconnaîtrait pas.

AIDANT : C'est vraiment déprimant que cela arrive juste après avoir perdu votre mari.

CLIENT : Oh ! Je ne suis pas déprimée. Je veux juste sortir d'ici et retourner m'occuper de la maison. Jean n'est plus là, mais il y a plein de monde pour m'aider à prendre soin de moi.

AIDANT : Se remettre dans le bain, c'est la meilleure façon de récupérer.

CLIENT : Cette fois, vous avez raison. Je veux vraiment savoir quand je peux rentrer chez moi et, une fois là, ce que je dois faire avec ma jambe. Il faut que je remette de l'ordre dans mes affaires. C'est ce que je fais le mieux.

L'aidant part d'une hypothèse qui se vérifie dans sa propre culture (tendance à la dépression lors d'un deuil), mais il tombe à côté en ce qui concerne la cliente. Elle prend ses difficultés en main, compte sur son réseau social et veut rentrer chez elle pour se remettre. La deuxième réponse de l'aidant est la bonne et, selon la phase II, elle décrit certaines choses que la cliente veut faire.

## 6.6 MOYENS POUR COMMUNIQUER SA COMPRÉHENSION EMPATHIQUE

Les principes exposés brièvement ici servent à réaliser de bons reflets empathiques. Voici quelques indices – des tactiques, si vous voulez – pour améliorer la précision de vos réponses :

**Prendre le temps de réfléchir.** Les novices répondent souvent trop rapidement par une simple reformulation lorsque le client fait une pause. En intervenant trop rapidement, ils ne se donnent pas suffisamment de temps pour réfléchir à ce que vient de dire le client afin de déceler les messages prioritaires. Visionnez les enregistrements de certains experts, vous observerez qu'ils s'arrêtent souvent et se donnent le temps d'assimiler ce que le client leur raconte.

**Répondre brièvement.** Je trouve que la démarche d'aide fonctionne mieux lorsque je poursuis un dialogue avec le client au lieu de faire des discours ou de laisser ce dernier disserter. Au cours d'un échange, l'aidant intervient fréquemment, mais de manière succincte. Dans son désir d'être précis, l'aidant inexpérimenté a tendance à être verbeux, spécialement s'il a longtemps attendu pour formuler sa réponse. La même question revient : « Quel est l'essentiel du message de cette personne ? » et elle vous permet de raccourcir et de préciser vos réponses tout en les rendant plus concrètes (principe de parcimonie).

**S'adapter aux clients en restant soi-même.** Si un client vous raconte avec enthousiasme qu'il a réussi à convaincre son partenaire de son point de vue concernant une nouvelle entreprise et que vous lui donniez une réponse adéquate mais sur un ton neutre et d'une voix éteinte, votre réponse n'est pas vraiment empathique. Cela ne signifie pas pour autant que vous devriez imiter vos clients et aller trop loin ou cesser d'être vous-même. Cependant, par votre présence, vous devriez prendre part de manière raisonnable à son état affectif. Examinez le cas suivant :

CLIENT (âgé de 12 ans) : Mon professeur m'a pris en grippe dès le premier jour d'école. Je ne suis pas plus indiscipliné que les autres en classe, mais elle me tombe dessus chaque fois. Je crois que c'est parce qu'elle ne peut pas me supporter. Elle ne gronde pas Paul Tremblay et il fait pas mal plus de sottises que moi.

CONSEILLER A : C'est un peu troublant. Tu te demandes pourquoi elle est beaucoup plus sévère avec toi qu'avec les autres.

Ce conseiller s'exprime d'une manière guindée, qui ne convient pas pour un jeune garçon de 12 ans. Voici une approche différente.

CONSEILLÈRE B : Cela te rend furieux parce qu'elle te tombe dessus injustement.

Néanmoins, les aidants ne devraient pas adopter un langage qui n'est pas le leur pour se mettre sur la même longueur d'onde que le client. Une conseillère d'âge mûr qui s'exprime en argot ou utilise des expressions « flyées » avec un jeune client aura l'air ridicule.

## 6.7 IMPORTANCE DES RELATIONS EMPATHIQUES

Dans les conversations de tous les jours, l'empathie passe pour une forme de politesse. En essayant de comprendre le cadre de référence de votre interlocuteur, vous lui démontrez un certain respect. Les reflets empathiques, même les plus simples, permettent le maintien des relations sociales. Néanmoins, les habiletés de communication acquises dans le cadre d'une relation d'aide ne peuvent pas toujours être transférées dans la vie courante, dans laquelle il n'est pas forcément nécessaire de formuler explicitement sa compréhension. Avec le temps, les gens établissent des relations empathiques et parviennent à se démontrer leur compréhension mutuelle sous des formes subtiles et variées, sans recourir à la parole. Un simple regard entre deux conjoints, alors que l'un d'eux est pris dans une conversation qui lui déplaît, suffit à décrire toute la situation. Ce regard signifie : « Je sais que tu te sens piégé, mais que tu ne veux pas heurter cette personne. Je sens à quel point tu es tiraillé. Et je sais aussi que tu veux que je vienne à ta rescousse, avec le tact nécessaire. »

Les gens qui se comprennent bien, expriment souvent leur empathie par des gestes, par exemple en passant un bras autour des épaules de quelqu'un qui vient de subir un échec. J'étais un jour chez une famille modeste lorsque le père a fait irruption en annonçant qu'il venait de décrocher un emploi. Sans un mot, sa femme a sorti une bouteille de bière du réfrigérateur et la lui a offerte. Cette bière portait une étiquette improvisée sur laquelle était écrit le mot « champagne ». Sa saveur resterait inoubliable.

Par contre, il arrive que certaines personnes ressentent le monde intérieur de leur famille ou de leurs amis et collègues, et soient très présentes mais sans savoir comment exprimer leur compréhension. Lorsqu'une femme se demande si son conjoint la comprend vraiment, elle ne veut pas forcément dire que leur relation n'est pas empathique. Elle dit plutôt qu'elle aimerait bien qu'il lui exprime plus souvent sa compréhension par des paroles. De manière générale, il est toujours préférable de démontrer son empathie fréquemment dans la vie de tous les jours, spécialement si les relations ne sont pas aussi bonnes qu'elles sont souhaitées. Le partage de notre compréhension de l'autre joue un rôle important dans l'établissement de relations empathiques. L'encadré 6.1 résume les principales façons de se servir de l'empathie en tant qu'habileté de communication.

## 6.8 DIFFICULTÉS INHÉRENTES À LA COMPRÉHENSION EMPATHIQUE : MISES EN GARDE

Certains aidants, à leur insu, sont de mauvais communicateurs. Bien des réponses formulées par les novices ou les aidants inefficaces ne sont que de médiocres substituts de reflets vraiment empathiques. Nous le voyons dans l'exemple suivant, qui illustre toute une série de réponses inadéquates. Élodie vient de commencer une carrière dans le domaine juridique et c'est sa deuxième visite chez un psychologue en pratique privée. Lors de la première séance, elle a déclaré vouloir aborder en détail les questions qui concernent sa transition entre l'université et le monde du travail. Elle a l'air passablement sûre d'elle-même. Au cours de la seconde séance, après avoir parlé de ses problèmes de transition, elle commence à s'exprimer de manière tendue, en évitant le regard du psychologue.

> ÉLODIE : Il y a quelque chose qui me tracasse. Peut-être que cela ne devrait pas. Après tout, j'ai le genre de travail que la plupart des femmes envient. Mais – je suis contente que mes collègues féministes ne soient pas là pour m'entendre – je n'aime pas mon apparence physique. Je ne suis ni grosse ni maigre, pourtant je n'aime pas mon corps. Et certains traits de mon visage ne me plaisent pas du tout. C'est sans doute bizarre de penser à tout cela en ce moment. J'aurai 30 ans dans deux ans et je parie que j'ai l'air d'une jeune professionnelle, riche et égocentrique.

Élodie s'arrête pour contempler une œuvre d'art au mur. Que faire ou que dire ? Avant tout, éviter les réponses qui suivent.

1. N'oubliez pas que l'empathie est une valeur, une façon d'être qui doit transparaître dans toutes les habiletés de communication.

2. Démontrez votre attention, à la fois physiquement et intellectuellement, et écoutez activement le point de vue du client.

3. Efforcez-vous de faire abstraction de vos jugements et de vos partis pris pour vous mettre à la place du client.

4. Écoutez attentivement les messages essentiels du client.

5. Prêtez attention à la fois aux messages verbaux et aux messages non verbaux ainsi qu'à leur contexte.

6. Répondez fréquemment mais brièvement aux messages essentiels du client par des reflets empathiques.

7. Soyez suffisamment souple et ouvert pour que le client ne se sente pas coincé.

8. Ayez recours à de fréquents reflets pour ramener le client sur l'essentiel.

9. Progressez graduellement de manière à discuter des sujets sensibles et des émotions pénibles.

10. Vérifiez soigneusement les indices qui confirment ou infirment la justesse de votre réponse empathique.

11. Voyez si votre interprétation empathique permet au client de se centrer et de clarifier les questions essentielles.

12. Remarquez les signes de tension ou de résistance chez le client ; essayez de voir s'ils sont dus à l'imprécision de vos réponses ou au contraire à leur trop grande précision.

13. Souvenez-vous que les reflets empathiques, aussi importants soient-ils, ne constituent qu'un moyen pour permettre aux clients de se percevoir et d'élucider leurs difficultés afin de les surmonter plus efficacement.

**Aucune réponse.** Même si les différentes cultures varient passablement sur la manière dont elles interprètent un silence, le fait de ne pas répondre est considéré comme une erreur (Sue, 1990). Dans la culture nord-américaine en général, si le client se révèle, il importe de réagir, même de façon succincte. Autrement, il finira par croire que ce qu'il a dit ne mérite même pas une réponse. On ne doit pas laisser Élodie s'enliser dans son problème. Un aidant efficace se rendra compte que le fait de ne pas accepter son physique risque de se répercuter dans d'autres domaines (Dworkin et Kerr, 1987 ; Worsley, 1981) et que, par conséquent, il ne faut pas traiter cela comme une simple question de vanité.

**Questions inopportunes.** Certains aidants, comme bien des gens dans la vie courante, ne peuvent s'empêcher de poser des questions. Au lieu de répondre par un reflet empathique, un conseiller pourra demander à Élodie si elle veut travailler sur un nouveau point. Cela ne tient absolument pas compte de ce qu'elle vient de dire et démontre plutôt une erreur de la part de l'aidant dans la priorité qu'il donne à l'information. Nous reviendrons sur ce point dans le chapitre 7.

**Clichés.** Le psychologue pourra dire alors : « Le milieu de travail est extrêmement compétitif, il n'est pas rare que de telles questions se posent. » C'est une platitude qui fait passer l'aidant pour quelqu'un d'insensible et donne l'impression qu'il fait peu de cas de la cliente. Les clichés sont des banalités. En réalité, l'aidant est en train de lui répondre qu'elle n'a pas vraiment de problème ou que son problème n'est pas vraiment sérieux. Les clichés sont un mauvais succédané de la compréhension.

**Interprétations théoriques.** Pour certains aidants, il paraît plus important de proposer une interprétation en fonction de leurs théories que de se montrer compréhensif. Ce type d'aidant répondra alors de la manière suivante : « Élodie, je pense que vos inquiétudes concernant votre physique ne sont probablement qu'un symptôme. J'ai l'intuition que vous ne vous acceptez pas vraiment et c'est là le vrai problème. » Ce psychologue ne répond pas vraiment aux sentiments de la cliente et fausse le contenu de ses paroles. Un tel type de réponse envoie le message que le client ne voit pas l'essentiel.

**Conseils.** Dans la vie quotidienne, nous sommes abreuvés de conseils. Cela arrive également dans le counseling. Dans le cas qui nous intéresse, le conseiller pourra dire à Élodie de ne pas s'inquiéter, car elle sera bientôt tellement prise par son travail que ses ennuis disparaîtront. Il est complètement exclu de donner des conseils à ce stade. Pour ne rien arranger, ce genre de conseil ressemble fort à un cliché. En outre, le fait de donner des conseils enlève toute responsabilité aux clients.

**Redites.** Un reflet empathique ne se limite pas à répéter ce que le client vient de dire. Autrement, ce n'est qu'une parodie. Revoyez ce qu'Élodie a dit d'elle-même au début de cette section. Évaluez ensuite la réponse « empathique » suivante :

> CONSEILLER : Eh bien, Élodie, même si vous avez un travail très intéressant que bien des gens vous envieraient, vous n'en êtes pas moins préoccupée par votre physique. Cela ébranle un peu vos convictions féministes. Mais il y a des choses que vous n'aimez pas : votre apparence corporelle, certains traits de votre visage. Vous vous demandez pourquoi cela vous préoccupe maintenant. Ce genre d'idée semble vous faire honte. Vous vous dites que vous êtes peut-être égocentrique.

Tout cela est exact en grande partie, mais le résultat est désastreux. On n'exprime pas sa compréhension du client ou même sa présence en se contentant de répéter, de reformuler ou de paraphraser ce qu'il a dit. La véritable compréhension vient de vous et doit comporter un peu de ce que vous êtes, ce que ne peut faire la redite. Pour éviter de vous faire l'écho du client, insérez des éléments de l'analyse que vous faites en écoutant, reprenez les paroles dites sous un éclairage différent, employez vos propres mots, changez l'ordre, faites référence à une émotion ressentie mais non verbalisée. En un mot, faites tout votre possible pour faire savoir au client que vous vous efforcez de le comprendre.

**Sympathie et acquiescement.** Être empathique n'équivaut pas à être d'accord avec le client ou à lui démontrer que vous êtes sympathique à sa cause. La sympathie se rapproche beaucoup plus de la pitié, de la compassion, de l'apitoiement ou des condoléances que de la compréhension empathique. Il s'agit certes de qualités humaines mais qui ne servent pas à grand-chose dans le counseling. La sympathie dénote un accord alors que l'empathie indique une compréhension et une acceptation du client en tant que personne. Nous n'avons pas à être d'accord avec le client mais nous devons le comprendre sans le juger. Au pire, la sympathie peut aller jusqu'à la connivence ou à la complicité amicale avec le client. Remarquez la différence entre la réponse des deux conseillers suivants :

CONSEILLER A : C'est difficile, n'est-ce pas, Élodie (ton de compassion). Ce n'est pas facile d'en parler, mais je suis là. C'est étrange pourtant ! Habituellement, vous démontrez une grande confiance en vous.

ÉLODIE : Euh ! Oui, je crois.

Remarquez le peu d'enthousiasme d'Élodie à ce type de connivence. Elle a envie de régler son problème. La relation d'aide ne semble mener à rien. Voyons une approche radicalement différente.

CONSEILLER B : Vous avez quelques doutes sur votre physique, mais néanmoins vous vous demandez si vous devriez aborder ce sujet.

ÉLODIE : Je sais. On dirait que j'ai honte d'avoir ce type de doutes. Le pire, c'est que je suis si obsédée par mon aspect physique que je n'arrive plus à me percevoir en tant que personne. Cela m'empêche de voir le genre de personne que je suis.

Le conseiller B donne l'occasion à sa cliente d'exprimer son anxiété immédiate et d'analyser la situation en profondeur.

**Compréhension simulée.** Nous avons parfois affaire à des clients troublés, distraits et perturbés, ce qui influe sur la clarté de leurs propos. Les aidants risquent de ne pas comprendre ce que disent les clients, en raison de leur confusion ou parce que ceux-ci émettent des messages brouillés. Il arrive également que les aidants soient distraits par une chose ou une autre. Quoi qu'il en soit, c'est une erreur que de feindre la compréhension. Les vrais aidants admettent leur distraction et s'efforcent de reprendre le fil de la conversation. Une phrase du type : « Je pense que je ne vous suis plus. Pouvons-nous revenir sur ce point ? » indique que vous accordez de l'importance aux paroles du client. C'est une forme de respect, infiniment préférable aux acquiescements et aux hochements de tête. Par ailleurs, si vous vous surprenez souvent à dire que vous ne comprenez pas, vous feriez mieux de voir ce qui ne va pas. Faire semblant ne remplace jamais la compétence.

# CHAPITRE 7

## L'ART D'EXPLORER ET DE SYNTHÉTISER

### 7.1 ENCOURAGEMENTS PONCTUELS VERBAUX ET NON VERBAUX

- Encouragements ponctuels non verbaux
- Encouragements ponctuels par des sons ou des mots

### 7.2 DIFFÉRENTES FORMES DE QUESTIONS EXPLORATOIRES

- Clarification
- Demandes
- Questions
- Mots ou phrases qui sont, en réalité, des questions ou des demandes

### 7.3 LE BON USAGE DES QUESTIONS EXPLORATOIRES

- Se limiter à quelques questions
- Poser des questions ouvertes

### 7.4 PRINCIPES D'UTILISATION DES QUESTIONS EXPLORATOIRES

- Utiliser les questions exploratoires pour faire participer les clients autant que possible à l'échange thérapeutique
- Utiliser les questions exploratoires pour permettre aux clients d'être clairs et concrets
- Utiliser les questions exploratoires pour permettre aux clients de boucler la boucle
- Utiliser les questions exploratoires pour que les clients saisissent qu'il existe un véritable équilibre entre problèmes et solutions
- Utiliser les questions exploratoires pour inciter les clients à progresser dans la démarche d'aide
- Utiliser les questions exploratoires pour permettre aux clients d'évoluer dans une même étape de la démarche d'aide
- Utiliser les questions exploratoires pour analyser et clarifier les points de vue, les intentions et les décisions des clients
- Utiliser les questions exploratoires pour confronter les clients ou les aider à se remettre en question

Dans la plupart des exemples concernant le reflet empathique, les clients se montrent disposés à s'analyser et à réexaminer leur comportement. Toutefois, il n'en est pas toujours ainsi. Par conséquent, si les aidants doivent absolument répondre de manière empathique à un client qui se révèle, il est aussi primordial qu'ils l'encouragent, qu'ils l'incitent et qu'ils l'aident à aborder ses difficultés s'il ne le fait pas spontanément. En termes de communication, il est donc essentiel de savoir se servir d'encouragements ponctuels et des questions exploratoires. Si, pour faciliter le dialogue, le reflet empathique s'apparente métaphoriquement à la main sur l'épaule, les questions exploratoires ressemblent au coup de coude et servent à relancer le dialogue au moment propice.

Les encouragements ponctuels, verbaux et parfois non verbaux, et les questions exploratoires constituent des tactiques pour permettre au client de s'exprimer de façon libre et concrète sur n'importe quel sujet, à n'importe quelle phase ou à n'importe quelle étape de la démarche d'aide. En posant des questions exploratoires, les conseillers aident leurs clients à distinguer et à analyser les occasions qu'ils ont laissé passer, à reconnaître leurs blocages, à concrétiser leurs aspirations, à formuler des stratégies pour atteindre leurs objectifs et à surmonter les obstacles. Les questions exploratoires, judicieusement posées, permettent d'orienter et de rediriger toute la démarche d'aide. Elles la rendent plus efficace. Commençons par la notion d'encouragement ponctuel.

## 7.1 ENCOURAGEMENTS PONCTUELS VERBAUX ET NON VERBAUX

Les encouragements ponctuels verbaux ou non verbaux sont des interventions qui ont pour but d'indiquer aux clients que vous êtes avec eux et que vous les encouragez à poursuivre.

**Encouragements ponctuels non verbaux.** Vous avez le choix : mouvements corporels, gestes, regards, etc. À titre d'exemple, une cliente décrit ses difficultés à se rapprocher d'une voisine avec laquelle elle est en froid et elle déclare ne pas savoir comment s'y prendre. L'aidante ne lui répond pas, mais elle s'incline vers elle et la regarde attentivement. La cliente fait une pause et poursuit : « Vous savez bien ce que je veux dire. C'est très dur pour moi de faire le premier pas. J'aurais l'air de céder, en d'autres mots, d'être faible. » En explorant davantage, elle réalise à quel point un tel geste, fait de manière adéquate, pourrait passer pour une preuve de force et non de faiblesse.

**Encouragements ponctuels par des sons ou des mots.** Il est possible d'émettre des réponses du type : « Hum », « Oui », « Je vois », « D'accord », « Ah ! » et « Oh ! », à la condition de le faire intentionnellement et non pas de manière distraite, parce que vous ne savez pas quoi dire, ou en donnant l'impression d'être ailleurs. Dans l'exemple suivant, une femme mariée de 33 ans lutte contre le perfectionnisme au travail comme à la maison :

CLIENTE (sur un ton hésitant) : Je ne sais pas si j'arriverai jamais à me débarrasser de mes mauvaises habitudes… Si je pouvais oublier les choses insignifiantes au bureau ou à la maison. J'ai pris de bonnes résolutions, mais je ne suis pas sûre de pouvoir les tenir.

AIDANT : Hum ! [L'aidant toussote et reste silencieux.]

CLIENTE (rires) : Voilà encore une preuve de mon perfectionnisme et je suis en train de dire que je ne peux pas faire quelque chose ! C'est ironique. Bien sûr que je peux. Enfin, cela ne sera pas très facile, du moins au début.

Le léger toussotement de l'aidant incite la cliente à reconsidérer ce qu'elle vient de dire ici. Les encouragements ne jouent pas un rôle majeur, mais ils servent à relancer l'échange thérapeutique.

## 7.2 DIFFÉRENTES FORMES DE QUESTIONS EXPLORATOIRES

Employées de manière judicieuse, les questions exploratoires permettent au client de prendre conscience d'un problème, de l'élucider, de l'analyser ou de mieux le définir à n'importe quelle phase ou à n'importe quelle étape de la relation d'aide. Ces questions exploratoires, conçues pour clarifier les propos et faire avancer le client, prennent diverses formes :

**Clarification.** Cette forme de question exploratoire indique un besoin de précision supplémentaire. Prenez le cas d'un aidant discutant avec un client qui a des ennuis avec sa fille de 25 ans qui vit toujours à la maison. L'aidant lui déclare : « Je ne sais pas très bien si vous voulez que votre fille continue à habiter avec vous ou si vous voulez qu'elle parte. » Le client répond : « Je veux qu'elle parte, mais sans que je me la mette à dos. Je ne voudrais pas donner l'impression que je refuse de m'occuper d'elle et que j'essaie juste de m'en débarrasser. » En formulant ce type de question, l'aidant reconnaît en quelque sorte son ignorance : « Je ne suis pas sûr de comprendre vos intentions… » ou « Je crois que je suis un peu perdu en ce qui concerne… ». Ce genre de demande présente le mérite de placer la responsabilité sur les épaules de l'aidant sans accuser le client de dissimuler la vérité.

**Demandes.** Les questions exploratoires peuvent être formulées sous forme de demandes directes d'information complémentaire ou d'éclaircissement. Une aidante demande par exemple à une femme qui vit avec son mari et sa belle-mère ce qu'elle veut dire par « La maison est vraiment petite. » Cette cliente répond alors qu'elle s'entend bien avec son mari et avec sa belle-mère, mais que la coexistence s'avère difficile s'ils sont tous les trois ensemble. Évidemment, une demande n'a rien d'un ordre exigeant qui demande au client de révéler ses pensées. Un ton de voix adéquat ainsi que des indices non verbaux et paralinguistiques atténuent ces demandes.

**Questions.** Les questions directes sont sans doute les plus courantes : « Comment réagissez-vous lorsqu'il sort de ses gonds ? », « Qu'est-ce qui vous empêche de prendre une décision ? », « Vous avez essayé de lui faire comprendre subtilement vos besoins et cela n'a pas marché, que comptez-vous faire maintenant ? » Voici l'exemple d'une cliente qui consulte pour maîtriser ses accès de colère. Grâce à son conseiller, au cours d'une séance, elle a établi un programme sérieux. Cependant, à la séance suivante, elle donne l'impression de faire marche arrière. Le conseiller lui dit : « Vous étiez enthousiaste la semaine dernière. Mais maintenant, à moins que je ne me trompe, on dirait que je sens une hésitation dans votre voix. Quels obstacles voyez-vous ? » La cliente répond : « Après avoir revu le programme, j'ai peur de passer pour une lavette. Mes collègues risquent de mal l'interpréter et ils me feront la vie dure. » Le conseiller lui répond : « Vous avez peur de perdre quelque chose. Qu'est ce que c'est ? » La cliente hésite un moment et répond « Le cran ! » Le conseiller lui répond alors : « Bon, voyons si vous pouvez continuer à avoir du cran tout en évitant les réactions des autres qui vous mettent en mauvaise posture. » Ils poursuivent en analysant les différences entre l'affirmation et l'agressivité.

**Mots ou phrases qui sont, en réalité, des questions ou des demandes.** Les questions exploratoires ne requièrent souvent qu'un mot ou une courte phrase. Alors qu'une cliente parle de sa sœur, à un moment donné, elle dit qu'elle la déteste. L'aidant répète simplement le mot « détester », sans montrer aucune émotion. La cliente répond alors : « Je sais que c'est un terme trop fort. Je veux simplement dire que les choses vont de mal en pis. » Un autre client souffrant de peurs irrationnelles déclare qu'il n'en peut plus et refuse de continuer ainsi. Il veut s'en sortir d'une manière ou d'une autre. Le conseiller rétorque alors : « Vous en sortir ? » Le client dit : « Me sortir de mes peurs. Je suis devenu complaisant à l'égard de mes peurs. J'en ai déduit de nos discussions que c'est une mauvaise habitude que j'ai acquise, une très mauvaise habitude. » Ils continuent en abordant les manières de maîtriser ce genre de pensées.

Sous une forme ou une autre, les questions exploratoires sont souvent des interrogations directes ou indirectes. Il est donc de mise de voir l'usage qu'il faut en faire.

## 7.3 LE BON USAGE DES QUESTIONS EXPLORATOIRES

Les aidants, novices ou incompétents, n'ont que trop tendance à poser des questions. Ne sachant pas trop quoi dire ni quoi faire, ils posent des questions qui ne riment à rien, comme si le but de la rencontre était d'obtenir de l'information. Le simple bon sens indique qu'il est préférable de ne rien faire. Néanmoins, utilisées à bon escient, les questions représentent une partie importante de vos interactions avec les clients. Voici donc deux principes essentiels :

**Se limiter à quelques questions.** Les clients se sentent traqués lorsque nous les questionnons sans arrêt et cela n'améliore en rien la relation d'aide. En outre, les clients reconnaissent d'instinct les questions destinées à meubler le silence lorsque l'aidant ne trouve rien de mieux à dire. Il m'est arrivé de poser des questions dont je ne voulais même pas connaître les réponses. Revenons à Élodie, la jeune femme qui s'interroge sur son physique au chapitre 6, et émettons l'hypothèse que le conseiller lui pose une série de questions :

« Quand avez-vous commencé à vous sentir comme cela ? »

« En avez-vous parlé avec quelqu'un ? »

« Que faites-vous pour améliorer votre physique ? »

« Selon vous, qu'est-ce que les autres n'aiment pas dans votre physique ? »

Après cette attitude de détective, Élodie a toutes les raisons de se lever et de s'en aller. Dans ce contexte, ces questions ne représentent qu'un tâtonnement pour obtenir une information peu pertinente. Les séances d'aide ne sont pas conçues pour devenir des interrogatoires sans finalités précises.

**Poser des questions ouvertes.** De manière générale, posez des questions à réponse libre – auxquelles on ne peut se contenter de répondre par oui ou par non, ou par un seul mot. Au lieu de demander à quelqu'un qui prévoit prendre sa retraite prématurément s'il a des projets, il est préférable de demander quels sont ses projets ? Les conseillers qui posent des questions fermées se retrouvent à en poser plusieurs d'affilée. Une question fermée en induit une autre. Certes, si nous avons besoin d'une information précise, un tel type de question s'impose. Un conseiller professionnel demandera le nombre d'emplois occupés par une personne durant les deux dernières années. Cette information pertinente aide le client à présenter son curriculum vitae et à établir une stratégie de recherche d'emploi. Il arrive également qu'une question fermée astucieuse rapporte des dividendes. À titre d'exemple, lorsqu'un client finit d'exposer ce qu'il fera pour se venger de son fils ingrat, le conseiller lui demande si c'est bien ce qu'il désire. Les questions ouvertes, en nombre limité, à toutes les phases et à toutes les étapes de la démarche, aident les clients à trouver les éléments manquants.

## 7.4 PRINCIPES D'UTILISATION DES QUESTIONS EXPLORATOIRES

Voici les principes directeurs concernant les questions exploratoires, quelles que soient leurs formes.

**Utiliser les questions exploratoires pour faire participer les clients autant que possible à l'échange thérapeutique.** Comme nous l'avons déjà mentionné, les clients ne disposent pas toujours des habiletés de communication nécessaires pour participer à un échange qui leur permette de gérer leurs problèmes et de mieux exploiter leurs ressources. Cependant, si vous disposez de ce type d'habiletés, vous pouvez aider vos clients à participer : parler tour à tour, communiquer, exercer une influence mutuelle et prendre part à toutes les formes de dialogue possibles. Les questions exploratoires vous permettent d'inciter les clients à faire les concessions mutuelles qui caractérisent la démarche d'aide. L'échange qui suit, entre un conseiller au travail et l'une des employées, concerne les tentatives de cette dernière pour obtenir un dédommagement après un accident de voiture :

CLIENTE : Ils ne veulent rien faire. Je les appelle et ils m'ignorent. Et je n'aime pas du tout cela !

AIDANT : La façon dont ils vous traitent vous rend furieuse. Et vous voulez découvrir le fin fond de l'histoire. Dites-moi en gros ce que vous avez fait jusqu'à présent.

CLIENTE : Eh bien, ils m'ont envoyé des formulaires. Je les ai remplis du mieux possible. Je crois qu'ils essaient de démontrer que j'ai tort. J'ai même conservé des copies. Je les ai avec moi.

AIDANT : Vous n'êtes pas convaincue qu'on peut leur faire confiance. J'aimerais jeter un coup d'œil à ces papiers.

Il ressort que ces papiers sont des formulaires standard. Comme c'est la première fois que la cliente a affaire à une compagnie d'assurance et qu'elle n'a guère de facilité pour communiquer, le conseiller arrive à se faire une idée du genre de conversation téléphonique qui a eu lieu entre elle et la compagnie d'assurance. Un reflet empathique et quelques questions exploratoires lui permettent de constater que la situation n'a rien d'anormal. Finalement, quelqu'un au travail, qui a déjà été sensibilisé à cette expérience, aide cette cliente.

Le fait d'encourager un client à participer à un dialogue ne constitue ni un ordre ni une forme de manipulation. Il est possible d'inciter l'autre à aller de l'avant, à s'investir dans la démarche d'aide sans se montrer condescendant ou paternaliste. En posant des questions exploratoires, nous parvenons à entamer une interaction avec des clients réticents et manquant de confiance en eux. Vous ne pouvez certes pas forcer les gens à agir contre leur gré, mais vous pouvez les inciter fortement à l'action. Votre doigté vous indiquera le moment d'arrêter.

**Utiliser les questions exploratoires pour permettre aux clients d'être clairs et concrets.** Ce type de questions permet aux clients d'élucider les points vagues et abstraits afin que vous puissiez poursuivre le travail de réflexion et de compréhension. Dans l'exemple suivant, un homme décrit sa relation amoureuse, devenue très difficile :

CLIENT : Elle me traite très mal et je déteste cela !

AIDANT : Dites-moi exactement ce qu'elle fait.

CLIENT : Elle parle dans mon dos. J'en ai la preuve. Et les autres me répètent ce qu'elle a dit. Elle annule également nos rendez-vous lorsqu'elle a quelque chose de plus intéressant à faire.

AIDANT : C'est passablement humiliant… Comment réagissez-vous ?

CLIENT : Eh bien, elle sait que je suis au courant. Mais nous n'en avons pas beaucoup parlé.

Dans cet exemple, l'aidant, par ses questions, amène le client à décrire plus précisément son expérience et son comportement. Un reflet empathique et des questions exploratoires lui permettent de découvrir que le client en supporte beaucoup parce qu'il a peur de perdre sa conjointe. Le thérapeute poursuivra en démontrant au client les inconvénients inhérents à une telle relation unilatérale.

Le cas suivant concerne un homme qui décrit une vie sociale sans grand intérêt et l'insatisfaction qui en découle. Une simple question pertinente suffit à éclairer tout le problème.

CLIENT : Pour me sentir bien, je fais toutes sortes de choses bizarres.

AIDANT : Quelles choses bizarres?

CLIENT : Bon, je rêve que je suis un héros, un héros tragique. Au cours de ces rêveries, je sauve des gens qui ne semblent même pas savoir que j'existe. Et lorsqu'ils accourent pour me voir, je leur tourne le dos. Je préfère être seul. J'ai élaboré toutes sortes de variations sur ce thème.

AIDANT : Au cours de ces rêveries, vous incarnez un personnage qui veut être aimé mais qui tire une certaine satisfaction en rejetant ceux qui ne lui ont pas rendu son affection. Est-ce que j'ai bien compris?

CLIENT : Enfin… Oui… Je me contredis moi-même… Je veux être aimé, mais je ne fais pas grand-chose pour avoir une vie sociale intéressante. Le problème est dans ma tête.

Par sa question exploratoire, l'aidant amène le client à formuler une description claire de son comportement interne (rêveries). En le conduisant à analyser son fantasme, il lui permet d'envisager ce qu'il recherche vraiment dans une relation humaine.

La cliente suivante est devenue le soutien de famille depuis que son mari a été victime d'un accident vasculaire cérébral. Quelqu'un se charge de prendre soin de son mari durant la journée.

CLIENTE : Depuis que mon mari a eu cette attaque, je trouve difficile de rentrer à la maison. Je… Je ne sais pas.

AIDANT : Cela vous déprime… Qu'est-ce cela vous fait?

CLIENTE : Lorsque je le vois immobile dans son fauteuil, je le prends en pitié. Et puis immédiatement, je me plains moi-même, la colère et même la rage se mêlent à la pitié. Je ne sais même pas contre quoi ou contre qui diriger ma colère. Mon Dieu, il a seulement 42 ans et j'en ai 40!

Dans ce cas, en posant une question exploratoire, l'aidant amène la cliente à décrire l'intensité de ses sentiments et de ses émotions.

Dans chacun de ces exemples, les clients en viennent à raconter leur vécu de manière plus spécifique. Évidemment, l'objectif n'est pas d'obtenir plus de détails. Il s'agit en fait de trouver le détail qui exprime le mieux la difficulté ou la solution qui n'a pas été envisagée pour résoudre le problème.

**Utiliser les questions exploratoires pour permettre aux clients de boucler la boucle.** En posant ce type de question dans le cadre de l'échange thérapeutique, nous permettons aux clients de trouver les pièces manquantes du casse-tête : expérience, comportements et émotions qui permettent de mieux envisager des situations problématiques et les possibilités d'un avenir meilleur ou qui permettent de formuler des plans d'action. Dans l'exemple suivant, le client vit un conflit avec sa femme, en raison de l'arrivée prochaine de sa belle-mère :

> AIDANT : Je me rends compte que vous êtes souvent en colère lorsque votre belle-mère reste plus qu'une journée. Mais je ne suis pas sûr de ce qui vous rend furieux.

> CLIENT : Premièrement, elle bouleverse complètement l'horaire de la maisonnée, pour imposer le sien. Ensuite, elle n'arrête pas de donner des conseils sur la façon d'élever les enfants. Ma femme trouve que c'est un moindre dérangement. Mais, pour moi, c'est un bouleversement total de la vie de famille. Lorsqu'elle s'en va, il est toujours nécessaire de ventiler les frustrations.

Il manque une description des agissements de sa belle-mère pour qu'il puisse poursuivre. Après qu'il a donné suffisamment de détails sur ce sujet, il est plus facile de l'aider à envisager certaines solutions. Néanmoins, il manque encore une description de ses réactions face au comportement de la belle-mère. L'aidant poursuit alors :

> AIDANT : Alors quand elle dirige tout et qu'elle met tout sens dessus dessous, comment réagissez-vous face à ce chamboulement ?

> CLIENT : Eh bien… Eh bien, je me tais. Je sors de la maison pour aller quelque part et je fulmine. Après son départ, je mets tout sur le dos de ma femme, qui ne voit vraiment pas quelle est la raison de tout ce drame.

Maintenant, il est clair que le client ne fait pas grand-chose pour changer la situation. Il semble également évident qu'il se montre un peu surpris lorsqu'on lui demande comment il tente d'y remédier.

Dans l'exemple suivant, une divorcée parle du bouleversement qui survient lorsque son ex-mari visite les enfants. Nous notons des similarités entre les deux cas.

> AIDANTE : Tous les dimanches, votre ex-mari exerce son droit de visite auprès des enfants et cela se termine par une violente dispute, qui vous cause des maux de tête. Je pense avoir une assez bonne idée de son comportement, mais ce serait peut-être bien que vous décriviez le vôtre.

> CLIENTE : Eh bien, je ne fais rien.

AIDANTE : Alors, dimanche dernier, il a commencé à vous attaquer sans aucune raison précise, uniquement pour vous faire du mal.

CLIENTE : Enfin, pas exactement. Je lui ai dit d'augmenter la pension alimentaire qu'il me verse. Et je lui ai demandé pourquoi il ne se pressait pas pour trouver un meilleur emploi. C'est un imbécile. Il ne veut même pas entendre raison.

Grâce à des questions exploratoires, l'aidante permet à la cliente de compléter sa description de la situation, à savoir, son propre comportement. Elle continue à se présenter comme une pauvre victime en dépeignant son mari comme un parfait bourreau. Cependant, cela ne dépeint pas l'ensemble du tableau.

Prenons maintenant le cas de Carole, une mère de quatre enfants, dont deux adolescents, qui parle à l'une de ses amies, Viviane. Cette dernière travaille comme volontaire au centre local de services sociaux. Elle se plaint que son mari et ses enfants ne collaborent guère dans les tâches ménagères. Viviane a assez de jugeote en ce qui concerne les autres.

CAROLE (d'une façon très détachée) : À la fin de la journée, avec les enfants, le souper et le ménage, je ne suis pas à mon meilleur.

VIVIANE : Lorsque tu leur demandes de t'aider, comment réagissent-ils ?

CAROLE : Je ne devrais même pas avoir à demander ! Ils peuvent voir ce qu'il faut faire.

VIVIANE : On dirait que les mauvaises habitudes sont incrustées. Dans une famille idéale, comment cela devrait-il se passer ? Comment pourrait-on répartir les tâches ?

CAROLE : Hum!… Eh bien, d'abord…

Son amie se rend compte que tout le monde a pris de mauvaises habitudes dans cette famille. Grâce à ses questions exploratoires, elle réalise que la mère ne supporte pas le fait d'avoir à demander de l'aide. Elle poursuit alors son questionnement sur un autre sujet – en passant aux améliorations possibles plutôt que de continuer à creuser la situation problématique. Sa stratégie consiste à inciter Carole à préciser ce qu'elle veut et à envisager ce qu'elle pourrait faire pour l'obtenir.

**Utiliser les questions exploratoires pour que les clients saisissent qu'il existe un véritable équilibre entre problèmes et solutions.** Les clients, en raison de leur empressement à décrire les problèmes et à faire valoir leur opinion, ne décrivent souvent qu'un côté de la médaille, un seul point de vue. Ils voient les problèmes sans nécessairement voir les solutions. Les questions exploratoires servent à dresser un portrait complet de la situation. Dans l'exemple suivant, un gérant se plaint amèrement d'avoir à travailler avec une jeune femme brillante et fort ambitieuse qui se livre à des manigances dans son propre intérêt :

CONSEILLER : Je me demande si vous arrivez à trouver un élément positif dans tout cela, une occasion insoupçonnée.

CLIENT : Je ne suis pas sûr de comprendre. Il me semble que c'est un désastre complet.

CONSEILLER : Pourtant, vous m'avez l'air d'un gars passablement dégourdi. Je me demande si vous ne pourriez pas en tirer une leçon.

CLIENT (marquant un temps d'arrêt) : Oh! Vous savez, j'essaie d'éviter les luttes de pouvoir, mais maintenant cela me retombe dessus. Là où il y a des gens, il y a des conflits. Je pense qu'elle s'immisce dans tout cela pour faire avancer sa carrière. Mais je ne veux pas me lancer dans ce jeu-là. Il me faut trouver une stratégie pour préserver mon intégrité, maintenant que je ne peux plus éviter d'être impliqué.

Toute médaille a son revers. La situation décrite ci-dessus représente une bonne occasion pour amener le client à réfléchir et à apprendre, car les difficultés mènent à des changements positifs. Le client peut en tirer parti. Dans ce cas, il a l'occasion d'affronter les relations entre les deux sexes dans son milieu de travail et de faire preuve de diplomatie et d'adresse.

**Utiliser les questions exploratoires pour inciter les clients à progresser dans la démarche d'aide.** Les questions exploratoires ouvrent parfois de nouveaux horizons au cours d'une discussion. Elles servent à amorcer le dialogue avec le client, à n'importe quelle phase de la démarche, pour qu'il puisse décrire plus précisément son vécu, se confronter à ses blocages, sélectionner des objectifs, formuler des stratégies, discuter des obstacles éventuels et analyser ses interventions. Nombre de clients éprouvent des difficultés à atteindre la phase ou l'étape de la démarche d'aide qui leur conviendrait. Les questions exploratoires peuvent les aider en ce sens. Dans l'exemple suivant, le conseiller se sert d'un tel type de question pour permettre à Paul et à Isabelle, un couple d'âge mûr en plein conflit, de passer aux phases II et III. Outre leurs accusations réciproques, ils ont vaguement évoqué la possibilité de réinventer leur couple, ce qui consisterait, du moins partiellement, à partager plus d'activités.

CONSEILLER : Quelles activités aimeriez-vous faire ensemble? À quelles possibilités avez-vous pensé?

ISABELLE : Je pense à quelque chose, mais il se peut que cela te paraisse ridicule [cette phrase est adressée tout bas à son mari]. Tous les deux, nous aimons bien nous occuper des autres, les aider. Avant de nous marier, nous avions évoqué la possibilité de faire partie d'un regroupement pour la paix, mais cela n'est jamais arrivé.

PAUL : J'aurais bien aimé… Mais c'est du passé.

CONSEILLER : Vraiment? Le regroupement pour la paix n'est peut-être pas la solution, mais il y a d'autres possibilités. [Ni l'un ni l'autre ne réagit.] Voici des feuilles. Inscrivez trois manières d'aider les autres. Chacun sa liste, sans penser à ce que l'autre écrira.

Le conseiller se sert des questions exploratoires pour inciter Isabelle et Paul à se creuser les méninges pour trouver le moyen de rendre service à autrui. Il leur propose un exercice écrit. C'est une façon d'éviter ce qui pourrait se transformer en un processus douloureux d'analyse des problèmes et de les inciter à découvrir de nouvelles avenues.

La cliente suivante s'est longuement attardée sur l'infidélité de son mari. Ce dernier sait qu'elle est au courant.

CONSEILLER : Vous dites que vous ne voulez rien faire parce que cela pourrait se retourner contre votre fils. Mais ce n'est pas la seule option possible. Essayez d'en trouver d'autres. Peut-être trouverons-nous une excellente solution.

CLIENTE : Je ne suis pas du tout sûre de cela.

CONSEILLER : Enfin, vous connaissez des gens qui vivent le même drame. Vous avez lu des romans, vu des films. Qu'est-ce que les gens ont l'habitude de faire dans ces cas-là ? Je ne vous dis pas de le faire, seulement de considérer les possibilités.

CLIENTE : Eh bien, je connais quelqu'un qui a fait une chose horrible. Elle savait que sa fille était au courant. Un soir, durant le souper, elle a déclaré : «Parlons de ta liaison et de ce que tu penses faire à ce propos. Ce n'est certainement pas une découverte pour qui que ce soit. »

CONSEILLER : D'accord, c'est une façon d'aborder le problème. Est-ce qu'il y en a d'autres ?

L'attitude passive de la cliente face à la liaison de son mari n'est pas l'unique façon de réagir. Au cours de la discussion, elle dit qu'elle est passablement convaincue que son fils est également au courant. Le thérapeute et la cliente analysent alors les possibilités en partant de cette hypothèse.

Dans l'exemple suivant, Agnès, l'aidante, et Justin, le client, abordent la question de son handicap – il a perdu une jambe dans un accident de voiture – pour voir comment il peut réorganiser son existence. La séance s'enlise quelque peu.

AGNÈS : Pourquoi ne pas changer de rôle ? Je serai Justin pour quelques minutes et vous serez Agnès. Comme vous êtes mon conseiller, vous me posez les questions qui, selon vous, me permettront d'avancer. On y va.

JUSTIN (après avoir fait une longue pause) : Je n'ai rien d'un comédien, mais bon ! Voilà… Pourquoi essayez-vous de vous défiler ? Pourquoi êtes-vous toujours sur le point de renoncer ? [Il détourne le regard. Il a les yeux pleins de larmes.]

Agnès demande à Justin de formuler des questions exploratoires. C'est une façon de l'inciter à progresser et à assumer ses responsabilités durant la séance. Les questions qu'il formule le mettent au défi. Il s'agit pratiquement d'accusations, certainement beaucoup plus dures que tout ce qu'Agnès aurait tenté à cette phase. Même si cela s'avère douloureux pour Justin, c'est une percée.

Dans l'exemple suivant, Georges, un célibataire dans la soixantaine, rencontre un conseiller en raison de l'anxiété qu'il ressent après une hospitalisation de dix jours pour des troubles intestinaux. Georges travaille dur et il est très indépendant. Le conseiller aimerait que cette interruption pour raison de santé soit une occasion pour son client de réfléchir sur son mode de vie actuel. La maladie et l'anxiété qui en découlent peuvent lui servir de tremplin pour l'inviter à envisager un autre mode de vie, dans lequel ses relations sociales ne seraient pas laissées au gré du hasard. En se constituant un réseau de connaissances, il pourrait également affronter les conséquences inévitables du vieillissement.

AIDANT : Georges, pouvez-vous me donner une idée de la répartition de votre temps entre le travail, les loisirs et les relations sociales.

GEORGES (après une pause) : Je n'y ai jamais vraiment pensé. Les loisirs et la vie sociale sont relégués aux rares moments que je ne passe pas à travailler. Sur un emploi du temps, cela peut sembler bien peu, mais ce n'est pas comme cela que je le ressens. Excepté…

AIDANT : Excepté ?

GEORGES : Souvent, lorsque je viens de terminer un projet, je cherche à faire quelque chose avec mes amis. Je réalise alors qu'il me faut absolument prendre rendez-vous. Une vie sociale sur rendez-vous, cela ne semble pas idéal… Même pour moi.

La question de l'aidant au sujet de la répartition de son temps de travail et de loisir a le même impact qu'une question du type : « Qu'est-ce qui se passe ? » Georges dit, en effet, qu'il devrait revoir sérieusement tout cet aspect.

**Utiliser les questions exploratoires pour permettre aux clients d'évoluer dans une même étape de la démarche d'aide.** Les questions exploratoires peuvent non seulement servir à passer d'une étape ou d'une phase à une autre, mais elles permettent également de progresser à l'intérieur de la même étape. Remarquez les différences entre les deux approches de questionnement suivantes. La cliente, qui vit un divorce très difficile, vient tout juste d'apprendre qu'elle fait une récidive de cancer du sein. Elle rencontre la conseillère après une longue interruption.

CLIENTE (vers la fin de la séance) : Bon, maintenant vous êtes au courant, vous connaissez toute cette sordide histoire.

CONSEILLÈRE A : Cela fait un moment que je ne vous ai pas vue. Quand avez-vous eu des nouvelles concernant cette récidive ?

CLIENTE : Voyons… De toute façon, qui s'en soucie vraiment… Bon, je dois y aller.

Cette question est parfaitement inutile, elle ne sert qu'à meubler la conversation et ne fait qu'ennuyer la cliente. Revoyons la même scène avec une autre conseillère.

CONSEILLÈRE B : Cela fait un moment que je ne vous ai pas vue. Je me demande si cette rechute influe sur la façon dont vous envisagez le divorce.

CLIENTE : Sur un seul point. Si je dois mourir, je ne veux pas mourir en étant mariée avec lui. Absolument pas. Cela serait malhonnête. Comme vous le savez, toute affection entre nous a disparu depuis bien longtemps.

CONSEILLÈRE B : Vous restez donc sur vos positions. En fait, cette nouvelle concernant le cancer ne fait que renforcer votre résolution… Mais la procédure de divorce vous a beaucoup affectée. Je me demande comment vous pourrez concilier cela avec votre décision de vous donner quelque répit.

CLIENTE : Oh! Le divorce me mine complètement, je peux vous l'assurer. Il est cependant hors de question que je renonce. Mais faire des concessions, c'est une autre histoire. On en parlera la prochaine fois. Il faut que réfléchisse à tout cela.

L'aidante pose une question exploratoire pour vérifier si la décision de sa cliente, au sujet du divorce, est irrévocable (une activité de la phase 2) et si elle ne veut pas renoncer. L'aidante sait cependant que la cliente est prête à faire quelques concessions qui lui éviteraient beaucoup de souffrances inutiles.

**Utiliser les questions exploratoires pour analyser et clarifier les points de vue, les intentions et les décisions des clients.** Il est fréquent que les clients ne précisent pas leur point de vue, leurs intentions ou leurs décisions. Soit que la décision n'est pas vraiment prise ou que les motifs et les conséquences de cette décision pour le client et pour autrui n'ont pas été envisagés. Dans l'exemple suivant, le client qui conduisait en état d'ébriété a eu un accident de voiture, heureusement sans blesser personne. Il se remet physiquement, mais sa convalescence psychologique est lente. L'accident a, en quelque sorte, réveillé tous les problèmes psychologiques jusqu'alors latents, son manque de responsabilité n'étant pas le moindre. Un conseiller l'aide à analyser ses problèmes majeurs. Voici un extrait d'une séance initiale :

CLIENT : Je pense que les lois concernant la conduite en état d'ébriété ne devraient pas être aussi strictes. Je suis mort de peur à l'idée de ce qui pourrait arriver si j'avais un autre accident.

CONSEILLER : Vous vous sentez menacé… Pourquoi pensez-vous que ces lois sont trop strictes?

CLIENT : Eh bien, ils nous intimident. Une petite erreur et c'en est fait! Vous perdez votre liberté. Les lois devraient rendre les gens plus libres.

CONSEILLER : Disons que l'on supprime les lois sur la conduite avec des facultés affaiblies. Qu'est-ce qui se passe?

Le conseiller est conscient que le client évite de se responsabiliser de ses actions. Il lui pose des questions exploratoires pour l'inciter à examiner les conséquences de son point de vue sur les lois en ce qui concerne la conduite en état d'ébriété. Il essaie ainsi de lui faire prendre conscience de son attitude.

Lors d'une séance ultérieure, le client aborde les conséquences juridiques de l'accident. Il doit se présenter devant le tribunal.

CLIENT : J'ai réfléchi à tout cela. Je me trouverai un excellent avocat et me battrai sur cette question. J'en ai parlé à l'un de mes amis et il connaît un avocat qui peut me tirer d'affaire. J'ai vraiment besoin d'un coup de main. Cela me coûtera une fortune. Après tout, je n'ai fait qu'endommager la propriété de quelqu'un. Je n'ai blessé personne.

CONSEILLER : Quelle est la meilleure chose qui peut vous arriver lors du procès ?

CLIENT : Que je m'en tire sans être inquiété. Ils peuvent peut-être me faire une petite remontrance, un avertissement.

CONSEILLER : Et quelle est la pire des choses qui pourrait vous arriver ?

CLIENT : J'avoue ne pas y avoir pensé. Je ne connais pas grand-chose aux lois et aux tribunaux. Je ne sais pas s'ils peuvent être vraiment durs. Mais avec un bon avocat…

CONSEILLER : Voyons… J'essaie de me mettre dans votre peau… J'essaierais de savoir ce qui peut se passer devant le tribunal, avant même de me préoccuper des avocats. Qu'en pensez-vous ?

En posant des questions exploratoires, le conseiller essaie de faire voir au client les implications de sa décision.

Les lois sur la conduite en état d'ébriété sont extrêmement strictes. Par conséquent, le permis de conduire du client lui a été retiré pour une durée de six mois, il a dû payer une amende très élevée et passer un mois en prison. Cela l'a fait réfléchir. Le conseiller lui rend visite en prison et tous deux parlent de l'avenir.

CLIENT : J'ai l'impression qu'on m'a passé sur le corps.

CONSEILLER : Vous ne pensiez pas que ce serait si catastrophique.

CLIENT : C'est vrai. Je n'en avais aucune idée. Vous avez bien essayé de me prévenir, mais je n'étais pas prêt à vous écouter. Maintenant, il faut que je commence à réorganiser ma vie, même si je n'en ai pas vraiment envie.

CONSEILLER : Mais vous avez reçu un avertissement, un très sérieux avertissement. Comment envisagez-vous l'avenir ?… même si vous n'avez pas trop envie d'y penser ?

CLIENT : J'ai commencé à y réfléchir. L'une des choses que je veux faire, c'est de présenter mes excuses à ma famille. Ils ont souffert autant que moi et je me sens vraiment mal. Je sais comment jouer au macho, mais l'humilité, ce n'est pas mon fort. Est-ce que j'écris une lettre ? Est-ce que je cherche à me faire pardonner par mes actions ? Est-ce que je m'adresse à eux individuellement ? Je ne sais pas, mais il faut que je fasse quelque chose.

CONSEILLER : D'une manière ou d'une autre, il vous faut mettre les choses au point avec eux. La façon de s'y prendre, c'est une autre affaire. Nous pourrions peut-être commencer par voir ce que voulez obtenir en présentant des excuses, quelle que soit la manière de le faire.

Nous constatons que le client devient beaucoup plus sérieux et coopératif. Le conseiller réagit au besoin de son client de réparer ses erreurs passées et d'oublier son calvaire actuel. Il s'agit maintenant d'envisager l'avenir et non plus de ressasser le passé. La dernière réponse de l'aidant consiste à renforcer et à réorganiser la proposition du client, c'est-à-dire, ce qu'il veut réaliser.

**Utiliser les questions exploratoires pour confronter les clients ou les aider à se remettre en question.** Dans le chapitre précédent, nous avons vu que le reflet empathique peut s'apparenter à une forme de remise en question et contribuer à influencer le comportement du client. Nous avons également vu qu'un reflet efficace prenait également la forme d'une interrogation. Il peut s'agir de questions indirectes pour obtenir un complément d'information ou d'encouragements visant à aider le client à franchir une autre phase ou une autre étape de la démarche d'aide. Les exemples utilisés dans ce chapitre démontrent que les questions exploratoires favorisent la mise au défi des clients. Nombre de ces questions sont des demandes d'information pertinentes. Elles exigent parfois que le client réagisse, réfléchisse, revoie et réévalue certains points. De telles questions sont une manière de confronter le client. À tout le moins, elles servent de lien entre la manifestation de la compréhension des clients et leur remise en question. Le client suivant, après avoir résolu de tenir tête à une mère possessive, donne des signes de découragement.

AIDANT : L'autre jour, vous disiez être prêt à vous expliquer avec elle. C'est peut-être un terme un peu fort. Aujourd'hui, vous venez de mentionner que vous voulez être raisonnable avec elle. Expliquez-moi la différence.

CLIENT (après une pause) : Euh, je crois que vous venez de mettre le doigt sur mon manque de cran. C'est une femme très forte.

Le conseiller aide son client à réévaluer sa décision de se montrer ferme avec sa mère et, dans le cas où cela correspond vraiment à ce qu'il veut, il l'aide à trouver les moyens pour s'y tenir. Les questions exploratoires représentent une forme parfaitement acceptable de remise en question, dans la mesure où vous savez ce que vous faites.

Il est également possible d'utiliser ce type de questions pour aider les clients à se concentrer sur des points importants et pertinents. Certains clients ont tendance à s'embrouiller, en raison même de leur manière de communiquer. Les questions exploratoires leur permettent de canaliser leur attention. Par ailleurs, ces questions ne servent pas à exhorter les clients à parler contre leur volonté. Les réflexions telles que «Allons! Dites-le-moi! Cela ne peut pas vous faire de mal» risquent de s'avérer dangereuses. L'objectif des questions exploratoires n'est pas de réduire, mais au contraire d'augmenter la responsabilité du client. Les remises en question et leur utilisation judicieuse sont abordées aux chapitres 10, 11 et 12.

## 7.5 RAPPORT ENTRE LE REFLET EMPATHIQUE ET LES QUESTIONS EXPLORATOIRES

L'ennui, quand nous traitons des habiletés de communications l'une après l'autre, c'est que nous les abordons en dehors du contexte. Dans le cadre des accommodements typiques d'une séance d'aide, l'aidant combine naturellement ces habiletés. Lors d'une séance réelle, un conseiller efficace manifeste son attention, écoute activement, et a recours aux reflets empathiques et aux questions exploratoires pour permettre au client de prendre conscience de ses problèmes et de les élucider, de se confronter à ses blocages, de se fixer des objectifs, de concevoir des plans et de réaliser des projets. Il n'existe pas de formule miracle pour combiner ces habiletés, car cela dépend du client, de ses besoins et de ses ressources, de la situation, des opportunités présentes, de la phase et de l'étape.

Il importe d'apporter une précision au sujet de la relation qui existe entre le reflet empathique et les questions exploratoires. Voici une règle fondamentale à retenir : Lorsque le client répond à une question exploratoire, ayez recours au reflet empathique pour vérifier votre compréhension. Il faut éviter de poser deux questions exploratoires d'affilée. La raison en est fort simple. Tout d'abord, si la question est bien posée, elle vous donnera de l'information que vous devez écouter et comprendre. Ensuite, un reflet empathique qui s'avère exact exige souvent une analyse plus poussée de la part du client. La balle se retrouve dans son camp. Il y a plusieurs années, durant un séminaire, Bob Carckhuff, avec sa lucidité habituelle, a déclaré que si les aidants posent deux questions exploratoires de suite, il y a de fortes probabilités qu'elles soient toutes les deux stupides.

L'exemple suivant concerne une jeune Québécoise d'origine chinoise dont le père vient de décéder, alors que la mère est mourante près de sa fille. La cliente a évoqué l'obéissance traditionnelle des femmes chinoises et ses craintes de tomber dans une certaine forme de passivité propre au contexte nord-américain. Elle parle également de sa sœur, qui se sacrifie pour son mari sans rien recevoir en retour. Le premier conseiller s'en tient à ses questions exploratoires.

CONSEILLER A : Dans quelle mesure cette capacité de renoncement est-elle ancrée dans votre culture?

CLIENTE : Le fait de s'effacer fait certainement partie de mes gènes culturels. Et pourtant, lorsque je regarde autour de moi, mes homologues nord-américains adoptent un style de vie totalement différent qui, franchement, m'attire beaucoup. Mais l'année dernière, lorsque je suis retournée en Chine avec ma mère pour rencontrer mes demi-sœurs, au moment d'atterrir, je n'étais plus Canadienne. J'étais de nouveau complètement Chinoise.

CONSEILLER A : Qu'avez-vous appris là-bas ?

CLIENTE : Que j'étais Chinoise.

La cliente vient de révéler un détail important, mais au lieu de lui manifester sa compréhension, le conseiller lui pose une autre question. Il n'obtient qu'une redite, nuancée de contrariété. Voici une approche différente :

CONSEILLÈRE B : Vous vous êtes rendu compte à quel point vos racines culturelles étaient profondes.

CLIENTE : Et si ses racines sont si profondes, qu'est-ce que cela signifie dans le contexte nord-américain ? J'aime la culture chinoise, mais je veux être en même temps Québécoise et Chinoise. Comment puis-je y parvenir ? Pour le moment, je n'en sais rien. Je pensais le savoir, mais je me trompais.

Dans ce cas, le reflet empathique donne de meilleurs résultats qu'une autre question exploratoire. La conseillère B permet à sa cliente de progresser.

Dans l'exemple qui suit, une femme d'âge mûr et célibataire travaille pour une compagnie qui a dû se restructurer selon les besoins de la nouvelle économie. Elle a conservé son emploi, mais le salaire est bien moindre et le travail ne l'intéresse pas. Elle ignore comment utiliser les outils informatiques et Internet pour obtenir un poste plus intéressant et elle se sent angoissée et déprimée.

CLIENTE : Je suppose que je devrais m'estimer contente d'avoir encore un emploi. Mais maintenant, je dois travailler beaucoup plus pour gagner beaucoup moins. Et je fais des choses qui ne me plaisent pas. Ma vie ne m'appartient plus.

AIDANTE : Avec les tensions et le stress supplémentaires, vous vous demandez si vous devriez vous estimer contente de la situation.

CLIENTE : Tout à fait. L'avenir me semble plutôt sombre.

AIDANTE : Que pourriez-vous faire à court terme pour rendre les choses plus supportables ?

CLIENTE : J'ai une idée. Nous n'arrêtons pas de nous plaindre du travail et on dirait que cela rend la situation encore plus pénible. Je peux au moins me sortir de ce cercle vicieux. C'est une façon simple de me rendre la vie un peu plus supportable.

AIDANTE : Pour cesser d'aggraver les choses, vous ne vous joindrez plus au concert des récriminations… Que pourriez-vous faire d'autre ?

CLIENTE : Bon, cela ne sert à rien de s'asseoir en attendant que les choses redeviennent comme elles étaient. J'étais bien trop confiante et cela m'a donné un coup. Pensant que l'économie tournait à plein et que le chômage était faible, je me suis endormie sur mes lauriers. Mais je suis encore assez jeune pour me former. Et j'ai certains talents que je n'ai jamais utilisés. Je sais communiquer et j'ai beaucoup de bon sens. Je sais aussi travailler avec les autres. Il y a probablement beaucoup de postes dans lesquels ce genre d'habiletés peut servir.

AIDANTE : Vous venez de vous réveiller et vous pensez qu'il est possible de mettre à profit certaines de vos ressources et de vous repositionner sur le marché de l'emploi. Et, bien sûr, vous pouvez vous familiariser avec les nouvelles technologies.

CLIENTE : Me repositionner ? C'est un mot qui me plaît. Cela m'évoque toutes sortes de possibilités. Oui, j'ai besoin de me repositionner. Par exemple…

Cette combinaison de reflets empathiques et de questions exploratoires permet de faire avancer les choses. Au lieu de ne voir que le côté tragique de la situation actuelle, la cliente évoque de nouvelles possibilités pour l'avenir – une activité de la phase II. L'encadré 7.1 résume les principaux points concernant l'utilisation des questions exploratoires.

Par ailleurs, il faut prendre garde à ne pas devenir une sorte de machine empathique, en train de débiter des reflets à qui mieux mieux, ou un inquisiteur en train de cribler les clients de questions exploratoires inutiles. Toutes les réponses aux clients, les questions ou les reflets sont empathiques dans la mesure où elles reposent sur une solide compréhension de leurs messages essentiels et de leurs points de vue. Toute réponse qui intègre les remarques des clients ou les développe est implicitement empathique et réduit, de fait, le besoin exagéré de reflets empathiques.

## 7.6 ART DE LA SYNTHÈSE : CONCENTRATION ET ORIENTATION

Il faut orchestrer la présence, l'écoute, les reflets empathiques et les questions exploratoires de manière que les clients se concentrent sur les points prioritaires. En récapitulant (synthèse) et en aidant les clients à résumer les points essentiels de l'échange ou de la séance, nous leur permettons de centrer leur attention et d'affronter de nouvelles réalités.

Brammer (1973) dresse la liste de tous les objectifs pouvant être atteints grâce à une synthèse judicieuse : mettre le client dans le bain, donner priorité à ses émotions et à ses sentiments, centrer la discussion sur un sujet précis, inciter le client à fouiller un thème. Certains moments conviennent mieux que d'autres à une synthèse : par exemple le début de la séance, les temps morts ou le moment où le client semble piétiner.

**Au début d'une séance.** En récapitulant en début de séance, spécialement si le client ne sait pas trop par où commencer, nous lui évitons de répéter ce qu'il a déjà dit la fois précédente et cela lui permet d'avancer. Prenez l'exemple suivant : Marianne, une travailleuse sociale, commence une séance avec un client plutôt bavard en résumant les points essentiels de la rencontre antérieure.

---

### ENCADRÉ 7.1
### GUIDE PRATIQUE DES QUESTIONS EXPLORATOIRES

1. Ne perdez pas de vue les objectifs suivants :

    ◎ aider les clients à participer aussi activement que possible à la démarche thérapeutique ;

    ◎ offrir une occasion aux clients taciturnes ou méfiants de raconter leur vécu et d'adopter des comportements visant à solutionner leurs problèmes et à développer leurs compétences ;

    ◎ permettre aux clients de reconnaître les expériences, les comportements et les émotions qui sont au cœur de leur vécu ;

    ◎ aborder de nouveaux sujets de conversation ;

    ◎ permettre aux clients d'analyser et de préciser leurs points de vue, leurs intentions et leurs décisions ;

    ◎ aider les clients à être aussi concrets et spécifiques que possible ;

    ◎ faciliter leur concentration sur les points importants et pertinents ;

    ◎ assister les clients dans leur progression entre les divers stades et les diverses étapes de la démarche d'aide ;

    ◎ engager les clients à examiner leur façon de penser et d'agir, à la fois durant les séances et dans le quotidien quand ils essaient de régler leurs difficultés et de développer leurs potentiels.

2. Assurez-vous de poser ces questions exploratoires de manière empathique.

3. Combinez les observations – questions ouvertes, encouragements et demandes – au lieu de vous limiter à un interrogatoire.

4. Évitez de transformer une séance en un interrogatoire.

5. Si une question exploratoire incite le client à révéler une information importante, faites-la suivre par un reflet empathique plutôt que par une autre question.

6. Combinez de façon judicieuse les reflets empathiques et les questions exploratoires pour permettre aux clients de cerner leurs problèmes, de prendre conscience de leurs blocages, d'élaborer de nouveaux scénarios, de chercher de nouvelles stratégies, de formuler des plans d'action et d'analyser les résultats de leurs interventions.

---

Dans l'exemple cité précédemment, l'intervention de l'aidante vise plusieurs objectifs : tout d'abord, elle démontre au client qu'elle l'a écouté attentivement et a réfléchi à ce qu'il a dit lors de la dernière séance. Ensuite, ce résumé constitue un point de départ pour ce client, qui a ainsi l'occasion d'ajouter des détails ou de modifier ce qu'il a dit. Finalement, c'est une façon de lui confier la responsabilité de la démarche. L'idée implicite de ce résumé est la suivante : «Maintenant, qu'est-ce que vous voulez faire?» Cette récapitulation met la balle dans le camp du client et lui donne l'initiative.

**Durant un point mort.** Un résumé est un bon moyen de relancer un dialogue qui ne semble mener nulle part. Cette stagnation vient souvent du fait que l'aidant laisse le client tourner autour du pot – répéter sans cesse les mêmes choses – au lieu de l'aider à fouiller son vécu, à se centrer sur les possibilités et les objectifs ou à discuter des stratégies qui lui permettraient d'obtenir ce qu'il veut. À titre d'exemple, un conseiller travaille avec les employés d'un refuge pour sans-abri. Une employée donne des signes d'épuisement professionnel. Lors de sa deuxième rencontre avec le conseiller, elle ne cesse de ruminer, en racontant en long et en large les événements difficiles des derniers mois, jusqu'au moment où le conseiller fait une synthèse :

CONSEILLER : Voyons si je peux résumer ce que vous venez de dire. Le travail, par sa nature même, est une source de grande tension. Vous avez déjà mentionné une série d'incidents : le fait de recevoir des coups d'une personne que vous vouliez aider ou les discussions désagréables avec certains de vos collègues. Toutefois, je crois que vous avez laissé entendre que c'est assez courant dans ce type d'endroit. Cela fait partie de la réalité des refuges, une réalité qui ne changera pas. C'est parfois très difficile à vivre. Il vous arrive de penser que vous aimeriez être ailleurs. Si les choses n'évoluent pas, ma prochaine question est la suivante : «Comment s'adapter? Comment faire son travail et en retirer une satisfaction?»

Cette récapitulation vise à permettre à la cliente de dépasser son attitude de victime et de trouver le moyen de s'adapter à ce genre de travail. La tâche la plus difficile dans ce type de refuge, c'est de créer une collaboration dans l'environnement de travail, de développer une motivation personnelle et collective, de promouvoir un travail d'équipe correspondant à la mission de l'institution et de favoriser une stratégie d'adaptation (voir Brown et O'Brien, 1998).

**Lorsqu'un client est bloqué.** Un résumé s'avère utile lorsqu'un client ne sait plus vers quoi se tourner, à la fois au cours de la séance, dans le cadre de son plan d'action ou dans la vie réelle. Dans un tel cas, l'aidant se servira évidemment de questions exploratoires pour l'inciter à aller de l'avant. Néanmoins, en faisant un résumé, il redonne le rôle principal au client. En outre, la responsabilité de ce résumé n'appartient pas exclusivement à l'aidant. Il est parfois préférable de demander au client de faire ressortir les points essentiels. Cela lui permet de progresser, de saisir les points saillants et de passer à autre chose. Comme il ne s'agit pas de mettre le client à l'épreuve, le conseiller peut participer à la confection de ce résumé. Prenez, à titre d'exemple, le cas d'une cliente qui vient de perdre son travail, de rompre avec son compagnon parce qu'elle entre dans des crises de rage lorsqu'elle a bu. Elle a déjà évoqué sa difficulté à suivre le plan d'action dont elle avait convenu pour résoudre ses difficultés. Le conseiller lui demande de résumer ce qu'elle a fait et les obstacles auxquels elle s'est heurtée. Grâce à son aide, elle arrive tant bien que mal à faire une synthèse. Pour finir, elle déclare : «Je pense que c'est évident. Je n'ai pas vraiment bien suivi le programme proposé pour les gens alcooliques. Les douze étapes semblaient un jeu d'enfant sur le papier. Mais dans la réalité, je n'ai pas pu m'y tenir. » Le conseiller constate qu'il est temps de revenir sur les étapes à suivre, de voir ce qu'il convient de faire pour respecter le programme et les moyens de surmonter les obstacles.

**Lorsqu'un client a besoin d'adopter une nouvelle perspective.** Bien souvent, en rassemblant les différents éléments, nous donnons au client une meilleure vue d'ensemble. Dans l'exemple qui suit, en l'espace d'une seule séance, un homme qui s'est toujours montré réticent à aller consulter avec sa femme vient d'accepter de revenir avec elle quelques fois « pour lui faire plaisir ». Au cours de cette séance, il décrit longuement son comportement à la maison, mais d'une manière assez décousue. La plupart du temps, il prend tout à sa charge.

> CONSEILLER : J'aimerais faire une synthèse. Vous avez encouragé votre femme dans sa carrière, spécialement lorsqu'elle vivait des difficultés au travail. Vous lui avez également recommandé de passer du temps avec ses amis pour s'amuser et se détendre. Vous tenez également à passer du temps avec vos enfants. En fait, le temps que vous passez avec eux vous semble primordial.

> CLIENT : Oui. C'est exact.

> CONSEILLER : En outre, si je vous ai bien compris, vous vous chargez de la gestion budgétaire de la famille. Habituellement, c'est vous qui décidez d'accepter ou non des invitations parce que votre emploi du temps est plus chargé que le sien. Bientôt, vous lui demanderez de déménager à Québec parce qu'on vous offre un meilleur emploi.

> CLIENT : Lorsque vous présentez les choses ainsi, on a l'impression que je suis en train de diriger complètement sa vie... Elle ne me le dit jamais.

> CONSEILLER : Nous pourrions peut-être aborder ce problème lorsque nous serons tous les trois ensemble.

> CLIENT : Bien, je... Euh... [rires]. Je ferais mieux d'y repenser avant la prochaine séance.

Cette synthèse donne un choc au client. Il se rend compte qu'il doit revoir toute la question quant aux décisions qu'il prend au nom de sa femme.

## 7.7 COMMENT MAÎTRISER LES HABILETÉS DE COMMUNICATION ?

C'est une chose que de comprendre les habiletés de communication et la façon de s'en servir dans la démarche d'aide, c'en est une autre que de les employer avec aisance. Certains stagiaires s'imaginent qu'ils apprendront ce type d'habiletés simples sans grand effort et ne consacrent pas suffisamment d'énergie à leur mise en pratique pour parvenir à y exceller (Binder, 1990; Georges, 1988). Si votre présence ou votre écoute reste mécanique ou si vous débitez vos reflets empathiques ou vos questions exploratoires uniquement lors des séances, tout cela aura l'air passablement artificiel. Vous devez vous exercer avec vos relations pour développer ces habiletés et en faire une composante de votre style de communication.

Après une formation initiale en communication, je dis à mes étudiants : « Maintenant pratiquez-vous dans la vie de tous les jours. Je ne peux rien faire d'autre pour vous. » Au début, cela n'a rien d'évident, non parce qu'il s'agit d'activités complexes, mais parce qu'elles ne se retrouvent que rarement dans les conversations. Prenez le reflet empathique. Écoutez les conversations autour de vous. Si vous pouviez actionner un compteur discret chaque fois que vous entendez un reflet empathique, vous passeriez des journées entières sans avoir à appuyer sur le bouton. Pourtant, il est possible d'utiliser le reflet empathique dans la vie de tous les jours et vos interlocuteurs remarqueront la différence. Ils ne prononceront probablement pas le mot empathie, mais ils utiliseront plutôt des phrases comme « Elle m'écoute » ou « Il me prend au sérieux ».

Par contre, vous n'aurez aucun mal à repérer les questions exploratoires dans la conversation courante. Les gens éprouvent beaucoup plus de facilité à poser des questions qu'à démontrer leur compréhension. Néanmoins, la majorité de ces questions s'avère parfaitement inutile. Pire, il s'agit souvent de critiques déguisées, comme par exemple : « Mais pourquoi as-tu fait cela ? » Il faut passablement de pratique pour intégrer les questions exploratoires et pertinentes dans un reflet empathique. La vie vous sert de laboratoire et chaque conversation constitue une expérience.

Il m'est arrivé de donner un séminaire sur ces habiletés de communication dans un cabinet de comptables. Le directeur de la formation était convaincu de leur utilité dans le monde des affaires, ce qui n'était pas le cas de la majorité des participants. Ils ont montré une résistance durant tout le processus. Un beau jour, j'ai reçu un appel de l'un des opposants les plus farouches. « Il fallait absolument que je vous appelle », m'a-t-il dit. « Vraiment », ai-je répondu avec une nuance d'hésitation dans la voix. Il a continué en me racontant qu'il avait récemment appelé un client potentiel. Ce client, mécontent de son cabinet de vérificateurs actuel, faisait passer des entrevues pour en trouver un autre. Durant l'une de ces entrevues, cet opposant s'était dit en son for intérieur : « Comme nous n'avons pas la moindre chance d'avoir ce contrat, pourquoi ne pas m'amuser à pratiquer ces habiletés de communication ? » Lors de sa communication téléphonique avec moi, il a continué en m'annonçant : « Ce matin, le client m'a appelé. Il nous donne le contrat, non pas parce que nous sommes le plus bas soumissionnaire. Ce n'est pas le cas. Mais parce que nous sommes les seuls à avoir vraiment compris leurs besoins. » C'est pour cela que je voulais absolument vous appeler. J'ai complètement oublié de lui demander un pourcentage des honoraires.

Certains aidants sont enclins à confondre la démarche d'aide avec les habiletés de communication – c'est-à-dire à confondre les moyens avec la fin. Cela se vérifie non seulement pour la présence, l'écoute, l'analyse, le reflet empathique et les questions exploratoires, mais aussi pour la remise en question qui fera l'objet des chapitres 10, 11 et 12. Le fait d'être doué en termes de communication ne garantit pas pour autant une efficacité dans la démarche d'aide. En outre, en mettant trop l'accent sur les habiletés de communication, l'échange verbal a alors préséance sur l'action et les résultats.

Les habiletés de communication sont essentielles, cela va de soi, mais elles doivent être au service de la démarche d'aide et de ses résultats. Ces habiletés vous permettront certainement d'établir une excellente relation avec vos clients. Cette relation constitue la base même de la rééducation socio-émotionnelle que nous avons déjà évoquée précédemment. Cependant, nous pouvons être un bon communicateur, avoir du talent pour les relations humaines, et même pour la rééducation socio-émotionnelle, mais ne pas répondre aux besoins du client. Certains aidants qui surestiment la valeur des habiletés de communication pensent que le reflet empathique est une sorte de procédé magique. D'autres donnent beaucoup trop d'importance à la collecte d'information. Il ne s'agit pas d'une condamnation globale de la profession, mais plutôt d'une mise en garde pour les débutants.

D'un autre côté, certains praticiens sous-estiment le besoin de solides talents en communication. Ils partent de l'hypothèse que leur approche professionnelle, fondée sur des manuels de traitement, suffit parfaitement. Ils écoutent et répondent en se référant à leurs concepts théoriques plutôt que d'adopter une approche humaine. Ils deviennent des techniciens au lieu d'être des aidants. Ils sont comme certains médecins qui acquièrent une bonne maîtrise de la technologie médicale et perdent de plus en plus le contact avec leurs malades. Il y a quelques années, j'ai passé dix jours dans un hôpital (une éternité dans le contexte actuel du système de santé). Le personnel s'est parfaitement occupé de mes ennuis de santé. Toutefois, personne ne s'est intéressé à l'anxiété que provoquait la maladie. Malheureusement, cette anxiété s'exprimait par le biais de symptômes physiques qui étaient alors traités médicalement. J'ai demandé aux médecins si, lorsqu'ils discutaient des cas des patients en réunion, il leur arrivait de dire : «Nous avons étudié à fond son état physique et ses besoins. Préoccupons-nous de ses réactions psychologiques et de la façon dont nous pourrions l'aider.» Un des médecins résidents m'a simplement répondu qu'ils n'avaient pas de temps pour cela. Je ne voudrais surtout pas être mal interprété. Il s'agissait de gens dévoués et généreux qui prenaient mes intérêts à cœur mais ne tenaient pas compte de mes autres besoins. Il reste encore beaucoup à faire.

## PHASE I DU MODÈLE D'AIDE ET HABILETÉS AVANCÉES DE COMMUNICATION

Les habiletés de communication présentées dans la seconde partie constituent les outils indispensables vous permettant d'aider les clients à passer d'une phase ou d'une étape à l'autre de la démarche d'aide. Cependant, ces outils ne constituent pas la démarche elle-même. La troisième partie explique et illustre en détail la phase I et ses trois étapes. L'étape I.A concerne le récit du vécu et sera abordée au chapitre 8, tandis que le chapitre 9 traitera du manque de motivation et de la résistance. L'étape I.B portera essentiellement sur les habiletés avancées de communication permettant aux clients de se remettre en question. Ces habiletés seront reprises et précisées aux chapitres 10, 11 et 12. L'étape I.C, qui fera pour sa part l'objet du chapitre 13, introduira le concept d'optimisation destiné à aider les clients à se concentrer sur les problèmes clés.

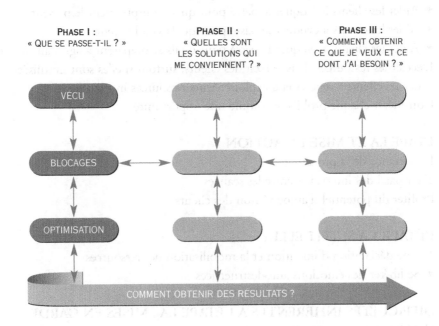

# CHAPITRE 8

## ÉTAPE I.A : « QUELLES SONT MES PRÉOCCUPATIONS ? » AIDER LES CLIENTS À RACONTER LEUR VÉCU

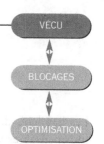

VÉCU

BLOCAGES

OPTIMISATION

## 8.1 PRÉSENTATION DE LA PHASE I : PRÉCISER ET ANALYSER LES PROBLÈMES ET LES PERSPECTIVES

Lorsque le client consulte un conseiller, c'est parce qu'il ressent le besoin de mieux vivre son existence. La phase I propose trois moyens d'aider un client à mieux se comprendre, à prendre conscience de ses difficultés et, surtout, à réaliser à quel point il possède les capacités et les ressources nécessaires pour faire face à sa situation. Ces trois étapes correspondent aux trois principes suivants :

✦ **Étape I.A :** *Vécu.* Aider le client à raconter son vécu en termes de difficultés et de ressources inexploitées.
✦ **Étape I.B :** *Blocages.* Aider le client à reconnaître et à dépasser ses blocages pour résoudre ses difficultés et envisager des perspectives nouvelles.
✦ **Étape I.C :** *Optimisation.* Aider le client à se pencher sur ses problèmes, dont la résolution lui permettra d'améliorer son existence.

Ces principes ne s'appliquent pas uniquement à la phase I, et ce, pour les trois raisons suivantes. Tout d'abord, les clients ne se révèlent pas complètement dès le début de la démarche. Bien souvent, le récit complet finit par se profiler progressivement. Deuxièmement, les blocages se manifestent à n'importe quelle phase ou à n'importe quelle étape du processus. Ils apparaissent au moment de la sélection des objectifs, de la formulation des stratégies et de la mise en œuvre du plan ou du programme d'action. Troisièmement, l'optimisation concerne l'aspect « rentable » de la relation d'aide. Bien souvent, nous ne pouvons aborder tous les problèmes d'un client. Choisir judicieusement les problèmes sur lesquels portera la discussion et le travail n'est qu'une des façons d'obtenir des résultats efficaces sans perdre toute son énergie. La figure 8.1 présente les trois étapes de la phase I.

Nous pouvons considérer cette première phase comme une période d'évaluation, qui permet de détecter ce qui ne va pas et de mettre au jour de nouvelles perspectives de vie.

Ces perspectives sont de nouvelles représentations de soi, des autres, de l'existence et des possibilités d'avenir qu'il est permis d'envisager. Les possibilités s'énoncent en termes de ressources et d'opportunités. Les ressources du client sont composées de ses capacités personnelles, malheureusement non utilisées dans la situation problématique ou inexploitées jusqu'à ce jour. Les ressources sont aussi externes lorsqu'elles proviennent de l'environnement du client. Plusieurs clients omettent, pour diverses raisons, de considérer l'aide provenant de l'extérieur : famille, groupe d'entraide, institution bancaire… Les ressources extérieures peuvent se présenter sous la forme d'opportunités, un avancement professionnel par exemple. Toutes ces ressources représentent un potentiel unique permettant au client de résoudre ses problèmes. Ce potentiel évoque les différentes possibilités qui se présentent au client pour l'aider à résoudre ses problèmes et à développer sa propre personnalité.

L'évaluation centrée sur le client vise donc à l'aider à mieux se comprendre, à voir ce qui ne va pas dans sa vie ainsi que les aspects qu'il a négligés afin de réorganiser son existence. L'aidant ne réalise donc pas l'évaluation pour le compte du client, car il ne dispose pas d'information privilégiée lui permettant de résoudre les problèmes de ce dernier. Il lui faut plutôt participer avec son client à un échange permanent et instructif.

Dans le domaine de la médecine, l'évaluation constitue souvent une phase distincte. Toutefois, dans la relation d'aide, l'évaluation et l'intervention se déroulent simultanément. Les aidants attentifs à leurs clients dans leur contexte procèdent à une évaluation constante. En ce sens, l'évaluation fait partie intégrante de toutes les étapes du modèle d'aide. Cependant, à l'instar de la médecine, il est nécessaire de procéder à une évaluation initiale pour estimer la gravité des problèmes du client.

Les membres de la profession se servent de diverses méthodes pour évaluer les clients ; il s'agit le plus souvent d'un « entretien clinique » entre le client et l'aidant. Les autres méthodes, comprenant les tests psychologiques et les diagnostics des troubles mentaux (American Psychiatric Association, 2003), ne font pas l'objet du présent ouvrage.

## 8.2 ÉTAPE I.A : « QUE SE PASSE-T-IL ? »

Il ne faut pas sous-estimer l'importance d'une formulation adéquate du vécu du client. C'est ce qu'a fait remarquer Pennebaker (1995b) : « Le fait de donner aux individus la possibilité de raconter leur expérience représente un élément primordial de la thérapie. La révélation en elle-même est sans doute aussi importante que toute rétroaction que le client reçoit du thérapeute » (p. 3).

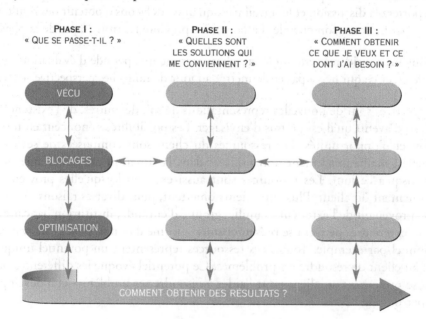

FIGURE 8.1
LE MODÈLE D'AIDE – PHASE I

Cette révélation de soi favorise le processus de résolution de problèmes de même que l'identification et le développement de nouvelles perspectives. Voici les quatre objectifs de l'étape 1.A :

✦ **_Diminution de la tension initiale._** En permettant au client de dire ce qu'il a sur le cœur, nous obtenons souvent un effet cathartique qui diminue le stress. Il arrive que des clients conservent un secret durant des années. Le fait de se confier contribue à la rééducation socio-émotionnelle, abordée précédemment.

✦ _Clarté._ En laissant le client expliquer en détail ses situations problématiques et ses perspectives ignorées – en faisant état d'expériences, de comportements et d'émotions précises –, nous lui permettons d'intervenir en la matière. Cette clarté donne accès à des options plus créatives, tandis que les histoires vagues débouchent sur des options et des actions mal définies.

✦ _Établissement d'une relation._ En aidant le client à raconter son vécu, nous lui offrons la possibilité d'établir et de consolider une relation. Les habiletés de communications présentées dans les chapitres précédents – inspirées, naturellement, par le respect, l'authenticité, l'empathie et le renforcement de l'autonomie – constituent des outils fondamentaux, à la fois pour la clarté et l'établissement d'une relation.

✦ _Action._ Dès le début, aidez vos clients à intervenir sur ce qu'ils découvrent. Point n'est besoin de grands projets pour améliorer leur sort. Nous reviendrons un peu plus tard sur cette approche en faveur de l'intervention du client dans la démarche d'aide.

Il existe, parmi les clients, des différences majeures quant à leur aptitude à parler d'eux-mêmes et de leurs difficultés. Cette réticence à se dévoiler au cours d'une séance de counseling correspond souvent à une impossibilité de se confier aux autres et à un manque d'assurance quotidien. Pour de tels clients, l'un des objectifs primordiaux du counseling consiste à développer les habiletés, la confiance et le courage requis pour parvenir à se confier.

## 8.3 AIDER LES CLIENTS À DÉTECTER LES SITUATIONS PROBLÉMATIQUES, LES RESSOURCES ET LES OPPORTUNITÉS INEXPLOITÉES

À l'instar des valeurs et des habiletés de communication, il existe un certain nombre de principes qui permettent d'aider les clients à se raconter.

### APPRENDRE À TRAVAILLER AVEC LES DIVERS MODES DE NARRATION DU VÉCU

Il existe des différences, à la fois individuelles et culturelles (Wellenkamp, 1995), dans le bon vouloir des clients à parler de leur vécu et toutes ont une incidence sur le récit de leur vécu. Certains clients se montrent ouverts et enclins à révéler tout ce qui les concerne dès la première séance. C'est le cas de Martine :

Martine, âgée de 27 ans, obtient un rendez-vous avec sa conseillère en pratique privée pour « discuter d'un certain nombre de questions ». Elle s'exprime avec facilité et émaille le récit de son vécu de nombreux détails. L'aidante se montre attentive, elle écoute activement, fait un reflet empathique et pose des questions exploratoires, mais de manière sporadique, car Martine est très impatiente de raconter son histoire.

Malgré sa formation d'infirmière, Martine travaille actuellement dans l'entreprise de son oncle, car « elle ne pouvait pas refuser une telle offre ». Elle gagne très bien sa vie, mais se sent coupable parce qu'elle a toujours tenu à aider les autres. Même si elle aime son travail, elle se sent un peu coincée. Au cours de ses études universitaires, elle a vécu une année en Europe qui lui a donné le goût de l'aventure. Elle sent qu'elle est très loin de répondre aux objectifs qu'elle s'était fixés.

Elle évoque également ses problèmes familiaux. Son père est décédé et elle ne s'est jamais bien entendue avec sa mère. Maintenant qu'elle a quitté la maison familiale, elle a l'impression d'avoir abandonné son jeune frère, de 12 ans son cadet, qu'elle aime beaucoup. Elle craint que sa mère ne le couve trop.

Martine est également préoccupée par sa relation avec un homme un peu plus jeune qu'elle. Ils se connaissent depuis presque trois ans et il veut se marier, mais elle ne se sent pas prête. Elle a encore « beaucoup de choses à faire » et ne désire pas modifier leur relation.

Ce récit complexe – ou du moins ce synopsis – s'exprime dans un flot de paroles. Martine saute d'un sujet à l'autre, en raison de son tempérament enthousiaste. Elle s'arrête un moment, sourit, et dit : « Toute une histoire, n'est-ce pas ? »

En l'écoutant, l'aidante en apprend énormément sur sa cliente. Elle est jeune, intelligente, loquace et dispose de multiples ressources ; elle est enthousiaste et impatiente, et elle crée probablement elle-même certains des problèmes qui la perturbent ; certains de ses blocages l'empêchent peut-être de résoudre ses problèmes de manière créative ; elle dispose de beaucoup d'options et de ressources inexploitées. Cela dit, la conseillère estime que Martine arriverait à cheminer dans la vie, avec quelques cahots, sans avoir besoin de counseling.

Le contraste est frappant entre le vécu de Martine et celui d'un autre client, venu consulter dans un centre local de services communautaires, parce qu'il ne peut plus supporter son fils de 9 ans :

C'est un médecin qui adresse Nicolas au CLSC en raison des ennuis qu'il connaît avec son fils. Divorcé depuis deux ans, il vit de l'aide sociale et demeure dans un HLM. Après les présentations et les formalités d'usage, il reste assis sans rien dire et sans même lever les yeux. Comme il ne s'exprime pas spontanément, le conseiller a recours à de nombreuses questions exploratoires pour l'inciter à raconter son vécu. Cependant, en dépit de l'attitude empathique du conseiller, Nicolas ne se confie que très peu. De temps en temps, il a le regard humide. Lorsqu'on l'interroge sur le divorce, il refuse de répondre. Il se contente de dire « bon débarras » en parlant de son ex-femme. Progressivement, péniblement, on arrive à assembler les divers éléments de son récit. Nicolas parle essentiellement de son fils, qui semble devenir de plus en plus difficile et s'attirer des « ennuis » ; Nicolas avoue se sentir dépassé.

Le récit de Martine ouvre sur de multiples possibilités, celui de Nicolas semble bardé d'obstacles. Tant sur le plan du contenu que sur celui de la forme, ces deux personnes se situent à l'opposé l'une de l'autre.

Chaque client est unique et raconte son vécu différemment. Certains clients viennent consulter d'eux-mêmes, d'autres sont envoyés par un organisme. L'histoire de leur vécu est longue et détaillée ou, au contraire, brève et sans fioritures. Certains racontent avec émotion, d'autres parlent de manière détachée, même si leurs histoires sont terrifiantes. Certains récits semblent, au moins à première vue, simples et unidirectionnels – « Je veux me débarrasser de ces maux de tête » – alors que d'autres, comme celui de Martine, abordent plusieurs thèmes. Certains récits concernent presque exclusivement la vie intérieure du client : « Je me déteste », « Je suis déprimé », « Je me sens seule ». D'autres englobent le monde extérieur : problèmes financiers, ennuis professionnels ou relationnels. Enfin, il arrive que les problèmes internes et externes s'entremêlent.

Certains individus racontent leur vécu facilement, un peu dans le désordre, sans que vous ayez à les y inciter. D'autres se montrent infiniment plus réticents, exigeant toute votre attention. Certains arrivent presque immédiatement à l'essentiel, tandis que d'autres testent vos réactions en commençant par des éléments secondaires. Les clients vous font parfois confiance d'emblée en raison de votre condition d'aidant, mais vous pourrez également sentir de la méfiance, pour cette même raison.

Quelle que soit leur attitude, votre tâche consiste à établir une relation de confiance avec eux et à les aider à raconter leur vécu pour qu'ils puissent résoudre leurs problèmes et tirer parti de leur potentiel. Le récit de leur vécu constitue le point de départ d'éventuels changements positifs. Souvent même le simple fait de se confier provoque une véritable amélioration.

Dans le cas d'une cliente comme Martine, qui se raconte de manière volubile, vous avez le choix de la laisser parler ou d'amorcer un dialogue. Le fait de raconter son vécu d'un seul trait laisse peu de place au reflet empathique des éléments essentiels. Vous inciterez alors la cliente à revenir sur les points saillants un peu plus méthodiquement. Pour ce faire, vous pouvez vous inspirer des formulations suivantes :

« C'est toute une histoire. J'aimerais bien revenir sur certains points que vous avez abordés. Tout d'abord... »

Pour aider leurs clients à identifier les situations problématiques, les conseillers pourront les inviter à se poser les questions suivantes :

- Qu'est-ce qui me préoccupe ?
- Qu'est-ce qui pose problème dans ma vie ?
- À quoi dois-je faire face ?
- Qu'est-ce qui m'ennuie ?
- Que diraient les gens qui me connaissent bien ?
- Qu'est-ce qui m'empêche de faire ce que je voudrais faire ? d'être la personne que je voudrais être ?
- Que faut-il faire pour résoudre mon problème ?

À ce moment-là, votre reflet empathique permet au client de voir que vous l'avez écouté attentivement et que vous vous préoccupez de ses ennuis. Avec un client comme Nicolas cependant, c'est une autre paire de manches. Il n'arrive pas à raconter son vécu de manière claire et s'y refuse même, ce qui pose un autre type de difficultés. C'est tout un défi que d'amorcer un échange avec ce type de client.

Nous nous sommes inspirés, dans les chapitres précédents, d'extraits de cas pour illustrer les habiletés fondamentales de la communication. Vous avez donc une idée générale de la diversité des récits que vous êtes susceptible d'entendre. L'encadré 8.1 vous fournit des questions que le client peut se poser pour reconnaître les situations problématiques.

## PARTIR DU POINT OÙ SE TROUVENT LES CLIENTS

Lorsqu'ils racontent leur vécu, les clients ne partent pas toujours du même point. En fait, ils peuvent débuter à n'importe quelle phase ou à n'importe quelle étape de la démarche d'aide. Par conséquent, à l'étape I.A, le récit est pris dans son sens le plus global. Cela ne se limite donc pas à dire : « Voilà ce qui m'est arrivé, la manière dont j'ai réagi et la façon dont je me sens maintenant. » Vous devez accompagner vos clients, où qu'ils soient, comme nous le voyons dans les exemples suivants :

✦ Marthe commence par dire qu'elle ne sait plus comment s'y prendre avec son fils depuis qu'il est entré dans l'adolescence. Comme il commet toutes sortes de sottises, elle pense qu'elle doit se montrer très sévère, mais cela ne semble pas donner les résultats escomptés. Elle n'en vient pas à bout. Marthe part d'une *solution inefficace*, qui donne naissance à un autre problème. Elle a échoué dans sa gestion des problèmes.

✦ Julien exprime son hésitation entre la carrière de médecin et d'homme politique ou de politicologue. Les deux carrières l'attirent, mais il doit se décider dans le courant de l'année et procéder à son choix de cours à l'université. Il redoute le moment de prendre une décision. Son point de départ consiste à *opter pour un objectif*. Il est tiraillé entre deux possibilités, car il poursuit deux objectifs.

◆ Christiane, directrice des ressources humaines pour une grande entreprise, déclare qu'elle vient de découvrir que le directeur général a commis une faute professionnelle et, selon elle, s'est comporté de façon amorale. Il doit prendre sa retraite dans six mois et elle hésite entre tout dévoiler ou se contenter de gérer la situation derrière lui jusqu'à son départ. Selon ses dires, si elle tire la sonnette d'alarme, les conséquences risquent d'être très graves et peuvent même entacher la réputation de la compagnie. Si elle se limite à le surveiller jusqu'à son départ, il s'en tirera sans être inquiété. Elle ignore quelle est la meilleure solution pour l'entreprise. Elle part d'un *dilemme sur la stratégie* à adopter.

◆ Malgré ses bonnes résolutions, Paul éprouve des difficultés à se contenir lorsque l'un des voisins de son immeuble « fait une connerie ». Selon lui, lorsqu'il « parle un peu fort » (un euphémisme pour dire qu'il pique une crise), les choses ont tendance à s'aggraver. Il sait qu'il devrait céder la parole à des gens plus diplomates, moins prompts et surtout moins bourrus. Il part de son impossibilité à *tenir sa résolution* concernant son comportement.

En aidant les clients à analyser le contexte et les antécédents de chacun de leurs problèmes, vous passez à une autre étape de la démarche d'aide.

## AIDER LES CLIENTS À CLARIFIER LEURS PROBLÈMES

Par clarifier, nous entendons identifier et analyser – aussi concrètement que possible – la situation problématique et les ressources inexploitées. Ce faisant, nous élaborons de nouvelles perspectives d'avenir, les objectifs et les stratégies pour les atteindre, les plans d'action et leur mise en application. Tout ce processus prend forme dans le contexte même de la relation d'aide et, par conséquent, les sentiments impliqués sont pris en considération.

Prenez l'exemple suivant. Le mari de Jeannine souffre de dépression grave depuis plus d'un an et consulte un thérapeute régulièrement. Il mobilise l'attention de tout le monde. Un jour, après s'être évanouie, Jeannine accepte de rencontrer le thérapeute de son mari. Au début, se sentant coupable vis-à-vis de son mari, elle hésite à parler de ses problèmes. Elle se limite à dire que sa vie sociale a un peu souffert de la maladie de son conjoint. Le reflet empathique de l'aidant et ses questions exploratoires la conduisent à se raconter. Sa vie sociale un peu bouleversée finit par se transformer en une situation bien plus complexe. Il s'agit ici d'un résumé, puisque Jeannine ne s'est pas confiée d'un seul coup.

Jean souffre de cette espèce de fatigue générale que personne n'arrive à bien diagnostiquer. Je n'ai jamais connu cela auparavant. J'oscille entre la culpabilité, la colère et l'indifférence, et je passe de l'espoir au désespoir. Nous n'avons plus aucune vie sociale. Nos amis nous évitent, parce qu'il est très difficile à vivre. Mais comme je pense que je ne devrais pas le laisser seul, je reste à la maison. Il est toujours fatigué et nous ne parlons pas beaucoup. J'ai l'impression d'être prisonnière chez moi. Si je me mets à penser à tout ce qu'il supporte, je replonge dans les montagnes russes de l'émotion. Il m'arrive de ne pas pouvoir dormir et je suis aussi fatiguée que lui. Il passe son temps à dire que tout va mal et, même si je ne suis pas aussi désespérée que lui, je finis par être atteinte. Je crois que si j'étais forte, dévouée et intelligente, je trouverais un moyen de m'en sortir. Je finis par penser que jamais je n'y arriverai.

Dans le quotidien, j'arrive à dissimuler tout cela, pour que Jean ou les autres ne se rendent pas compte de ce que je vis. Je suis aussi seule que lui.

Nous disposons maintenant d'un récit complet en termes d'expériences, de comportements et de sentiments précis. La réaction de Jeannine, qui consiste à rester à la maison et à dissimuler ses émotions, n'est pas une solution mais au contraire une partie du problème. Maintenant qu'elle a décrit cette réalité, il est possible de tenter d'y remédier.

L'exemple suivant concerne une jeune femme atteinte de boulimie faisant l'objet d'un suivi psychiatrique. Elle déclare agir bizarrement avec certains de ses compagnons de classe à la faculté de droit. Grâce à des reflets empathiques et à des questions exploratoires, le conseiller l'aide à approfondir le sujet. Tout comme Jeannine, elle ne se confie pas d'un seul coup. Voici le tableau de ses comportements bizarres.

> J'ai toujours pensé que j'étais laide, même si lorsque je m'arrange un peu on me dit que je ne suis pas mal. Depuis l'adolescence, je préfère rester seule parce que c'est plus prudent. Pas d'histoires, pas d'ennuis et, surtout, pas de rejet. Dès mon entrée à la faculté de droit, j'ai commencé à élaborer des relations imaginaires avec certains de mes camarades de classe dont j'étais sûre qu'ils ne s'intéresseraient pas à moi. J'imagine qu'ils m'invitent à souper et que j'ai une relation sexuelle avec eux. Puis je me mets à vomir pour éliminer tout ce que je viens d'ingurgiter et pour éviter de me sentir coupable. Mais cela ne se limite pas au fantasme. Je suis allée jusqu'à rencontrer mon dernier partenaire imaginaire. Je me suis montrée extrêmement désagréable « pour le punir » de ce qu'il m'avait fait. C'était ma façon de me débarrasser de lui.

Elle ne souffre pas encore d'idées délirantes, mais son comportement extérieur finit progressivement par calquer ses fantasmes et prendre un tour pernicieux. Néanmoins, après avoir dévoilé son vécu – c'est-à-dire après en avoir parlé ouvertement avec son aidante –, elle a commencé à récupérer la maîtrise de son existence.

Parfois, le simple fait d'aider les clients à explorer leur situation ou le contexte des difficultés qu'ils relatent suffit à préciser le problème. Examinez le cas suivant :

> Au cours d'un séminaire sur le perfectionnement des cadres, Li déclare à son conseiller qu'il est l'un des directeurs d'une firme internationale d'experts-conseils et qu'il travaille pour l'une des filiales d'Asie du Sud-Est. Il est déjà débordé de travail et son nouveau patron veut qu'il siège sur un certain nombre de comités qui lui prendront le peu de temps qui lui reste. Il a également des problèmes avec l'un de ses subalternes, lui-même gestionnaire et qui, selon Li, essaie de miner son autorité sur l'ensemble de l'équipe.

Jusqu'à présent, nous nous trouvons devant une histoire assez banale, comme il en existe des millions dans le monde.

Le conseiller soupçonne néanmoins que cela ne s'arrête pas là. Comme il est Canadien et que son client est Asiatique, il veut s'assurer qu'il comprend bien la situation. Il sait que ces firmes de consultants ont tendance à adopter le modèle occidental et veut en connaître plus du contexte de travail du client. Grâce à ses reflets empathiques et à quelques questions exploratoires, il en apprend suffisamment sur le contexte dans lequel évolue Li pour faire la lumière sur son récit. Voici maintenant l'histoire intégrale :

Non seulement Li est l'un des directeurs de la firme, mais il vient tout juste d'être nommé partenaire. Même si la structure organisationnelle est relativement légère, sa culture reste profondément hiérarchique. En tant que tout nouveau partenaire, Li se voit attribuer des clients de sa région qui sont considérés d'approche difficile. Son patron, un Américain en poste depuis quatre mois, ne restera pas plus d'un an parce qu'il approche de la retraite et qu'il fait son dernier tour de piste en Asie. Même s'il s'agit de quelqu'un de bien, il reste distant et ne lui fournit pas beaucoup d'assistance. Par conséquent, Li pense que son véritable chef est le patron de son patron, mais ne peut s'adresser à lui en raison de la culture et de la politique de l'entreprise. Le subalterne qui lui cause des problèmes est également l'un des partenaires depuis maintenant plusieurs années, mais ne s'est jamais acquitté correctement de son travail. Cela ne l'empêche pas de croire qu'il devrait occuper le poste de Li en tant que directeur de l'unité et de saboter dans son dos le travail de Li.

Quelques questions exploratoires permettent de faire ressortir un élément positif. Le patron de Li croit que celui-ci a un avenir très prometteur dans la compagnie. En lui demandant de siéger à plusieurs comités, il lui donne l'occasion de se faire connaître. Un test sur sa personnalité de gestionnaire et sur sa façon de réagir aux embûches professionnelles donne des résultats élevés quant à son comportement « théâtral ». Comme ces résultats ne semblent pas correspondre à cet homme très réservé, le conseiller, grâce à quelques questions pertinentes, découvre que celui-ci n'est pas aussi tranquille qu'il y paraît. Il lui arrive de se mettre en colère au bureau, même s'il réussit à se contrôler ; les autres le trouvent original et audacieux.

En explorant rapidement les antécédents du client, le conseiller constate que le vécu de Li se détache rapidement de la masse. Évidemment, vous n'explorez pas le contexte uniquement pour le plaisir. Toutefois, en le faisant adéquatement, vous obtiendrez à la fois une foule de détails et l'ensemble du contexte. En encadrant Li, le conseiller adopte une approche complètement différente de celle qu'il aurait prise s'il s'était limité à son récit préliminaire. Vous trouverez ci-dessous certaines questions (tirées d'une liste établie par John Scherer et publiée dans le numéro de janvier 1993 de *Training*) fort judicieuses qui permettraient de bien comprendre le contexte lié aux difficultés du client ou aux possibilités envisagées :

Quelle est la situation problématique qui a conduit initialement le client à consulter ?

Qui est concerné, à part le client ?

En quoi ce problème ou l'impossibilité de tirer parti de ses ressources et des opportunités qui s'offrent à lui affectent-ils le client ou les autres personnes ?

Dans quelle mesure voit-on se profiler un problème plus important derrière les difficultés décrites par le client ?

## ÉVALUER LA GRAVITÉ DES PROBLÈMES DES CLIENTS

Les clients viennent consulter les aidants pour des problèmes plus ou moins graves. Objectivement, cela va de la vétille au drame existentiel. Subjectivement, un client peut vivre un problème, en apparence anodin, de manière tragique. Si le client pense que son problème est très grave, même si selon des normes objectives cela ne semble pas si terrible, il s'agit pour lui d'une situation critique. Dans un tel cas, il aura tendance à dramatiser – c'est-à-dire à présenter la situation de manière beaucoup plus tragique qu'elle ne l'est en réalité –, ce qui, en soi, constitue une partie du problème. Dans ce cas, l'une des tâches du conseiller consistera à remettre le problème en perspective et à apprendre au client à évaluer la gravité d'une situation. Howard (1991) le dit très clairement :

> Tout en racontant son vécu ou ses problèmes, le client fournit au thérapeute une idée générale de son attitude face à la vie, de ses plans, de ses objectifs, de ses ambitions et des circonstances et tensions entourant un problème particulier. Avec le temps, le thérapeute doit décider si ce problème constitue une déviation mineure dans une existence par ailleurs saine. S'agit-il d'un problème d'ajustement dans le cadre d'un développement normal ? Peut-on détecter des symptômes sous-jacents dans le vécu du client ? La thérapie sera-t-elle destinée à jouer un rôle de soutien pour un individu qui traverse un moment difficile ? Si tel est le cas, la thérapie ne modifiera ni l'orientation ni les thèmes majeurs de l'existence. Cependant, si la trajectoire de vie est fondamentalement problématique, il faudra alors envisager une intervention à long terme plus sérieuse. Dans une telle perspective, une partie du travail entre le client et le thérapeute peut être ainsi considérée comme une élaboration, un ajustement ou une reconstruction du vécu. (p. 194)

Un thérapeute doté d'un peu de jugeote comprend non seulement la gravité des problèmes du client ou l'importance de son potentiel, mais perçoit également les limites de la relation d'aide.

Il y a quelques décennies, Mehrabian et Reed (1969) ont proposé la formule suivante pour évaluer la gravité de toute situation problématique. Cette formule garde toute sa pertinence.

Gravité = détresse $\times$ caractère non maîtrisable $\times$ fréquence

Les signes de multiplication dans cette formule indiquent que ces facteurs ne font pas que s'additionner. Une faible anxiété, si elle est incontrôlable ou persistante, peut ainsi finir par constituer un problème grave ; ce qui revient à dire qu'elle affecte gravement la qualité de vie du client.

Nous pouvons alors considérer la relation d'aide comme une démarche grâce à laquelle nous aidons le client à maîtriser la gravité de ses problèmes existentiels. Il est donc possible de limiter la gravité d'une situation en diminuant la tension qu'elle provoque, en en réduisant autant que possible la fréquence ou en obtenant du client qu'il parvienne à la maîtriser. Nous le voyons dans l'exemple suivant :

Isabelle est grandement incommodée par des migraines qui se répètent au moins deux à trois fois par semaine, et auxquelles elle ne semble pas pouvoir grand-chose. Aucun analgésique n'a d'effet. Elle a même été tentée de prendre des narcotiques pour calmer la douleur, mais redoute de s'y accoutumer. Elle se retrouve dans une impasse. Son problème est sérieux puisque le stress, le caractère non maîtrisable, comme la fréquence sont très élevés.

Isabelle finit par consulter un médecin spécialisé dans le traitement des migraines. C'est à la fois un expert en médecine et un spécialiste du comportement humain. Tout d'abord, il lui permet de se rendre compte que sa tendance à dramatiser ses migraines ne fait qu'empirer les choses. Lorsqu'elle se dit en son for intérieur que c'est complètement insupportable et qu'elle lutte contre la migraine, elle ne fait que l'aggraver. Il l'aide à écarter ce type de monologue intérieur et lui enseigne des techniques de relaxation. Les migraines demeurent, mais le stress qu'elle ressent diminue.

Il l'entraîne ensuite à reconnaître les situations propices à l'apparition des migraines. Elles ont tendance à survenir lorsque Isabelle est incapable de surmonter les tensions, et en particulier si elle se laisse submerger de travail et se retrouve en retard par rapport à l'échéancier. Il lui permet de voir que ses migraines s'inscrivent dans une situation problématique plus vaste. Lorsqu'elle commence à maîtriser et à réduire les autres sources de tensions, la fréquence de ses maux de tête diminue.

Pour finir, le spécialiste l'aide à détecter les signes avant-coureurs d'une migraine. Même si elle est impuissante face à une migraine bien installée, il lui est possible d'intervenir en amont de celle-ci. Elle apprend, par exemple, que les médicaments n'ont aucun effet lorsque la migraine atteint son paroxysme, tandis qu'ils agissent assez bien lorsqu'elle les prend dès l'apparition des premiers symptômes. Les techniques de relaxation sont également efficaces, si elle y a recours dès le début. Les maux de tête d'Isabelle ne disparaissent pas complètement, mais ils n'occupent plus la place centrale qu'ils avaient dans sa vie.

Le médecin aide sa cliente à mieux maîtriser une situation difficile en lui permettant de réduire le stress et la fréquence, tout en renforçant son emprise sur la situation. En d'autres termes, il éduque sa patiente. Évidemment, si la formule de Mehrabian et Reed vous démontre que les problèmes du client sont trop graves pour que vous puissiez y remédier, vous devez diriger le client vers un autre aidant.

## AIDER LES CLIENTS À ÉVOQUER UTILEMENT LE PASSÉ

Selon certaines écoles de psychologie, les situations problématiques ne sont ni claires ni parfaitement comprises tant qu'on ne les a pas replacées dans le contexte dont elles émanent. Par conséquent, les psychologues de ces écoles passent beaucoup de temps à inciter leurs clients à revenir sur leur passé. D'autres questionnent cette théorie. Voyons ce qu'en dit Glasser (2000) :

*Même si plusieurs d'entre nous ont été traumatisés dans le passé, nous ne sommes victimes de ce passé que si nous acceptons de l'être. On trouve rarement la solution des problèmes en remontant dans le passé, à moins de se concentrer sur les réussites qui le jalonnent.* (p. 23)

Fish (1995) considère que les tentatives pour retracer l'origine cachée des problèmes de comportement actuels sont probablement inutiles, malavisées ou même contre-productives. Le changement positif ne résulte pas de l'établissement d'un lien causal avec le passé. Un certain nombre de preuves viennent corroborer l'assertion de Fish. Deutsch a fait remarquer depuis longtemps (1954) qu'il était impossible, même dans les expériences de laboratoire parfaitement contrôlées, de prouver que l'événement B, succédant à l'événement A dans le temps, était en fait provoqué par ce dernier. Par conséquent, il semble futile de demander à un client d'établir une relation de cause à effet entre un comportement déviant actuel et un événement antérieur. Parmi les raisons qui militent contre un tel processus, il rappelle qu'il est impossible de prouver une relation causale qui reste toujours hypothétique. En outre, il n'est pas du tout certain que la compréhension du passé puisse modifier un comportement présent. En parlant du passé, nous dirigeons souvent l'attention sur ce qui est arrivé au client (expérience) plutôt que sur son action en de telles circonstances (comportement). Par conséquent, nous négligeons une attitude tournée vers l'action susceptible de régler son problème actuel.

Cela ne signifie pas pour autant que le passé d'une personne n'influence pas son comportement actuel. Cela n'implique pas non plus qu'il ne faille pas parler de ce passé. Toutefois, *l'influence* des expériences antérieures sur le comportement présent ne signifie pas nécessairement qu'elles soient *déterminantes*. Kagan (1996) s'est élevé contre ce que l'on pourrait appeler l'hypothèse du « fichu à jamais ». Si des orphelins ayant passé les premières années de leur enfance dans un camp de concentration nazi peuvent devenir des adultes productifs et si de jeunes enfants qui ont tout perdu au cours d'une guerre finissent par se remettre après avoir été adoptés par des familles aimantes (p. 901), cela signifie qu'il y a de l'espoir pour tous. Comme vous pouvez l'imaginer, il s'agit de l'un des thèmes qui divise l'ensemble de la profession. Par conséquent, il est vain d'espérer boucler ce débat en quelques mots. Mieux vaut porter son attention sur quelques principes fondés sur l'espoir et susceptibles d'aider.

**Aider les clients à évoquer le passé pour qu'ils comprennent le présent.** Un bon nombre de clients s'attendent à parler du passé. Il existe des façons d'aborder le passé qui permettent de saisir le présent, mais nous devons nous centrer avant tout sur ce présent. Par conséquent, *la façon* d'aborder le passé compte plus que le fait d'en parler ou non. Dans l'exemple suivant, un homme raconte que la façon dont il traite les autres lui occasionne certains ennuis. Son père, maintenant décédé, a joué un rôle majeur dans le comportement actuel du fils.

AIDANT : Alors vous retrouvez en vous-même la personnalité bourrue de votre père.

CLIENT : Avant d'en parler avec vous, je ne l'avais jamais réalisé. Par exemple, même si je détestais sa cruauté, je la retrouve à un moindre degré chez moi. Il frappait mon frère, tandis qu'à mon tour je lui rabats le caquet. Il disait à ma mère ce qu'elle devait faire et ne pas faire. J'essaie aujourd'hui qu'elle suive « mes conseils pour son propre bien » – sans vraiment m'intéresser à son point de vue. Bien plus que de ses gènes, j'ai hérité de lui tout un ensemble de comportements.

AIDANT : Tout un patrimoine… Mais maintenant, qu'est-ce qu'on fait ?

CLIENT : Eh bien, maintenant que je me rends compte de ce qui se passe, je vais essayer de changer certains comportements. Bien des choses sont ancrées en moi, mais je ne pense pas que cela soit génétique au sens scientifique du terme. J'ai tout simplement acquis une série de mauvaises habitudes.

Que son père ait ou non provoqué son comportement importe peu. En faisant le lien entre le présent et le passé, il croit qu'il n'est pas responsable de son attitude insupportable, et cela lui crée un nouveau problème. Toutefois, après avoir reconnu et nommé le problème, il est possible de le régler. Puisqu'il s'agit de mauvaises habitudes et non d'un déterminisme sociobiologique, le problème est reformulé de façon à remettre dans les mains du client la responsabilité face à ses propres attitudes (et non celles de son père). La relation d'aide se tourne vers l'avenir.

Bref, si le passé permet de mettre en lumière certaines expériences, certains comportement et certaines émotions qui demeurent présentes, il faut l'aborder comme s'il révélait des indices permettant de modifier les idées et les comportements autodestructeurs. Nous éviterons toutefois de nous concentrer essentiellement sur le passé et d'en faire l'objet central de l'introspection, car nous ralentirions inutilement la démarche d'aide.

**Aider les clients à évoquer le passé pour qu'ils s'en libèrent.** Les discussions concernant le passé aboutissent parfois à un type de raisonnement dangereux. Nous obtenons alors quelque chose du genre : « Je suis comme cela à cause de mon passé. Je ne peux rien y changer. Comment peut-on s'attendre à ce que je change maintenant ? »

CLIENT : Tout a bien été jusqu'à l'âge de 13 ans. Puis, à l'adolescence, j'ai commencé à me détester. J'avais horreur de tous ces changements : la maladresse, les émotions différentes, le fait d'avoir à être aussi « cool » que mes amis. J'étais si impressionnable. J'ai commencé à penser que la vie ne faisait qu'empirer au lieu de s'améliorer. Je suis resté emprisonné dans ce type de raisonnement. Je suis toujours dans le même pétrin aujourd'hui.

Ce type d'échange n'a rien de libérateur. Le passé continue de peser comme une sorte de malédiction. Les aidants doivent comprendre que les clients se considèrent parfois comme les otages de leur passé. En s'inspirant des précédents commentaires de Kagan, les aidants doivent permettre à leurs clients de dépasser ces pensées défaitistes.

Le cas suivant fournit une perspective différente. Il concerne le père d'un jeune garçon, victime d'agression sexuelle de la part d'un entraîneur d'une équipe sportive de niveau mineur. Le père pense qu'il ne peut pas discuter avec son fils de cette épreuve sans révéler l'inceste qu'il a lui-même vécu. Au cours d'une séance très douloureuse, il raconte toute cette histoire. Lors d'une séance subséquente, voici ce qu'il confie :

CLIENT : Certaines personnes disent qu'il y a une leçon à tirer de chaque malheur. Mon fils a vécu une terrible épreuve. Mais nous lui fournirons tout le soutien dont il a besoin pour la surmonter. Même si j'ai vécu une telle expérience, je n'en ai jamais parlé jusqu'à présent. J'ai gardé ce secret parce que j'en avais honte et que cette honte a fini par faire partie de moi-même. Lorsque j'ai tout raconté la semaine dernière, j'ai eu l'impression de me débarrasser d'un poids que j'avais trimbalé pendant des années. Cela a été très douloureux sur le moment, mais maintenant je me sens complètement différent, je me sens bien. Je me demande pourquoi j'ai supporté cela pendant si longtemps.

Il s'agit d'une véritable libération. Lorsque les conseillers aident les clients ou les encouragent à parler du passé, ils doivent poursuivre des objectifs très précis. Y a-t-il quelque chose à retirer de ce passé ? quelque chose dont on peut se débarrasser ? Néanmoins, il ne faut pas croire que la révélation du passé permet à coup sûr la résolution des problèmes. Cette façon d'entrevoir la thérapie relève du mythe, de la pensée populaire issue de vieilles conceptions plus ou moins bien véhiculées de la psychologie des profondeurs.

**Aider les clients à évoquer le passé pour qu'ils se préparent à agir dans le futur.** Le célèbre historien A. J. Toynbee faisait la remarque suivante concernant l'histoire : « Si on ne se sert pas de l'histoire, elle n'a aucune valeur, car toute vie intellectuelle concerne l'action. C'est comme dans la vie quotidienne. Si vous ne vous servez pas d'un objet, celui-ci pourrait tout aussi bien ne pas exister ». Comme nous le verrons bientôt, l'analyse des problèmes et des perspectives doit déboucher sur une action positive, dès l'étape I.A et jusqu'à la mise en œuvre. En aidant vos clients à prendre conscience du passé, vous devez les inciter à se lancer dans l'action. Lorsque Christophe, un client, a réalisé à quel point son père et l'un de ses professeurs du secondaire étaient responsables de son sentiment d'infériorité, il a pris la résolution de ne jamais rien faire pour humilier quelqu'un autour de lui : « Vous savez, jusqu'à présent, je pense que je rabaissais les autres en considérant qu'il s'agissait d'une forme d'humour. » Il faut aider les clients à tirer du passé des leçons qui lui permettront d'agir dans le futur.

### DÉCELER LES RESSOURCES DANS LE RÉCIT DES CLIENTS, SURTOUT SI ELLES SONT INUTILISÉES

Les aidants incompétents se concentrent essentiellement sur les déficits du client. Ceux qui sont efficaces, tout en voyant ces déficits, continuent d'écouter et d'observer les clients pour déceler rapidement leurs ressources, qu'elles soient ou non mises à profit ou même utilisées à mauvais escient. Ces ressources représentent des éléments constitutifs pour l'avenir. Examinez l'exemple suivant : Anaïs, une jeune femme à l'approche de la vingtaine, a été arrêtée plusieurs fois pour prostitution. Elle ne vient pas consulter de son propre gré, car on l'y a forcée à la suite de sa dernière arrestation pour possession de drogue. Après avoir abandonné la maison à l'âge de 16 ans, elle vit maintenant dans une grande ville. Comme beaucoup d'autres fugueurs, elle a été poussée à se prostituer par un souteneur « assez respectable ». Elle est très débrouillarde et également très cynique vis-à-vis d'elle-même, de sa profession et du monde. Elle est en probation et doit consulter un conseiller. Comme prévu, Anaïs se montre très hostile durant cette première rencontre. Elle a déjà vu d'autres conseillers et se moque de ce genre d'entrevue. Grâce au dossier du tribunal, l'aidant connaît déjà une bonne partie de son histoire. Ce dialogue n'a rien de facile, en voici un extrait :

ANAÏS : Si vous croyez que je vais parler avec vous, vous vous mettez le doigt dans l'œil. Ce que je fais ne regarde que moi.

CONSEILLER : Ce n'est pas nécessaire de parler de ce que vous faites à l'extérieur. Nous pouvons parler de ce que vous faites ici durant cette rencontre.

ANAÏS : Je suis ici, car j'y suis obligée. Vous êtes ici, soit parce que vous êtes un imbécile qui aime faire des choses stupides ou parce que vous n'êtes pas capable de vous trouver un meilleur emploi. Les gens comme vous ne valent pas mieux que ceux qui vivent dans la rue. Ils sont justes plus respectables. C'est ridicule.

CONSEILLER : Personne ne peut vraiment s'intéresser à vous ?

ANAÏS : Je ne m'intéresse même pas à moi-même !

CONSEILLER : Alors, si vous ne vous intéressez pas à vous-même, personne ne peut le faire, même pas moi.

Anaïs souffre de problèmes graves. Elle a adopté un mode de vie dangereux et autodestructeur. Pourtant, en l'écoutant, le conseiller repère un certain nombre de ressources. C'est une femme dure et futée, comme nous le voyons par la virulence de son cynisme et de son mépris à l'égard d'elle-même, sa très forte résistance à toute proposition d'aide, sa détermination inébranlable à se débrouiller seule. Pour le moment, elle met ses ressources à profit pour se démolir elle-même. Cependant, ces ressources, même inutilisées, n'en demeurent pas moins valables.

Les aidants doivent être centrés sur les ressources dans toutes les interactions avec leurs clients, comme nous le voyons dans ces deux approches fort différentes.

CLIENT : Je suis parfaitement incapable de défendre mes propres droits. Si je ne suis pas d'accord avec quelqu'un, spécialement en groupe, je me tais.

AIDANT : La meilleure tactique consiste à vous effacer... Qu'est-ce qui se passe lorsque vous intervenez ?

CLIENT (après un moment de réflexion) : Je crois que les rares fois où je me suis exprimé, le ciel ne m'est pas tombé sur la tête. En fait, il arrive que les autres m'écoutent. Mais je ne pense pas que ce que je dise fasse une grande différence pour personne.

CONSEILLER A : Alors, en vous exprimant, même si cela se passe bien, vous n'en tirez pas grand-chose.

CLIENT : Non, pas vraiment.

Le conseiller A, qui se contente d'un reflet de niveau de base, ne relève pas les ressources mentionnées par le client. Même s'il est exact que ce dernier ne fait pas valoir son opinion fréquemment, il a une certaine audience lorsqu'il le fait. Les autres écoutent, du moins de temps en temps, et cela représente une occasion à saisir. Le conseiller A donne trop d'importance au déficit. Voyez comment un autre conseiller s'y prend.

> CONSEILLER B : Alors, lorsque vous vous exprimez, vous ne vous faites pas rabrouer. Il arrive même que l'on vous écoute. Dites-moi ce qui vous fait penser que vous n'avez pas beaucoup d'influence lorsque vous parlez.

> CLIENT (après réflexion) : Ce n'est peut-être pas tant un problème d'influence qu'un problème d'implication. D'habitude, je ne veux pas vraiment m'impliquer. Le fait d'intervenir est une sorte d'engagement, une façon de manifester ma présence et mon point de vue.

Les deux conseillers se servent de reflets, mais ils insistent sur deux aspects différents du message du client. Le conseiller A centre son attention sur l'aspect négatif, alors que le conseiller B décèle les atouts et en profite pour poser une question exploratoire. C'est l'occasion pour le client de mieux percevoir sa situation problématique. Le conseiller peut maintenant se pencher sur la difficulté du client à s'engager.

Lorsqu'il s'agit d'un vécu particulièrement sombre, il est primordial de déceler les ressources. Il m'est arrivé d'écouter l'histoire d'un homme qui semblait aller de défaite en défaite : un divorce douloureux, une fausse accusation lui faisant perdre son emploi, une longue période de chômage, des ennuis de santé graves, des mois à vivre dans la rue, etc. Durant son récit, la dépression prédominait. Vers la fin de la séance, nous avons échangé quelques mots :

> AIDANT : Une épreuve après l'autre, il y a de quoi être accablé.

> CLIENT : Accablé ? Je suis pratiquement anéanti.

> AIDANT : Qu'est-ce que vous entendez par pratiquement ?

> CLIENT : Eh bien, je suis toujours en vie, je suis assis en train de parler à cet instant même.

> AIDANT : Malgré tous ces coups terribles, vous ne vous êtes pas effondré. Cela semble indiquer que vous avez beaucoup de courage.

En entendant le mot « courage », le client a relevé la tête et j'ai eu l'impression de voir une petite lueur d'espoir sur son visage. J'ai alors tracé une ligne au centre de mon calepin. D'un côté, j'ai inscrit les épreuves qu'il avait traversées et de l'autre, j'ai écrit le mot « courage ». Je lui ai alors demandé s'il pouvait ajouter un certain nombre de mots du côté droit. Nous avons ainsi dressé une liste de ses ressources. Au courage, il pouvait également joindre un don pour la musique, une grande honnêteté, un intérêt pour autrui et une facilité de communication, etc. Après une demi-heure, il souriait, faiblement certes, mais il souriait. Il a alors avoué que c'était la première fois qu'il souriait depuis des mois.

## AIDER LES CLIENTS À REPÉRER ET À EXPLOITER
## LEURS RESSOURCES INUTILISÉES

Au tout début de la psychologie moderne, William James a remarqué que la plupart des gens n'utilisaient pas plus de 10 % de leur potentiel pour résoudre les problèmes et les difficultés de l'existence. Depuis ce temps, d'autres ont fait le même constat, en modifiant légèrement les pourcentages, qui n'ont pas vraiment été contestés (Maslow, 1968). Nous pouvons affirmer, sans exagération, que ce potentiel inutilisé constitue un problème social plus grave que les troubles émotionnels, parce qu'il est infiniment plus répandu. Maslow considère que ce que l'on définit comme « normal » en psychologie constitue « une psychopathologie populaire tellement répandue qu'elle passe habituellement inaperçue (p. 16) ». Vous rencontrerez ainsi beaucoup de clients qui, en plus de présenter des troubles plus ou moins graves, sont aussi des victimes chroniques de cette psychopathologie populaire, qui consiste à n'utiliser qu'une infime partie de ses ressources personnelles et environnementales.

Les clients ont bien plus tendance à parler de leurs situations problématiques que de leur potentiel inutilisé. C'est fort dommage, car ils pourraient ainsi régler bien des difficultés en tirant parti de leurs ressources au lieu de se buter à leurs problèmes. Voici quelques exemples :

✦ Comme Alexandre se sentait très seul et sans beaucoup de facilité pour socialiser, le conseiller aurait pu se consacrer à trouver les raisons de cette solitude, à lui faire décrire le genre de vie sociale qu'il désirait et à établir un programme pour qu'il puisse s'intégrer dans son milieu. Ce qui serait revenu à passer beaucoup de temps à résoudre « le problème ». Au lieu de cela, le conseiller lui a demandé ce qu'il préférait faire et Alexandre lui a répondu qu'il adorait les livres sur l'architecture et s'intéressait aux bâtiments de toutes sortes. Une recherche rapide dans Internet lui a permis de voir qu'il existait une demi-douzaine de clubs et de groupes composés de passionnés d'architecture. Lorsque Alexandre s'est retrouvé en présence de personnes qui partageaient cette passion, sa maladresse sociale a pratiquement disparu. Il a assisté à des conférences et à des débats, a participé à des visites et a pris des repas avec d'autres amateurs. Il n'avait pas beaucoup d'amis proches, mais ne se sentait plus seul. Il s'était fait un cercle d'amis sur mesure. Dans son cas, cette approche basée sur le développement de nouvelles perspectives s'est révélée plus rentable qu'une thérapie visant à identifier les causes de ce retrait social et à y remédier.

✦ Jasmine, une célibataire dans la vingtaine, a été arrêtée alors qu'elle forçait l'accès au contenu d'un ordinateur gouvernemental. Elle a dû payer une amende et séjourner en prison pour piraterie informatique. Elle était abattue et déprimée. En prison, elle s'est liée d'amitié avec Marion, qui l'a convaincue d'assister à un atelier de recherche d'emploi. Elle a découvert un intervenant passablement passionné par son travail et qui ne semblait entretenir aucun préjugé quant à l'employabilité des ex-détenus. Cet atelier l'avait plus marquée qu'elle ne voulait se l'avouer. Quelques semaines plus tard, elle a rencontré cet intervenant pour lui demander conseil. En réalisant qu'elle était un pirate informatique, il lui a répondu qu'il avait grandement besoin de ses services. Elle l'a revu de temps en temps pour discuter de ce qu'elle pourrait faire à sa sortie de prison. Après sa libération, elle a participé à l'organisation d'un programme de formation en informatique pour les enfants défavorisés. Son passé de pirate informatique a beaucoup impressionné les jeunes, qui l'écoutaient avidement. Elle a réussi à gagner sa vie comme experte-conseil dans une entreprise de sécurité informatique, ce qui lui a permis de se tenir à jour en termes de piratage informatique, sa grande passion. Fort heureusement, au lieu de ne voir que la malhonnêteté, l'intervenant a su reconnaître son talent, même mal dirigé.

✦ Un thérapeute dans un centre de ressources en santé mentale dirigeait une thérapie matrimoniale de groupe pour les gens du quartier. Lorsqu'un couple terminait le programme ou l'abandonnait, un autre couple prenait sa place. Un nouveau couple a bien failli faire éclater le groupe. Les partenaires se battaient bruyamment, interrompaient les séances de groupe et ne progressaient aucunement. Les choses allaient de mal en pis. Le thérapeute, à bout de patience, les a rencontrés en entrevue. En les voyant entrer, il a eu une idée lumineuse. Il leur a dit qu'il n'avait jamais connu des gens aussi pénibles, mais que deux personnes aussi difficiles pourraient bien servir à quelque chose. Il a ajouté qu'il aimerait les filmer tels quels, en train de hurler et de se bagarrer, de refuser toutes les solutions constructives et qu'il dirait aux spectateurs : « Si vous vous laissez dépasser par vos ennuis conjugaux, voilà ce qui vous arrivera et si notre couple a réussi à régler ses problèmes, tout le monde peut y arriver. » Avant de lui répondre, ils se sont regardés et ont fini par accepter. Le thérapeute a alors ajouté que le film servirait seulement à ce type de groupe, avec leur permission, et qu'il ne serait pas présenté au grand public. Néanmoins, chaque fois qu'ils essayaient de se démolir devant la caméra, ils n'y parvenaient pas. En regardant le film, ils se sont trouvés tristement ridicules. Cela a marqué un tournant dans l'évolution du groupe.

Il est évident que le type de réactions dont vous voulez faire prendre conscience à vos clients n'est pas obligatoirement aussi dramatique. Cependant, si vous aidez les autres à découvrir les potentiels inexploités de leur existence, il est probable que vous apprendrez aussi à découvrir les vôtres.

## CONSIDÉRER CHAQUE PROBLÈME COMME UNE OPPORTUNITÉ

Les clients ne viennent pas vous consulter avec des problèmes *ou* des ressources pour y faire face, mais avec une combinaison des deux. Sans vouloir glorifier la souffrance, disons que les deux aspects sont indissociables l'un de l'autre. D'un côté de la médaille se trouvent les difficultés et de l'autre, les opportunités qui découlent de ces difficultés. En d'autres mots, chaque problème porte en lui ses possibilités, sa contrepartie positive, peu importe qu'il y ait ou non résolution du problème. Nous le voyons dans les exemples suivants :

✦ Après un diagnostic de sida, Charles a pu réintégrer sa famille étendue et inciter certains membres de son entourage à se confronter à des problèmes qu'ils refusaient de voir depuis longtemps.

✦ Béatrice est partie de son divorce pour baser ses relations avec les hommes sur un échange mutuel. En se retrouvant seule et en pouvant décider de son existence, elle s'est découvert des talents d'entrepreneure et a fondé sa compagnie de produits artisanaux.

◆ Jérôme a mis à profit sa convalescence après un accident pour revoir ses valeurs et ses objectifs existentiels. Il a commencé à rendre visite aux patients du centre de rééducation, ce qui lui a apporté de grandes satisfactions. Il a évalué les possibilités offertes par la profession d'aidant.

◆ Incarcérée pour vol à l'étalage, Sophie a décidé que c'était une bonne occasion de finir ses études secondaires et de prendre une longueur d'avance pour l'université.

◆ Un acteur qui souffrait d'un handicap après un accident a changé de vie en devenant le défenseur de ceux qui avaient connu un sort similaire.

◆ Après avoir perdu leur unique enfant, un couple a décidé d'ouvrir une garderie avec d'autres membres de leur quartier.

William Miller (1986) raconte l'une des pires journées de sa vie. Tout allait de travers au bureau. Les projets ne fonctionnaient pas, les gens ne répondaient pas, le travail continuait de s'accumuler et rien ne marchait. Plus tard, en prenant un café, il a dressé une liste aussi détaillée que possible des leçons à en tirer et à méditer. Quelques heures plus tard, il s'est retrouvé avec 27 leçons réparties sur 7 pages. Ce jour a été l'un des meilleurs de sa vie. Il s'est ensuite mis à l'écriture quotidienne d'un journal de « leçons à tirer pour éviter le défaitisme et la persécution de soi ». Les jours où tout allait mal, il finissait par se dire : « Encore une journée enrichissante ! »

Il suffit parfois d'aider un individu à déceler un petit avantage, une contrepartie positive à un ennui, une occasion de se révéler, pour lui donner l'impulsion nécessaire pour qu'il se lance dans une action positive. L'encadré 8.2 vous fournit une série de questions qui permettront à vos clients de déceler leurs ressources et leurs opportunités inexploitées.

---

**ENCADRÉ 8.2
DÉCELER LES OCCASIONS**

Pour que les clients découvrent leurs ressources et leurs opportunités inexploitées, les conseillers peuvent se servir des questions suivantes :

◎ Quelles sont mes ressources inutilisées ?

◎ Quels sont mes habiletés naturelles ?

◎ Comment les utiliser ?

◎ Quelles sont les occasions que j'ai laissé filer ?

◎ Quels projets restent inachevés ?

◎ Si je m'y consacre, que puis-je accomplir ?

◎ Dans quoi puis-je réussir, si j'essayais ?

◎ De quelle opportunité dois-je tirer profit dans la situation actuelle ?

◎ Quels exemples pourrais-je suivre ?

La démarche d'aide est une « entreprise des plus énergiques et des plus importantes », mais elle doit se tourner résolument vers l'action efficace. L'impossibilité d'agir de manière à la fois intelligente, prudente, résolue et au meilleur de leurs intérêts explique bien souvent le fait que les clients demeurent incapables de résoudre leurs situations problématiques. Covey (1989), dans son ouvrage fort célèbre *Sept habitudes des gens efficaces*, fait figurer la proactivité parmi l'une de ces habitudes. « Cela signifie davantage que *prendre des initiatives*. Cela signifie qu'en tant qu'êtres humains nous sommes responsables de nos propres vies. Notre comportement découle de nos décisions et non pas de notre condition. Nous pouvons donner préséance à nos valeurs plutôt qu'à nos sentiments. Nous avons… la responsabilité de provoquer les choses » (p. 71). Nous ne nous laissons pas paralyser par l'émotion du moment.

### IMPORTANCE DE LA PROACTIVITÉ

L'inactivité est à la fois mauvaise pour le corps, l'esprit et l'âme, tel qu'en témoigne l'exemple suivant, extrait du milieu du travail :

> Une conseillère dans une grande entreprise manufacturière s'est rendu compte que l'inactivité après un accident de travail était préjudiciable. En restant chez eux, les employés avaient tendance à rester assis, à prendre du poids, à perdre de la masse musculaire et à souffrir d'une série de symptômes psychologiques qui n'étaient en rien reliés à leurs blessures. En adaptant l'approche systémique (Egan et Cowan, 1979), elle a collaboré avec les gestionnaires, les syndicats et les médecins pour mettre au point une série de travaux légers temporaires pour les accidentés du travail. Dans certains cas, les infirmières et les physiothérapeutes rendaient visite aux travailleurs à l'usine. Au cours des séances de counseling, on attribuait une tâche adéquate à chaque ouvrier. En redevenant actifs, ces derniers se sentaient plus en forme et cela valait mieux pour l'entreprise.

En aidant les clients à adopter une attitude proactive, le conseiller favorise l'utilisation optimale de leurs ressources personnelles et de celles qui proviennent de leur milieu. Nous évitons ainsi les démarches d'aide qui se limitent à trop de discussions et trop peu d'action.

Vous trouverez ici le résumé d'un cas illustrant le pouvoir quasi magique de l'action. Les « aidants » de Richard sont ici sa belle-sœur et un ami.

> La vie semblait s'acharner sur Richard. Après une retraite forcée en tant que gestionnaire d'une maison de courtage parce qu'on le pensait incapable de relever les défis du commerce électronique, il a découvert qu'il souffrait d'un cancer à l'évolution imprévisible. Il a donc commencé un traitement indolore mais très épuisant. Il a aussi éprouvé des difficultés à marcher sans que les médecins n'en décèlent la cause. Ils ne pouvaient dire si cela provenait ou non du cancer. Sur le plan de la santé, son avenir demeurait incertain. Après avoir perdu son emploi, il a été engagé par une société de génie logiciel. Très vite, ses ennuis de santé l'ont

obligé à renoncer. Sa fille a été mise à la porte de son collège pour possession de drogue. Elle a adopté une attitude boudeuse et renfermée, sans se préoccuper de la détresse de son père. Comme sa femme et sa fille s'entendaient mal, l'atmosphère à la maison était tendue chaque fois qu'elles s'y trouvaient ensemble. Les discussions avec sa femme au sujet de leur fille ne menaient à rien. Pour couronner le tout, l'un de ses fils lui annonça qu'il était en train de divorcer et que sa femme allait se battre pour obtenir la garde de leur fils âgé de 3 ans.

En raison de tous ces ennuis, Richard, même s'il était à la fois indépendant et autonome, a fini par se dire qu'il devait prendre sa vie en main au risque de voir tout s'écrouler et qu'il avait bien besoin d'aide. Deux personnes lui ont apporté leur collaboration : Sarah, sa belle-sœur, une femme intelligente, sensée, et engagée ; et Sam, un conseiller et ami de longue date.

Sarah a aidé Richard à s'en tenir aux principes spirituels qui avaient guidé sa vie jusqu'alors. L'attitude neutre de sa belle-sœur lui a permis de les mettre en pratique au quotidien.

Sam a aidé Richard à rester autonome en faisant un suivi de sa maladie par le biais de recherche dans Internet. Sans devenir obsédé par cette recherche, Richard en connaissait suffisamment sur son mal et les traitements possibles pour collaborer avec ses médecins à la recherche d'une solution. Il a également rédigé son testament et donné une procuration à Sam pour que tout acharnement thérapeutique lui soit évité. Sam l'a également aidé à cultiver ses intérêts intellectuels dans les domaines de l'art, de la littérature et du théâtre, domaines auxquels il n'avait pu se consacrer en raison de sa charge de travail.

Cet individu, avec un petit coup de main, a lutté contre l'adversité et s'en est servi pour profiter au mieux de l'existence. Il a réorganisé sa vie, en parlant avec des membres de sa famille et ses amis. En refusant d'être une victime, il a pu rester actif. Richard est mort deux ans plus tard, mais il a réussi à vivre pleinement durant tout ce temps.

## TIRER PARTI DES INTERVALLES ENTRE LES SÉANCES

La tendance actuelle est à la thérapie brève, c'est-à-dire à une démarche d'aide écourtée ou à des séances de thérapie espacées. Par conséquent, les conseillers doivent inciter leurs clients à tirer le meilleur parti des intervalles qui se situent entre chacune des rencontres. « Comment optimiser ce qui se passe durant une séance pour qu'elle ait une portée sur ce que le client fait pendant le reste de la semaine ? » ou même parfois du mois ? Cela ne signifie pas que l'intérêt de la rencontre porte uniquement sur une planification d'interventions à accomplir entre les séances. Au contraire, il faut profiter au maximum des changements ou des apprentissages qui surviennent dans le moment présent de la relation d'aide, afin d'élaborer les actions à entreprendre entre les séances.

Nombre d'aidants donnent des « devoirs » à leurs clients, de temps en temps, pour qu'ils mettent en pratique ce qu'ils apprennent au cours des séances (Kazantzis, 2000 ; Kazantzis et Deane, 1999). Mahrer et ses associés (1994) ont examiné les méthodes employées par ces aidants. Ils en sont venus à en recenser 16, dont certaines sont ici présentées :

✦ Décrivez une tâche à accomplir à domicile, et demandez au client de la réaliser et d'en faire un compte rendu, car il est devenu une « nouvelle personne ».

✦ Attendez que le client propose une tâche à réaliser après la séance, et aidez-le à la définir et à la préciser.

✦ Soulignez l'empressement du client, réel ou apparent, pour la réalisation d'une tâche, mais laissez-le décider.

✦ Établissez une entente avec le client pour l'inciter à se lancer dans des activités qui lui conviennent.

Les conseillers contribuent à la définition de ces activités et les adaptent à la situation particulière du client. Certains aidants exhortent leurs clients à intervenir. D'autres vont même jusqu'à conditionner la prochaine séance à la réalisation d'une tâche spécifique : « Je vous verrai dès que vous aurez assisté à la première réunion des Alcooliques anonymes. »

Broder (2000) formule d'autres suggestions pour intégrer les devoirs à la démarche d'aide. Il propose non seulement différentes techniques, mais aborde la question de la résistance des clients qui sont peu enclins à s'investir dans des activités thérapeutiques entre les séances. Broder, en collaboration avec Albert Ellis, le créateur de la psychothérapie émotivo-rationnelle, a mis au point une série de documents sonores concernant le thème du « travail » entre les séances. Ces bandes sont destinées aux clients qui désirent approfondir leur compréhension des éléments de la séance thérapeutique et participer à des activités qui leur permettent de résoudre leurs difficultés (voir www.therapistassistant.com).

Nul besoin d'employer le terme *devoir* pour désigner ce type d'activité, car le terme même rebute certains clients. Il présente également un côté trop pédagogique pour certains aidants, en donnant l'impression d'une activité qui vient se rajouter plutôt que d'être incluse dans le processus thérapeutique. À ce titre, le mot *processus* convient beaucoup mieux à la situation. À titre d'exemple, si vous vous servez d'un manuel de traitement (voir le chapitre 1) pour traiter l'anxiété, le travail entre deux sessions constitue un élément essentiel du processus. Le principe sous-jacent au travail est plus important que le terme de « devoir » et cela est clair. En principe, à chaque phase ou à chaque étape de la démarche d'aide correspond une action ou une activité concrète qui favorise la résolution des problèmes et le développement de nouvelles perspectives. Si le mot « devoir » vous convient, ainsi qu'à votre client, n'hésitez pas à l'employer. Toutefois, soyez certain des raisons pour lesquelles vous confiez des devoirs à un client. Inutile de donner des devoirs simplement par habitude.

Certains devoirs sont prédéfinis. Cependant, en incitant les clients à agir de leur propre chef, on leur propose une activité beaucoup plus spontanée. Prenez le cas de Raymonde.

Raymonde, une institutrice célibataire de 70 ans, vient d'arriver à la retraite, ayant réussi à trouver le moyen de continuer à enseigner après l'âge limite. Grâce à ses économies et aux versements de la caisse de retraite et de la sécurité sociale, elle est à l'aise financièrement. Cependant, elle ne s'est pas préparée émotionnelle-ment ni socialement. Elle tombe rapidement dans une dépression et ne se trouve plus aucun but dans la vie. Elle traîne ainsi pendant quelques mois et, finalement, à la demande d'un de ses amis, rencontre un conseiller qui a environ son âge. Ce dernier sait qu'elle dispose de beaucoup de ressources mais qu'elle n'en a jamais tiré parti jusqu'à présent. Lors de la deuxième séance, il lui dit : « Raymonde, vous vous êtes laissée aller. Vous n'auriez jamais supporté ce type de comportement de la part de vos étudiants. Il faut vous secouer et prendre votre vie de nouveau en main. Dites-moi ce que vous ferez en sortant de cette séance. » C'est un traite-ment choc pour Raymonde. Après un bref moment de réflexion, Raymonde, tout à fait revigorée, l'a regardé dans les yeux en lui demandant : « Bon, et vous, que faites-vous ? » Ils ont poursuivi leur conversation en examinant ce que la vie pouvait offrir à une personne de 70 ans. La première étape, selon elle, consistait à s'impliquer dans son milieu d'une manière quelconque. L'école lui avait servi d'environnement social, mais maintenant c'était terminé.

La question n'est pas de savoir s'il faut donner des devoirs ou employer d'autres méthodes pour pousser vos clients à l'action. Votre tâche est de servir de catalyseur à leur action.

## PROFITER DU POTENTIEL D'AUTOGUÉRISON DES CLIENTS

Les aidants ne devraient pas sous-estimer la capacité d'action de leurs clients. Bohart et Tallman (1999), dans leur ouvrage *How Clients Make Therapy Work,* décrivent les prin-cipes d'autoguérison du client auxquels on doit se référer si l'on veut réaliser un traite-ment en collaboration. Ces principes font partie de l'approche de la psychologie positive. Je les ai repris en les réordonnant et en les reformulant, tout en m'efforçant d'en conser-ver l'esprit (vous trouverez dans leur ouvrage (p. 227-235) une description complète de ces principes) :

◆ Tenir compte de l'habileté du client à agir au meilleur de ses intérêts.
◆ Être conscient que les clients ont des façons différentes de voir le monde.
◆ Aider le client à penser par lui-même.
◆ Respecter la sagesse du client et l'inciter fortement à préciser ses idées et ses intuitions.
◆ Lui laisser suffisamment de temps pour réfléchir et éviter les conclusions prématurées.
◆ Le soutenir dans ses efforts pour chercher de nouvelles façons de se percevoir, d'entrevoir ses problèmes et d'intervenir à ce propos.
◆ Être convaincu que les clients sont capables d'apprendre et encourager le moindre signe d'apprentissage et de changement.
◆ Se convaincre que les clients préfèrent les solutions positives et proactives plutôt que les attitudes défensives et immatures.
◆ Aider les clients dans leurs efforts pour comprendre et éliminer les contraintes qui les maintiennent dans l'habitude.
◆ Se souvenir que les clients sont responsables de leur propre existence et n'ont pas toujours besoin de vos conseils.

L'idéal serait que le « client participe à la thérapie en tant que soignant, directeur adjoint et collaborateur » ; toutefois, ils (Bohart et Tallman, p. 141) sont conscients que ni les clients ni les thérapeutes ne correspondent à cet idéal. Cependant, le message reste clair : ne sous-estimez pas le client.

## 8.5 L'ÉTAPE 1.A SUFFIT-ELLE ?

Pour certains clients, l'étape I.A semble suffire. Ils passent un temps relativement bref avec l'aidant, ils racontent leur vécu plus ou moins en détail et sont en mesure de s'en aller et de se débrouiller seuls. Raymonde, une fois sortie de sa torpeur, fait partie de ce lot. Les deux raisons expliquant pourquoi cette première étape de la démarche suffit parfois se retrouvent ci-dessous.

**Une déclaration d'intention et la mobilisation des ressources.** Le simple fait de chercher de l'aide auprès de quelqu'un suffit à certains pour mobiliser les ressources nécessaires afin de mieux régler leurs problèmes. En consultant, ces clients ne viennent pas clamer leur détresse mais faire une déclaration d'intention : « Je vais faire quelque chose pour résoudre cette question. »

Declan, un jeune Slovaque résidant illégalement à Montréal, se sentait traqué, selon ses dires, même s'il disposait d'un réseau de compatriotes pour l'aider. Il vivait dans l'angoisse que quelque chose de terrible lui arrive. Après avoir parlé de ses inquiétudes à un ami plus âgé qui s'est limité à l'écouter sans le conseiller, il en a tiré la motivation nécessaire pour agir. Il est rentré en Slovaquie, a suivi une formation en informatique, s'est installé en France et a obtenu un emploi auprès de la filiale d'une société d'informatique allemande. Fait tout aussi remarquable, il s'est enfin senti « entier ».

Pour certains clients, une simple recherche d'aide provoque une mobilisation des ressources. Une fois qu'ils se prennent en main, ils commencent à diriger leur existence sans l'aide de personne.

**Se libérer des émotions autodestructrices.** Certains clients s'adressent aux aidants car ils sont, en quelque sorte, complètement bloqués par des émotions ou des sentiments négatifs. Bien souvent, le fait que les aidants les traitent avec respect, les écoutent et les comprennent sans les juger suffit à faire disparaître ces émotions et ces sentiments. Pour ces clients, le counseling a un effet de rééducation socio-émotionnelle. Il leur permet de mobiliser toutes leurs ressources internes et externes, et de régler les situations problématiques qui ont provoqué les sentiments invalidants afin de se lancer dans l'action. Ces clients sont « guéris » par le simple fait de confier leur vécu.

Catherine était très déprimée à la suite d'une hystérectomie. Elle n'avait pu rencontrer le conseiller que durant deux séances très courtes. En fouillant dans ses émotions, Catherine s'aperçut que la honte prédominait. Elle était blessée et vulnérable, et se sentait coupable d'être « incomplète ». Après en avoir pris conscience, elle fut en mesure de se reprendre en main.

Les clients ne se classent pas tous dans ces deux catégories. Nombre d'entre eux ont besoin de passer par toutes les phases et toutes les étapes du modèle d'aide.

## 8.6 DIFFICULTÉS INHÉRENTES À L'ÉTAPE I.A : MISES EN GARDE

Cette première étape présente plusieurs écueils et deux d'entre eux sont abordés ici. Le premier concerne la façon dont les clients racontent leur vécu. Le deuxième est lié à la nature même du changement.

### CRÉDIBILITÉ DU RÉCIT DES CLIENTS

Lorsque les clients se présentent devant un aidant, il n'existe pas de manière immédiate ni évidente de savoir ce qu'ils pensent. Cela apparaît progressivement au cours des séances d'aide. Certains aidants ont plus de facilité que d'autres à percevoir « ce qui se passe vraiment ». Comme nous l'avons vu, la manière de raconter son vécu diffère passablement d'un client à l'autre. Penchons-nous plus avant sur la question.

Pour différents motifs, certaines personnes présentent une vue partielle et ambiguë de leur existence. À titre d'exemple, on trouve parfois en filigrane l'idée que « Si je raconte tout mon vécu et que je révèle tous mes défauts, on me demandera de les corriger. » Cette idée ou ce motif peut-être suffisant pour modifier le discours du client. L'idée de responsabilité qui se profile en arrière-plan est un thème récurrent dans le domaine de la relation d'aide. L'autre aspect de la question concerne la véracité du récit du client. D'un côté, on trouve des clients qui relatent leur expérience aussi honnêtement que possible. De l'autre, ceux qui, pour une raison quelconque, mentent ou camouflent des informations. Quiconque a déjà fait de la consultation matrimoniale en est convaincu. Il lui suffit d'ouvrir les yeux.

La dissimulation semble être liée au désir de projeter une certaine image de soi. Certains clients redoutent de faire mauvaise impression sur leur aidant. D'autres ne s'en préoccupent nullement. Ils n'ont pas besoin d'être perçus positivement. D'autres encore se demandent, au moins au niveau subconscient, ce que l'aidant pensera d'eux. Les plus soucieux de leur image maquilleront leur récit pour se présenter sous un jour favorable. Kelly (2000a ; voir également Kelly, Kahn et Coulter, 1996) pense que la thérapie est, au moins partiellement, une démarche de représentation de soi-même, une quête d'identité. Elle croit que si les clients pensent que leur thérapeute a une perception positive d'eux-mêmes, ils s'en portent mieux. Par conséquent, si la thérapie contribue au renforcement de l'identité positive du client, nous pouvons nous attendre à une certaine dissimulation de la part du client et à une stagnation du processus d'aide. Le fait de passer sous silence les aspects les moins désirables de sa personnalité, de manière intentionnelle ou non (voir Kelly, 2000b), devient une façon d'obtenir un regard positif de la part de l'aidant. Hill, Gelso et Mohr (2000) réfutent cette hypothèse et font observer que, selon les études, les clients ne dissimulent pas grand-chose à leur thérapeute. Arkin et Hermann (2000) donnent à entendre que la réalité est beaucoup plus complexe que les auteurs précités ne le laissent croire. Il importe de bien discerner la représentation que le client se fait de lui-même. Il est naturel d'attendre de son prochain un regard positif envers soi. Toutefois, ce n'est pas le rôle du thérapeute de renvoyer au client une image de lui-même irréaliste. Nous n'avons pas à être le miroir des désirs de l'autre, mais il est opportun de lui refléter son désir d'être perçu positivement.

Prenez un exemple. Rares sont les hommes, victimes d'abus sexuels au cours de l'enfance, qui parlent de leurs séquelles à l'âge adulte (Holmes, Offen et Waller, 1997). Cela a permis d'expliquer, selon un mythe maintenant réfuté, que les victimes d'abus sexuels étaient peu nombreuses chez les garçons et que les conséquences de ces abus étaient sans gravité. Il semblerait au contraire que ce type d'abus et ses effets soient plus difficiles à admettre pour les hommes, du moins dans la société nord-américaine. Nous savons donc pertinemment que les clients mentent ou dissimulent. Quant aux motifs, nous en sommes réduits aux hypothèses. Cependant, nous sommes sûrs que les fantaisies du client concernant sa propre représentation brouillent le portrait, car la honte joue probablement un rôle important.

La représentation de soi est influencée par une foule de facteurs. En combinant tous ces facteurs, en tenant compte de leurs agencements, en y ajoutant les variables qui influent sur le récit du client, nous obtenons une infinité de représentations de soi, chaque client ayant sa propre manière d'être et de se définir. En y additionnant l'infinie diversité des clients et de leur vécu, il apparaît alors clair pour les aidants expérimentés que chaque client est en soi un projet de recherche où N = 1 (sujet unique). L'aidant efficace, bienveillant et expérimenté approche chacun de ces projets sans naïveté ni cynisme.

### NATURE DU CHANGEMENT

L'étape I.A constitue la première étape – c'est-à-dire la première étape logique – dans un processus de changement constructif. Cependant, il importe de noter que ce changement peut emprunter deux formes distinctes. Nous retrouvons, d'une part, le changement exécutoire ou obligatoire et, d'autre part, le changement volontaire ou facultatif. La distinction entre le changement volontaire et le changement exécutoire est primordiale pour les aidants. Le changement exécutoire est obligatoire. Si une ordonnance du tribunal indique qu'un père aura le droit de visite auprès des enfants s'il cesse de boire, il s'agit d'un changement exécutoire. Le droit de visite ne sera pas accordé sans ce changement.

En revanche, deux conjoints qui connaissent des difficultés dans leur couple n'ont pas l'obligation absolue de modifier leur comportement actuel. « Si vous voulez une relation positive, alors il vous faut changer les points suivants. » Le changement volontaire ou facultatif représente un véritable défi.

Sur le plan des organisations ou des individus, le bilan concernant le changement volontaire est plutôt mauvais.

C'est le phénomène Okavango/Kalahari. Quoi donc ? La rivière Okavango, qui prend sa source dans les hautes terres de l'Angola, se transforme en un magnifique delta intérieur, une étendue d'eau sauvage d'un bleu turquoise regorgeant de vie. Où s'en va-t-elle ensuite ? Elle ne se jette pas dans la mer. Ses eaux disparaissent, on ne sait comment, dans le désert du Kalahari. Le sort de cette rivière est une métaphore pour le changement personnel et organisationnel. « Qu'est-il advenu du (magnifique) programme de perfectionnement de la gestion que nous avions mis sur pied il y a deux ans ? » Réponse : Il est dans le Kalahari. L'essentiel du counseling se fait sur le plan de la planification. Ne laissez pas les clients s'emparer de la planification (fort belle au demeurant) qu'ils ont établie avec vous pour la faire disparaître dans le Kalahari.

Cet aspect concernant le changement volontaire est primordial, surtout si le client, malgré son inconfort, se considère dans la normalité. Si nous n'y sommes pas obligés, si nous ne nous sentons pas déphasés par rapport aux autres, bien souvent nous ne changeons pas. Il suffit de jeter un coup d'œil sur nos résolutions du Nouvel An. Malheureusement, dans une relation d'aide, les clients considèrent probablement que le changement est facultatif. Ils en parleront comme de quelque chose d'obligatoire, mais dans leur for intérieur, ils se diront qu'ils n'ont pas vraiment à changer, ce qui aura pour effet de ruiner la démarche d'aide. « Les autres doivent changer, le monde doit changer, mais pas moi. » Cela n'a rien de cynique. C'est la réalité. Le triste bilan du changement volontaire n'est pas destiné à vous décourager, mais à vous faire envisager de manière réaliste les difficultés que vous rencontrerez en tant qu'aidant et celles que vous aiderez vos clients à affronter.

Avoir l'esprit concret et tourné vers l'action constitue un atout majeur. Les aidants efficaces ont tendance à être actifs avec leurs clients et ne se contentent pas d'écouter en hochant la tête. Ils instaurent le dialogue. Durant cet échange, ils se demandent constamment comment inciter le client à agir pour son propre bien, de manière intelligente et prudente. Je connais un individu qui a entrepris une thérapie (autrement dit un long voyage) il y a plusieurs années parce qu'il était très indécis. Au cours de cette période, il s'est fiancé à plusieurs reprises, mais a rompu chaque fois. Quand nous parlons d'indécision... De nouveau, les aidants réfléchis savent que, d'une certaine manière ou dans certains cas, ils partent perdants. Pourtant, si l'on en croit les résultats des études présentées dans le chapitre 1, ils réussissent régulièrement, contre toute attente.

## QUESTIONS D'ÉVALUATION CONCERNANT L'ÉTAPE I.A

### Comment évaluer mon efficacité dans les tâches suivantes ?

### Établissement d'une collaboration avec le client

- ◎ Entamer une relation de collaboration avec le client.
- ◎ Mettre la relation d'aide au service d'une rééducation socio-émotionnelle.
- ◎ Ne pas faire pour les clients ce qu'ils ne peuvent faire pour eux-mêmes.

### Aider les clients à raconter leur vécu

- ◎ Grâce à une combinaison de présence, d'écoute, d'empathie, d'interrogation et de synthèse, aider les clients à raconter leur vécu, à exprimer leurs points de vue, à discuter de leurs décisions et à formuler leurs intentions aussi concrètement que possible.
- ◎ Se servir de questions exploratoires lorsque les clients sont bloqués, se perdent en digressions ou restent vagues.
- ◎ Démontrer sa compréhension lorsque le client se révèle et lui offrir un soutien s'il éprouve des difficultés à parler de lui.
- ◎ Aider les clients à évoquer utilement le passé.

### Faire une évaluation constante du client durant toute la démarche d'aide

- ◎ Avoir une idée générale de la gravité des problèmes du client et de son aptitude à les résoudre.
- ◎ Déceler les ressources du client, spécialement celles qui sont inexploitées, et l'amener à s'en servir.
- ◎ Comprendre les difficultés et les perspectives du client dans un contexte élargi de son vécu.

### Aider les clients à se lancer dans l'action

- ◎ Inciter les clients à adopter une attitude interventionniste.
- ◎ Aider les clients à repérer rapidement les moyens de modifier les comportements défaitistes et être prêts à tirer parti de leurs potentiels.

### Intégrer l'évaluation dans la démarche d'aide

- ◎ Évaluer constamment toute la démarche dans le but de l'améliorer par des interactions et de « rentabiliser » chaque séance.
- ◎ Trouver le moyen de faire participer le client à ce processus d'évaluation.

# CHAPITRE 9

## MANQUE DE MOTIVATION ET RÉSISTANCE DE LA PART DU CLIENT

### 9.1 MANQUE DE MOTIVATION : DOUTES VIS-À-VIS DU CHANGEMENT
- Crainte de l'intensité
- Manque de confiance
- Crainte de la désorganisation
- Honte
- Peur du changement

### 9.2 RÉSISTANCE : RÉACTION À UNE CONTRAINTE

### 9.3 MÉTHODES POUR CONTRER LE MANQUE DE MOTIVATION ET LA RÉSISTANCE
Éviter les réponses stériles en cas de manque de motivation et de résistance
Adopter une démarche efficace face au manque de motivation et à la résistance
- Prendre conscience de votre niveau de motivation et de résistance
- Considérer comme normal un certain manque de motivation et de résistance
- Accepter de travailler avec le manque de motivation et la résistance du client
- Considérer le manque de motivation comme une forme d'évitement
- Évaluer la qualité de vos interventions
- Faire preuve de réalisme et de souplesse
- Instaurer une « société juste » avec votre client
- Aider le client à trouver des leviers pour surmonter la résistance
- Inciter le client à aider les autres

### 9.4 DÉFENSES PSYCHOLOGIQUES : MISES EN GARDE CONCERNANT LE MANQUE DE MOTIVATION ET LA RÉSISTANCE

Il est impossible d'exercer la profession d'aidant sans être confronté, à un moment ou à un autre, à un manque de motivation ou à la résistance (Clark, 1991 ; Ellis, 1985 ; Fremont et Anderson, 1986 ; Friedlander et Schwartz, 1985 ; Harris, 1995 ; Kottler, 1992 ; Otani, 1989). En 1994, Mahalik a élaboré une échelle de résistance pour mesurer le refus des clients d'affronter les émotions douloureuses, de révéler des sujets intimes ou pénibles, de travailler en collaboration avec l'aidant, de se débarrasser des blocages, de découvrir de nouvelles perspectives ou d'adopter une philosophie de vie constructive. Dans cet ouvrage, une distinction est faite entre le manque de motivation et la résistance.

✦ *Le manque de motivation* renvoie à l'hésitation des clients à participer aux différentes phases et aux différentes étapes de la démarche d'aide. La gestion des problèmes et le développement des perspectives impliquent beaucoup de travail, ce qui ne manque pas de susciter de l'hésitation chez les clients – et même chez tous les individus. À titre d'exemple, la gestion des problèmes consiste partiellement à expérimenter de nouveaux comportements, tâche qui fait hésiter bien des clients. Reconnaître de nouvelles possibilités, de nouveaux comportements et de nouvelles façons de vivre constituent également une tâche ardue. Pour tirer parti de ces nouvelles perspectives, il faut s'aventurer en terrain inconnu. Même si cette idée en attire certains, elle en terrorise bien d'autres. Beaucoup de clients se montrent réticents à parler d'eux-mêmes, surtout quand il s'agit d'aborder leurs défauts. De là le problème de la crédibilité des récits, abordé au chapitre 8.

✦ *La résistance* correspond au recul des clients qui se sentent contraints d'agir. Les clients qui s'estiment maltraités par leur aidant ont tendance à résister. C'est une réaction prévisible de la part de clients qui considèrent que leur aidant contrevient à leurs convictions, à leurs valeurs et à leurs normes culturelles – collectives ou personnelles. À titre d'exemple, les normes individuelles et culturelles concernant la révélation de soi varient grandement (voir Wellenkamp, 1995) et les clients qui ont l'impression qu'on leur arrache des confessions sont susceptibles de résister.

Même si les comportements exprimant un manque de motivation et de la résistance sont ou semblent être semblables, une distinction s'impose. Le manque de motivation vient du client, tandis que le stimulus de la résistance provient de l'aidant (Bischoff et Tracey, 1995) ou du contexte social entourant la démarche d'aide. Dans la pratique, nous retrouvons souvent un manque de motivation et de la résistance chez un même client. Pour que la thérapie gagne en efficacité, le conseiller doit trouver le moyen d'aider son client à les surmonter le plus rapidement possible.

## 9.1 MANQUE DE MOTIVATION : DOUTES VIS-À-VIS DU CHANGEMENT

Le manque de motivation se manifeste par l'hésitation et désigne l'ambiguïté ressentie par les clients lorsqu'ils se rendent compte du prix à payer pour mieux gérer leur vie. Les raisons qui sont en faveur du *statu quo* prennent souvent le pas sur celles qui favorisent le changement. Cela explique le triste bilan du changement volontaire abordé au dernier chapitre.

Les clients manifestent leur hésitation de plusieurs manières, souvent subtilement. Ils n'abordent que les problèmes secondaires ou ceux qui ne demandent pas de véritable implication. Ils ne semblent pas savoir ce qu'ils veulent et sabotent doucement la démarche d'aide en se montrant excessivement coopératifs. Ils se fixent des objectifs irréalistes puis s'en servent pour justifier leur manque de progression ; ils ne contribuent pas activement à modifier leur comportement et tardent à prendre leurs responsabilités. Ils ont tendance à blâmer les autres, leur milieu et le système pour leurs problèmes et ils « manipulent » leur aidant. Le manque de motivation varie en intensité ; les clients se « blindent » plus ou moins contre le changement.

Diverses raisons expliquent le manque de motivation. Elles tiennent à la nature humaine. En voici un échantillon.

**Crainte de l'intensité.** Si le conseiller est très présent et écoute activement, qu'il utilise les reflets empathiques, pose des questions exploratoires et que le client collabore en explorant ses sentiments, ses expériences, ses comportements, ses points de vue et les objectifs reliés à ses problèmes, la démarche d'aide peut s'avérer très intense. Cette intensité peut conduire le client, comme l'aidant, à prendre ses distances. L'aidant efficace connaît bien cette dimension du counseling. Il s'y est préparé et sait comment venir en aide à un client peu accoutumé à une telle intensité.

**Manque de confiance.** Certains clients éprouvent de la difficulté à accorder leur confiance, même à l'aidant qui en est le plus digne. Ils ont une peur irrationnelle d'être trahis. Même si la confidentialité fait partie explicite de l'entente entre le client et l'aidant, certains clients peuvent tarder à se dévoiler. Ces situations exigent une combinaison de patience, d'encouragement et de remise en question de la part de l'aidant.

**Crainte de la désorganisation.** Certains individus redoutent de se confier, parce qu'ils craignent de ne pouvoir faire face à ce qu'ils pourraient découvrir à propos d'eux-mêmes. Ils sont convaincus que la façade qu'ils ont érigée, peu importe l'énergie nécessaire à la maintenir, constitue une solution de compromis moins pénible que l'exploration de leur monde inconnu. De tels clients collaborent bien au début de la thérapie, mais se replient sur eux-mêmes quand les éléments émergeant du processus d'exploration des problèmes les dépassent. Scruter ses faiblesses, ses défauts et ses conflits mène systématiquement à un certain déséquilibre, à une désorganisation, voire à une situation de crise. Toutefois, de la crise surgit l'épanouissement, puisqu'une restructuration s'opère. Il en résulte un nouvel équilibre plus fonctionnel. Un degré élevé de désorganisation immobilise certains clients, tandis qu'un degré très bas empêche souvent l'aidant de mettre le doigt sur les problèmes essentiels du client. Le modèle d'aide fournit aux clients des « balises » servant de dispositifs de sécurité pour contenir leurs peurs. Lorsque l'aidant incite les clients à progresser par petites étapes, pour éviter les catastrophes, il renforce leur confiance en eux-mêmes.

**Honte.** La honte constitue une variable souvent négligée de l'expérience humaine (Egan, 1970 ; Kaufman, 1989 ; Lynd, 1958), même si elle contribue grandement à la désorganisation et aux crises. La honte ne signifie pas seulement une exposition douloureuse à l'autre, mais une révélation de soi-même. Lorsque nous ressentons de la honte, nous exposons des aspects particulièrement sensibles et vulnérables de notre personne, avant tout face à nous-mêmes. Cette révélation est souvent soudaine ; en un éclair, nous nous voyons confrontés, sans aucune préparation, à des défauts jusque-là méconnus. La honte est parfois déclenchée par des incidents extérieurs, une remarque fortuite, qui nous touche parce que nous éprouvions déjà une honte en notre for intérieur. L'expérience de la honte peut se définir comme une soudaine prise de conscience émotionnelle d'un échec dans la façon d'être ou d'un aspect tabou mis en lumière. Une fois encore, l'empathie et le soutien aident les clients à faire face à l'éventualité de ce sentiment.

**Peur du changement.** Certains individus craignent de faire le point sur eux-mêmes, convaincus, même de façon plus ou moins consciente, qu'ils devront alors changer, c'est-à-dire abandonner leurs modes de vie confortables mais stériles, s'appliquer dans leur travail, accepter la douleur d'une perte, acquérir les aptitudes nécessaires pour mieux vivre, et ainsi de suite. Un couple peut ainsi prendre conscience, à un certain niveau, qu'en consultant un conseiller, il se verra contraint de se dévoiler et qu'une fois les cartes sur table il n'échappera pas à l'angoisse de modifier radicalement sa façon de communiquer.

Il m'est arrivé, lors d'une séance de counseling, de m'occuper d'un homme dans la soixantaine qui se plaignait d'une anxiété permanente. Il raconta la manière dont son père l'avait maltraité jusqu'à ce qu'il s'enfuie de chez lui. Il ne cessait d'affirmer implicitement : « On ne peut s'attendre à ce qu'une personne qui a souffert ce que j'ai souffert dirige sa vie et prenne ses responsabilités. » Les mauvais traitements subis durant l'enfance lui servaient d'excuse pour son irresponsabilité au travail (il changeait souvent d'emploi), dans sa vie personnelle (il buvait), ainsi que dans son mariage (il trompait sa femme et ne collaborait pas avec elle, tout en s'attendant à ce qu'elle le soutienne). L'idée d'avoir à changer à son âge et de prendre ses responsabilités l'effrayait et il voulait quitter le groupe. Cependant, son anxiété était si envahissante qu'il décida de rester et finit par changer.

Le rythme et le prix du changement posent problème à certaines personnes. Certains clients pensent qu'il est impossible de changer et ne voient pas l'intérêt d'essayer. D'autres sont déçus par la lenteur du changement ou encore ont l'impression que le counseling va trop vite. Certains clients recherchent un soulagement à court terme. D'autres encore croient en la magie du processus et sont déçus de constater qu'il s'agit d'une épreuve difficile. La promesse de mieux-être à venir s'avère loin d'être convaincante.

Il suffit de penser au combat personnel de chaque individu pour progresser, s'épanouir et acquérir de la maturité et la liste des causes d'un manque de motivation ne fait qu'augmenter.

## 9.2 RÉSISTANCE : RÉACTION À UNE CONTRAINTE

La résistance correspond à la réaction des clients qui sentent que l'on exerce une pression sur eux. La résistance est généralement passive, mais elle peut aussi devenir active. Il s'agit d'un moyen de défense pour le client (voir Dimond, Havens et Jones, 1978 ; Driscoll, 1984). À titre d'exemple, des époux qui se sentent contraints d'assister aux séances de counseling matrimonial font souvent preuve de résistance. Ils résistent parce qu'ils perçoivent ces séances comme un jeu de pouvoir. Il arrive que des clients voient la contrainte là où elle n'est pas, mais puisque les gens agissent en fonction de leurs perceptions, cela se traduit par une résistance active ou passive.

Les clients qui opposent de la résistance ont l'impression qu'on les maltraite, ils déclarent à tous qu'ils n'ont besoin d'aucune aide, ils sont peu enclins à collaborer avec l'aidant et tentent fréquemment de tromper leur conseiller. Ils éprouvent souvent du ressentiment, tentent délibérément de saboter la démarche d'aide ou encore d'y mettre fin prématurément. Ils peuvent se montrer irritables, grossiers ou agressifs. La résistance est, bien évidemment, une question de degré et les comportements précités ne se retrouvent pas tous dans leur forme la plus virulente chez les clients.

Les clients contraints de suivre une thérapie démontrent souvent de la résistance. Ce sera le cas d'un étudiant du secondaire qui a des ennuis avec un professeur et qui considère le fait d'être envoyé à un conseiller comme une punition ou d'un employé mécontent parce qu'on lui accorde une récompense – une promotion, etc. – à la condition qu'il consulte un mentor ou un conseiller. De tels clients se retrouvent en milieu scolaire, surtout en dessous du niveau collégial, en milieu pénitentiaire, dans le counseling matrimonial (surtout par décision des tribunaux), dans les bureaux de placement, les organismes sociaux, dans le cadre du système judiciaire et dans les autres bureaux d'assistance sociale. Tout client qui se sent obligé de faire quelque chose ou considère qu'il subit une injustice est susceptible de résister.

Il existe une foule de raisons à la résistance et, par conséquent, une multiplicité de façons d'expérimenter la coercition. Les types de clients suivants ont tendance à déployer de la résistance :

- les clients qui, dès le départ, ne voient aucun intérêt à consulter un aidant ;
- les clients qui en veulent aux personnes qui leur imposent une thérapie (parents, professeurs, organismes correctionnels ou services sociaux) et qui déplacent leur ressentiment sur l'aidant ;
- les clients en milieu hospitalier, auxquels on demande de participer à des séances de counseling ;
- les clients qui ne savent pas comment participer de façon efficace, c'est-à-dire comment être de « bons » clients ;
- les clients qui ont des antécédents de délinquance ;
- les clients qui estiment que les objectifs de leurs aidants ou des réseaux d'aide divergent des leurs. À titre d'exemple, l'objectif du counseling de l'aide sociale visera l'indépendance financière du client, alors que ce dernier se contente très bien d'être dépendant ;
- les clients qui ont développé des attitudes négatives à l'égard de l'aide et des organismes d'aide et qui s'en méfient. Ces clients font parfois allusion aux aidants en termes péjoratifs et inexacts (les psys) ;

- les clients qui considèrent que consulter un aidant, c'est admettre des faiblesses, des échecs et des défauts. Ils ont l'impression qu'ils perdront la face. En résistant à la démarche d'aide, ils préservent leur estime d'eux-mêmes ;
- les clients qui ressentent le counseling comme une obligation. Ils ont l'impression qu'on ne respecte pas leurs droits ;
- les clients qui ne supportent pas de ne pas avoir été consultés lors de décisions qui influent sur leur existence et leur avenir. Ces décisions concernent aussi la démarche d'aide en elle-même ;
- les clients qui veulent un certain pouvoir personnel, ce qui passe par la résistance à l'autorité et aux organismes. Le message sous-jacent est le suivant : « Je suis peut-être relativement impuissant, mais j'ai la possibilité de résister. » ;
- les clients qui n'apprécient pas leur aidant, sans oser en parler ;
- les clients qui divergent d'opinion avec leur aidant quant au degré de changement nécessaire ;
- les clients qui diffèrent beaucoup de leur aidant – à titre d'exemple, un enfant pauvre avec un aidant plus âgé issu de la classe moyenne.

La résistance peut certes traduire une réaction saine. Les clients revendiquent leurs droits et ne se laissent pas faire.

De nombreuses variables socioculturelles – le sexe, les préjugés, la race, la religion, la classe sociale, l'éducation, les schèmes culturels, et bien d'autres éléments – entrent en ligne de compte. À titre d'exemple, un homme peut résister instinctivement face à une aidante et vice versa. Un homme de couleur peut résister instinctivement au fait qu'un blanc l'aide et vice versa. Un agnostique peut instinctivement penser que l'aide d'un prêtre sera « pieuse » ou inclura automatiquement une forme d'endoctrinement.

## 9.3 MÉTHODES POUR CONTRER LE MANQUE DE MOTIVATION ET LA RÉSISTANCE

Le manque de motivation et la résistance constituent des phénomènes envahissants. Il faut donc aider les clients à y faire face lors de toute interaction (Kottler, 1992). Voici quelques exemples dont les conseillers peuvent s'inspirer pour instaurer un climat propice et permettre ainsi aux clients de développer leur motivation et contrer leur résistance.

### ÉVITER LES RÉPONSES STÉRILES EN CAS DE MANQUE DE MOTIVATION ET DE RÉSISTANCE

Les aidants, en particulier les débutants qui n'ont pas encore pris conscience de l'omniprésence de ces deux phénomènes, se trouvent souvent décontenancés lorsqu'ils se heurtent à des clients peu coopératifs. Ils passent alors par toute une gamme d'émotions : la perplexité, la panique, l'irritation, l'hostilité, la culpabilité, le ressentiment, le rejet, la dépression. Ces sentiments inattendus déroutent les aidants qui développent alors différentes réactions stériles.

- ◆ Ils acceptent leur culpabilité et tentent d'apaiser le client.
- ◆ Ils montrent de l'impatience, deviennent hostiles et extériorisent ces sentiments, de façon verbale ou non.
- ◆ Ils ne font rien dans l'espoir que le manque de motivation ou la résistance rencontrés disparaîtront d'eux-mêmes.
- ◆ Ils diminuent leurs attentes vis-à-vis d'eux-mêmes et poursuivent la démarche d'aide, mais sans grande conviction.
- ◆ Ils tentent de se montrer plus chaleureux et compréhensifs, en essayant la manière douce.
- ◆ Ils rejettent le blâme sur leurs clients et se lancent dans une épreuve de force avec eux.
- ◆ Ils se laissent maltraiter par les clients et jouent le rôle du bouc émissaire.
- ◆ Ils diminuent leurs attentes vis-à-vis de l'efficacité du counseling.
- ◆ Ils rejettent la responsabilité de la démarche d'aide aux clients.
- ◆ Ils abandonnent.

En bref, lorsque les aidants sont aux prises avec des clients « difficiles », ils éprouvent une tension et certains réagissent en adoptant alors une approche autodestructrice de combat ou de fuite.

Le comportement du client ne constitue pas l'unique raison de cette tension ; elle provient également des attitudes autodestructrices de l'aidant et de ses préjugés concernant la démarche d'aide. En voici quelques-uns :

- ◆ Tous les clients viennent me consulter de leur propre gré et sont déjà suffisamment préparés au changement.
- ◆ Tous les clients m'apprécient et me font confiance.
- ◆ Mon rôle est de conseiller et non pas d'exercer une influence ; il ne devrait pas être nécessaire de formuler des exigences aux clients ou encore de les aider à en formuler pour eux-mêmes.
- ◆ Il est possible d'aider tous les clients, même contre leur gré.
- ◆ On ne peut aider aucun client sans qu'il soit motivé.
- ◆ Je suis seul responsable de ce qui arrive à ce client.
- ◆ Je dois réussir à aider tous les clients.

Les aidants efficaces ne cherchent pas à accuser leurs clients de manque de motivation ou de résistance pas plus qu'ils ne s'en surprennent.

## ADOPTER UNE DÉMARCHE EFFICACE FACE AU MANQUE DE MOTIVATION ET À LA RÉSISTANCE

Il est irréaliste de cataloguer, dans le présent ouvrage, toutes les manifestations d'un manque de motivation ou d'une résistance, et encore moins de fournir un ensemble de stratégies pour les contrer. Nous nous limitons donc à la présentation de certains principes ainsi que d'une approche générale qui aide à surmonter le manque de motivation et la résistance, quelles que soient leurs formes.

**Prendre conscience de votre niveau de motivation et de résistance.** Penchez-vous sur votre niveau de motivation et de résistance dans votre propre vie. Comment réagissez-vous lorsque vous vous sentez contraints d'agir ? Que faites-vous lorsque vous croyez avoir été traité injustement ? Comment résistez-vous à vos opportunités d'épanouissement et de développement personnels ? Si vous prenez conscience de votre manque de motivation et de vos résistances et que vous trouvez les moyens de les surmonter, vous serez dès lors plus aptes à aider les clients à affronter les leurs.

**Considérer comme normal un certain manque de motivation et de résistance.** Aidez le client à envisager le manque de motivation ou la résistance comme des phénomènes qui ne sont pas « mauvais » ni anormaux. Après tout, les vôtres ne le sont pas. Ceci étant, aidez le client à envisager le côté positif de tels phénomènes, qui indiquent tout aussi bien un signe d'affirmation.

**Accepter de travailler avec le manque de motivation et la résistance du client.** Il s'agit d'un principe essentiel. Partez du cadre de référence du client. Acceptez son hésitation à s'investir dans le processus d'aide et sa résistance face à celui-ci. N'ignorez pas ce que vous découvrez et n'en soyez pas intimidé. Faites part de vos perceptions au client et analysez-les ensemble. Montrez-vous ouvert dans un esprit de remise en question. Soyez prêt à explorer vos propres sentiments négatifs. L'aptitude à l'échange mutuel et direct (intitulée immédiateté et abordé plus loin) est un élément primordial de cette étape. Aidez les clients à surmonter les émotions associées au manque de motivation et à la résistance. Évitez les discours moralisateurs. Affrontez ces manifestations plutôt que d'y réagir par une attitude hostile ou défensive.

**Considérer le manque de motivation comme une forme d'évitement.** Le manque de motivation est une forme d'évitement, pas forcément due à la mauvaise volonté du client. Par conséquent, vous devez comprendre les principes et les mécanismes qui sous-tendent les comportements d'évitement, souvent décrits dans les traités sur les principes du comportement (voir Watson et Tharp, 1997). Certains clients évitent le counseling ou ne s'y engagent qu'à moitié, parce qu'ils déplorent son absence de gratification ou l'envisagent carrément comme une punition. Si tel est le cas, le conseiller doit aider le client à trouver les avantages d'une telle démarche. Le changement est généralement préférable à un *statu quo* malheureux, mais le client diverge parfois d'opinion sur ce sujet, surtout au début. Trouvez des façons de présenter la démarche d'aide comme une expérience enrichissante. Parlez en termes d'amélioration du vécu.

**Évaluer la qualité de vos interventions.** Sans tomber dans la culpabilité, examinez votre comportement en tant qu'aidant. Vous montrez-vous injuste envers le client ? Se sent-il en quelque sorte obligé ? Peut-être êtes-vous devenu trop directif sans vous en apercevoir. Qui plus est, faites le point sur les émotions que suscitent en vous les réactions du client ou ses blocages. De quelle façon ces émotions s'extériorisent-elles ? Rien ne sert de les nier, assumez-les, en trouvant le moyen de les régler. Évitez de vous sentir la cible des actes et des paroles du client. Si vous autorisez un client hostile à vous attaquer, votre efficacité en sera affectée. La résistance du client ne provient peut-être pas de vous mais de la pression qu'exercent les autres pour qu'il règle ses problèmes. Néanmoins, c'est vous qui en supportez les conséquences. Cherchez à en découvrir l'origine. Discutez ouvertement des attaques qui sont parfois dirigées contre vous.

**Faire preuve de réalisme et de souplesse.** Rappelez-vous que la relation d'aide a ses limites. Soyez conscient des vôtres, personnelles ou professionnelles. Si vos attentes face à l'évolution et au changement dépassent celles du client, il peut en résulter un rapport conflictuel. Votre inflexibilité comme celle du client risque de conduire à un échec.

**Instaurer une « société juste » avec votre client.** Tenez compte des sentiments de coercition éprouvés par le client. Instaurez ce que Smaby et Tamminen (1979) appellent une « société juste comportant deux individus » (p. 509). Une société juste se fonde sur le respect mutuel et sur une planification commune. Dès lors, établissez le degré de réciprocité requis par les objectifs de la démarche d'aide. Recherchez la participation. Aidez le client à collaborer à toutes les étapes de la démarche d'aide et à toutes les prises de décision. Partagez vos attentes respectives. Discutez des méthodes employées et des réactions qu'elles suscitent. Étudiez l'entente qui vous lie au client et encouragez-le à faire sa part de chemin.

**Aider le client à trouver des leviers pour surmonter sa résistance.** Aidez le client à trouver les motifs de sa participation à la démarche d'aide en vous inspirant de ses propres intérêts et en procédant avec lui à un remue-méninges. S'il prend conscience de la possibilité de maîtriser sa propre vie, ce sera pour lui un incitatif important. Ne vous percevez pas comme le seul aidant dans la vie de votre client. Encouragez ses proches à participer, comme ses pairs et les membres de sa famille, à sa lutte contre l'hésitation et la résistance. Ainsi, un avocat qui hésite à s'engager dans le programme de traitement des Alcooliques anonymes sera sans doute plus motivé par l'un de ses collègues qui y participe que par vous.

**Inciter le client à aider les autres.** Autant que faire se peut, trouvez le moyen de mettre un client peu motivé ou récalcitrant en situation d'aider les autres. Le changement de perspective peut permettre à ce client d'en finir avec ses propres hésitations. Une des tactiques consiste à inverser les rôles : vous vous mettez dans la peau du client en manifestant la même hésitation, les mêmes réticences ; de son côté, le client tente de vous convaincre de surmonter votre refus de travailler ou de collaborer. Une personne qui travaillait d'arrache-pied pour les Alcooliques anonymes a ainsi incité un alcoolique récalcitrant à le suivre dans ses tournées en ville, incluant la visite d'hôpitaux, de cliniques pour alcooliques, de prisons, de refuges et la rencontre de clochards. Le client en question s'est retrouvé confronté aux excuses boiteuses d'autres alcooliques qui cherchaient à justifier leur immobilisme. Au bout d'une semaine, il adhéra de lui-même aux AA. Le counseling de groupe, lui aussi, est un forum dans lequel les clients deviennent des aidants.

Hanna, Hanna et Keys (1999) ont recensé 50 stratégies – certaines de leur cru, d'autres tirées d'ouvrages scientifiques – pour le counseling d'adolescents arrogants et agressifs (voir aussi Sommers-Flanagan et Sommers-Flanagan, 1995). De nombreuses stratégies ont un champ d'application plus large et s'appliquent aux clients peu motivés et « résistants » de tous les âges. Ces chercheurs ont divisé ces stratégies en trois catégories : rejoindre les clients, les accepter et établir une relation avec eux. Voici ma sélection de ces stratégies (se référer à l'article pour une description de chacune d'elles). J'en ai reformulé certaines.

**Rejoindre les clients :**

◆ Évitez de vous asseoir derrière un bureau.
◆ Soyez sincère et humble.
◆ Manifestez un profond respect envers les clients.
◆ Conservez votre sens de l'humour et servez-vous-en.
◆ N'hésitez pas à vous moquer de vous-même.
◆ Informez les clients du processus de counseling.
◆ Évitez de représenter une figure d'autorité.
◆ Évitez d'adopter une position d'expert avant d'avoir consolidé la relation.
◆ Évitez d'étaler vos qualifications.
◆ Évitez les diagnostics cliniques.
◆ Démontrez par votre attitude qu'il s'agit d'une thérapie de courte durée.
◆ Laissez les clients aborder à leur rythme les questions plus délicates.
◆ Recherchez un juste milieu entre introspection et action.
◆ Admirez un comportement défensif spectaculaire.
◆ Repérez la souffrance derrière la colère.
◆ Encouragez la saine résistance et dites au client de se défendre.
◆ Aidez le client à évaluer l'importance de son inquiétude.

**Accepter les clients :**

◆ Établissez des limites claires concernant les comportements acceptables lors des séances de counseling.
◆ Évitez les épreuves de force et les jeux de pouvoir.
◆ Réagissez aux agressions verbales sans être sur la défensive : « Je me demande contre qui vous êtes vraiment en colère. »
◆ Approuvez les perceptions des clients lorsque celles-ci sont exactes.
◆ Réglez les questions concernant la relation de counseling en soi.
◆ Réagissez aux énoncés choquants avec sérénité. Reflétez les messages qui les sous-tendent.

**Établir une relation avec les clients :**

◆ Admettez votre perplexité ou votre manque d'information si tel est le cas.
◆ Attendez-vous à des crises dans la vie des clients.
◆ Racontez le vécu d'autres clients dans des situations similaires et les changements qu'ils ont effectués.
◆ Dites aux clients que vous apprenez beaucoup de vos séances avec eux.
◆ Référez-vous à des problèmes du même ordre que vous avez connus.
◆ Si vous pensez qu'un autre conseiller conviendrait mieux à votre client, envisagez un changement.
◆ Soyez bref plutôt qu'interminable lorsque vous désirez exposer plusieurs points.
◆ Ne confiez que des éléments de votre vie sur lesquels vous avez travaillé et que vous ne craignez pas que l'on répète.
◆ Ne laissez pas votre besoin de secourir autrui entraver votre compréhension du client et de ses problèmes.
◆ Encouragez les clients à échanger avec leurs proches dans un but thérapeutique.

- Repérez la victimisation, quelle qu'en soit l'origine.
- Accordez toute votre attention aux clients lorsqu'ils en manifestent le besoin et demandez-leur comment ils comptent en profiter.
- Utilisez la confrontation avec une amicale empathie, c'est-à-dire avec beaucoup de délicatesse et d'adresse.
- Percevez l'apathie comme moyen d'éviter la souffrance, les complications et les problèmes.

En résumé, n'hésitez pas à confronter le manque de motivation et la résistance, sans toutefois les renforcer. Travaillez sur la réticence de vos clients avec créativité mais tout en restant réaliste.

## 9.4 DÉFENSES PSYCHOLOGIQUES : MISES EN GARDE CONCERNANT LE MANQUE DE MOTIVATION ET LA RÉSISTANCE

Il paraît surprenant d'aborder les thèmes du manque de motivation et de la résistance dans une section de mises en garde, alors que le chapitre entier constitue justement un appel à la prudence. Le manque de motivation et la résistance représentent des phénomènes occultes. En effet, les clients n'abordent pas ouvertement ces phénomènes, même s'ils les manifestent. Ils tentent de les travestir de multiples façons et d'y référer en d'autres termes. D'une certaine manière, les défenses psychologiques sont les préceptes du manque de motivation et de la résistance.

La longue histoire du concept même de défense psychologique prête parfois à confusion (Cramer, 2000). Traditionnellement, on l'enseignait dans les cours de psychopathologie. Cramer (1998) émet une distinction entre les mécanismes d'adaptation et les mécanismes de défense. Elle envisage l'adaptation comme un processus conscient et intentionnel, à l'inverse des défenses. Pour brouiller les pistes, Vaillant (2000) traite des défenses comme de mécanismes d'adaptation involontaires. Nous pouvons peut-être affirmer que les défenses jouent un rôle dans le processus d'adaptation. L'aspect « inconscient » abordé ici et son lien à la théorie psychanalytique en embarrassent plus d'un. Qu'est-ce qui est de l'ordre du conscient et de l'inconscient, du tangible et de l'intangible ? Le malaise que réveille une telle question tient probablement du fait que nous ne pouvons aisément approcher l'intangible et, par conséquent, accéder à une démarche de changement volontaire face à une réalité occulte. Pour cette raison, le concept d'inconscient est souvent contesté.

Cependant, de nos jours, les partisans de la psychologie cognitive s'accordent généralement pour dire que certains processus mentaux restent en marge de la conscience. À titre d'exemple, il a été prouvé que la prise de décision faisait partie de ces processus. Le chapitre 14 décrit en effet la prise de décision comme un processus des plus rationnels. Recourir à l'utilisation d'expressions telles que « processus mentaux en marge de la conscience » pour décrire les défenses permet de percevoir l'inconscient comme autre chose qu'un trou noir. Chacun sait que nous nous défendons de plusieurs façons contre les attaques de la réalité ; pour leur part, les théoriciens, les chercheurs et les praticiens n'ont pas toujours réussi à s'entendre sur la nature précise de ces défenses. Sont-elles bénéfiques ? néfastes ? les deux ? Oui. Oui et encore oui.

À ses débuts, la théorie psychanalytique envisageait les défenses comme des manières de gérer les pulsions, mais certains théoriciens et chercheurs les perçoivent aujourd'hui comme des mécanismes qui jouent un rôle dans le maintien de l'estime de soi, comme des moyens de se protéger (Cooper, 1998). Les psychologues sociaux actuels abordent les défenses en tant que processus « à travers lesquels l'être humain se trompe, accroît son estime de soi et entretient des illusions à son propos (p. 639, Cramer, 2000 ; voir Baumeister, Dales et Sommer, 1998) ». La « dissonance cognitive » a longtemps été considérée comme un concept valable de psychologie sociale. Elle est pratiquement devenue une marque déposée et a suscité d'innombrables recherches. Toutefois, certains affirment aujourd'hui qu'il s'agit simplement d'un autre terme pour définir les défenses (Paulhus, Fridhandler et Hayes, 1997). La dissonance étant pénible, les gens recourent à toute une gamme de stratagèmes pour s'en défendre (voir le chapitre 10).

Cramer (2000) positionne les défenses sur un continuum de maturité. Parmi ces défenses, en haut de l'échelle, se trouvent entre autres l'anticipation, l'altruisme, l'humour, la sublimation et la répression, tandis que la projection délirante, le déni et la distorsion psychotiques se situent tout en bas. Le problème d'une telle liste c'est que les défenses supérieures, comme l'anticipation, l'altruisme et l'humour doivent être « en marge de la conscience » ou, si vous préférez, que certaines formes en fassent partie et d'autres non. Reconnaissant l'ignorance des psychologues dans le fonctionnement des défenses – qu'elles soient parvenues ou non à maturité –, Vaillant (2000) propose d'appeler vertus ces prétendues défenses matures. En descendant l'échelle de la maturité, nous rencontrons (sans toutes les nommer) l'intellectualisation et l'isolement, l'idéalisation, le déni non psychotique et la rationalisation, la rêverie autistique et, enfin, avant d'arriver tout en bas, le passage à l'acte et le repli apathique. Vaillant aborde le rôle positif des défenses « matures » telles que l'altruisme et l'anticipation. Certains éléments permettent d'affirmer que plus le sort des clients s'améliore, plus le recours aux défenses immatures décroît au profit des défenses matures. Cramer (2000) nous met en garde contre ce classement hiérarchique des défenses. Il fait remarquer que tout un chacun recourt par exemple au déni de temps à autre, mais qu'il n'est certainement pas toujours pathogène ni pathologique. Il est inexact d'affirmer, suggère Cramer, que le déni est systématiquement immature d'un point de vue développemental, puisqu'il est parfois une simple forme d'adaptation.

Les défenses protègent les individus de l'anxiété, mais elles leur attirent également des ennuis. Ainsi, une personne aux prises avec une grave affection physique comme le diabète ou l'obésité se servira des défenses pour nier la gravité de son état. Même si elles contribuent à réduire l'anxiété à court terme, elles mettent souvent les gens en danger à long terme. Dès lors, les défenses viennent à l'encontre de la meilleure solution à adopter. Dans le cadre du counseling, les défenses sont susceptibles de limiter l'introspection chez les clients et, du même coup, de les empêcher d'admettre leurs problèmes et d'y faire face de façon plus créative.

Le problème vient de ce que certaines défenses, ou « mécanismes mentaux d'adaptation », contribuent à un certain enlisement dans les difficultés, alors que d'autres permettent de les éviter ou de s'y adapter lorsqu'elles se présentent. Il faut remettre en question les premières et encourager les secondes, ce qui ne signifie pas que les aidants doivent lutter intensément contre toutes les défenses immatures qu'ils rencontrent. Cette réaction pourrait provoquer l'effet inverse : en remettant en question les défenses, certes irritantes mais adaptatives, un clinicien risque de susciter une énorme anxiété et une dépression chez un patient (Vaillant, 1994), en mettant en danger la relation d'aide en elle-même.

Les défenses immatures contribuent grandement au manque de motivation et à la résistance. Le problème, c'est que les clients ne se présentent pas avec une liste de défenses tatouée sur le front. Les traits de caractère jouent eux aussi un rôle important mais sont, eux aussi, difficilement reconnaissables. Prenons l'exemple du locus de contrôle. Un client situé à l'extrémité du locus externe de contrôle est susceptible d'éprouver des problèmes de responsabilité ou d'imputabilité. Il s'attendra à ce que vous l'encadriez beaucoup. L'essentiel est de vous rappeler que les clients font preuve, face à vous, de beaucoup d'hésitation, de réserve et de résistance innées. La responsabilité d'être à l'écoute de votre client, et de décoder ses paroles et ses agissements en fonction de votre connaissance de la condition humaine vous incombe. La compréhension des défenses psychologiques s'avère utile dans cette démarche, de même que la sensibilité aux traits de caractère et à leurs implications. Finalement, il s'agit de vous et du client. Vous cherchez à adopter la meilleure attitude possible pour le client.

Enfin, Clark (1998) a décrit dans un ouvrage les mécanismes de défense tels qu'ils se manifestent dans le counseling et il a proposé des manières d'aider les clients à se remettre en question. Bien que traitant de mécanismes de défense traditionnels – le déni, le déplacement, l'identification, l'isolement, la projection, la rationalisation, la formation réactionnelle, la régression, la répression et l'annulation rétroactive –, il les aborde dans une nouvelle perspective. Son ouvrage est rempli d'exemples de dialogues dans lesquels les aidants écoutent, analysent et font ressortir les éléments clés, remettent en question les clients dans un esprit d'empathie, en les aidant à se confronter à leurs défenses, compte tenu de ce qu'elles peuvent leur coûter. C'est l'objet des trois prochains chapitres : remettre en question les clients dans un cadre d'empathie.

## CHAPITRE 10

### ÉTAPE I.B : I. NATURE DE LA CONFRONTATION

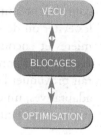

### 10.1 CONCEPTS DE BASE DE LA CONFRONTATION

◆ Les aidants comme semeurs de discorde

◆ Confrontation au lieu d'affrontement

◆ Arrêter, commencer, continuer

### 10.2 BLOCAGES : CIBLES DE LA CONFRONTATION

Nature des blocages

◆ Inconscience

◆ Duperie de soi

◆ Refus de voir la réalité

◆ Conscientisation sans l'action

Cibles spécifiques des blocages : attitudes ancrées, comportements intérieurs et extérieurs, divergences et comportement des autres

◆ Attitudes ancrées

◆ Comportement intérieur ou façon de penser

◆ Comportement extérieur ou façon d'agir

◆ Divergences entre les paroles, les pensées et l'action

◆ Comportements et attitudes des autres et leurs conséquences

### 10.3 DES BLOCAGES AUX NOUVELLES PERSPECTIVES

Diverses manières d'ébaucher de nouvelles perspectives : le recadrage

Liens entre les nouvelles perspectives et l'action

### 10.4 OBJECTIFS DE LA CONFRONTATION

### 10.5 MISE EN PRATIQUE : DES BLOCAGES AUX NOUVELLES PERSPECTIVES D'ACTION

Confronter les attitudes ancrées

◆ Préjugés

◆ Croyances contraignantes et idées irréalistes

Confronter les comportements intérieurs contraignants

Confronter les comportements extérieurs contraignants

Déceler les divergences

Débusquer les inévitables subterfuges quotidiens

- Inciter les clients à se confronter à leurs distorsions majeures
- Refuser les stratagèmes, les combines et les diversions
- Contrer les justifications

Faire appel aux ressources inexploitées

Réexaminer les comportements au cours des séances

- Inciter les clients à assumer leurs problèmes et à exploiter leurs ressources
- Inciter les clients à voir les solutions à leurs problèmes
- Encourager les clients à passer à l'étape ou à la phase suivante de la démarche d'aide

Selon les théoriciens du « constructivisme », les individus, tout comme les cultures, construisent, ou plutôt structurent, plus ou moins bien la réalité. Cette réalité, une fois structurée, influence les actions individuelles et collectives (voir Borgen, 1992 ; Mahoney, 1991 ; Mahoney et Patterson, 1992 ; Neimeyer, 1993, 2000 ; Neimeyer et Mahoney, 1995). Cette conception ne signifie pas que toute réalité humaine est strictement le fruit d'une structuration. Une réalité existe « en dehors » de nos structures et de nos conceptions personnelles du monde. Si tous les individus ou toutes les cultures étaient totalement constructivistes, nous aboutirions à un chaos qui anéantirait toute possibilité de communication et nous finirions tous par être aliénés. Cependant, au fil du temps, les cultures élaborent leur propre vision du monde et agissent conformément à celle-ci. Les points de vue capitalistes et socialistes du monde divergent et aboutissent ainsi à des politiques radicalement différentes. De plus, à l'intérieur d'une même culture, comme nous l'avons vu au chapitre 3, chaque individu crée sa propre vision de la réalité et ces cultures personnelles influencent les comportements.

Cette tendance à percevoir le monde de manière individualiste et à bâtir sa propre réalité explique les différences existant entre les personnes et constitue un défi majeur pour les aidants. Cette structuration de la réalité contribue à la richesse culturelle et individuelle, mais elle participe aussi aux problèmes sociaux et personnels. Si la conception de ma réalité me cause des ennuis ou m'empêche de m'épanouir, alors il me faut la restructurer. Si la réalité que je me suis bâtie me nuit et me fait ignorer mes ressources et mes aptitudes, je dois la réorganiser. Certaines perceptions se révèlent contraignantes. La confrontation vise, en partie, à aider les individus à analyser leurs propres conceptions de la réalité et les actions qui en découlent. Les conseillers permettent ainsi à leurs clients de réorganiser leurs conceptions d'eux-mêmes et du monde, de manière valorisante à la fois pour eux et pour leur entourage social. Cet entourage social inclut tous les groupes auxquels appartient le client : famille, amis, équipes sportives, collègues de travail, paroissiens, voisins, etc.

## 10.1 CONCEPTS DE BASE DE LA CONFRONTATION

Non seulement les aidants efficaces comprennent (car ils écoutent, analysent et font preuve d'empathie) et clarifient les conceptions (par des questions exploratoires et des synthèses), mais ils mettent la réalité à l'épreuve (par des confrontations ou des remises en question). Les auteurs qui ont insisté sur le processus d'influence sociale dans la démarche d'aide (voir le chapitre 3) ont toujours considéré que la confrontation était primordiale dans cette démarche (Bernard, 1991 ; Dorn, 1984, 1986 ; Strong et Claiborn, 1982).

**Les aidants comme semeurs de discorde.** Martin (1994) résume bien la question lorsqu'il soutient que l'échange n'est jamais aussi efficace que lorsque les clients le trouvent pertinent, utile et intéressant et, *d'une certaine manière, en contradiction (discordance) avec leurs propres théories d'eux-mêmes et de leur situation* [c'est nous qui mettons l'italique] (p. 53-54). Trevino en arrive à la même constatation (1996) dans le contexte du counseling multiculturel :

*Un certain équilibre entre concordance et divergence de point de vue [...] dans la relation thérapeutique favorise le changement. Une bonne partie des recherches conclut que la concordance de point de vue entre le conseiller et le client renforce cette relation, tandis que leurs divergences stimulent le changement. Lors d'un dépouillement des ouvrages sur la question, Claiborn (1982, p. 446) conclut que la présentation de points de vue opposés contribue à l'atteinte de résultats positifs en modifiant « la façon dont le client interprète les problèmes et envisage les solutions. » (p. 203)*

La confrontation met en évidence cette discordance. Weinrach (1995, 1996), en vantant les mérites de la psychothérapie émotivo-rationnelle – essentiellement axée sur la confrontation –, soutient que certains membres de la profession s'y opposent parce que, selon eux, leur compréhension de la confrontation se résume à une « thérapie rude pour une profession au cœur sensible » (1995, p. 296).

**Confrontation au lieu d'affrontement.** Nous remarquerons ici l'emploi du terme « confrontation », même si certains préfèrent parler de remise en question. La majorité des gens considère la confrontation comme déplaisante, qu'ils l'initient ou en soient la « cible ». Cependant, du moins en principe, ils acceptent la remise en question, jugée plus bienveillante et plus tolérable. Pourtant, la confrontation n'est ni plus ni moins qu'une remise en question. En français, nous préférons le terme « confrontation » dans la mesure où il s'oppose à l'affrontement et en représente plutôt le contraire. Dans un affrontement, il y a un gagnant et un perdant. *Le mot « affrontement » évoque la blessure, la honte, l'humiliation et l'offense pour le perdant alors qu'au contraire le mot « confrontation » suggère plutôt la comparaison, le rapprochement et l'assemblage...* (Lazure, 1987, p. 158)

**Arrêter, commencer, continuer.** La confrontation est fondamentalement simple. Elle consiste à exhorter le client à arrêter, à commencer et à continuer.

✦ *Arrêter.* Reconnaître les actions qui maintiennent les clients dans des situations difficiles ou les empêchent de se réaliser et y *mettre fin.*

✦ *Commencer.* Identifier et *initier* les actions qui permettent aux clients en premier lieu d'éviter les ennuis, mais aussi de progresser.

✦ *Continuer.* Identifier les activités de résolution des problèmes des clients ou les actions qui favorisent le développement de nouvelles perspectives, surtout s'ils se montrent hésitants et persévérer dans ces activités.

Les grandes lignes et l'objectif de la confrontation se retrouvent au présent chapitre. Le chapitre 11 décrit quant à lui les méthodes pour aider le client à se confronter lui-même, tandis que le chapitre 12 traite de la pertinence de cette confrontation.

## 10.2 BLOCAGES : CIBLES DE LA CONFRONTATION

Qu'est-ce que les clients commenceront, arrêteront ou continueront de faire étant donné leurs blocages ? Ce qui empêche le client de progresser (blocage) se résume en cinq thèmes principaux : les attitudes ancrées, les façons de penser dysfonctionnelles, les manières d'agir qui sont sources de frustration, les contradictions entre les actes et les paroles ou les pensées, et l'impossibilité de comprendre et d'accepter le comportement d'autrui. Ces thèmes constituent des blocages et représentent la cible de nos confrontations. Le conseiller doit en premier lieu aider les clients à admettre leurs blocages pour ensuite, et surtout, transformer ces blocages en *nouvelles perspectives* ou *façon d'être et de faire* afin de résoudre leurs problèmes et de réaliser leurs potentiels.

## NATURE DES BLOCAGES

Nous appelons blocages les façons dysfonctionnelles de penser et d'agir parce que les clients ne semblent pas voir ni comprendre ce qui leur arrive, pas plus qu'ils ne s'en rendent compte. D'un point de vue philosophique, ils n'arrivent pas à voir les limites que leur impose la réalité qu'ils se sont construite.

Nous avons tous des blocages, des zones troubles. Dans une certaine optique, la vie peut être perçue comme un processus consistant à les surmonter. Nous sommes naïfs face à nous-mêmes et nous nous laissons berner par nos propres conceptions. Le processus de changement consiste à passer de la candeur à une meilleure compétence sociale et émotionnelle. À des degrés divers, nous sommes tous des « constructivistes » et notre vision de la réalité risque fort de se heurter à celle des autres. Nous vivons donc dans un monde rempli de conflits, et ces blocages nous affectent de bien des façons et à divers degrés.

**Inconscience.** Il existe certaines choses que les gens ne conçoivent tout simplement pas. En prenant conscience de ces dernières, ils parviennent à mieux se connaître, à affronter leurs difficultés et à entrevoir de nouvelles perspectives. Paul n'a pas conscience de son style de communication acerbe. Si on l'interroge à ce sujet, il se contente de dire qu'il est sûr de lui. Néanmoins, sa vie sociale ne le satisfait pas. Catherine ignore qu'elle est arriviste. Elle ne s'est même jamais posé la question. Interrogée sur le sujet, elle répond qu'elle n'est pas plus ambitieuse que les autres. Serge est surpris que ses homologues du groupe d'aide le considèrent comme talentueux. Comme il a été élevé dans une famille qui valorisait la modestie et l'humilité, il ne s'est jamais considéré comme doué ou créatif et ne s'est jamais rendu compte à quel point il s'était cantonné dans sa vie.

**Duperie de soi.** Les clients sont comme tout le monde. Ils préfèrent ignorer certaines réalités, parce que celles-ci risqueraient de les obliger à modifier leur comportement. Ils se bercent donc d'illusions. Goleman – qui, comme nous l'avons vu au chapitre 3, écrit maintenant énormément sur l'intelligence émotionnelle – s'est, dès le début, intéressé à la duperie de soi, c'est-à-dire à la conduite mensongère à l'égard de soi, dans un ouvrage intitulé *Vital Lies, Simple Truths* (1985). Selon lui, cette forme d'aveuglement est incompatible avec la maturité socio-émotionnelle, comme il l'explique dans son livre sur l'intelligence émotionnelle (1995). Pourtant, comme Eduardo Giannetti le fait remarquer dans *Lies We Live By: The Art of Self-Deception* (1997), il s'agit d'un phénomène omniprésent. « Comment parvenons-nous à autant nous en faire accroire, à nous mentir en étant convaincu de ce mensonge… ? » (p. viii). Dans une certaine mesure, les défenses, mentionnées au chapitre 9, servent d'explication, car le degré d'aveuglement dépend directement de l'intensité des défenses. Les défenses psychotiques représentent un cas extrême, mais les versions plus modérées, comme la rationalisation, consistent elles aussi en une forme d'illusion.

**Refus de voir la réalité.** Cette attitude consiste à adopter la politique de l'autruche en se cherchant des faux-fuyants : « Je vais y réfléchir, mais pas tout de suite. » Bien des gens, lorsqu'ils souffrent de maux de ventre ou d'autres symptômes physiques, évitent tout simplement d'y penser. Cela risquerait d'être l'indication d'une maladie grave, donc redoutable, ou, pire encore, d'une maladie mortelle dont l'idée les terrifie. Ils refusent tout simplement de voir la réalité en face. Corinne, qui vient de sortir de prison, sait parfaitement qu'elle devrait être au courant des conditions de sa probation, mais elle s'y refuse. Pressée de questions, elle répond qu'elle ne sait pas et qu'on ne lui a rien dit. Elle sait pertinemment que si elle enfreint les clauses de sa remise en liberté, elle risque de retourner en prison, mais elle met cette idée de côté. Lorsque les clients se montrent évasifs ou vagues face à l'aidant, bien souvent ils ne veulent rien savoir de la question et ne veulent pas non plus que l'aidant s'y immisce.

**Conscientisation sans l'action.** Les individus sont parfois conscients des ennuis que leur attitude ou leur comportement risque de leur attirer sans pour autant s'en préoccuper. Il arrive également qu'ils sachent comment régler un problème, sans toutefois lever le petit doigt. Le mot *blocage* convient alors, au sens le plus large du terme, pour décrire ce type de comportement. En effet, les clients ne semblent pas pleinement comprendre ou évaluer dans quelle mesure ils sont responsables de leurs propres malheurs ni dans quelle mesure ils refusent d'améliorer leur sort. À titre d'exemple, Richard déclare qu'il sait parfaitement qu'il contrarie sa femme lorsqu'il lui demande de travailler, alors qu'elle reste à la maison pour s'occuper de leurs deux jeunes enfants, mais il n'en continue pas moins à la talonner. Cela provoque une grande tension, néanmoins il se contente de parler du refus de sa femme de se trouver un emploi plutôt que de se concentrer sur sa propre insistance.

Comme vous pouvez le constater, le terme *blocage*, tel qu'il est ici employé, a une portée très vaste. Nous ignorons les faits, nous nous mentons à nous-mêmes, nous refusons de savoir, de voir la réalité ou de prendre nos responsabilités, ou nous n'avons qu'une perception partielle de la réalité. En un mot, nous ne comprenons pas bien les implications ni les conséquences de nos blocages. Néanmoins, le mot *blocage* est à la fois utile et valable. Les gens savent de quoi vous parlez lorsque vous l'employez.

## CIBLES SPÉCIFIQUES DES BLOCAGES : ATTITUDES ANCRÉES, COMPORTEMENTS INTÉRIEURS ET EXTÉRIEURS, DIVERGENCES ET COMPORTEMENTS DES AUTRES

Comme nous venons de le voir, les blocages consistent en des attitudes ancrées, des comportements intérieurs et extérieurs ou des incohérences dont nous ne sommes pas conscients ou que nous choisissons d'ignorer d'une façon ou d'une autre. Ces blocages sont *fondamentaux* lorsqu'ils ont ou peuvent avoir des conséquences importantes sur notre vie. Il est également possible de se leurrer sur les comportements qu'adoptent les autres à notre égard.

**Attitudes ancrées.** L'expression *attitudes ancrées* réfère à un état d'esprit plus ou moins permanent qui inclut les hypothèses, les convictions, les partis pris, les croyances, les tendances, les normes, les conceptions, les idées toutes faites sur soi-même, les autres et le monde ; les opinions préconçues, les préjugés, les réactions et les valeurs. Ce sont des blocages dans la mesure où nous n'en avons pas conscience ou nous refusons de voir leurs implications ou leurs conséquences. Les attitudes ancrées conditionnent notre comportement extérieur ou, tout au moins, elles transparaissent dans ce comportement. Gisèle a une conception idyllique de l'existence. Elle a tendance à mettre l'accent sur ce qui est positif et elle se montre toujours de bonne humeur. Claude, en revanche, a tendance à ne voir que le côté négatif des choses. On le traite souvent de *rabat-joie*. Si vous travaillez pour lui, il ne verra que vos erreurs. Même ses amis le trouvent difficile à supporter.

Les attitudes ancrées font toute la différence. Si nous avons été élevés avec des préjugés, nous ne les questionnerons jamais. Ils font partie de nos acquis psychologiques. Qu'ils influencent ou non notre comportement, il faut savoir qu'ils constituent un inconvénient potentiel. Il se peut au contraire que nous ayons un esprit curieux, sans savoir vraiment d'où cela nous vient. Ce trait de caractère n'influencera pas forcément notre comportement, mais il aura potentiellement un effet positif.

Les attitudes ancrées nous favorisent ou nous limitent dans nos perspectives. Si nous considérons que le monde est dangereux, nous restons sur nos gardes, cela réduit nos opportunités de rencontrer des gens, de nous faire des amis et de circuler un peu partout. En revanche, si nous pensons que nous sommes quelqu'un de bien et de compatissant et que nous avons beaucoup à offrir, nous accroissons le champ de nos opportunités. Nous nous présentons de manière positive dans les entrevues. Nous proposons d'aider les autres en cas de besoin et nous recevons en retour la gratitude des autres.

Certains clients ont des attitudes ancrées qui leur seraient extrêmement favorables s'ils laissaient ces attitudes avoir un impact sur leur comportement extérieur. Alice pense beaucoup à ses étudiants et invente des méthodes pédagogiques novatrices sans pourtant les mettre en pratique. Elle adopte une attitude sévère et rigide, car elle craint que les étudiants lui donnent du fil à retordre. Cette attitude ancrée limite sa créativité, elle doit prendre conscience que le fait de montrer son intérêt envers les étudiants et d'appliquer ses idées contribuera au contraire au maintien de la discipline.

**Comportement intérieur ou façon de penser.** Dans son for intérieur, chacun rêvasse, prie, rumine, adhère à des convictions, prend des décisions, élabore des plans, pose des jugements, questionne des motifs, approuve son comportement ou celui d'autrui, s'émerveille, apprécie plusieurs choses, imagine, réfléchit, établit des normes ou les modifie, ressasse, s'inquiète, panique, réagit, pardonne, rabâche – bref, chacun pense et fait une foule de choses. Toutefois, s'il s'agit de choses qui ne lui arrivent pas, il s'agit de comportements intérieurs.

Tout comme les attitudes ancrées, les comportements intérieurs se situent dans la tête du client – et sont loin d'être évidents à première vue. Il doit vous les dévoiler (révélation de soi) ou vous devez lui demandez ce qui lui vient à l'esprit (questions exploratoires). Vous pouvez également inférer ce qui ce passe dans sa tête du client à partir de son comportement extérieur (intuitions professionnelles, déduction, interprétation). Le client ressasse parfois des idées qui ne lui font que du tort. Après avoir ruminé la question, Jean-Guy, un employé de banque, conclut qu'il n'a ni l'état d'esprit ni les aptitudes nécessaires pour s'intégrer dans la nouvelle économie et qu'il est désormais confiné dans un poste inintéressant. Il est possible de lui démontrer qu'il n'est pas un laissé-pour-compte, que c'est plutôt lui qui se met dans cette position de repli. Les clients échouent donc à adopter des pensées et à entreprendre une réflexion qui leur ferait le plus grand bien.

**Comportement extérieur ou façon d'agir.** Cela comprend tout ce qui est visible, en admettant que nous l'observions. Certains clients souffrent de problèmes de comportement. Lorsque Robert est en compagnie de femmes, il adopte une attitude que beaucoup, y compris les tribunaux, considèrent comme du harcèlement sexuel. Il n'est pas le seul à avoir ce type de problème. Jacques, sans être un alcoolique, a tendance à avoir le vin mauvais et à chercher querelle aux autres, ce qui lui occasionne des ennuis avec sa famille et ses amis. Le comportement d'autres clients les place dans des situations difficiles. René, en raison de son manque de confiance en lui et de sa prudence extrême, se montre très déférent à l'égard de sa patronne. Il ne se rend pas compte que cette dernière interprète cette attitude comme un manque d'ambition et il reste confiné dans un emploi qu'il déteste. Cependant, sa patronne ne s'en plaint pas, car elle préfère quelqu'un de docile à un employé trop ambitieux.

Les clients évitent également de choisir et d'adopter des comportements qui les aideraient à surmonter leurs difficultés ou à développer leur potentiel. Lorsqu'on propose à René de se recycler, il refuse. Il repousse également une promotion par crainte de se retrouver dans un poste qui se situe au-dessus de ses compétences. Son comportement lui porte préjudice et découle de son attitude défaitiste. Sa patronne, sans dire un mot, le voit refuser ces occasions. Elle se dit qu'elle dispose d'un bon employé soumis, ce qui est plutôt rare par les temps qui courent.

**Divergences entre les paroles, les pensées et l'action.** Une saine réflexion ne se traduit pas forcément par une action adéquate. Il existe donc des divergences entre ce que les clients pensent et disent et ce qu'ils font. René sait que plus il hésite, plus il risque de se retrouver dans une impasse. Il l'a même dit à sa femme, sans pour autant se décider à agir. De plus, ses possibilités professionnelles continuent de s'amoindrir. Alice dit souhaiter ce qu'il y a de mieux pour ses étudiants, mais elle refuse de renouveler ses méthodes pédagogiques, même si cela améliorerait son enseignement.

**Comportements et attitudes des autres et leurs conséquences.** Nos blocages ne se limitent pas à nos actions ou à nos pensées. Nous ne parvenons pas non plus à remarquer ceux des autres. Il arrive souvent que les parents ne se rendent pas compte que leur adolescent a commencé à consommer de la drogue. Il nous arrive fréquemment d'être aveugle aux besoins des autres, la plupart du temps ceux de nos proches, ou de refuser de voir leur attitude à notre égard et de constater à quel point leur comportement nous affecte. Sandrine interprète l'attitude plus décontractée de son mari en matière sexuelle comme le signe qu'il a finalement entendu raison. En apprenant par hasard qu'il a une maîtresse, elle est stupéfaite. Nous sommes parfois totalement inconscients de la réalité. D'autres fois, nous préférons l'ignorer. Il arrive aussi que nous soyons au courant, sans vouloir envisager les conséquences d'une inaction.

Dans la pratique, ces cinq catégories se combinent. Cléo pense que le monde est rempli de personnes malhonnêtes (une attitude ancrée contraignante). Lorsqu'il rencontre un inconnu, il le considère comme un coupable jusqu'à preuve du contraire (une pensée ou un comportement intérieur). Il reste sur la défensive face à toute nouvelle personne et questionne son comportement (actions). Il se rend compte également qu'il attend des nouveaux venus qu'ils lui fassent confiance, alors qu'il reste soupçonneux (une divergence). Il ne remarque pas que ses meilleurs amis se montrent assez distants (comportement des autres). Ses blocages regroupent toutes les catégories.

Votre rôle essentiel en tant qu'aidant consiste à permettre au client de se confronter à ses blocages. Si Julien a des préjugés sans en être conscient, il n'est pas prêt à les admettre. S'il a des préjugés, qu'il le sait (et considère probablement qu'il ne s'agit pas de préjugés) et qu'il les entretient, alors il adopte un comportement susceptible de devenir dysfonctionnel. S'il a des préjugés, qu'il les entretient et se laisse envahir par eux dans sa manière de traiter tout le monde, il a un comportement complètement dysfonctionnel. Voyez la différence avec Lise. Elle n'était pas consciente de ses préjugés. Lorsqu'elle en a pris conscience, elle les a remis en question et s'en est débarrassée. Ce faisant, elle a même appris quelque chose sur son propre compte. Voilà une manière créative de lutter contre ses préjugés et de transformer un problème en une nouvelle perspective de vie. En aidant les clients à surmonter leurs blocages dysfonctionnels, nous pouvons leur éviter des ennuis ou limiter les préjudices déjà survenus et transformer les crises en opportunités.

## 10.3 DES BLOCAGES AUX NOUVELLES PERSPECTIVES

Nous rendons un bien mauvais service aux clients en ne les aidant pas à reconnaître et à analyser leurs blocages. L'introduction de la psychologie positive dans la relation d'aide consiste à pousser les clients à transformer leurs blocages en de nouvelles perspectives et à traduire ces nouvelles perspectives en comportements intérieurs et extérieurs plus favorables.

### DIVERSES MANIÈRES D'ÉBAUCHER DE NOUVELLES PERSPECTIVES : LE RECADRAGE

Ce processus de transformation des blocages en nouvelles perspectives s'exprime par une multitude d'expressions optimistes : voir les choses de manière plus claire, avoir une idée d'ensemble, apporter un nouvel éclairage sur la situation, considérer toutes les implications, modifier sa perception, élargir son point de vue, voir la question sous un angle différent, replacer les choses dans leur contexte, sortir de ce contexte, reconsidérer le problème, adopter une approche plus objective, interpréter, surmonter ses blocages, passer au second degré, apprendre en double boucle (Argyris, 1999), réfléchir de manière créative, conceptualiser, faire une découverte, avoir une illumination, changer sa conception de la vie, questionner ses hypothèses, se débarrasser de ses préjugés, renommer les choses et établir des liens. Vous en avez maintenant une bonne idée. Ce type de démarche est également qualifié de *recadrage*. Tous ces termes indiquent une certaine forme de restructuration cognitive, l'approfondissement de la compréhension ou une prise de conscience qui permette de reconnaître et de gérer les problèmes et de développer des nouvelles perspectives. L'ouverture à de nouvelles perspectives, parfois douloureuse, finit toujours par être appréciée des clients.

Dans l'exemple suivant, Lorraine, une cliente fort pieuse de 83 ans, vit dans une maison de retraite. Elle s'adresse à l'une des aides :

LORRAINE : Je suis devenue si paresseuse et si égocentrique. Je reste assise pendant des heures à remuer mes souvenirs… à penser au bon vieux temps. Tout ce monde qui a disparu. Et la matinée passe sans que je m'en aperçoive.

AIDE : Je ne vois pas ce qu'il y a de si égocentrique dans tout cela.

LORRAINE : Eh bien, tout cela me concerne uniquement et ce sont des choses du passé… Je ne suis pas sûre que cela soit très bien.

AIDE : Selon la manière dont vous le décrivez, on dirait un peu une sorte de méditation.

LORRAINE : Vous voulez dire une prière ?

AIDE : Oui… Une prière.

La cliente envisage le seul fait de ressasser ses souvenirs comme de la paresse. L'aide lui propose un nouveau point de vue plus positif. Ses réminiscences constituent une sorte de méditation sur la vie, et même une prière. Cette perspective la rassure. Grâce à ce nouveau point de vue, elle s'autorise ce type de pensée.

Les aidants efficaces partent du principe que les clients sont en mesure d'éliminer leur perception aberrante du monde et, à partir de là, d'agir. Une autre façon d'illustrer ce concept se retrouve dans la formule des Alcooliques anonymes, où les clients doivent passer de l'« ivresse mentale » à la pensée sobre et de cette pensée sobre à une action sobre. Charlotte arrive à la ménopause et considère celle-ci comme une maladie, en raison de ses conceptions dépassées sur la question. La conseillère lui permet de voir qu'il s'agit au contraire d'une phase normale du développement. La fin d'une période, certes, mais l'ouverture sur de nouvelles perspectives. Charlotte est rassurée à l'idée d'envisager sa situation selon une nouvelle perspective, plutôt que de regarder derrière et de se polariser sur ce qu'elle a perdu.

Il importe de faire la différence entre la prise de conscience des blocages et le développement d'une nouvelle perspective. Lorsque Sandrine, dont nous avons déjà parlé, découvre que son mari a une aventure, elle prend connaissance d'un fait. Elle n'était pas du tout consciente de l'importance que revêtait une vie sexuelle satisfaisante pour son conjoint et elle s'aveuglait en pensant qu'il se montrait enfin plus raisonnable. Cette nouvelle compréhension de la situation la fait passer à une autre étape : « Je réalise maintenant que tous les aspects du mariage vont dans les deux sens et qu'il nous faut trouver une entente sexuelle qui nous satisfasse tous deux. » Cela semble un peu terre à terre, mais ce nouveau point de vue, s'il se concrétise par des actions, pourrait sauver son couple.

## LIEN ENTRE LES NOUVELLES PERSPECTIVES ET L'ACTION

Ces nouvelles perspectives sont certes importantes, mais elles n'ont rien de magique. En mettant trop l'accent sur la prise de conscience et l'introspection, nous risquons d'en oublier l'action au lieu de s'y préparer. Malheureusement, l'introspection devient facilement un objectif en soi. Nous y consacrons d'ailleurs beaucoup d'énergie, au détriment de son lien avec l'action : la première étant considérée comme « séduisante » ; tandis que la deuxième est synonyme de travail. Il ne faudrait pas croire que l'approfondissement de la perception de soi-même ou du monde n'est pas en soi difficile ni même douloureuse. Cependant, cet effort doit porter ses fruits. Il faut aboutir à un changement positif de comportement qui débouche sur des résultats perceptibles. Prenez le cas suivant :

> Claude, un gestionnaire qui se considérait comme un meneur d'hommes, en vient à réaliser que, malgré le programme de renforcement de l'autonomie de la compagnie, il continue à prendre toutes les décisions dans son équipe. Cela ralentit considérablement le travail et nuit à l'efficacité du service. Dans le programme de formation au leadership, il fait face à la critique, c'est-à-dire aux résultats d'une enquête menée auprès de son patron, de ses subalternes, de ses collègues et de lui-même. Après avoir accusé le coup à la lecture des résultats, il consulte un mentor pour discuter de la manière d'améliorer son style de gestion : déléguer davantage, obtenir des suggestions de son équipe, les mettre en pratique et fournir une rétroaction. Claude et son mentor collaborent à l'établissement d'un programme de mise en œuvre.

En même temps qu'ils aident leurs clients à se rendre compte de leur comportement, les conseillers efficaces continuent d'avoir une approche globale du modèle d'aide. Une compréhension soudaine de la situation ne suffit pas, il faut également en tirer des conclusions pratiques. Le client doit être en mesure de dire qu'il se rend compte davantage des conséquences de son comportement ainsi que de *ce qu'il est possible de faire pour changer*. À titre d'exemple, Johanne, une quinquagénaire, vient de passer son examen médical annuel. Son médecin évalue que son risque d'être victime d'AVC est supérieur à la moyenne et lui en fait part.

JOHANNE : Qu'est-ce qui augmente mon risque ?

MÉDECIN : Plusieurs choses. Le principal facteur, c'est le tabagisme. Vient ensuite votre niveau de cholestérol.

JOHANNE : Alors, si j'arrête de fumer et que je suis un régime…

MÉDECIN : Vous ne vivrez pas éternellement, mais vous diminuerez vos risques.

JOHANNE : Je ne veux pas vivre éternellement. Je ne veux pas non plus être trop prudente. Cela m'enlèvera tout plaisir de vivre… Mais je ne veux pas non plus faire une attaque et rester handicapée.

Johanne refusait de voir qu'elle mettait sa santé en danger. Son niveau de risque supérieur à la moyenne constitue l'élément déclencheur de cette nouvelle perspective de vie. Dans ce cas, Johanne elle-même introduit l'élément d'action, l'idée du « je peux faire quelque chose pour contrer cela ».

Le contenu des dernières sections peut se résumer en un seul exemple. Paul, étudiant en psychologie, fait partie d'un groupe de formation et prend conscience que ses réticences à participer activement aux échanges du groupe le placent dans une position d'observateur ou de détracteur plutôt que de membre actif (un blocage). Ses hésitations font l'objet de fréquentes discussions et elles drainent le temps et l'énergie du groupe. Il ne remarque pas l'exaspération grandissante des autres (autre blocage). Paul justifie son comportement en se disant qu'il a beaucoup appris. Lors d'une séance individuelle, le chef du groupe l'aide à surmonter ses blocages et Paul se rend compte que bien qu'il souscrive théoriquement à une participation active en groupe, il ne l'applique pas dans la réalité (divergence).

La perspective de Paul se modifie pour passer de la position d'observateur à celle de participant. En étudiant le comportement positif des autres membres du groupe, il se fait une idée claire de l'idée de contribution à une équipe (une nouvelle perspective qui l'amène à intervenir). Il établit un programme d'intervention qui lui permet de contribuer activement. En l'occurrence, dès qu'il se surprend à adopter la position d'observateur, il conçoit intérieurement (se formule à l'esprit), sur-le-champ, une intervention (passage d'une nouvelle perspective à un nouveau comportement intérieur) et l'exprime au moment qu'il juge adéquat (passage d'une nouvelle perspective à un nouveau comportement extérieur). Un peu plus tard, il prend le temps de préparer ses contributions éventuelles avant les réunions (nouveau comportement intérieur) et il intervient lorsqu'il le juge pertinent (nouveau comportement extérieur). Tout cela contribue à éliminer ses divergences entre la pensée et l'action en termes de participation efficace à un groupe de formation.

Affirmer que tous les cas de remise en question ne sont pas aussi clairs ni ne se terminent aussi bien relève évidemment de l'euphémisme.

## 10.4 OBJECTIFS DE LA CONFRONTATION

Arrêtez-vous un moment pour réfléchir aux objectifs de la confrontation. Ces objectifs découlent de tout ce que nous avons vu jusqu'à maintenant. L'idée globale consiste à aider les clients à prendre conscience de la réalité et à tirer parti de cette analyse à l'avenir. Si nous insistons sur les façons dont les clients se mettent dans le pétrin, nous pouvons alors le formuler ainsi :

**INVITER LES CLIENTS** à confronter les manières de penser et d'agir qui leur occasionnent des difficultés et les empêchent de reconnaître leurs ressources et d'en tirer parti.

Dans l'esprit de la psychologie positive, un autre objectif analogue, mais plus motivant, consiste à traduire les nouvelles perspectives par de nouvelles façons d'agir. Il se formule ainsi :

**DEVENIR DES PARTENAIRES DE VOS CLIENTS** dans leur processus de changement en les aidant à se confronter pour qu'ils puissent distinguer leur potentiel et découvrir leurs ressources inutilisées, à la fois intérieures et extérieures, mobiliser leurs ressources afin de tirer parti de leurs difficultés, de même que trouver des moyens de concrétiser les perspectives d'un avenir meilleur et s'investir dans les actions nécessaires pour y parvenir.

Cela peut sembler complètement disproportionné, mais c'est l'essence même de votre rôle en tant que catalyseur pour un avenir meilleur. Vous ne devez pas seulement aider vos clients à régler leurs problèmes et à développer leur potentiel, mais vous devez aussi les amener à découvrir de meilleures perspectives d'avenir. La confrontation ne concerne pas uniquement les aspects dysfonctionnels du client, mais sa « personnalité en puissance ». En additionnant ces deux constatations, nous aboutissons au principe suivant :

**AIDER LES CLIENTS** à reconnaître les pensées et les comportements négatifs, et à les remplacer par des pensées et des comportements réalistes.

Cette substitution peut survenir à n'importe quelle phase et à n'importe quelle étape de la démarche d'aide. Selon Kiesler (1988), les aidants qui se limitent à écouter le vécu des clients et à les aider à le clarifier « mordent à l'hameçon » des clients. Après tout, ces derniers sont des experts de leur propre vécu. La façon de décrocher consiste à confronter les récits des clients et la qualité de leur participation dans la démarche elle-même. Ce faisant, les aidants peuvent se dégager et inciter les clients à passer de l'expérience vécue à de nouvelles perspectives d'avenir énoncées sous formes d'objectifs concrets qui suscitent l'action.

## 10.5 MISE EN PRATIQUE : DES BLOCAGES AUX NOUVELLES PERSPECTIVES D'ACTION

La confrontation n'étant pas en soi un objectif, vous devez aider les clients à s'y adonner chaque fois qu'elle présente, d'après vous, un intérêt. Lorsque l'aptitude à remettre les autres en question sera pour vous une seconde nature, vous prendrez l'habitude d'inciter les clients à y « réfléchir à deux fois » et à reconsidérer leurs attitudes ancrées et leurs façons de penser, de dire ou de faire à toutes les phases et à toutes les étapes de la démarche. Vous trouverez ci-dessous d'autres exemples de situations courantes qui requièrent une confrontation. Les clients dépassent leurs blocages, s'ouvrent à de nouvelles perspectives et passent à l'action. En raison de la complexité de la pensée et du comportement humain, il est évident que certains chevauchements existent entre ces catégories.

### CONFRONTER LES ATTITUDES ANCRÉES

Le principe est d'inciter les clients à renoncer à leurs attitudes ancrées et à leurs points de vue dépassés et frustrants pour adopter des perspectives nouvelles, libératrices, valorisantes et tournées vers l'action. Voici quelques exemples de deux types d'attitudes ancrées : les préjugés et les croyances contraignantes.

**Préjugés.** Danielle a passablement d'ennuis avec l'un de ses collègues, qui est Juif. Dans sa jeunesse, elle en est venue à penser que les Juifs sont des hommes d'affaires malhonnêtes. Le conseiller l'invite à revenir sur ce préjugé. Que son collègue soit ou non un traître n'a rien à voir avec le fait d'être Juif. En différenciant le stéréotype de l'individu lui-même, elle adopte une vision plus juste de la réalité. Toutefois, pour le moment, il est clair qu'elle vit deux problèmes : une relation difficile avec un collègue de travail et son propre préjugé. Elle découvre que cette relation difficile n'est pas due à l'origine juive de son collaborateur. Elle doit également prendre conscience du fait que, dans une relation difficile, les deux parties en présence contribuent au conflit. Elle réalise qu'il lui faut remonter en amont, reconsidérer son propre comportement et évaluer l'influence de son préjugé sur celui-ci.

**Croyances contraignantes et idées irréalistes.** Albert Ellis, le fondateur de la thérapie émotivo-rationnelle (voir Dryden, 1995 ; Dryden, Neenan et Yankura, 1999 ; Ellis, 1999 ; Ellis et Harper, 1998 ; Ellis et MacLaren, 1998), déclare que les aidants ne sont jamais aussi utiles que lorsqu'ils remettent en question les croyances irrationnelles de leurs clients (voir également Lazarus, Lazarus et Fay, 1993). Les clients qui arrivent à se convaincre de croyances irrationnelles se tiennent, en quelque sorte, un langage intérieur. D'après Ellis, certaines des croyances qui s'opposent à une meilleure qualité de vie se résument ainsi :

+ *Être aimé et apprécié.* Les gens qui comptent pour moi doivent toujours m'aimer et m'approuver.
+ *Être compétent.* Quelle que soit la situation, je dois être compétent et arriver à exceller dans tous les domaines importants de l'existence.
+ *Obtenir tout ce qu'on veut.* Je dois arriver à mes fins et mes projets doivent toujours aboutir.
+ *En cas d'attaque.* Les gens qui se comportent mal, et surtout ceux qui me font de la peine, sont des méchants qu'il faut punir.
+ *Vivre en toute sécurité.* Lorsqu'une situation présente un certain danger, je dois être anxieux et très inquiet. Je ne devrais pas avoir à affronter le danger.
+ *Absence de problèmes.* Il ne devrait rien m'arriver de pénible et, si jamais cela se produit, je devrais trouver une solution facile et rapide.
+ *Être une victime.* Les gens ou les situations extérieures sont responsables de mes souffrances. Personne ne devrait jamais essayer de m'exploiter.
+ *Évitement.* Il est plus facile d'éviter les difficultés de l'existence que d'adopter une discipline ; je ne devrais pas avoir à fournir d'efforts.
+ *Influence prépondérante du passé.* Ce que j'ai fait dans le passé, et plus spécifiquement ce qui m'est arrivé, conditionne complètement la façon dont je me sens et dont j'agis actuellement.
+ *Passivité.* Je suis heureux en évitant les choses, en restant passif, en refusant de m'engager et en m'amusant.

Je suis convaincu que vous pourriez contribuer à cette liste. Ellis affirme que la perte de ces illusions conduit les individus à considérer l'existence comme terrible, affreuse et même catastrophique. « Les gens ne me laissent jamais la paix et je déteste cela. Ce n'est pas normal, c'est horrible ! » Cela ne mène à rien. Il est regrettable de subir du harcèlement, mais ce n'est pas non plus un désastre. En outre, les clients ont souvent la possibilité d'intervenir dans les situations qu'ils dramatisent.

Prenez le cas de Fernande. Elle raconte à son conseiller que ses pertes boursières l'ont complètement déprimée. Elle était partie de l'hypothèse qu'elle n'aurait jamais de problèmes et que de tels revers financiers ne lui arriveraient jamais. Elle était parfaitement convaincue que le marché monterait toujours sans connaître de correction. La baisse de ses actions la désole et elle se croit ruinée. En réalité, elle a subi des pertes, mais sa position financière reste saine. C'est également une bonne occasion de réévaluer son approche par rapport à l'argent et au bonheur, et de s'adapter aux turbulences du marché boursier. Au lieu de dramatiser, elle a la possibilité d'apprendre.

Antérieurement, on reprochait à la thérapie émotivo-rationnelle, du moins sur le plan théorique, de critiquer les convictions des clients, et même leurs croyances religieuses. À titre d'exemple, Marcel, représentant commercial pour une grande entreprise, considère la corruption comme condamnable même si elle est pratique courante dans les pays qu'il visite. Néanmoins, la confrontation des croyances dysfonctionnelles n'équivaut pas à lui demander de se débarrasser de ce point de vue « démodé ». Il existe une grande différence entre le genre de pensée ou de convictions religieuses susmentionnées et d'autres attitudes profondément ancrées. La thérapie émotivo-rationnelle, comme de nombreuses autres approches du même type, a énormément évolué au cours des années (voir Ellis, 1997, 1999a). D'autres (Johnson, Ridley et Nielsen, 2000 ; Nielsen, Johnson et Ridley, 2000) ont également fait remarquer que ce type de thérapie respecte les convictions religieuses et y adhère même. Ellis a corroboré ce point de vue (Ellis, 2000).

Inscrivez sur un papier vos attitudes ancrées potentiellement dysfonctionnelles et voyez comment les remplacer par de nouvelles conceptions du monde afin de modifier votre comportement.

### CONFRONTER LES COMPORTEMENTS INTÉRIEURS CONTRAIGNANTS

Le principe fondamental consiste à inviter les clients à remplacer leurs comportements intérieurs défaitistes et contraignants par des façons de penser plus créatives qui se concrétisent dans l'action. Il existe une multiplicité de comportements intérieurs de ce type. En voici quelques exemples.

Pierre rêvasse une bonne partie de la journée et s'imagine en héros adulé par les foules. Ses songes irréalistes de succès social remplacent son action réelle. Une perspective plus appropriée consisterait à considérer ces rêves comme quelque chose de positif, tout dépendant de la façon de s'en servir. Avec l'aide d'un conseiller, Pierre continue de rêver, mais en orientant cette fois ses rêves. Il imagine divers moyens de développer sa vie sociale, ce qui lui permet de trouver des façons de changer ses interactions avec les autres. De plus, il commence à les mettre en pratique.

Dès qu'on lui confie un projet, Nadine pense à toutes les possibilités d'échec, ce qui ne manque pas d'ennuyer ses collègues. Grâce à l'aide d'un mentor, elle parvient à prendre conscience de ses propres pensées contraignantes. Dans ce cas, la nouvelle perspective consiste à adopter une approche radicalement différente. Elle doit s'habituer à discerner au premier coup d'œil les aspects positifs d'un projet ou d'un programme pour la compagnie et à voir ce qu'elle peut faire pour le rendre plus réaliste. Ce n'est qu'après cette réflexion intérieure que Nadine aborde ce projet avec ses collègues, ce qui lui permet d'avoir une vision plus équilibrée.

Roberto considère quant à lui que certains aspects de son couple avec Marie ne lui conviennent pas. Nous le voyons dans l'exemple ci-dessous.

Avant de se marier, Roberto et Marie ont abondamment parlé des différences culturelles auxquelles ils seraient susceptibles d'être confrontés. Roberto était toujours fortement attaché à ses racines italiennes, tandis que Marie était davantage « libérée » dans son comportement. Les normes concernant le rôle de la femme dans la culture italienne la préoccupaient énormément. Roberto disait qu'il aimerait bien être marié avec une femme « libérée ». Roberto et Marie croyaient que tout irait comme sur des roulettes. Depuis, Marie a brisé un certain nombre de tabous culturels. Elle s'est inscrite à l'université, a trouvé un emploi, s'est engagée dans une carrière et assume son rôle de mère tout en gagnant sa vie. Elle gagne plus d'argent que Roberto. Celui-ci se sent brimé face à leur entourage, rabaissé en raison du succès professionnel de sa femme et prisonnier d'un couple qui lui semble bien trop démocratique.

Si Roberto veut résoudre le conflit avec sa femme, il doit réexaminer sa façon de penser. Face à certains comportements intérieurs, il lui faut alors arrêter, commencer et continuer certaines choses :

✦ *Arrêter* de se dire que Marie est la source du problème et de penser que c'est elle qui déclenche les conflits, et cesser de se dire que leur relation est fichue. Il doit se considérer comme partie prenante des difficultés et des perspectives futures de son couple.
✦ *Commencer* à considérer Marie comme une égale dans le couple, à comprendre son point de vue et à imaginer comment cette relation pourrait être améliorée. Il doit trouver un nouveau *modus vivendi* avec sa femme.
✦ *Continuer* à faire le point sur sa manière de contribuer à leurs difficultés et à augmenter le nombre de fois où il se répète de laisser Marie vivre sa vie comme elle l'entend. Il a besoin de voir ses points positifs dans le couple – il a des talents de communicateur – et de les renforcer.

Il faut que Roberto revienne sur terre, mobilise ses ressources et mette en pratique sa nouvelle perception de la réalité. Évidemment, puisqu'il s'agit d'un couple, les deux parties sont impliquées et doivent changer toutes les deux. Maria devra également adopter une nouvelle perspective et changer certaines de ses façons de penser et d'agir.

Le langage intérieur que nous poursuivons a des conséquences immédiates sur notre manière d'agir. Par langage intérieur, nous nous référons aux messages thématiques qu'un individu s'envoie à lui-même : cela va du « Tu n'es bon à rien » à « Tu es unique et pour cette raison tu échappes à toutes les règles habituelles ». Les personnes inquiètes ruminent des pensées dysfonctionnelles sur le thème des catastrophes susceptibles de leur arriver. Ce langage intérieur peut en revanche être résolument optimiste. Un de mes clients avait appris à se dire que si les autres se moquaient de lui, d'une manière gentille, la meilleure réaction à adopter était d'en rire également au lieu de se fâcher.

L'exemple suivant concerne Sébastien, diplômé d'un programme de psychologie. Il rédige une revue bihebdomadaire avec son instructeur. Sa formation en counseling s'effectue en petit groupe. La question en litige concerne son aptitude à communiquer.

SÉBASTIEN : Cela me surprend d'apprendre que vous ne pensez pas que mes habiletés de communication s'améliorent. Je le croyais vraiment.

FORMATEUR : Sébastien, ce n'est pas ce que disent les formulaires d'évaluation des autres participants du groupe.

SÉBASTIEN : Peut-être bien, mais eux aussi sont loin d'être extraordinaires.

FORMATEUR : J'ai une idée vous concernant. Voyons si elle est juste. Vous êtes intelligent, de toute évidence. Il y a peut-être une voix intérieure qui vous dit quelque chose du genre : « Tout cela, c'est du gâteau. Tu connais déjà tout ce qu'il faut savoir. Un peu d'astuce et de personnalité et le tour est joué. »

SÉBASTIEN : Eh bien !

FORMATEUR : Que voulez-vous dire ?

SÉBASTIEN : J'ai dit « eh bien », parce que je pense qu'il y a du vrai dans ce que vous dites. Je sais que je peux être un peu prétentieux, mais je n'aime pas que l'on me le rappelle.

FORMATEUR : Est-ce que vous passez beaucoup de temps à pratiquer ces habiletés à la communication dans la vie quotidienne ?

SÉBASTIEN : Vous connaissez déjà la réponse. Et je sais que je me fais beaucoup d'illusions si je pense que je pourrai m'en tirer comme ça... OK. J'ai compris le message.

L'élément marquant de ce dialogue est l'intuition du formateur sur le langage intérieur de Sébastien, son comportement intérieur, et il tombe pile. Dans le cas de Sébastien, la nouvelle perspective sur lui-même se résume ainsi : « Je ne suis pas aussi intelligent que je le crois et je n'arriverai pas à m'en tirer à si bon compte. » Le formateur exige de Sébastien qu'il respecte les clauses de l'entente qui s'énoncent ainsi : « Faites des habiletés de communication une seconde nature dans les interactions de la vie quotidienne. » Jusqu'alors, Sébastien pensait que ce programme ne le concernait pas.

Chez plusieurs individus, le fait de développer un nouveau point de vue et de changer de comportement intérieur suffit. C'est le cas d'Isabelle, une femme qui a perdu son mari il y a deux ans. Elle souffre d'une dépression qui, sans être très grave, la laisse assez démunie.

ISABELLE : Vous savez, j'ai cessé de porter du noir il y a environ un an. Mais…

THÉRAPEUTE : Vous portez toujours le deuil à l'intérieur de vous-même ?

En une seconde, Isabelle a compris. Il n'y a rien là de magique, mais elle a trouvé la métaphore qui lui convenait. Elle savait qu'il lui fallait cesser de porter un deuil moralement. En quelques séances avec le thérapeute, elle a été capable de trouver la paix qu'elle cherchait.

## CONFRONTER LES COMPORTEMENTS EXTÉRIEURS CONTRAIGNANTS

Le principe consiste à inciter les clients à reconnaître, à remettre en question et à changer leur comportement extérieur contraignant. Dans bien des cas, c'est le comportement extérieur des individus qui leur attire des ennuis et les plonge dans des situations inextricables. La récompense ultime réside dans les changements de comportements extérieurs bien plus que dans celui des comportements intérieurs. Claude connaît des problèmes avec ses camarades de classe. Il se montre agressif et extrémiste dans ses idées et essaie d'imposer sa façon d'agir dans le développement des projets. Après quelques verres, un de ses amis se fâche contre lui et le traite d'*égocentrique,* d'*arrogant* et d'*arriviste.* Claude se dégonfle et va voir le responsable du département pour en discuter avec lui. Une fois qu'on lui fait prendre conscience de son caractère défaitiste, il travaille avec l'un des conseillers du Service aux étudiants pour améliorer son style de communication. Avec son conseiller, il discute des manières d'être proactif et d'avoir confiance en lui-même sans se montrer hargneux. En effet, il a tendance à se montrer teigneux. Il prend des cours de communication interpersonnelle qui le motivent à mettre ses apprentissages en pratique avec ses camarades de classe, dans son travail à temps partiel et à la maison.

L'exemple suivant concerne la confrontation d'un comportement extérieur dans un programme de formation des conseillers. Les stagiaires A et B sont des partenaires de rétroaction ; cela signifie qu'ils se rencontrent pour évaluer mutuellement leur participation aux discussions du groupe afin d'améliorer leur performance. Au cours de cette conversation, ils abordent leur comportement respectif sur le thème du mode de vie. Dans le contexte de ce groupe spécifique, les stagiaires abordent les éléments de leur vie quotidienne qui risquent de nuire à leur efficacité en tant qu'aidant et les ressources inexploitées dont ils pourraient tirer parti pour progresser.

STAGIAIRE A : Tu es toujours très perspicace. Lorsque tu fais un reflet empathique dans une séance de counseling pratique, tu tombes toujours juste. Il est clair que tu écoutes attentivement et que tu comprends les autres. Tu pourrais vraiment t'améliorer si tu te servais de cette habileté durant les discussions sur le mode de vie.

STAGIAIRE B : Assez curieusement, je trouve que les sessions pratiques sont en prise avec la réalité, mais que les discussions sur le mode de vie, sans être artificielles, ne m'apportent pas grand-chose.

STAGIAIRE A : Ah bon ! Tu penses que cela n'est pas très utile. Pourtant, tu participes beaucoup.

STAGIAIRE B : C'est juste pour ne pas m'ennuyer. J'ai besoin de m'occuper.

STAGIAIRE A : Dans le groupe, tu remets la plupart du temps en question ce que les autres disent. Parfois, on sent un peu de tension dans ta voix lorsque tu t'exprimes. Et puis, tu ne parles pas beaucoup de toi.

STAGIAIRE B : Je proteste parce que je n'aime pas entendre des idioties. Je ne me confie pas particulièrement, parce que je pense que c'est un peu bidon.

STAGIAIRE A : Je ne sais pas ce qu'il peut y avoir d'un peu bidon dans le fait d'évoquer les obstacles à notre efficacité en tant que conseillers. Mais c'est peut-être comme cela que tu le prends.

STAGIAIRE B : Bon… Il y a bien deux ou trois choses qui risquent de nuire à mon efficacité, mais je ne me sens pas prête à en parler en groupe. Après tout, nous sommes juste des amateurs. Je pense peut-être que c'est artificiel d'aborder certaines choses lorsqu'on n'y est pas préparé.

STAGIAIRE A : Le groupe ne serait pas le meilleur endroit pour aborder les questions personnelles. Où voudrais-tu en parler ? Je ne suis pas sûr que tu le saches.

STAGIAIRE B : À dire vrai, ce sont des questions dont je ne discute avec personne. Pour le moment, aucun des formateurs ne m'inspire assez confiance pour que j'en parle dans un entretien individuel. Je me parle à moi-même (rires).

STAGIAIRE A : Alors il y a des sujets qui sont difficiles à aborder. Je ne suis pas sûr de comprendre. Dans les sessions de counseling, lorsque les étudiants abordent les vrais problèmes, j'ai l'impression que tu veux qu'ils en parlent. Et tu ne donnes pas l'impression que tu vas trahir cette confiance. Tu fais attention aux autres. Mais en même temps tu les remets en question et tu n'es pas facile.

STAGIAIRE B (après réflexion) : Dis-le donc. J'exige beaucoup plus des autres que de moi-même.

STAGIAIRE A : Hum…

STAGIAIRE B (en l'interrompant) : Excuse-moi. Voilà que je recommence. Tu me dis la vérité et cela me met en colère.

Au cours de cet échange, le stagiaire A questionne le comportement et certaines des actions de la stagiaire B et lui fait remarquer qu'elle n'utilise pas toutes ses ressources. Cela concerne bien plus un potentiel inexploité qu'une difficulté.

L'une des façons d'aider le client à remettre en question ses comportements intérieurs et extérieurs consiste à lui montrer comment analyser les conséquences de ses actions. Revenons à Roberto. Après quelques tentatives limitées pour saboter la carrière de sa femme, il décrit son comportement comme une dérobade.

> AIDANT : Ce serait bien de voir où tout cela nous mène.
>
> ROBERTO : Qu'est-ce que vous voulez dire?
>
> AIDANT : Voyons quelles sont les conséquences de cette dérobade sur Marie et votre couple. Et examinons où tout cela risque de vous mener.
>
> ROBERTO : Une chose est sûre. Elle est de plus en plus entêtée.

Au cours de cette discussion, Roberto se rend compte que ses tentatives de sabotage ne lui servent à rien et se retournent même contre lui. Toutes ses interventions vont dans la mauvaise direction.

S'il veut vraiment améliorer sa relation avec sa femme, Roberto doit commencer, continuer, développer certains de ses comportements extérieurs et mettre fin à d'autres. Voici quelques suggestions :

✦ *Arrêter* de critiquer sa femme devant les autres, de lui faire des crises à la maison en rejetant sur elle tout le blâme et arrêter de se moquer de ses collègues.
✦ *Commencer* à prendre certaines mesures pour faire avancer sa propre carrière, à se confier à sa femme plutôt que d'exprimer ses sentiments de façon négative, à prendre des décisions en commun avec elle, à participer aux tâches ménagères et à s'occuper des enfants.
✦ *Continuer* à l'accompagner chez ses parents et à des réceptions dans le cadre de ses activités professionnelles.

Grâce à l'aide du conseiller, Roberto commence à prendre un certain nombre d'initiatives pour remettre sa relation avec sa femme sur les rails, alors qu'il travaille sur la question de la carrière de Marie.

### Déceler les divergences

Il suffit de penser aux résolutions du jour de l'An pour savoir que les gens ne tiennent pas toujours parole. Un certain nombre de divergences ou de contradictions empêchent les clients de s'extraire de leurs situations problématiques. Il existe des divergences entre :

- ce que les clients pensent ou ressentent et ce qu'ils disent ;
- ce qu'ils disent et ce qu'ils font ;
- leur perception d'eux-mêmes et ce qu'en pensent les autres ;
- ce qu'ils sont et ce qu'ils laissent entendre sur ce qu'ils voudraient être ;
- leurs objectifs et leur comportement ;
- les valeurs qu'ils proclament et leur comportement réel.

À titre d'exemple, un aidant pourra confronter les divergences qui surviennent à l'extérieur des séances de counseling.

- Thomas se pense très spirituel, mais ses copains le trouvent cinglant.
- Gisèle croit que l'exercice physique est important, mais elle mange beaucoup trop et ne fait pas suffisamment de sport.
- Georges déclare qu'il adore sa femme et ses enfants, mais il a une autre femme dans sa vie et passe beaucoup de temps à l'extérieur de la maison.
- Claire est au chômage depuis plusieurs mois. Elle veut trouver un emploi, mais elle refuse de s'inscrire à un programme de formation.

Reprenons ce dernier exemple pour illustrer la façon de relever les divergences entre les paroles et les actes. Claire vient juste de dire au conseiller qu'elle a refusé de participer au programme de recyclage.

CONSEILLER : Je pense que le programme de recyclage aurait tout à fait correspondu à ce que vous cherchiez.

CLAIRE : Oui… Mais je ne sais pas si j'aimerais ce travail… Il est très différent de mon ancien poste. Et en plus, c'est un programme très long.

CONSEILLER : Vous pensez qu'il ne vous convient pas.

CLAIRE : Oui, c'est ça.

CONSEILLER : Claire, vous sembliez si enthousiaste lorsque vous en avez parlé la première fois… (doucement) Qu'est-ce qui se passe ?

CLAIRE (après un moment) : Vous savez, je me sens un peu paresseuse… Je n'aime pas être au chômage, mais j'ai fini par m'y habituer.

Le conseiller constate une divergence entre ce que Claire disait et ce qu'elle fait maintenant. Elle est en train de se laisser couler doucement dans une mentalité de chômeuse. Maintenant que cette divergence est évidente, le conseiller est en mesure de travailler avec Claire sur ce qu'elle voudrait faire dans l'avenir.

Voici un autre exemple de divergence. Alice, une femme qui se considère comme peu attirante physiquement, participe à un groupe de counseling.

CONSEILLER DU GROUPE : Vous dites que vous êtes laide, et pourtant vous avez mentionné que les hommes s'intéressent beaucoup à vous. Personnellement, je ne vous trouve pas du tout laide et si je ne me trompe, les gens réagissent comme s'ils vous appréciaient. Pouvez-vous m'expliquer cela.

ALICE : Hum… Ce que vous venez de dire me permet de clarifier ce que je pense. Tout d'abord, je ne suis pas une beauté, lorsque les gens me trouvent attirante, je pense qu'ils entendent par là qu'ils me trouvent intelligente, sympathique et ainsi de suite… Il m'arrive parfois de souhaiter être beaucoup plus jolie, même si j'ai honte de l'admettre. Le problème, c'est que la plupart du temps je trouve mon physique ingrat. Au moment même où les gens me disent directement ou indirectement que je leur plais, je me sens vraiment moche.

UN MEMBRE DU GROUPE : En fait, vous ne pensez pas vraiment que vous êtes laide, mais vous avez pris l'habitude de vous le répéter… Une mauvaise habitude.

ALICE : Une très mauvaise habitude. Si j'évoque mes premières années à la maison et à l'école secondaire, je pourrais probablement vous raconter en long et en large comment cette triste histoire a commencé.

CONSEILLER DU GROUPE : Si je vous comprends, vous pensez qu'il serait préférable d'inclure les notions de charme intellectuel ou personnel dans la séduction… Mais il y a quelque chose qui vous en empêche.

ALICE : En fait, je n'ai aucune raison valable pour continuer à justifier mon comportement. Le passé est passé. Pas la peine de revenir là-dessus. C'est à moi de changer.

Comme l'impression du conseiller concernant Alice ne concorde absolument pas avec sa perception d'elle-même, il l'incite à analyser cette divergence dans le cadre du groupe. En faisant un peu d'introspection, elle démonte le problème. La façon dont elle se perçoit (une femme laide) l'empêche de voir toutes les ressources dont elle dispose (une femme sympathique et intelligente, qui ne tire certainement pas parti de son potentiel).

Pour finir, lors d'une séance de counseling très touchante et filmée en vidéo (Rogers, Perls et Ellis, 1965), ces deux aspects de la question se retrouvent clairement illustrés dans la réponse que donne Carl Rogers au client. Il parle à une divorcée qui vit une relation amoureuse avec un homme. Lorsque sa fille lui demande à brûle-pourpoint si elle est la maîtresse de cet homme, elle répond que non. Au cours de la conversation, Rogers lui dit : « Ainsi vous voulez avoir une relation franche et ouverte avec votre fille et vous voulez qu'elle vous fasse confiance, même si vous pensez qu'il vous faut mentir, au moins sur ce point. » Elle lui répond que c'est bien le cas. Il réfléchit un moment et lui dit alors doucement : « Eh bien, c'est tout un défi, n'est-ce pas ? » Il résume et formule le point de vue de la cliente en lui démontrant sa contradiction.

## DÉBUSQUER LES INÉVITABLES SUBTERFUGES QUOTIDIENS

Il s'agit des distorsions, des justifications, des stratagèmes, des combines, des excuses toutes faites et des diversions que les clients emploient pour se sortir du pétrin. Tout le monde a des trucs pour se défendre de soi-même, des autres et du reste du monde. Nous avons tous des subterfuges. Toutefois, ce sont des armes à double tranchant. Les mensonges pieux ou éhontés permettent de régler des différents, mais pour cela il y a un prix à payer, surtout si nous avons tendance à y recourir de façon régulière. Nous sauvons la face en mettant tout sur le dos des autres, mais nous détruisons en même temps nos relations et nous évitons de prendre nos responsabilités. Lorsque nous aidons les clients à analyser les subterfuges courants, que ce soit lors des séances de counseling ou en relevant leur comportement général, l'objectif n'est pas de les dépouiller de leurs défenses, ce qui dans certains cas serait dangereux, mais de les aider à faire face de manière plus créative à leur monde intérieur et à leur existence.

**Inciter les clients à se confronter à leurs distorsions majeures.** Certains clients préfèrent ne pas voir la réalité, parce qu'elle est trop pénible, et ils se la cachent de diverses façons. Les distorsions leur conviennent bien. En voici quelques exemples :

✦ Au travail, Adrien redoute sa patronne et se l'imagine comme une personne distante alors qu'elle est en fait très chaleureuse. Ses craintes viennent du passé et n'ont rien à voir avec la réalité présente.
✦ Édith pense que son conseiller a des pouvoirs quasi divins et, par conséquent, elle lui formule des demandes irréalistes.
✦ Nancy considère que, si ses amis l'aiment vraiment, ils devraient la laisser faire tout ce qu'elle veut.

Observons-la d'un peu plus près. Elle est mariée à Paul et leur couple connaît des hauts et des bas.

> Nancy et Paul viennent de deux univers différents. Ils se disputaient beaucoup durant les premières années de leur mariage, mais les choses se sont calmées. Leurs bisbilles concernent maintenant la façon d'élever les enfants. Paul n'est pas du tout persuadé que le counseling est une bonne idée. Le conseiller voit donc Nancy seule. Elle vient d'interdire à son fils de 12 ans d'aller à l'école à bicyclette, parce qu'elle ne veut pas « retrouver sa photo sur un carton de lait ». Paul la trouve surprotectrice. Un jour, il prend la porte en lui criant qu'elle ferait mieux d'enfermer son fils à clé dans sa chambre.
>
> NANCY : Paul est vraiment trop permissif. Maintenant que Jean-Claude entre dans l'adolescence, il a besoin de plus de discipline, pas moins. Il faut le dire, nous vivons dans un monde dangereux.
>
> CONSEILLER : Alors, selon vous, ce n'est pas le moment de baisser la garde. Bien entendu, je pars du principe que Paul ne se moque pas de la sécurité de Jean-Claude.
>
> NANCY : Oh non ! Pas du tout. Dieu merci, il s'en inquiète autant que moi. C'est sur les moyens que nous ne sommes pas d'accord. Je pense qu'il vaut mieux prévenir que guérir.

Fort heureusement, cela élimine une éventuelle distorsion du type « Je suis la seule à me préoccuper de la sécurité de mon fils, car son père s'en moque ». Le conseiller et Nancy poursuivent leur dialogue.

CONSEILLER : Élargissons un peu le débat. Sur quel point Paul et vous n'êtes-vous pas d'accord ?

NANCY : Eh bien, avant on se disputait beaucoup. Mais cela fait partie du passé, on dirait. Il me laisse prendre presque toutes les décisions concernant la maison.

CONSEILLER : Je ne sais pas si vous avez décidé conjointement que vous assumeriez la plupart de ces décisions ou si les choses sont arrivées comme cela.

NANCY (doucement) : Je suppose que c'est arrivé comme cela... Je ne sais pas trop.

CONSEILLER : Cela m'intrigue, parce qu'il a l'air de penser que vous êtes la seule à décider en ce qui concerne l'éducation de votre fils...

NANCY (après réflexion) : On dirait qu'il veut s'affirmer de nouveau, avoir le dessus.

Voilà une autre distorsion. Nancy sent peut-être que le conseiller s'approche trop d'une question délicate qu'elle pensait avoir réglée il y a déjà longtemps.

CONSEILLER : Vous aviez l'air un peu ennuyée lorsque je vous ai demandé si Paul était aussi impliqué que vous vis-à-vis des enfants. Comme c'est bien le cas, je me demande d'où vient tout ce conflit.

NANCY : On dirait qu'il ne veut pas céder, qu'il refuse de faire des concessions ? C'est cela ?

CONSEILLER (gentiment) : Je ne veux pas deviner ce qu'il y a dans sa tête... Nous pourrions peut-être essayer encore de le convaincre de vous accompagner.

Le conseiller a l'intuition que le problème concerne davantage une lutte de pouvoir que l'éducation des enfants. Nancy semble éprouver quelques problèmes avec ses petits subterfuges.

**Refuser les stratagèmes, les combines et les diversions.** Si les clients se sentent confortables dans leurs illusions, il est évident qu'ils s'y accrocheront. Si leurs stratagèmes, lors des séances de counseling et à l'extérieur, leur rapportent certains avantages, ils poursuivront ces tactiques dans la vie (voir Berne, 1964). Prenez les exemples suivants :

✦ Gérard joue au « Oui, mais... ». Il demande à son thérapeute de lui recommander certaines tactiques pour maîtriser sa colère. Il réfute ensuite l'argumentation point par point. Lorsque le thérapeute découvre son jeu, il lui répond qu'il n'a pas à lui dicter quoi faire. Un aidant un peu plus perspicace aurait découvert sa stratégie depuis longtemps.

✦ Diane adore se faire passer pour une pauvre victime auprès de ses amis, mais lorsque ceux-ci se proposent de l'aider elle se met en colère, car ils la traitent comme une enfant. Quand elle utilise le même stratagème lors d'une de ses premières séances, le conseiller lui fait comprendre qu'il n'est pas dupe de sa petite ritournelle et l'invite à y mettre fin.

Dans tous ces cas, la nouvelle perspective consiste pour les aidants à obtenir ce qu'ils veulent sans avoir à s'exposer aux risques de ces petites combines.

Pour nous défiler devant les difficultés, nous disposons d'une gamme infinie de subterfuges. Les clients qui redoutent le changement essaieront toutes les diversions afin que l'aidant ne se rende pas compte qu'ils refusent d'affronter la réalité. Ces individus se servent de la communication pour ne pas communiquer (voir Argyris, 1999 ; Beier et Young, 1984). Par conséquent, les aidants gagneraient à créer une atmosphère qui décourage ce type de subterfuges. Ils doivent démontrer clairement, mais avec grand respect, qu'ils refusent toute dissimulation.

**Contrer les justifications.** Snyder, Higgins et Stucky (1983) ont analysé en profondeur les justifications, c'est-à-dire les échappatoires ou les excuses de toutes sortes. Il s'agit d'un comportement universel, qui fait partie de la vie quotidienne (voir aussi Halleck, 1988 ; Higginson, 1999 ; Snyder et Higgins, 1988 ; Yun, 1998). Comme les subterfuges et les distorsions, ils ont une utilité. Même si c'était possible, il ne serait nullement souhaitable de créer un monde exempt de mensonges. Cependant, les comportements d'évitement, les conduites mensongères et les justifications contribuent grandement à la psychopathologie « populaire[1] ». Les individus justifient habituellement leurs actions, bonnes ou mauvaises, et se trouvent des excuses pour éviter de faire ce qu'ils doivent. Roberto raconte à l'aidant qu'il sabote tranquillement la carrière de sa femme « pour son propre bien » afin de lui éviter de subir les outrages du monde du travail. Le conseiller aide Roberto à voir l'autre côté de la médaille, à savoir qu'il n'est pas prêt pour la transition que lui impose la carrière de sa femme.

Nous ne faisons ici qu'effleurer les stratagèmes, les combines, les échappatoires, les rationalisations et les subterfuges auxquels recourent les clients, ainsi que le reste de l'humanité. Les aidants efficaces sont chaleureux et empathiques, mais ils ne se laissent pas prendre à ces petits jeux qui ne mènent à rien.

## FAIRE APPEL AUX RESSOURCES INEXPLOITÉES

La psychologie positive se consacre partiellement à aider les clients à tirer parti de leurs ressources inexploitées. Certaines de ces ressources viennent des clients eux-mêmes, de leurs aptitudes et de leurs talents (potentiel personnel), tandis que d'autres proviennent de l'extérieur – de leur réseau social par exemple. Gerry Sexton (1999), en privilégiant les ressources

---

1 Note du responsable de l'adaptation. La psychopathologie « populaire » telle que décrite par Egan rejoint ma conception de ce que je nomme « le malaise commun ». La plupart des gens utilisent les mêmes subterfuges pour faire face à leurs situations problématiques. La plupart des gens sont encouragés et éduqués à utiliser des mécanismes défensifs pour faire face aux émotions douloureuses. Par exemple, combien de fois entendons-nous le cliché « un de perdu, dix de retrouvés » ? Ce type de réponse invite à la négation de la souffrance qu'engendre une situation de perte ou de rupture.

internes, démontre ce que signifie l'autodidactisme. Les clients disposent souvent de ressources intérieures pour se guérir, mais ils ne les utilisent pas toujours. Selon lui, ceux qui fournissent des efforts pour s'autoanalyser mobilisent leurs ressources de la manière suivante :

◆ Ils agissent *résolument*. Par conséquent, si vous aidez les clients à définir ce qu'ils veulent dans la vie, vous leur permettez d'être en contact avec leur monde intérieur. Cela concerne à la fois les objectifs à court, à moyen ou à long terme.

◆ Ils poursuivent un *rêve* auquel ils refusent de renoncer. Comme le fait remarquer Sexton, « les rêves donnent un sens à la vie ». En incitant les clients à vivre leurs rêves (voir chapitre 14), nous les mettons sur la voie de la découverte d'eux-mêmes.

◆ Ils orientent leur attention sur *leurs talents ou leurs dons*. Il est donc essentiel de leur faire prendre conscience de leurs aptitudes s'il faut qu'ils se réorientent ou tirent parti de leurs ressources inexploitées. Si vous arrivez à leur faire prendre conscience de leurs atouts, ils feront tout ce qu'il faut pour y arriver.

◆ Ils se perçoivent comme des *agents de changement* et non plus comme des victimes. Ils tiennent compte des forces extérieures de leur existence, mais refusent de se laisser contrôler par elles. Les conseillers aident les clients à s'impliquer dans leur propre cause. Même dans les situations critiques, il y a toujours quelque chose à faire.

◆ Ils agissent *en dépit de leurs craintes*. En les incitant à entreprendre des actions, même les plus simples, nous les rassurons. Il est impossible d'éliminer les peurs et les doutes de l'existence, mais nous pouvons au moins aider les clients à dépasser la peur d'agir.

◆ Ils s'épanouissent dans la *réciprocité*. Les conseillers aident les clients à reconnaître ou à établir le type de relations dont ils ont besoin pour réaliser leurs rêves. Ni l'isolement ni la dépendance exagérée ne leur conviennent. Comme le fait remarquer Sexton, « il est impossible de réussir sans mise en relation ».

Il n'existe pas de règles précises pour reconnaître et mobiliser les ressources inutilisées et se servir de son potentiel. Les aidants doivent adopter une attitude axée sur la guérison. En collaborant avec leurs clients, les aidants efficaces se demandent de façon subliminale comment les aider à mettre à profit leurs ressources intérieures et extérieures. Elles existent, il suffit de les exploiter.

De manière ambiguë, en aidant les clients à prendre conscience de leurs blocages grâce à l'analyse de leur perspective cognitive, de leur comportement dysfonctionnel et contraignant, nous faisons appel à leurs ressources. Driscoll (1984), comme nous l'avons vu, fait remarquer que les aidants peuvent démontrer aux clients que leurs idées irréalistes ont leur raison d'être actuellement. Au lieu d'obliger l'individu à réaliser le non-sens de ses pensées et de ses actes, ils lui demanderont de discerner la logique de ses conceptions ou de ses comportements en apparence inadéquats. Les clients utilisent alors cette même logique pour questionner leurs situations problématiques et trouver de nouvelles solutions. Un de mes amis psychiatres a aidé un client à voir la beauté intrinsèque de ses mécanismes de défense. Ce client était arrivé, en vertu d'une gymnastique intellectuelle et d'un comportement extérieur, à vivre dans un cocon. Mon ami lui a démontré la créativité et la stabilité de sa structure. Il lui a permis de rediriger ses énergies vers des activités plus productives.

Jacques, un client nouvellement embauché dans une entreprise de gestion, craignait d'être perçu négativement par ses collègues de travail. Il s'est développé une routine de travail très structurée, est devenu très perfectionniste, ramenant souvent du travail à la maison. Cette façon de faire lui nuisait, dans la mesure où il ne s'attirait pas la sympathie de ses collègues. Au contraire, ceux-ci avaient l'impression que Jacques cherchait à créer un climat de compétition où il pouvait être seul vainqueur. L'aidant a invité Jacques à l'analyse de ses pensées et de ses comportements. Jacques valorise le perfectionnisme. Sa logique de se donner à fond semble lui avoir nui jusqu'à ce jour. Son aidant a pourtant encouragé cette logique et a réussi à la transformer en atout. Désormais, Jacques s'investit à fond dans l'organisation d'activités sociales avec ses collègues. Il a participé à la mise sur pied d'une équipe de soccer pour les employés de l'entreprise. Son sens du devoir a enfin été salué.

## RÉEXAMINER LES COMPORTEMENTS AU COURS DES SÉANCES

L'impression qui se dégage des séances de counseling dépend grandement de la manière dont le client présente ses problèmes et ses ressources inexploitées. Nous passerons en revue trois types de comportements. Le premier consiste à prendre en charge les problèmes et les ressources inexploitées, le second, à définir ces problèmes ou ces ressources, tandis que le troisième concerne la progression dans la démarche d'aide.

**Inciter les clients à assumer leurs problèmes et à exploiter leurs ressources.** Bien trop souvent, les clients refusent de se responsabiliser face à leurs difficultés et aux possibilités de résolution qu'il est possible d'envisager. Ils incriminent les autres ou les situations. Il faut donc qu'ils affrontent leurs problèmes ou que nous les incitions à le faire. Voici l'expérience d'un conseiller, responsable de 150 jeunes hommes dans un centre de détention :

> *Je pense avoir rencontré chacun des détenus, ce qui m'a beaucoup appris. Ce que j'ai découvert divergeait sensiblement de ce que j'avais trouvé en lisant leur dossier personnel y compris l'historique de leurs délits. Ils m'ont tous dit qu'ils n'auraient jamais dû être là. De manière quasi uniforme, le motif donné pour leur incarcération n'avait rien à voir avec leur comportement. Un des prisonniers m'a expliqué avec une totale franchise qu'il était là parce que le juge avait déjà condamné son frère, qui lui ressemblait comme deux gouttes d'eau et qu'en rentrant dans la salle du tribunal, il savait qu'il serait condamné. Un autre, tout aussi sincère, m'a raconté qu'il était en prison parce que son avocat nommé d'office n'avait aucune envie de s'occuper de lui.* (Miller, 1984, p. 67-68)

Il s'agit là de la forme la plus extrême d'un comportement fort répandu. Nul besoin de franchir les portes d'une prison pour rencontrer ce refus d'assumer ses actes, car il s'agit d'un blocage très courant.

Carkhuff (1987) utilise le terme de « personnalisation » lorsqu'il parle d'aider les clients à surmonter leurs difficultés et à exploiter leur potentiel. Prenez le cas d'une cliente qui a l'impression que son associé l'a fraudé. Il a signé un contrat dans son dos. Elle s'inquiète beaucoup, mais n'a rien intenté jusqu'à présent. Imaginez le reflet empathique de trois aidants et analysez les différences dans leurs réponses.

Reflet empathique A (niveau de base) : Vous êtes en colère parce qu'il a pris cette décision unilatérale et signé le contrat sans même vous en parler.

Reflet empathique B (niveau intermédiaire) : Vous êtes en colère parce qu'il a trahi vos intérêts légitimes.

Reflet empathique C (niveau avancé) : Vous êtes furieuse parce qu'il n'a pas tenu compte de vous, ni de vos intérêts, vous êtes probablement lésée financièrement et vous l'avez laissé s'en tirer.

La personnalisation augmente progressivement dans ces trois formulations. La personnalisation aide les clients à comprendre que, dans certaines situations, ils sont responsables de leur problème ou de la perpétuation de leurs problèmes. L'énoncé C personnalise le message.

En plus de prendre conscience de leurs problèmes, les clients doivent appréhender les occasions manquées et se les approprier. Comme le font remarquer Wheeler et Janis (1980), « les occasions ne se présentent pas souvent et le fait de les manquer est probablement aussi grave que de ne pas remarquer un signal d'alarme » (p. 18). Prenez le cas de Thérèse et de son frère François.

Le père de Thérèse et de François est mort quelques années auparavant. Lorsque leur mère est décédée l'année dernière, elle leur a laissé une petite maison de campagne. Thérèse et François se disputent pour l'occuper et les discussions ont pris une tournure âpre. Ils n'ont jamais été très proches, mais jusqu'alors ils se chamaillaient sans en arriver à des conflits en règle. Sans vouloir l'admettre, Thérèse est choquée par son propre comportement belliqueux, mais pas assez pour y remédier. Lorsque François a eu une crise cardiaque, elle a su que c'était le moment d'intervenir. Elle avait toujours repoussé l'occasion de parler de leur relation et a réalisé qu'elle ne pouvait plus repousser le moment d'en discuter. Plus le temps passerait, plus les choses seraient difficiles à régler. Voici un extrait de sa séance de counseling :

THÉRÈSE : Je pensais que ce serait là l'occasion de nous réconcilier, mais il ne m'a rien dit.

CONSEILLER : Donc, aucune réaction de son côté… Et du vôtre ?

THÉRÈSE : Je crois qu'il est trop tard. Nous retombons dans les mêmes vieux scénarios.

CONSEILLER : Je ne pense pas que vous vouliez cela.

THÉRÈSE (en colère) : Certainement pas !… Mais c'est comme ça.

CONSEILLER : Thérèse, si quelqu'un vous braquait un pistolet et vous disait : « Tu règles la situation ou je te descends », qu'est-ce que vous feriez ?

THÉRÈSE : Qui me force à agir ici ?

CONSEILLER : Si vous voulez dire que je vous oblige à le faire, alors non, mais si vous voulez dire qu'il est encore temps de saisir cette occasion quelle que soit la réaction de François, eh bien…

THÉRÈSE : Je pense que je m'en veux… Je sais au fond de moi que c'est à moi de faire le premier pas, quelle que soit sa réaction. Et je continue à toujours remettre au lendemain.

Bien entendu, François n'est pas dans la pièce. C'est donc à Thérèse de saisir cette occasion. Elle sent maintenant que le fait de la repousser est aussi grave que d'ignorer un signal d'alarme.

**Inciter les clients à voir les solutions à leurs problèmes.** Jay Haley (1976) dit que pour « finir une thérapie convenablement, il faut la commencer convenablement en négociant un problème soluble », ou en analysant une occasion réaliste, pourrions-nous ajouter. Il n'est pas rare que les clients considèrent leur problème comme insoluble, ce qui justifie leur attitude de victime et leur refus d'intervenir.

PROBLÈME INSOLUBLE : En somme, ma vie est terrible à cause de mon passé. Mes parents étaient indifférents et parfois même hostiles sans raison. Si seulement ils avaient été plus affectueux, je ne serais pas dans une telle situation. Je suis comme cela à cause de mon milieu.

Les clients ne s'expriment pas de manière aussi équivoque, mais le message reste identique. Le fait est qu'on ne peut pas revenir sur le passé. Comme nous l'avons vu, les clients peuvent modifier leur attitude concernant le passé et s'accommoder de ses conséquences. Dès lors, si une personne pense que toutes ses difficultés découlent de son passé, il lui est impossible de les surmonter. Un tel énoncé mérite une réponse du type : « Vous avez certainement beaucoup souffert et souffrez encore des conséquences de votre passé. » Cependant, il faut que le client modifie son point de vue.

Lorsqu'un problème est soluble, le client est en mesure de s'y attaquer. Remarquez une version différente du problème insoluble susmentionné.

PROBLÈME SOLUBLE : Tout au long de ces années, j'ai toujours blâmé mes parents pour tous mes ennuis. J'ai passé bien du temps à m'apitoyer sur mon propre sort. Je ne me suis pas fait d'amis, je ne me suis pas impliquée dans mon milieu. Je n'ai pris aucune initiative pour me trouver un emploi intéressant.

Ce message diffère radicalement de celui du client précédent. Le problème est maintenant posé d'une telle façon que c'est à la personne de le résoudre ou de ne rien faire. La cliente doit arrêter de blâmer ses parents pour tous ses malheurs, car elle ne pourra pas les changer ; par contre, elle peut prendre confiance en elle en prenant des initiatives constructives et cesser de s'apitoyer sur elle-même. Elle peut également cultiver ses aptitudes à socialiser et entretenir de bons rapports avec son entourage.

Cela ne signifie pas que le client est en mesure de régler tous les problèmes. Un adolescent qui souffre de l'égoïsme de ses parents, qui ne cessent de se disputer et ne s'occupent pas de lui, ne pourra pas les empêcher de s'affronter ou de se montrer indifférents à son égard. Cependant, il trouvera un moyen de mieux supporter la situation familiale en cultivant ses amitiés. Cela signifie qu'il faudra l'aider à adopter une nouvelle perspective sur lui-même et sa vie familiale, et le pousser à réfléchir et à agir au meilleur de ses intérêts.

**Encourager les clients à passer à l'étape ou à la phase suivante de la démarche d'aide.**
Cette question a déjà été rapidement abordée lors du chapitre sur les questions exploratoires. Il n'y a aucune raison de tourner autour du pot avec les clients. Il vous faut les motiver pour qu'ils :

+ clarifient les situations problématiques en décrivant les expériences, les comportements et les sentiments spécifiques lorsqu'ils sont mal à l'aise et évasifs ;
+ parlent des problèmes, des opportunités, des objectifs, des engagement, des stratégies, des plans d'action lorsqu'ils s'y refusent ;
+ développent de nouvelles perspectives sur eux-mêmes, les autres et le monde alors qu'ils préféreraient s'accrocher à leurs distorsions ;
+ examinent les options, les critiquent, établissent des objectifs et s'engagent dans des programmes réalistes plutôt que de ressasser leurs ennuis ;
+ trouvent des moyens d'obtenir ce qu'ils veulent au lieu de se contenter de parler de ce qu'ils préfèrent ;
+ définissent des plans précis au lieu d'adopter une approche de changement par essais et erreurs ;
+ persévèrent dans la mise en œuvre de leurs plans lorsqu'ils sont tentés d'abandonner ;
+ analysent ce qui fonctionne ou non dans leur désir de changer ici et maintenant.

Somme toute, durant les séances, les conseillers aident leurs clients à s'engager pleinement dans toutes les phases et toutes les étapes de la gestion de problèmes pour effectuer des changements dans leur vie quotidienne. L'encadré 10.1 présente le type de questions que les conseillers peuvent suggérer à leurs clients pour découvrir leurs blocages.

---

### ENCADRÉ 10.1
### QUESTIONS POUR DÉCOUVRIR LES BLOCAGES

Voilà le type de questions à proposer au client pour qu'il voie la réalité sous un nouvel éclairage et change son comportement intérieur et extérieur.

◎ Quels sont les problèmes que je cherche à éviter ?
◎ Quelles sont les perspectives et les options que je me refuse à voir ?
◎ Que se passe-t-il vraiment ?
◎ Qu'est-ce que je passe sous silence ?
◎ Qu'est-ce que je refuse de voir ?
◎ Qu'est-ce que je ne veux pas faire ?
◎ Quelles sont les croyances que j'accepte ?
◎ Qu'est-ce que je refuse de considérer ?
◎ Quelles sont les histoires que je me raconte ?
◎ Est-ce qu'il y a anguille sous roche ?
◎ Si les gens étaient francs avec moi, que me diraient-ils ?

# CHAPITRE 11

## ÉTAPE I.B : II. HABILITÉS SPÉCIFIQUES À LA CONFRONTATION

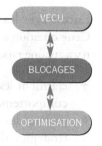

### 11.1 REFLET EMPATHIQUE DE NIVEAU AVANCÉ : LE MESSAGE SOUS-JACENT

- Aider les clients à expliciter les sous-entendus
- Aider les clients à reconnaître les thèmes récurrents de leur vécu
- Aider les clients à faire des associations susceptibles de leur échapper
- Communiquer les intuitions professionnelles sur un mode empathique

### 11.2 MISE EN COMMUN DE L'INFORMATION : DE NOUVELLES PERSPECTIVES D'ACTION

### 11.3 OUVERTURE DE SOI DE L'AIDANT

- Faire figurer l'ouverture de soi dans l'entente avec le client
- Ne révéler que ce qui est pertinent
- Choisir le bon moment
- Sélectionner les révélations et aller droit au but
- Éviter les révélations trop fréquentes
- Ne pas surcharger les clients déjà accablés
- Rester souple
- Reconnaître les enjeux cachés

### 11.4 IMMÉDIATETÉ : ÉCHANGE MUTUEL ET DIRECT

Types d'immédiateté et principes d'utilisation
- Immédiateté de la relation dans son ensemble
- Immédiateté axée sur les événements
- Immédiateté en tant que manière de communiquer

Situations requérant l'immédiateté

### 11.5 EMPLOI DES SUGGESTIONS ET DES RECOMMANDATIONS

### 11.6 CONFRONTATION

### 11.7 ENCOURAGEMENT

### QUESTIONS D'ÉVALUATION CONCERNANT L'ÉTAPE I.B : MODALITÉS SPÉCIFIQUES DE CONFRONTATION

Les aidants disposent de multiples méthodes pour amener leurs clients à adopter de nouvelles perspectives et à modifier leurs comportements intérieurs et extérieurs. Ce chapitre présente et illustre ces diverses méthodes : a) le reflet empathique de niveau avancé, b) la mise en commun de l'information, c) l'ouverture de soi de l'aidant, d) l'immédiateté, e) les suggestions et les recommandations, f) la confrontation et g) l'encouragement. Nous avons déjà vu que les questions exploratoires, comme la récapitulation et même le reflet empathique, sont susceptibles d'amener les clients à revoir leurs attitudes et leurs comportements.

## 11.1 REFLET EMPATHIQUE DE NIVEAU AVANCÉ : LE MESSAGE SOUS-JACENT

Le chapitre 3 portait sur les caractéristiques de l'empathie en tant que valeur, tandis que le chapitre 6 abordait les habiletés de communication nécessaires pour le reflet empathique. Toutefois, au moment d'écouter attentivement leurs clients, les aidants compétents perçoivent souvent clairement ce que leurs clients ne voient que partiellement ou se contentent d'effleurer. Au chapitre 5, nous avons parlé de l'importance d'être à l'écoute des distorsions ou des partis pris des clients. Ce type d'empathie plus profond implique de « deviner des réalités dont le client est à peine conscient » (Rogers, 1980, p. 142), autrement dit d'écouter et de donner un sens au message sous-jacent.

L'une des façons de remettre un client en question consiste à analyser avec lui votre propre compréhension de ce message sous-jacent. Lorsque Gabriel parle de sa femme et exprime la colère qu'il ressent à son égard, l'aidant perçoit au fil de son discours la souffrance qui se cache derrière sa colère. Gabriel évoque aisément avec ses proches la colère ressentie, mais se montre réticent à analyser ses sentiments douloureux. Lors d'un reflet empathique – à la condition que nous ayons vu juste –, les clients se reconnaissent presque sur-le-champ : « Oui, c'est ce que je veux dire. » Toutefois, parce que le reflet empathique de niveau avancé explore des zones inconnues et obscures, le client peut ne pas se reconnaître dans les réponses que nous lui donnons, ou encore, comme nous l'avons vu au dernier chapitre, ressentir un certain malaise. Le reflet empathique de niveau avancé prend alors des allures de confrontation. Dans l'exemple précité, l'aidant répond à Gabriel : « Il paraît évident qu'elle vous exaspère quand elle agit de la sorte, mais je crois percevoir, dans votre colère, une certaine souffrance. » Gabriel réagit en baissant les yeux et se tait. Il admet finalement que sa femme arrive encore à l'atteindre. Cela semble évident. L'aidant peut ainsi approfondir la question et relancer la discussion.

Voici quelques questions que les aidants peuvent se poser, lorsqu'ils sont à l'écoute des clients, pour approfondir la discussion :

✦ Qu'est-ce qu'il ne formule qu'à demi ?
✦ À quoi fait-il allusion ?
✦ Qu'est-ce qu'il me dit de façon confuse ?
✦ Quel est le message sous-jacent derrière le message explicite ?

Veuillez noter que l'écoute et le reflet empathique de niveau avancé concernent, en premier lieu, ce que dit le client ou, à tout le moins, ce qu'il exprime même timidement ou confusément. Point n'est besoin de broder sur ce qu'il raconte. Le reflet empathique de niveau avancé ne consiste nullement à deviner les intentions du client.

Maniée par des aidants compétents, l'écoute empathique de niveau avancé est axée non seulement sur les dimensions problématiques des comportements du client, mais également sur ses perspectives et ses ressources inexploitées. Ces aidants s'intéressent aux ressources souvent camouflées de leurs clients, lesquels en ont même oublié l'existence. Considérez l'exemple suivant. Un soldat qui songe sérieusement à devenir militaire de carrière discute avec un aumônier après s'être vu refuser une promotion. Il a honorablement servi en Bosnie et au Kosovo. Au fil de la discussion, il apparaît évident qu'une partie du problème vient de sa discrétion et de sa modestie, lesquelles le font passer inaperçu aux yeux de ses supérieurs.

> SOLDAT : Je n'y comprends rien. Je travaille dur, mais au moment d'accorder les promotions, tout le monde m'oublie. Je crois en faire autant que tous les autres et je suis efficace, mais tous mes efforts semblent vains. Je ne suis pas aussi frimeur que certains, même si je suis aussi compétent.

> AUMÔNIER A : Vous trouvez injuste de ne pas obtenir une promotion alors que vous la méritez.

> SOLDAT : Oui… J'imagine qu'il ne me reste qu'à attendre. [Un long silence s'ensuit.]

L'aumônier A tente de comprendre le client à partir de son cadre de référence. Il tient compte de ses sentiments et des expériences qui les sous-tendent. Il reflète donc les sentiments (niveau intermédiaire), mais cela conduit simplement le client à se replier encore plus sur lui-même. Observez cette approche différente :

> AUMÔNIER B : C'est déprimant de faire autant d'efforts pour finir par voir les autres décrocher les promotions… Que voulez-vous dire lorsque vous jugez que vous n'êtes « pas aussi frimeur » que les autres. Quels traits de votre personnalité font que vous ne vous détachez pas du groupe, même lorsque vous faites du bon travail ?

> SOLDAT : Vous voulez dire que je suis si modeste que je me fonds dans le paysage ? Ou peut-être que ce sont les gars les plus vantards, ceux que mon père appelle les bluffeurs, qui se font remarquer… Je crois que je ne sais pas me vendre. Ce n'est pas mon genre.

L'aumônier B, à partir du contexte, de la discussion sur la situation problématique et de l'attitude et du ton de voix du client, fait ressortir un aspect que le client n'avait qu'effleuré en choisissant l'expression « pas aussi frimeur ». Ses efforts passent inaperçus à cause de sa modestie. L'aumônier discute alors avec le soldat pour l'aider à trouver une façon de promouvoir ses talents qui soit cohérente avec ses valeurs. Le reflet empathique de niveau avancé adopte de multiples formes. En voici quelques-unes.

**Aider les clients à expliciter les sous-entendus.** La forme la plus élémentaire du reflet empathique consiste à aider les clients à exprimer clairement ce qu'ils insinuent sans le dire franchement. Dans l'exemple suivant, le client envisage plusieurs façons d'entrer à nouveau en contact avec sa femme à la suite de leur récent divorce, sans pour autant démontrer beaucoup d'enthousiasme :

CLIENT (d'un ton hésitant) : Je ne tiens pas absolument à lui parler. Mais j'imagine qu'il n'y a rien de mal à l'appeler pour lui demander de ses nouvelles.

CONSEILLER A : Il n'est pas non plus mauvais de prendre l'initiative de l'appeler. Après tout, vous seriez content d'apprendre qu'elle va bien.

CLIENT (un peu blasé) : Oui, je crois que je pourrais l'appeler.

La réponse du conseiller A aurait pu convenir à une phase précédente de la démarche d'aide, mais elle rate son effet et le client s'arrête aussi sec.

CONSEILLER B : Vous avez mentionné la possibilité d'entrer en contact avec elle mais, si je ne me trompe pas, je ne perçois pas beaucoup d'enthousiasme dans votre voix.

CLIENT : Pour être honnête, je ne tiens pas vraiment à lui parler. Mais je me sens coupable – coupable à cause du divorce, coupable de la savoir seule. Franchement, tout ce que je fais, c'est de recommencer à m'occuper d'elle, une des raisons pour lesquelles nous nous sommes séparés. J'avais besoin de prendre soin d'elle et elle me laissait faire. C'était l'histoire de notre mariage. Je ne veux plus retomber dans ce même mode.

CONSEILLER B : Que pourriez-vous envisager pour éviter tout cela ?

CLIENT : J'ai besoin de m'occuper de moi et de la laisser s'occuper de ses affaires. Aucun de nous deux n'est complètement démuni. [Sa voix s'éclaircit.] Par exemple, je songe à quitter mon emploi et à créer ma propre compagnie avec un ami pour aider les petites entreprises à se servir d'Internet pour prendre de l'expansion. Vous savez, les sites Web, le marketing, tout ça.

Le conseiller B formule ses réponses non seulement à partir de la précédente remarque du client, mais il s'inspire du contexte de son vécu. Il vise juste et le client va de l'avant. La réponse aide le client à clarifier son dilemme, à entrevoir la nécessité de changer.

**Aider les clients à reconnaître les thèmes récurrents de leur vécu.** Lorsque les clients font le récit de leur existence, nous remarquons l'émergence de certains thèmes. Il peut s'agir de sentiments (souffrance, dépression, anxiété), de comportements (contrôler les autres, fuir l'intimité, blâmer autrui, se surmener), d'expériences (être une victime, se laisser séduire, être réprimandé, être ignoré…), ou encore d'une combinaison de tous ces éléments. Dès que vous repérez un thème ou un mode de comportement autodestructeur lors d'une discussion, vous pouvez en faire part à votre client et l'aider à le vérifier.

Dans l'exemple suivant, une stagiaire en psychologie discute avec son formateur. Elle suit quatre clients, qu'elle a tous rencontrés pour la troisième fois au cours de la semaine. Ce dialogue se déroule au cours d'une séance de supervision.

FORMATEUR : Vous avez eu votre troisième séance avec vos clients cette semaine. Même si vous êtes à des phases différentes avec chacun d'eux, car ils ont débuté à diverses étapes, vous avez l'impression, si je comprends bien, que vous tournez un peu autour du pot avec certains d'entre eux.

STAGIAIRE : Oui, je pédale un peu dans le vide et je fais du surplace.

FORMATEUR : Vous avez une idée pour expliquer ce qui se passe ?

STAGIAIRE : Eh bien, ils semblent assez motivés. Et je crois les avoir écoutés attentivement et leur avoir manifesté quelques reflets empathiques afin de poursuivre le dialogue.

FORMATEUR : Mais cela ne semble pas être suffisant pour les faire avancer. J'ai une idée, écoutons l'une de ces cassettes.

Ils écoutent un passage de l'une des séances. La stagiaire arrête la cassette.

STAGIAIRE : Maintenant, je vois ce qui cloche ! Mon reflet empathique se limite à quelques interjections. Je croyais être trop directive, mais je suis vraiment loin de m'imposer.

FORMATEUR : Que manque-t-il alors ?

STAGIAIRE : Il y a trop peu de questions exploratoires, rien qui ressemble à une récapitulation et pas la moindre confrontation. Certaines questions exploratoires auraient sans doute orienté la séance.

FORMATEUR : Je vais me mettre dans la peau du client du mieux que je peux et voyons comment vous pouvez rejouer la séance.

Ils passent un quart d'heure à rejouer la séance en question. La stagiaire utilise les questions exploratoires et les reflets empathiques pour aboutir à un résultat tout à fait différent.

FORMATEUR : Vous êtes-vous rapprochée, même de loin, d'une confrontation ?

STAGIAIRE : Pas le moins du monde… Voyez-vous, je crois que je confonds questions exploratoires et confrontation… La raison fondamentale vient de mon refus de prendre des risques. Je marche sur des œufs, parce que j'ai peur de traumatiser le client. Mais il paraît maintenant évident que j'ai peur de le secouer.

Le formateur aide la stagiaire à prendre conscience de sa peur de trop s'imposer, qui explique son comportement inspiré par la prudence. Remarquez de quelle manière le formateur crée un contexte favorable à la confrontation de la stagiaire. Elle s'est rendu compte de son comportement à travers les termes « refus de prendre des risques » et « peur de trop s'imposer ».

**Aider les clients à faire des associations susceptibles de leur échapper.** Les clients racontent leur vécu en termes d'expériences, de comportements et d'émotions, mais souvent de façon approximative. Le travail du conseiller consiste alors à faire les liens pour déboucher sur de nouvelles perspectives afin de les faire progresser dans la démarche d'aide.

◆ Le conseiller de Mirabelle l'a aidée à prendre conscience des difficultés qu'elle éprouvait lors de l'élaboration de stratégies pour atteindre des objectifs dont elle n'était qu'à moitié convaincue. Ils ont alors réévalué les objectifs qu'elle s'était fixés.

◆ Un formateur de gestionnaires a permis à Jean-Paul de faire le lien entre ses ennuis avec sa directrice, une femme de tête, et les attitudes sexistes qui transparaissaient dans son comportement.

◆ Un thérapeute a aidé Johanne à associer sa manière d'être doucereuse et son incapacité d'influencer ses collègues de travail.

◆ Un superviseur a aidé Antoine à s'apercevoir que l'anxiété persistante qu'il ressentait lorsqu'il travaillait avec des clients venait de ses attentes perfectionnistes vis-à-vis de lui-même.

Le client suivant travaille à temps plein et termine les deux cours qu'il lui reste pour obtenir son diplôme universitaire. Son père vient d'avoir un accident vasculaire cérébral et se retrouve gravement handicapé. Le client mentionne une anxiété et une fatigue accrue depuis quelques semaines. Il rend visite à son père régulièrement et rencontre fréquemment sa mère, ses deux sœurs et ses deux frères pour discuter de la meilleure façon de gérer cette crise familiale. En période de tension, les conflits familiaux refont surface. Il doit aussi respecter les échéanciers pour la remise de ses travaux universitaires.

JEAN : Je ne sais pas pourquoi je suis continuellement fatigué et énervé. D'habitude, je suis le plus calme. Je me demande si ça n'est pas physique. Après tout ce qui est arrivé à papa, et tout le reste, je néglige ma santé.

CONSEILLER : Beaucoup d'événements sont survenus ces dernières semaines : le travail, les études, la maladie de votre père. Le fait de devoir jongler avec vos différents emplois du temps.

JEAN (l'interrompant) : Mais c'est ce que je fais le mieux. Travailler fort. Respecter tous les délais. C'est ce que je fais depuis toujours, sans jamais avoir été si fatigué et anxieux.

CONSEILLER : Et maintenant, avec la maladie de votre père…

JEAN : En fait, je pourrais aussi me débrouiller. Si j'étais seul… Je veux juste dire ma mère et moi, je suis sûr que j'y arriverais.

CONSEILLER : Bien, alors, à part la maladie de votre père, qu'y a-t-il de si différent ?

JEAN (lentement) : Eh bien, je regrette d'avoir à le dire... Ce sont les disputes familiales. On s'entend généralement très bien. On aime se voir. Mais les discussions concernant papa ont été très pénibles. Je ne cesse d'y penser au travail. Et l'autre soir, alors que j'essayais de rédiger mon travail pratique, je n'arrivais pas à dissiper la colère que je ressentais envers l'aînée de mes sœurs.

CONSEILLER : Les histoires de famille vous poursuivent quoi que vous fassiez.

JEAN : Je n'en ai juste pas l'habitude. Je pensais que nous allions tous collaborer, nous soutenir mutuellement. C'est plutôt le contraire qui se passe.

Jean gère très bien le stress au quotidien. Toutefois, ses histoires de famille ont un effet multiplicateur. Jean poursuit la discussion avec son conseiller sur les dynamiques familiales en question et sur ce qu'il peut faire pour s'y adapter.

**Communiquer les intuitions professionnelles sur un mode empathique.** En écoutant vos clients, vous analysez soigneusement leurs paroles et vous les replacez dans leur contexte. Les intuitions concernant les histoires ou les messages sous-jacents émergent d'elles-mêmes. Il est alors temps de communiquer celles qui, selon vous, apporteront un éclairage nouveau. Plus vous acquerrez une compétence, une maturité sociale et une expérience professionnelle, plus vos intuitions deviendront « raffinées ». En voici quelques exemples :

• Les intuitions permettent aux individus de percevoir globalement une situation. Un conseiller discute avec un client de son perfectionnisme et des problèmes en découlant. Le client mentionne également ses ennuis avec son beau-frère, que sa femme aime beaucoup inviter à la maison. Les deux hommes se disputent souvent et parfois de manière acrimonieuse. Le client décrit son beau-frère comme « un gars qui ne fait jamais rien de bien ». Le conseiller lui fait remarquer plus tard qu'ils ont commencé à parler de son perfectionnisme en termes d'exigences démesurées envers lui-même et qu'il est possible que ces exigences « déteignent » un peu. Le client cherche la perfection, mais il exige la même chose des autres. Ils poursuivent en abordant la façon dont son perfectionnisme interfère avec sa vie sociale.

• Les intuitions aident les clients à prendre conscience de ce qu'ils sous-entendent ou ne font qu'insinuer. Un conseiller discute avec une cliente, qui a le sentiment qu'une amie l'a laissé tomber : « J'ai l'impression que vous vous sentez plus que déçue – peut-être même presque trahie. » La cliente ayant tout fait pour éviter son amie, le mot « trahie » sonne plus juste que « laissé tomber ». Elle parvient finalement à être en contact avec ses émotions.

• Les intuitions contribuent à faire tirer par les clients les conclusions logiques de leur discours. Un gestionnaire discute avec l'un des membres de son équipe qui a émis de timides réserves à propos d'un des projets de l'équipe : « Si je mets bout à bout tout ce que vous avez dit à propos du projet, il semble qu'il ait été voué à l'échec dès le début et que l'on devrait probablement clore le dossier. Je sais que ça peut sembler radical, parce que vous ne l'avez jamais formulé ainsi, mais si c'est ce que vous ressentez alors nous devrions en parler. »

• Les intuitions poussent les clients à aborder des sujets qu'ils ne faisaient qu'effleurer. Un conseiller scolaire discute avec un élève de cinquième secondaire : « Tu as parlé de problèmes sexuels à de nombreuses reprises sans t'y arrêter. Il me semble que le sexe est un élément qui revêt beaucoup d'importance pour toi, mais c'est peut-être aussi un sujet très délicat. »

• Les intuitions incitent les clients à considérer des éléments qu'ils risquent d'avoir négligés. Un conseiller discute avec un client, qui n'a probablement pas plus de six mois à vivre. L'homme ne s'est jamais marié et n'a rédigé aucun testament. Il dispose d'un peu d'argent, mais n'a jamais manifesté d'intérêt pour les questions d'ordre financier. Il répète qu'il est négligent en ce qui a trait à ses finances. Il ajoute qu'il est prêt à mourir. Plus tard, au cours de la séance, le conseiller déclare : « Je me demande si votre désintérêt pour la question financière ne concerne pas aussi d'autres sphères. Par exemple, vous vivez seul et, si je ne m'abuse, vous n'avez pas non plus donné de procuration à quiconque concernant les questions de santé. Cela pourrait signifier que ce sont les médecins qui décideront de la façon dont vous mourrez. » Cette remarque aide le client à réfléchir sur la façon dont il désire mourir. Ils finissent même par parler de ses finances. Il n'est peut-être pas obsédé par l'argent, mais ce qu'il possède pourrait bien servir à une bonne cause.

• Les intuitions aident les clients à discerner certains thèmes. Un conseiller discute avec une femme, maltraitée par son mari, mais qui a hésité à faire appel aux services offerts aux victimes de violence familiale. Après avoir écouté son récit et s'en être fait une vue d'ensemble, le conseiller déclare : « Si je ne m'abuse, vous avez mentionné différentes situations dans lesquelles il vous était difficile de défendre vos droits. Par exemple… » Il cite une série d'occasions. Ils continuent à discuter des différentes manières dont elle pourrait s'affirmer davantage sans agressivité.

• Les intuitions engagent les clients à s'approprier pleinement les expériences, les comportements, les sentiments, les points de vue et les décisions qui n'étaient qu'à moitié assumés. Un conseiller parle à une cliente qui ressent beaucoup de douleur au cours des séances de rééducation physique auxquelles elle assiste à la suite d'un accident d'automobile. Cette dernière se limite à voir uniquement la difficulté de la rééducation. Le conseiller finit par lui dire : « On dirait que vous avez déjà décidé de mettre fin à ce programme. Mais je peux me tromper… » Cette remarque secoue la cliente. Elle songeait effectivement à interrompre ce programme, mais craignait de le faire. Ils discutent de sa peur d'abandonner. Lorsque le conseiller découvre qu'elle n'a jamais mentionné sa souffrance au personnel en charge de la rééducation, ils étudient des stratégies pour soulager cette douleur et, particulièrement, celle qui implique de la mentionner directement au personnel.

Comme toutes vos réponses, les intuitions doivent découler de votre compréhension du client. Si vos clients vous demandent d'où vous viennent ces intuitions et ce qui vous amène à penser ainsi, vous devez mentionner les indices comportementaux ou expérientiels sur lesquels vous vous basez. Évidemment, votre compréhension empathique du vécu du client ne vous permet pas de tirer des conclusions hâtives à partir de son récit ni de ses expériences ou de ses comportements (voir MacDonald, 1996). Elle ne vous donne pas non plus le droit d'accabler vos clients d'interprétations extraites de vos théories psychologiques préférées, au lieu de la réalité de leur existence. La compréhension empathique dépend du doigté, de la perspicacité, de l'expérience et de l'intelligence émotionnelle.

## 11.2 MISE EN COMMUN DE L'INFORMATION : DE NOUVELLES PERSPECTIVES D'ACTION

Par manque d'information, les clients sont parfois incapables d'analyser à fond leurs problèmes et de passer à l'action. L'information aide les clients à n'importe quelle phase ou à n'importe quelle étape de la démarche d'aide. À titre d'exemple, à la phase I, il est bon que les clients sachent qu'ils ne sont pas les seuls à faire face à un problème donné. À la phase II, l'information leur permet d'élucider ou de discerner de nouvelles perspectives et de formuler des objectifs pour y parvenir. À la phase de la mise en application, l'information concernant les obstacles courants les encourage à s'adapter à une situation nouvelle et à persévérer dans l'effort.

Les stratégies de partage de l'information font partie de la confrontation, parce qu'elles poussent les clients à envisager leurs problèmes sous une autre optique ou qu'elles leur indiquent des façons d'agir. Il s'agit à la fois d'une transmission de l'information et de la rectification des renseignements inexacts. Dans certains cas, l'information fournie peut s'avérer réconfortante. Le parent qui se sent responsable de la mort de son nouveau-né sera soulagé de connaître les signes avant-coureurs du syndrome de mort subite du nourrisson. Cette information ne « résout » pas la question, mais ce nouvel éclairage aide le client à surmonter sa culpabilité. Dans d'autres cas, l'information peut s'avérer douloureuse et constituer une véritable confrontation.

Dans certaines situations, les nouvelles perspectives apportées par ce partage d'information peuvent s'avérer à la fois réconfortantes et douloureuses. Analysez les exemples suivants :

> Adrien étudie à l'université, mais n'est pas très doué pour les études. Un travail acharné lui a permis d'arriver à la fin du premier cycle. Il a appris cette année que beaucoup de ses amis se dirigeaient vers une maîtrise. Il a, lui aussi, posé sa candidature à un certain nombre de programmes de deuxième cycle en psychologie. Il finit par consulter un conseiller du service aux étudiants, après avoir essuyé des refus de toutes les universités. Lors de l'entretien, le conseiller se rend vite compte qu'Adrien est convaincu qu'une large majorité des étudiants se dirigent vers un deuxième cycle. Après tout, la plupart de ses amis proches ont été acceptés dans un de ces programmes. L'aidant lui fournit des statistiques concernant la sélection universitaire – le nombre décroissant d'étudiants qui atteignent les niveaux supérieurs. Adrien n'avait pas réalisé qu'en terminant le premier cycle, il faisait partie d'une élite. Pas plus qu'il n'était conscient de la nature compétitive

des programmes de maîtrise en psychologie dans lesquels il désirait s'inscrire. Il se sent soulagé de l'apprendre, mais se trouve tout d'un coup face au problème de son orientation à la sortie de l'université. Jusqu'à ce jour, il ne s'était jamais penché sur la question. Il est déconcerté par la soudaine nécessité d'entrer dans le monde du travail.

Le partage de l'information s'avère particulièrement utile pour résoudre un problème, de même que lorsque l'ignorance constitue l'une des causes principales des difficultés ou qu'elle aggrave un problème existant.

Dans certains contextes, les médecins font équipe avec les conseillers pour transmettre à leurs clients des messages douloureux et l'information nécessaire pour prendre des décisions difficiles. Voici le cas de Maxime, un comptable de 54 ans, qui a subi plusieurs tests de dépistage du cancer de la prostate. Ces tests révèlent des cellules cancéreuses et il se retrouve devant la tâche redoutable de choisir parmi différentes options. Le médecin s'assied avec lui et lui présente les différentes options qui s'offrent à lui, y compris le *statu quo*, en lui en exposant les avantages et les inconvénients. Maxime en discute ensuite avec le conseiller. Ce dernier l'aide à encaisser la nouvelle, à clarifier l'information reçue et à entamer le processus de prise de décision.

La prudence s'impose lorsque nous communiquons de l'information aux clients. Si celle-ci s'avère déroutante, nous risquons de bouleverser le client. Il faut donc faire preuve de tact et aider le client à surmonter le déséquilibre qui s'ensuit. N'accablez pas le client de renseignements. Assurez-vous que ceux-ci sont clairs et correspondent à sa situation. Ne le laissez pas partir sur un malentendu. Apportez-lui votre soutien et aidez-le à décoder l'information reçue en vérifiant sa compréhension. Enfin, évitez de confondre information et conseils, ces derniers étant rarement utiles. Le counseling professionnel ne consiste nullement à dicter au client sa conduite. Ni le médecin ni le conseiller n'ont à imposer à Maxime le choix du traitement à privilégier. Cependant, Maxime a besoin de leur soutien pour prendre cette lourde décision.

## 11.3 OUVERTURE DE SOI DE L'AIDANT

Une troisième habileté associée à la confrontation consiste, pour l'aidant, à partager avec son client certains de ses comportements, de ses expériences et de ses sentiments, et ce, de manière constructive (Edwards et Murdoch, 1994 ; Hendrick, 1990 ; Knox, Hess, Petersen et Hill, 1997 ; Mathews, 1988 ; Simon, 1988 ; Stricker et Fisher, 1990 ; Watkins, 1990 ; Weiner, 1983). D'une certaine façon, les conseillers ne peuvent éviter de se révéler : « Le conseiller livre ses traits de caractère dans chaque regard, dans chaque geste, dans chaque réaction émotive, de même que dans chacune de ses paroles » (Strong et Claiborne, 1982, p. 173). Ce genre de confession indirecte survient en permanence. Les aidants efficaces, en manifestant leur intérêt au client, en étant à son écoute, en interprétant ses paroles ou en lui répondant, tentent d'enregistrer et d'analyser les impressions qu'ils produisent sur lui.

Il est cependant ici question d'une révélation directe de l'aidant. Les études sur ce type de révélation ont conduit à des conclusions diverses et même contradictoires. Certains chercheurs ont découvert que ce type de confidences risquait d'effrayer les clients ou de les amener à considérer l'aidant comme un individu déséquilibré. Cette ouverture de soi, au lieu d'encourager le client, pourrait alourdir son fardeau déjà accablant. D'autres études laissent au contraire entendre que les clients apprécient que l'aidant se révèle, les amenant à le considérer comme quelqu'un de réel et d'honnête.

L'ouverture de soi directe des aidants sert en quelque sorte d'exemple. Les groupes d'entraide comme les Alcooliques anonymes recourent largement à ce genre de confessions. Elles donnent à leurs nouveaux membres une idée des sujets à aborder en les encourageant à participer. C'est une façon pour le groupe de signifier que chacun parle sans se faire juger ni craindre d'être blessé. Même dans les séances individuelles de counseling concernant la dépendance à l'alcool ou aux autres drogues, l'ouverture de soi de l'aidant constitue la norme.

> Élizabeth est conseillère dans un programme de traitement de la toxicomanie. Elle s'est droguée durant plusieurs années mais a « décroché » grâce à l'aide de l'organisme pour lequel elle travaille maintenant. Tous les participants du programme savent que leurs conseillers sont d'anciens toxicomanes, aujourd'hui non seulement réadaptés, mais également pleinement désireux d'aider les autres à se désintoxiquer et à se débarrasser définitivement de leur dépendance à la drogue. Chaque fois qu'elle le croit utile, Élizabeth raconte ses expériences de toxicomane, ainsi que la pénible traversée du désert vers son affranchissement.

Toutes choses étant égales par ailleurs, les ex-toxicomanes s'avèrent d'excellents aidants dans de tels programmes. Ils ont eux-mêmes expérimenté des subterfuges qu'emploient les clients dans ces circonstances. Le fait de relater leur expérience constitue une dimension centrale de leur travail et les clients l'acceptent. Ces confidences permettent à ces derniers d'envisager de nouvelles perspectives et de nouvelles attitudes. Un tel exercice suscite une confrontation, car il oblige les individus à se montrer beaucoup plus francs vis-à-vis d'eux-mêmes ou à se concentrer sur l'essentiel[1].

En se confiant, l'aidant remet en question les clients, essentiellement pour deux raisons. Tout d'abord, il crée une certaine intimité que plusieurs clients ont du mal à accepter. Par conséquent, l'aidant doit savoir exactement ce qu'il fait lorsqu'il divulgue des renseignements personnels. Deuxièmement, le message véhiculé laisse entendre au client, de manière indirecte, qu'il peut également y arriver. Les révélations de l'aidant, même si elles concernent des échecs passés, se concentrent le plus souvent sur des situations résolues ou

---

1  Note du responsable de l'adaptation française. Vous constaterez que cet ouvrage fait de nombreuses fois référence à des groupes tels Alcooliques anonymes. Ce sont des groupes généralement anonymes qui prônent un programme de rétablissement spirituel en 12 étapes. Loin d'en faire l'apologie, j'invite plutôt les aidants à faire preuve de discernement à l'égard de certaines pratiques qui sont courantes dans ces groupes anonymes. Pour ma part, je m'oppose aux pratiques de professionnels qui refusent d'aider des clients s'ils n'adhèrent pas à tels ou tels mouvements à caractère spirituel. Le client est le mieux placé pour savoir quel groupe d'entraide lui convient. Pour plus de renseignements, vous pouvez visiter le site Internet suivant : www.orange-papers.org/menu1.html.

des occasions saisies au vol. Néanmoins, bien menées, de telles révélations encouragent énormément les clients.

Dans l'exemple suivant, Richard vient d'avoir un certain nombre de séances avec Tristan, un client à l'adolescence plutôt tumultueuse qui a eu de « mauvaises fréquentations » et s'est attiré quelques ennuis avec la police. Ses parents l'ont très mal pris et sa relation avec eux s'est détériorée. Le fardeau de son passé, qui semble encore aujourd'hui peser sur lui, représente un thème récurrent chez Tristan. Richard décide de lui faire part de certaines de ses propres expériences.

> RICHARD : Durant la première année du secondaire, j'ai été expulsé de l'école pour vol. C'était pour moi la fin du monde et pour ma famille, très croyante, le pire des déshonneurs. Nous avons même déménagé dans un autre quartier.

> TRISTAN : Qu'est-ce que cela vous a fait ?

Richard raconte brièvement son histoire, fort semblable à celle de Tristan. Toutefois, Richard, grâce à l'aide d'un oncle très compréhensif et avisé, a pu faire abstraction de son passé. Il n'a pas dramatisé à outrance son histoire. En fait, son vécu démontre bien que les crises existentielles sont normales. L'essentiel réside dans la façon de les interpréter et de les gérer.

La recherche actuelle ne fournissant pas de réponses définitives, il faut s'en remettre au bon sens. Jusqu'à présent, l'ouverture de soi de l'aidant n'est pas considérée comme une science, mais plutôt comme un art. Voici quelques lignes directrices pour y recourir.

**Faire figurer l'ouverture de soi dans l'entente avec le client.** Dans les groupes d'entraide et le counseling offert par d'anciens toxicomanes aux toxicomanes, l'ouverture de soi fait explicitement partie de l'entente avec le client. Si vous ne voulez pas surprendre vos clients, dites-leur qu'il se peut que vous évoquiez vos propres expériences lorsqu'elles coïncideront avec ses intérêts. Laissez entendre, au début de la démarche, quelque chose du genre : « Il se peut que je vous raconte certaines de mes expériences, dans la mesure où je pense qu'elles peuvent vous être profitables. » Les révélations de Richard ne faisaient pas partie de son entente avec Tristan, mais il a senti qu'il pouvait les introduire dans son dialogue avec lui.

**Ne révéler que ce qui est pertinent.** Dans la mesure où cela correspond aux objectifs thérapeutiques du client, l'ouverture de soi de l'aidant est appropriée. Autrement, nous tombons dans l'exhibitionnisme qui, manifestement, est inopportun. Ces confidences doivent s'insérer naturellement dans la démarche d'aide et ne pas constituer un stratagème. L'expérience vécue de Richard permet à Tristan d'envisager les « erreurs » de son passé sous un jour nouveau. En s'impliquant, Richard lui fait comprendre qu'il n'est pas le seul à avoir vécu une telle situation.

**Choisir le bon moment.** Le choix du moment approprié est décisif. Le sens commun suggère qu'une ouverture prématurée de la part de l'aidant risque de rebuter le client (Goodyear et Shumate, 1996). Richard ne raconte pas son histoire d'entrée de jeu. Il attend quelques séances et saisit l'occasion lorsqu'elle se présente d'elle-même.

**Sélectionner les révélations et aller droit au but.** Ne détournez pas l'attention du client par des histoires décousues. Dans l'exemple suivant, l'aidant discute avec un étudiant de première année en psychologie clinique. Le client est découragé et déprimé par la quantité de travail qu'il doit abattre. Le conseiller souhaite « l'aider » en lui confiant sa propre expérience universitaire.

> CONSEILLER : Votre histoire me ramène tout droit à mes années d'université. Je crois n'avoir jamais été aussi serré dans mon emploi du temps. Ce furent aussi les moments les plus déprimants de mon existence. À plusieurs reprises, j'ai voulu jeter l'éponge. Je me rappelle qu'une fois, vers la fin de ma troisième année…

Certains éléments de l'expérience universitaire du conseiller contribueront peut-être à aider l'étudiant à avoir une meilleure compréhension conceptuelle et émotionnelle de ses problèmes, mais le conseiller s'écarte du sujet pour évoquer des souvenirs qui correspondent à ses propres besoins et non à ceux du client. À l'inverse, la révélation de Richard était bien choisie et parfaitement ciblée.

**Éviter les révélations trop fréquentes.** Les confidences à répétition de l'aidant ne conviennent pas. Certaines études (Murphy et Strong, 1972) laissent croire que si les aidants divulguent souvent leur vécu aux clients, ces derniers trouveront que cela sonne faux et soupçonneront des motifs cachés ou personnels. Si Richard avait continué à raconter son expérience chaque fois qu'il entrevoyait une similitude avec celle de Tristan, ce dernier aurait fini par se demander qui des deux était le conseiller.

**Ne pas surcharger les clients déjà accablés.** Un aidant novice croyait qu'en exposant ses propres problèmes sexuels à son client, il le mettrait plus à l'aise pour aborder les siens. Après tout, son développement sexuel ne différait pas outre mesure de celui de son client. Toutefois, ce dernier a réagi en déclarant : « Dites donc ! Ne me racontez pas vos problèmes. Les miens me suffisent. » Ce conseiller s'est épanché trop tôt et trop longuement. Il s'est pris à son propre jeu plutôt que de chercher le bien du client.

**Rester souple.** Travailler au cas par cas. Adaptez vos révélations selon les clients et les situations. Lorsque nous nous adressons à eux directement, les clients affirment qu'ils souhaitent que leur aidant leur fasse des confidences (voir Hendrick, 1988), mais cela ne signifie pas que l'ensemble des clients le souhaite ou soit en mesure d'en tirer un avantage dans toutes les situations. La révélation de Richard à Tristan venait naturellement, elle découlait d'une décision explicite de sa part.

**Reconnaître les enjeux cachés.** Toute relation comporte sa part de mystère ou son côté occulte. Il est préférable d'éviter l'ouverture de soi si vous suspectez chez votre client la présence ou la possibilité d'enjeux psychologiques de nature passionnelle à votre égard. La révélation ne fera alors qu'alimenter les fantaisies plus ou moins inconscientes de votre client à entrer dans votre univers personnel. Il est préférable de discuter la nature de ce lien passionnel au lieu de l'alimenter.

L'immense majorité des clients qui cherchent de l'aide éprouve des difficultés dans leurs relations interpersonnelles. Certaines des difficultés auxquelles le client est confronté quotidiennement se reflètent dans sa relation avec son aidant. Si les clients sont conciliants dans la vie de tous les jours, ils le seront dans la démarche d'aide. S'ils manifestent de l'agressivité et de la colère face aux figures d'autorité, ils réagiront probablement de la sorte face à leur aidant. Dès lors, nous pouvons étudier le style de relations du client, du moins en partie, grâce à sa relation avec l'aidant. Si le counseling s'effectue en groupe, cela ne fait que multiplier les occasions. Robert Carkhuff nomme « immédiateté » l'ensemble des habiletés permettant aux aidants d'analyser la relation qu'ils entretiennent avec leur client ou vice versa, ou encore les habiletés qui permettent aux clients de faire de même avec les autres membres du groupe ou l'animateur (voir Carkhuff 1969a, 1969b ; Carkhuff et Anthony, 1979 ; voir aussi Hill et O'Brien, 1999, chapitre 16). Il s'agit en effet d'un outil essentiel pour suivre et gérer l'entente entre clients et aidants, un outil ou un mode d'interaction au service de l'aidant comme du client.

## TYPES D'IMMÉDIATETÉ ET PRINCIPES D'UTILISATION

Nous passerons en revue trois types d'immédiateté. Le premier type est axé sur la relation dans son ensemble : « Comment allons-nous, vous et moi ? » Le second type se concentre sur certains événements clés de la séance : « Qu'est-ce qui se passe entre vous et moi en ce moment même ? » Enfin, le troisième type fait référence à une manière de communiquer qui implique directement notre personne (utilisation du *je*) au temps présent (conjugaison du verbe) lorsque nous nous adressons à autrui (voir Robitschek et McCarthy, 1991) : « J'aime bien que vous me remettiez en question. Cela montre que vous avez du cran. » Revoyons ces trois types plus en détail.

**Immédiateté de la relation dans son ensemble.** Ce type d'immédiateté renvoie à votre capacité de discuter avec le client de votre relation dans son ensemble et vice versa. Il ne s'agit pas d'aborder un incident en particulier, mais de discuter de la façon dont votre relation évolue et de la façon dont elle contribue ou fait obstacle aux progrès du client. Dans l'exemple suivant, l'aidante a 44 ans et travaille comme conseillère pour une grande entreprise. Elle discute avec un homme de 36 ans, qu'elle a rencontré tous les 15 jours depuis environ 2 mois. Sa relation avec sa patronne constitue pour lui un problème majeur.

> CONSEILLÈRE : Nous avons établi une bonne relation. Je crois que nous nous respectons. Nous avons tous deux pu formuler des exigences l'un envers l'autre, mais aussi faire des concessions mutuelles. Vous vous êtes mis en colère contre moi et j'ai été parfois impatiente envers vous, mais nous avons surmonté tout cela. Je me demande ce que peut bien avoir notre relation que n'a pas celle que vous entretenez avec votre patronne.

> CLIENT : Eh bien, tout d'abord, vous m'écoutez alors que je ne crois pas qu'elle le fasse. D'un autre côté, je vous écoute attentivement, mais je ne crois pas que je l'écoute du tout, et elle en est probablement consciente. Je la trouve stupide et j'imagine que, sans le lui dire explicitement, je le lui ai démontré de plusieurs façons. Elle sait ce que je ressens.

Le fait de considérer sa relation avec son aidante permet au client d'examiner plus en détail la relation qu'il entretient avec sa patronne.

Voici un autre exemple. Normand, un formateur de 38 ans dans un programme de formation des conseillers, discute avec l'un de ses stagiaires, Weijun, âgé de 25 ans.

NORMAND : Weijun, certaines choses entre nous me tracassent un peu. J'ai l'impression que vous vous adressez à moi avec précaution. Vous parlez lentement et semblez choisir vos mots, au point que vos réponses semblent parfois artificielles. Vous ne me contredisez jamais lors de nos séances de groupe. Lorsque vous vous confiez, vous semblez éviter mon regard. Je ne suis alors pas en mesure de vous manifester ma compréhension avec facilité, ce qui ne facilite pas toujours nos échanges. Il m'est arrivé de remettre à plus tard cette discussion avec vous. Peut-être que tout ceci provient de mon imagination, mais je voulais avant tout vérifier avec vous.

WEIJUN : Je craignais d'en discuter avec vous et j'ai également voulu reporter cette discussion. Je suis content que vous abordiez le sujet. Ma réaction vient en grande partie de la façon dont je me comporte face à l'autorité, bien que vous ne soyez pas un « symbole d'autorité » à proprement parler. Vous ne vous comportez pas de la façon dont un symbole d'autorité serait supposé se comporter.

Dans ce cas, le problème provient en partie de différences culturelles. Pour Weijun, il n'est pas naturel de dialoguer avec une personne en autorité. Cependant, il ose confier ses réserves à Normand. Il trouve que les interventions de Normand au sein du groupe de formation manquent de structure et qu'il n'est pas suffisamment objectif. Il ne voulait pas aborder le sujet, car il redoutait de compromettre sa position au sein du programme. Toutefois, maintenant que Normand en a parlé, il accepte l'objection.

La réponse immédiate peut provenir du client, même si, pour des raisons évidentes, un bon nombre hésite à le faire. Qui veut affronter le chef ? Dans l'exemple suivant, Charlotte est la mère de Vincent, un homme d'une quarantaine d'années, père de deux enfants et qui suit actuellement une thérapie pour révéler ce qu'il nomme « un grave secret » et s'en libérer. Pour la première fois de son existence, il lève le voile sur des épisodes troublants de son enfance. Étant petit, Vincent a été agressé sexuellement par un prêtre qui exerçait dans la paroisse où demeurait sa famille à cette époque. Charlotte vient alors discuter avec le curé de sa présente paroisse. Ils parlent maintenant depuis quelques minutes.

CHARLOTTE : Comme vous pouvez vous en douter, je suis complètement bouleversée à l'idée d'avoir à aborder ce sujet avec vous.

CURÉ : Dans les circonstances, vos sentiments n'ont rien de surprenants.
Je n'étais pas sûr que vous souhaitiez m'entretenir de cela.

CHARLOTTE : Je vous ai toujours respecté, mais maintenant, eh bien, c'est comme si quelqu'un vous avait sali vous aussi, même si vous n'avez rien fait. Je sais que c'est injuste, mais dans mon for intérieur je pense que vous faites partie de ceux-là. Pas des agresseurs, mais… de ceux qui devraient être au-dessus de tout ça.

CURÉ : Je ressens également du désarroi. Je voudrais vous demander pardon, même si je n'ai rien fait. Je voudrais vous présenter des excuses au nom de l'Église, mais vous en faites partie autant que moi, et il semble inutile de demander pardon au nom de ce prêtre à la retraite… Comme vous, je souffre… À cause de Vincent, à cause de cette horreur qui nous accable.

CHARLOTTE : Je ne vous croyais pas si vulnérable. Je vous pensais compréhensif et… rationnel. Je ne pensais pas que vous étiez si fragile. Ça me fait reconsidérer ma colère.

CURÉ : Vulnérable… Eh bien… Vous avez utilisé l'expression « au-dessus de tout cela ». Je ne vois pas qui peut l'être. Certainement pas moi. Mais je sais que je ne suis pas non plus un prédateur sexuel… Je suis juste moi-même.

Ce dialogue permet de détendre l'atmosphère. Deux éléments contribuent à cette interaction. Le curé fait clairement savoir qu'il est prêt à être contesté et à prendre part à une conversation sur un pied d'égalité. De plus, Charlotte est fondamentalement courageuse. Même dans le cas contraire, le curé aurait pu recourir à ses habiletés de communication pour initier ce genre de dialogue.

**Immédiateté axée sur les événements.** Ce type d'immédiateté (aussi appelée immédiateté au moment présent) renvoie à votre capacité de discuter avec les clients de ce qui survient entre vous au moment même d'une transaction donnée. Il ne s'agit pas de considérer la relation dans son ensemble, mais d'aborder une question ou un incident précis. Dans le cas suivant, l'aidante, âgée de 44 ans, est conseillère dans un centre de services sociaux de quartier. Agnès, qui en a 49, est veuve depuis peu et parle de sa solitude. Elle semble s'être repliée sur elle-même et leur relation stagne.

CONSEILLÈRE : J'aimerais que l'on s'arrête un instant pour analyser ce qui se passe en ce moment même entre vous et moi.

AGNÈS : Je ne suis pas sûre de comprendre ce que vous voulez dire.

CONSEILLÈRE : Eh bien, notre conversation d'aujourd'hui a débuté de façon très animée, mais semble maintenant s'embourber. Je sens une tension au niveau des muscles des épaules. Cela m'arrive parfois lorsque j'ai l'impression d'avoir dit une sottise. Je peux me tromper, mais j'ai le sentiment que les choses sont un peu difficiles entre nous, en ce moment.

AGNÈS (hésitante) : Oui, peut-être un peu…

Agnès continue à parler de la façon dont elle a perçu l'une des remarques de l'aidante au cours de la séance. Elle pense que la conseillère la trouve paresseuse. Agnès sait que c'est faux. Elles discutent de cet incident, le règlent et passent à autre chose.

L'objectif de l'immédiateté axée sur les événements est de renforcer l'alliance thérapeutique entre le client et l'aidant. Des recherches sur ce point ont démontré qu'une attitude trop protectrice risque de nuire à cette alliance (voir Kivlighan, 1990). La relation d'aide demande du courage. L'immédiateté constitue un moyen d'arriver à un équilibre entre le soutien et la confrontation pour les deux parties (Kivlighan et Schmitz, 1992 ; Tryon et Kane, 1993).

**Immédiateté en tant que manière de communiquer.** Il s'agit, dans nos communications courantes, d'impliquer directement notre personne dans le propos, c'est-à-dire de parler de soi et non des autres. De tels propos peuvent s'avérer positifs ou négatifs, selon le ton employé. Commençons par le côté positif.

> AIDANT : J'aime que vous m'interrompiez, Alexandre. Cela ne vous arrive pas souvent, mais il semble que cela soit votre manière de me rappeler qu'il s'agit d'un dialogue.

Cette implication directe sert également de confrontation, car elle incite l'autre à continuer sur sa lancée. Les clients apprécient généralement ce type d'intervention directe. « Au cours du premier entretien, l'implication positive du conseiller sert d'encouragement et de soutien, elle est particulièrement importante, parce qu'elle met le client à l'aise et détend l'atmosphère au tout début du counseling » (Watkins et Schneider, 1989, p. 345).

L'implication directe négative incite davantage à la confrontation par le ton employé. Carl Rogers, le père de la thérapie centrée sur le client, relate l'incident suivant :

> *J'ai la ferme impression que, même avant d'arrêter de faire du counseling individuel, je m'adonnais de plus en plus à ce que j'appelle la confrontation, c'est-à-dire, à la confrontation de l'autre par mes sentiments… Je me souviens d'un client dont les propos m'ennuyaient dès le début de la séance. J'avais de la difficulté à rester éveillé durant l'heure que nous devions passer ensemble, et ce n'était pas du tout mon genre. J'ai réalisé que je devrais lui faire part de ce sentiment persistant, le confronter avec mes sentiments. Cela n'a pas manqué de générer un conflit… Je lui ai donc dit, avec bien des difficultés et un certain embarras : « Je n'y comprends rien, mais lorsque vous n'arrêtez pas de parler de vos ennuis sur un ton, selon moi, monocorde, je m'ennuie profondément. » Cette révélation l'a perturbé et il a semblé très mécontent. Puis, il a commencé à parler de la façon dont il s'exprimait et en est arrivé progressivement à comprendre l'une des raisons de sa manière de se présenter. Il a déclaré : « Vous savez pourquoi je parle de façon si inintéressante, c'est parce que je ne me suis jamais vraiment attendu à ce qu'on m'écoute. » Nous nous sommes bien mieux entendus après cet épisode, parce que je pouvais lui faire remarquer son ton monocorde chaque fois qu'il l'employait.* (voir Landreth, 1984, p. 323)

En s'impliquant directement et sincèrement, Rogers a poussé le client à aller de l'avant. Cependant, il existe un point de vue différent sur la question. Quelqu'un a dit un jour que l'ennui était une forme de signal d'alarme. Rogers s'ennuyait parce qu'il s'empêchait de communiquer trop fréquemment ses perceptions au client. Par principe, il évitait habituellement les questions exploratoires, la récapitulation et la confrontation, de crainte de déresponsabiliser ses clients. Pourtant, il était maître dans l'art de les comprendre et de leur refléter cette compréhension. Cette histoire montre également la voie dans laquelle il s'était engagé vers la fin de sa carrière : il pimentait ses interactions avec les clients de questions exploratoires et de confrontations.

## SITUATIONS REQUÉRANT L'IMMÉDIATETÉ

Une relation d'aide efficace – et, plus généralement, l'intelligence sociale (ou relationnelle) – consiste à savoir quand recourir à telle ou telle habileté de communication. L'immédiateté s'avère donc utile dans les situations suivantes :

✦ *Manque d'orientation.* Lorsqu'une séance se déroule sans but précis et qu'aucun progrès n'est enregistré : « Arrêtons-nous un instant. J'ai l'impression que ça n'avance plus. Si nous nous sommes embourbés, je me demande ce que j'ai fait, ce que nous avons fait, pour nous enliser. » Bien sûr, cette remarque peut venir aussi bien de l'aidant que du client.

✦ *Tension.* Lorsque nous sentons une crispation entre le client et nous : « On dirait qu'on se tape sur les nerfs. On ferait mieux de s'arrêter un moment et de voir si l'on peut détendre l'atmosphère. »

✦ *Manque de confiance.* Si nous percevons une méfiance de la part de l'autre : « Je sens que vous hésitez à parler et je me demande si c'est de ma faute. C'est un sujet particulièrement confidentiel. C'est peut-être particulièrement difficile pour vous de me faire confiance actuellement. »

✦ *Différences culturelles.* Lorsqu'une distance sociale ou une grande différence entre les personnalités du client et de l'aidant portent atteinte à la relation : « Vous êtes plus âgé, je suis plus jeune. Je suis un homme, vous êtes une femme et vous abordez un sujet typiquement féminin. Je ne sais pas si cela a quelque chose à voir avec le fait que nous avançons difficilement. C'est du moins ce que je ressens. »

✦ *Dépendance.* Lorsque l'attitude soumise du client semble interférer avec la démarche d'aide : « Vous ne semblez pas vouloir analyser un problème sans que je vous en aie donné la permission ou que je vous presse de le faire. J'ai l'impression d'avoir à vous talonner. »

✦ *Contre-dépendance.* Lorsque la réaction du client empêche l'évolution de la relation d'aide : « J'ai l'impression que cette séance se transforme en un affrontement. Et, si je ne m'abuse, nous voulons tous deux gagner. »

✦ *Attirance.* Si une attirance de la part de l'aidant ou du client fait dévier la relation : « Je pense que nous nous sommes plu dès le début. Mais je me demande maintenant si cet attrait ne va pas à l'encontre du travail que nous faisons ici. » La prudence est de mise dans ce genre de situation. En abordant cette question, nous risquons d'accroître cette attirance. Quelqu'un a un jour décrit une rencontre sentimentale comme « le fait d'être seuls ensemble et de ne parler que des deux personnes en présence[2] ».

L'immédiateté, à la fois dans le counseling et dans la vie de tous les jours, est difficile et exigeante. Premièrement, elle est difficile parce que l'aidant ou le client doit être conscient

---

[2] Note du responsable de l'adaptation française. Une différence fondamentale existe entre l'attirance qui implique un intérêt objectif pour l'autre, et le fait qu'un client idéalise son aidant (transfert positif) et développe une véritable passion occultée (enjeu psychologique caché) pour ce lien privilégié.

de ce qui survient sur le plan de la relation, sans toutefois en faire un sujet de préoccupation. L'aidant ne doit pas envisager l'immédiateté comme une occasion de voir clair dans le jeu du client. Deuxièmement, l'immédiateté exige à la fois de l'intelligence et du courage sur le plan social. Il n'est pas toujours facile d'aborder des problèmes relationnels. L'aidant doit avoir du cran, le client aussi. Cependant, le jeu en vaut la chandelle. L'immédiateté permet au conseiller comme au client de franchir une série d'obstacles dans leur relation. Elle est également une occasion d'apprentissage pour les clients. Si les aidants s'en servent de façon appropriée, les clients en verront l'intérêt et apprendront à s'en servir pour gérer leurs propres difficultés relationnelles.

## 11.5 EMPLOI DES SUGGESTIONS ET DES RECOMMANDATIONS

Cette section débute par une série d'impératifs : ne dictez pas aux clients ce qu'ils doivent faire, ne prenez pas la direction de leur vie, laissez-les prendre leurs décisions. Ces impératifs découlent de valeurs telles que le respect et le renforcement de l'autonomie. Est-il pour autant interdit de formuler des suggestions et des recommandations ? Bien sûr que non. Nous avons souligné plus tôt la contradiction inévitable entre le désir de l'aidant de voir ses clients mieux gérer leur vie et le respect de leur liberté. Si les aidants bâtissent des relations solides et respectueuses avec leurs clients, certaines interventions « plus musclées » auront leur raison d'être. Dans ce contexte, les suggestions et les recommandations inciteront les clients à arrêter de tourner autour du pot et à agir. Les aidants passent du mode du counseling au rôle de conseiller. Les recherches démontrent que les clients acceptent généralement les recommandations de leur aidant si celles-ci ont un lien explicite avec leurs ennuis, qu'elles les stimulent et qu'elles ne sont pas trop difficiles à mettre en pratique (Conoley, Padula, Payton et Daniels, 1994). Les aidants efficaces font des suggestions, des recommandations et orientent l'action de leurs clients sans les priver de leur autonomie ni de leur intégrité.

En voici un exemple classique, tiré des travaux de Cummings (1979, 2000) auprès de toxicomanes. Ces derniers venaient le consulter en raison de multiples malaises. Il s'ingéniait, par tous les moyens possibles, à les écouter et à comprendre leur détresse.

> *Le thérapeute doit, au début de la première séance, écouter très attentivement son client. Puis, à mi-parcours, en faisant appel à sa formation, à sa perspicacité thérapeutique, en se fiant à son sixième et même à son septième sens, il décèle les désirs inassouvis, les rêves oubliés depuis longtemps mais encore ancrés profondément dans cet être humain, pour ensuite les dépoussiérer et initier le client à s'y intéresser de nouveau. Ce n'est pas chose facile, parce que s'il ne touche pas le point sensible, le thérapeute perd son client.* (1979, p. 1123)

Cummings communiquait son reflet empathique aux clients pour leur démontrer sa compréhension de leur détresse et de leurs aspirations. Les toxicomanes qui se présentaient devant lui connaissaient tous les subterfuges. Cependant, Cummings les connaissait lui aussi. Vers la fin de la première séance, il leur disait qu'ils pourraient assister à une autre séance – et ils acquiesçaient tous invariablement – à la condition qu'ils soient « désintoxiqués ». Le moment de la seconde séance dépendait de la période de sevrage et, par conséquent, du type de substance qu'ils prenaient. Les clients criaient au fou, essayaient de ruser, mais Cummings se montrait inébranlable. La directive « Désintoxiquez-vous, puis revenez me voir » faisait partie de la démarche thérapeutique. La grande majorité des clients se présentaient à nouveau… désintoxiqués.

Dans les mains d'un aidant socialement compétent, le recours aux suggestions, aux conseils et aux directives vient compléter le reste de la démarche. À un gestionnaire qui débattait avec son conseiller, lors d'une séance de counseling, d'un éventuel changement de sa façon de communiquer avec les membres de son équipe, le conseiller finit par dire : « Essayez. Nous en reparlerons après. » La relation était solide. Cette directive eut pour effet de modifier le style agressif du gestionnaire. Il essaya, se rendit compte que le changement lui convenait et il l'intégra à son style d'interaction.

Nous ne devons pas forcément prendre les suggestions, les conseils et les directives au pied de la lettre. Ceux-ci servent de stimuli, tandis que c'est aux clients de proposer leurs propres solutions. Un jour, un client a répondu à son aidant quelque chose du genre : « Vous m'avez conseillé de laisser mon fils adolescent s'exprimer au lieu de l'interrompre constamment et de le contredire. J'ai donc décidé de passer une entente avec lui. Je lui ai assuré que je l'écouterais attentivement et résumerais même ses propos pour les lui reformuler. Mais il devait faire la même chose avec moi. Au moins, maintenant, nous partageons quelques monologues communs, ce qui évite les engueulades habituelles. J'espère pouvoir trouver un moyen d'aboutir un jour à un véritable dialogue. »

Au quotidien, les gens n'hésitent pas à se prodiguer mutuellement des conseils. Ces conseils sont monnaie courante. Cependant, les aidants doivent les employer avec prudence. Les suggestions, les conseils et les directives ne sont pas pour les débutants. Il faut une grande expérience avec les clients et beaucoup de savoir-faire pour évaluer leurs chances d'atteindre un but.

## 11.6 CONFRONTATION

Que faire avec les clients qui traînent les pieds ? Certains ne veulent pas changer ou refusent les sacrifices nécessaires et mettent simplement fin à la relation d'aide. Ceux qui persistent oscillent entre différents niveaux de motivation et de résistance ; ou encore, ils acceptent de collaborer pour certaines questions, mais demeurent hésitants au moment d'en aborder d'autres. Prenez le cas d'Esther, très désireuse de fournir des efforts en termes de perfectionnement professionnel, mais totalement réfractaire à l'idée d'améliorer ses relations interpersonnelles, même si les deux sont liés. Elle prétend qu'il s'agit de son domaine privé.

Si *inciter* les clients à se confronter se situe à l'une des extrémités du continuum, que trouvons-nous à l'autre extrémité ? Où s'arrête le respect du droit du client à être lui-même et où commencent les exigences pour que celui-ci vive plus pleinement ? Chaque aidant apporte une réponse différente à cette question. Dès lors, sur la décision de confronter les clients, les aidants divergent d'un point de vue à la fois théorique et personnel. La « confrontation traumatique » (on peut questionner le choix de cette expression) est une technique de modification du comportement cognitif des jeunes afin qu'ils prennent conscience de leur comportement dysfonctionnel et le modifient (Lowenstein, 1993). À titre d'exemple, on a utilisé cette confrontation traumatique avec un garçon de 12 ans, impliqué dans des activités criminelles à la suite de l'abandon de son père. Le garçon a d'abord tout nié en bloc pour ensuite décider d'admettre et d'affronter la situation.

En fin de compte, il y a place dans la relation d'aide pour des interventions suffisamment radicales pour mériter le terme *confrontation*. La confrontation, comme nous l'avons mentionné antérieurement, consiste à remettre en question les clients pour les inciter à adopter de nouvelles perspectives et à modifier leurs comportements à la fois intérieurs et extérieurs, même s'ils manifestent au premier abord de l'hésitation ou de la résistance. Lorsque l'aidant confronte le client, il lui donne des arguments pour changer de vie. La confrontation n'a rien d'un ultimatum du genre « Faites-le sinon... » La plupart du temps, c'est une façon de s'assurer que le client comprend ce que signifie le *statu quo* — c'est-à-dire de vérifier qu'il connaît les conséquences du maintien de son comportement dysfonctionnel ou de son refus d'en adopter un nouveau.

Il faut beaucoup d'intelligence et de compétence sociale pour donner des conseils et recourir à la confrontation. Ce n'est donc pas fait pour tout le monde et ces techniques peuvent donner des résultats désastreux si elles sont employées par des débutants. Dans la plupart des cas, nous devons y recourir parcimonieusement. De plus, lorsque les aidants jugent qu'un conseil ou une confrontation peut convenir à leur client, ils devraient y recourir en respect des valeurs exposées au chapitre 3.

## 11.7 ENCOURAGEMENT

Ce chapitre se termine sur une note de psychologie positive. Cela vous a peut-être échappé, mais dans les deux derniers chapitres, une référence au mot ou à l'idée d'*encouragement* a été faite à quelques reprises. Si l'objectif de la confrontation vise à faire progresser les clients, et si l'encouragement (la carotte) fonctionne aussi bien que la confrontation (le bâton), pourquoi le premier ne recueille-t-il pas plus l'adhésion ? L'analogie avec la carotte et le bâton ne convient pas tout à fait, car plusieurs clients trouvent la confrontation à la fois rafraîchissante et stimulante. Cette méthode n'exclut pas l'encouragement. Après tout, ce dernier constitue une forme de soutien et les recherches ont démontré que le soutien était le principal ingrédient d'une thérapie réussie (Beutler, 2000).

Miller et Rollnick (1991 ; Rollnick et Miller, 1995) ont mis sur pied une approche de la relation d'aide intitulée « technique d'entrevue motivationnelle ». Il suffit de consulter Internet pour y trouver une foule de recherches sur le sujet, à la fois théoriques et pratiques (en particulier Borsari et Carey, 2000 ; Colby et autres, 1998 ; Dench et Bennett, 2000 ; Baer, Kivlahan et Donovan, 1999). Leurs travaux concernaient à l'origine l'aide aux toxicomanes, mais leur méthodologie s'est étendue, au fil des ans, à une gamme beaucoup plus vaste de problèmes humains. La plupart des écrits mettent en lumière les principaux éléments d'une approche de gestion des problèmes. Les valeurs telles que le respect, l'empathie, le renforcement de l'autonomie et l'autoguérison sont mises de l'avant (voir chapitre 3). Cette approche met l'accent sur l'encouragement plutôt que sur la confrontation. D'habitude, les clients (les femmes enceintes qui fument ou qui boivent) reçoivent une rétroaction personnalisée – par exemple les séquelles de la cigarette sur leurs poumons. La thérapie comprend des discussions sur la responsabilité personnelle et des conseils sur la façon de gérer les situations problématiques. Elle encourage les clients à trouver les motivations, les incitatifs ou les moyens d'action qui s'adaptent à leur cas et à choisir les options de changement qui leur conviennent le mieux. Elle insiste sur les motivations intrinsèques, celles que le client a intériorisées (*Je veux être libre*) plutôt que sur les motivations extrinsèques (*Ça va mal tourner si je ne change pas*). Elle permet également aux clients de reconnaître les obstacles au changement et de trouver le moyen de les contourner. Pour finir, elle recourt grandement à l'empathie, à la fois comme valeur et comme mode de communication (reflet empathique).

Le bon sens conduit à penser que l'encouragement réaliste direct devrait s'intégrer à chaque habileté de la relation d'aide. Il peut en effet figurer à chaque phase ou à n'importe quelle étape de la démarche d'aide. On encourage les clients à prendre conscience et à parler de leurs problèmes ainsi que de leurs ressources inexploitées, à passer en revue les perspectives d'avenir, à formuler des objectifs, à entamer des actions leur permettant de les atteindre, ainsi qu'à surmonter les obstacles qu'ils rencontreront inévitablement. L'encouragement efficace n'a rien de condescendant. Il ne consiste pas à témoigner de la sympathie au client ni à lui enlever son autonomie. Il est profondément humain et respecte le potentiel d'autoguérison du client. C'est un coup de pouce dans la bonne direction.

**?**

## QUESTIONS D'ÉVALUATION CONCERNANT L'ÉTAPE I.B : MODALITÉS SPÉCIFIQUES DE CONFRONTATION

### Ai-je bien les habiletés de communication requises pour le processus de confrontation ?

- *Reflet empathique de niveau avancé :* Est-ce que je parle à mes clients de mes intuitions concernant leurs expériences, leurs comportements et leurs sentiments pour les aider à surmonter leurs blocages et à envisager de nouvelles perspectives ?
- *Partage de l'information :* Est-ce que je fournis à mes clients l'information dont ils ont besoin ou est-ce que je les aide à la trouver pour qu'ils puissent envisager leurs difficultés sous un jour nouveau et passer à l'action ?
- *Ouverture de soi de l'aidant :* Est-ce que je divulgue ma propre expérience à mes clients comme exemple d'une ouverture de soi sans méfiance et pour leur permettre de surmonter leurs blocages ?
- *Immédiateté :* Est-ce que j'aborde avec mes clients les divers aspects de notre relation dans le but de favoriser notre collaboration ?
- *Suggestions et recommandations :* Est-ce que je suggère à mes clients des moyens de gérer plus efficacement leurs problèmes et de tirer parti de leurs potentiels ou de progresser à travers les différentes phases ou les différentes étapes de la démarche d'aide ?
- *Confrontation :* Est-ce que je me base sur la solide relation que j'entretiens avec mes clients pour les confronter lorsqu'ils se montrent hésitants ou peu motivés ?
- *Encouragement :* Est-ce que je pousse mes clients, à chaque étape de la démarche d'aide, afin de les inciter à aller de l'avant ?

# CHAPITRE 12

## ÉTAPE I.B : III. PERTINENCE DE LA CONFRONTATION

VÉCU

BLOCAGES

OPTIMISATION

## 12.1 PRINCIPES POUR UNE CONFRONTATION EFFICACE

Garder en mémoire les objectifs de la confrontation

Encourager la confrontation personnelle

Se donner le droit de confronter le client

Être mesuré sans toutefois être trop précautionneux

Remettre en question les ressources inutilisées plutôt que les faiblesses

S'intéresser aux succès du client

Être spécifique lors des confrontations

Respecter les valeurs du client

Contrer l'attitude défensive d'un client avec honnêteté, bienveillance et créativité

## 12.2 DE LA CONFRONTATION À L'ACTION

## 12.3 DIFFICULTÉS INHÉRENTES À LA CONFRONTATION : MISES EN GARDE

Les réactions défensives des clients à la confrontation : Considérer la dissonance du moi

- ◆ Discréditer l'aidant
- ◆ Persuader les aidants de changer d'opinion
- ◆ Esquiver le problème
- ◆ Se chercher des alliés en cas de contestation
- ◆ Collaborer lors de la séance, mais ne rien faire hors séance

Confrontation et enjeux psychologiques chez les aidants

- ◆ L'effet « motus et bouche cousue »
- ◆ Échappatoires à la confrontation
- ◆ Blocages des aidants

## QUESTIONS D'ÉVALUATION CONCERNANT L'ÉTAPE I.B : PROCESSUS ET DISCERNEMENT DANS LA CONFRONTATION

Toute confrontation doit véhiculer les valeurs de la relation entre le client et l'aidant abordées au chapitre 3 ; c'est-à-dire la compréhension (ni rapport de force ni remarque humiliante), la sincérité (ni subterfuge ni astuce) et la volonté de renforcer l'autonomie du client (et non la domination de l'aidant). Elle doit également correspondre aux phases et aux étapes de la démarche d'aide, en la faisant progresser vers un changement constructif (au lieu de stagner dans une introspection sans fin). L'empathie devrait transpirer dans toute forme de confrontation. Nous ne maîtrisons évidemment pas la confrontation du jour au lendemain, car elle requiert à la fois un apprentissage et une mise en pratique. Les principes suivants en constituent les lignes directrices.

### GARDER EN MÉMOIRE LES OBJECTIFS DE LA CONFRONTATION

La confrontation doit faire partie intégrante de la démarche d'aide. Gardez toujours à l'esprit que, pour les clients, l'objectif de cette confrontation vise à découvrir et à adopter de nouvelles perspectives, des comportements intérieurs et à entreprendre des actions destinées à les faire progresser selon les différentes phases et les différentes étapes de la démarche d'aide. Dans quelle mesure les nouvelles perspectives ainsi acquises conduisent-elles le client vers la gestion de problèmes et l'action centrée sur les perspectives d'avenir ? Comment le processus d'introspection favorise-t-il l'action ?

### ENCOURAGER LA CONFRONTATION PERSONNELLE

Incitez les clients à se remettre eux-mêmes en question et donnez-leur l'occasion de le faire. Aidez-les, par des questions exploratoires, à se remettre en question. Dans l'extrait suivant, le conseiller dialogue avec un homme ayant longuement décrit l'ingratitude de son fils. La verbalisation de ces plaintes a eu son effet cathartique, mais il est maintenant temps de passer à une autre étape.

CONSEILLER : Les gens ont souvent des blocages dans leurs relations avec autrui, particulièrement dans celles qu'ils entretiennent avec leurs proches. Imaginez que votre fils discute avec un conseiller et aborde votre relation mutuelle. Que dit-il ?

CLIENT : Eh bien, je ne sais pas… Je n'ai jamais vraiment réfléchi à cette question… Euh… Il dirait probablement… Eh bien, qu'il m'aime… [silence]. Puis il dirait peut-être que, depuis la mort de sa mère, je ne l'ai jamais vraiment laissé être lui-même. Je me mêle trop de sa vie plutôt que de le laisser faire ses propres choix… C'est cela. Il dirait qu'il m'aime, mais qu'il s'est toujours senti un peu prisonnier.

CONSEILLER : Donc à la fois de l'amour et du ressentiment contre votre autorité.

CLIENT : Et il aurait raison. Je continue dans cette voie. Pas avec lui, car il ne me laisse plus faire. Mais avec beaucoup d'autres. Surtout au travail.

Le conseiller donne l'occasion au client de se confronter dans le cadre de sa relation avec son fils afin d'en tirer des conclusions et de les appliquer à d'autres domaines de son existence.

Si seulement tous les clients réagissaient aussi bien ! Le conseiller aurait également pu demander à son client de nommer trois choses qu'il pense bien faire dans sa relation avec son fils et trois autres qu'il pourrait reconsidérer. Il faut être inventif dans le choix des questions exploratoires et établir une structure susceptible d'aider les clients à se confronter.

### Se donner le droit de confronter le client

Berenson et Mitchell (1974) soutiennent que certains aidants n'ont pas le droit de remettre les autres en question sans avoir d'abord mis de l'ordre dans leurs propres affaires. Voici quelques normes qui vous permettront de remettre les autres en question :

✦ *Établissez une collaboration.* Ne remettez un client en question qu'après avoir investi du temps et de l'énergie à bâtir une relation avec lui. Si votre relation avec le client n'est pas solide ou que vous l'avez laissé stagner, questionnez-vous sur votre propre créativité dans la gestion de cette relation.

✦ *Soyez sûr de comprendre le client.* L'empathie est primordiale. Une confrontation efficace découle d'une compréhension adéquate. Ce n'est que lorsque vous voyez la réalité à travers les yeux du client que vous pouvez commencer à percevoir ce qu'il n'a pas su voir.

✦ *Soyez disposé à vous confronter.* Ne vous lancez pas dans la confrontation si vous ne l'acceptez pas vous-même. Si vous êtes sur la défensive dans la relation de counseling, avec vos superviseurs ou dans la vie quotidienne, vos remises en question risquent de sonner faux. Donnez l'exemple de la tolérance à la critique et du comportement que vous aimeriez observer chez vos clients.

✦ *Travaillez sur vous-même.* Quel rôle joue le changement constructif dans votre vie ? Berenson et Mitchell déclarent que seuls les gens qui s'efforcent de vivre en accord avec leurs valeurs ont le droit de confronter les autres, car ce sont les seuls à posséder le potentiel nécessaire pour le faire.

En somme, demandez-vous jusqu'à quel point vous êtes le genre de personne dont les clients accepteront ce type de critique ?

### Être mesuré sans toutefois être trop précautionneux

Les confrontations mesurées sont en général mieux acceptées que les confrontations directes (voir Jones et Gelso, 1988). Le principe consiste à confronter les clients d'une manière qui leur permette de répondre plutôt que de réagir. Selon la manière dont il est formulé, le même message incitera à la collaboration ou déclenchera une résistance. Parlez plutôt d'intuitions susceptibles d'être revues et discutées au lieu de vous poser en accusateur. La confrontation n'est pas une occasion d'intimider le client ou de le remettre à sa place.

Par ailleurs, les confrontations accompagnées de trop de réserve – verbalement ou dans le ton de voix de l'aidant – ressemblent à des excuses et les clients n'y accordent aucune attention. Un jour que je travaillais dans un centre d'orientation professionnelle et que j'écoutais un client, il m'a paru évident que ce dernier n'arrivait à rien parce qu'il s'apitoyait sans cesse sur son sort. Lorsque je lui en ai fait part, je n'y suis pas allé avec le dos de la cuiller. Je ne l'ai pas vraiment formulé ainsi, mais cela devait ressembler à cela :

AIDANT : Est-ce qu'il vous est jamais passé par la tête qu'une des raisons pour lesquelles vous stagnez professionnellement résulte de votre tendance à vous apitoyer sur vous-même ?

Je me souviens encore de sa réponse. Il s'est arrêté, m'a regardé dans les yeux et a dit : « Tendance à m'apitoyer sur moi-même ? ». Il a fait de nouveau une pause et je me suis dit que j'avais été trop brutal. Il a continué en disant : « Je *passe ma vie* à pleurer sur mon triste sort ! » Nous avons ensuite exploré les avenues possibles pour qu'il change d'attitude.

## REMETTRE EN QUESTION LES RESSOURCES INUTILISÉES PLUTÔT QUE LES FAIBLESSES

En se basant sur la psychologie positive, Berenson et Mitchell (1974) ont découvert que les aidants obtenaient de meilleurs résultats en faisant appel aux forces des clients plutôt qu'à leurs faiblesses. La sélection des sujets donne le ton à la relation d'aide. Les individus qui remâchent leurs échecs éprouvent de la difficulté à modifier leur comportement. En ne regardant que leurs défauts, ils en viennent à déprécier leurs réussites, à ne pas en tirer profit, à vivre dans l'anxiété et à saper leurs progrès (voir Bandura, 1986).

L'approche de la psychologie positive consiste à mobiliser les forces du client, en lui faisant remarquer les atouts et les ressources dont il dispose mais qu'il n'exploite pas. Dans l'exemple suivant, l'aidant dialogue avec l'animatrice d'un groupe de soutien dans un centre pour les victimes de viol. Elle excelle quand il s'agit d'aider les autres, mais se déprécie en permanence.

CONSEILLER : Anne, au cours des séances de groupe, vous aidez grandement les autres femmes. Vous avez l'art de reconnaître une personne qui souffre et de l'encourager. Et lorsque l'une d'entre elles est prête à abandonner, vous êtes la première à lui remonter le moral, gentiment et fermement. Mais lorsqu'il s'agit de votre propre cas...

ANNE : Je sais où vous voulez en venir... Je suis bien bonne pour aider les autres, mais quand il s'agit d'accepter de l'aide... Je ne sais pourquoi... Vous savez, cela fait un moment que je suis comme cela. Je pense que j'ai pris quelques mauvais plis vis-à-vis de moi-même. J'ai tellement peur d'être trop permissive à mon égard.

Le conseiller l'aide à s'interroger et à mobiliser les grandes ressources dont elle dispose pour s'analyser. Comme elle n'est nullement trop clémente à son égard, il est souhaitable qu'elle réexamine ses craintes, qu'elle les regarde sous un autre angle. Au moins, le problème est posé.

Nous tirons parfois une grande force des épreuves de la vie. McMillen, Zuravin et Rideout (1995) l'ont démontré en étudiant les points positifs exprimés par des adultes abusés sexuellement durant l'enfance. Presque la moitié de ces adultes ont mentionné au moins un point positif, allant de la connaissance approfondie de l'abus sexuel à la possibilité de protéger les autres enfants, de se protéger eux-mêmes et de se construire une forte personnalité – sans pour autant nier bien sûr l'horreur d'une telle expérience. Les conseillers peuvent donc aider leurs clients à tirer parti de leurs expériences douloureuses, selon le vieil adage « À toute chose, malheur est bon ».

### S'INTÉRESSER AUX SUCCÈS DU CLIENT

Les aidants efficaces ne demandent pas à leurs clients d'exiger trop d'eux-mêmes. Ils préfèrent que ces derniers se fixent des objectifs raisonnables pour apprécier leurs progrès. L'exemple suivant concerne un garçon résidant dans un centre jeunesse. Jusqu'alors, il s'est montré passif et s'est laissé bousculer par les autres. Il vient de tenter, sans grande conviction, de faire valoir ses droits dans le groupe de counseling. Après une séance de groupe, le conseiller lui parle en tête-à-tête.

> CONSEILLER A : Tu n'arrives pas encore à faire valoir tes droits comme tu le devrais. Tu as exprimé un certain nombre de choses ici, mais tu les laisses encore t'ennuyer.

Ce premier conseiller met l'accent sur le fait que le client se laisse faire. Le conseiller suivant adopte une approche différente.

> CONSEILLER B : J'ai remarqué que, dans les séances de groupe, tu as commencé à parler. Tu as dit ce que tu voulais dire sans pour autant t'imposer. Et j'ai l'impression que tu penses t'être bien débrouillé. Tu as pris quelques initiatives. Mais il te reste encore à trouver le moyen d'être plus efficace.

> CLIENT : Je ne pense pas que quelqu'un s'en soit aperçu. Tu penses que c'est un bon départ ?

> CONSEILLER B : Certainement… Mais ce qui compte, c'est ce que toi tu penses. Et on dirait bien que tu es fier de toi.

Ce second conseiller insiste sur les réussites, aussi modestes soient-elles, du client et l'encourage à continuer.

### ÊTRE SPÉCIFIQUE LORS DES CONFRONTATIONS

Le fait d'être spécifique change tout. Nous avons tendance à oublier les remises en question vagues. Les clients ne savent pas trop qu'en faire. Les énoncés du genre « Il faut vous secouer et avancer » répondent aux besoins de l'aidant et lui permettent de ventiler ses frustrations, mais n'ont que peu de portée chez les clients. En revanche, les remises en question clairement formulées ont des chances de tomber dans le mille. Dans le cas suivant, le client vit une grande tension au travail et à la maison :

> AIDANT : Vous dites vouloir passer plus de temps à la maison avec les enfants et vous appréciez beaucoup les moments que vous leur consacrez, mais vous continuez à prendre toujours plus de responsabilités au bureau, comme le projet Éclipse, qui exige encore plus de déplacements. Il ne serait pas mauvais de parler un peu de l'équilibre entre votre vie professionnelle et votre vie personnelle.

CLIENT : Belle formule ! L'équilibre entre vie professionnelle et personnelle. L'entreprise en parle beaucoup, mais cela ne semble pas changer grand-chose. Je doute que quelqu'un parvienne à ce type d'équilibre.

AIDANT : Vous savez ce qu'on dit à propos de la carrière : « Si vous n'êtes pas responsable de votre carrière, personne ne l'est. » On pourrait dire la même chose de l'équilibre entre le travail et la vie familiale.

CLIENT : Je n'avais pas pensé à cela… Et j'ai bien peur que vous n'ayez raison. C'est vraiment à moi de prendre mes responsabilités. J'attendais que ma famille et mon entreprise s'en chargent à ma place.

Certains aidants évitent d'être clairs et précis, car ils craignent de se montrer trop intrusifs. Pour donner des résultats, la relation d'aide doit permettre de viser juste et cibler avec précision le problème, même si cela entraîne des prises de conscience parfois douloureuses.

## RESPECTER LES VALEURS DU CLIENT

Incitez les clients à préciser leurs valeurs et à baser leurs décisions sur celles-ci. Prenez garde de ne pas imposer les vôtres en recourant à la confrontation, même indirecte. Cela va à l'encontre du renforcement de l'autonomie présenté au chapitre 3. Voici le cas d'une jeune femme de 21 ans, qui a mis en suspens sa vie sociale, ses études et sa carrière pour prendre soin de sa mère souffrant d'un début d'Alzheimer.

CLIENTE : Je dois reconnaître que c'est très difficile de travailler, d'étudier et de m'occuper de la maison. J'ai l'impression de ne rien faire de bien dans aucun domaine.

CONSEILLÈRE A : Vous avez parfaitement le droit d'avoir une vie. Pourquoi ne pas mettre votre mère dans une ressource adaptée pour ce genre de problèmes ? Vous pourrez aller la voir régulièrement. Et vous serez plus libre. C'est probablement ce qu'elle souhaite aussi.

Il est tout à fait légitime de demander à la cliente de préciser ses valeurs, mais l'intervention de la conseillère ne va pas vraiment dans ce sens. Elle suggère une solution sans chercher à comprendre le pourquoi des décisions de la cliente. Le conseiller B adopte une approche différente.

CONSEILLER B : Vous tentez de concilier des tâches très importantes dans votre vie : vous occuper de votre mère, poursuivre vos études, travailler et maintenir une vie sociale. C'est tout un programme. Si on revoyait ce qui vous motive, je pourrais vous aider à formuler les valeurs qui guident vos actions. Ensuite, ce sera à vous de réévaluer vos priorités.

CLIENT : Je n'ai jamais envisagé les valeurs comme une source de motivation. J'ai toujours pensé que je croyais en certaines valeurs et que je les mettais en application. Aidez-moi à y voir plus clair.

Ce conseiller l'incite gentiment à trouver ce qu'elle veut vraiment. Les aidants donnent un coup de main au client pour analyser les conséquences de leur système de valeurs, ce qui n'est pas la même chose que de questionner ce dernier.

## CONTRER L'ATTITUDE DÉFENSIVE D'UN CLIENT AVEC HONNÊTETÉ, BIENVEILLANCE ET CRÉATIVITÉ

Ne soyez pas surpris par les fortes réactions d'un client lors de la confrontation, même si vous essayez d'obtenir une réponse plutôt qu'une réaction. En cas de réaction négative, reportez-vous aux principes énoncés au chapitre 9 sur le manque de motivation et la résistance. Incitez le client à analyser ses émotions et à travailler dessus. S'il semble se refermer « comme une huître », essayez de deviner ce qui se passe en lui. Dans l'exemple qui suit, une aidante vient juste de récapituler brièvement les principaux points de la situation problématique du client dont ils viennent de discuter. Elle fait délicatement remarquer la nature autodestructrice de certains des comportements du client.

> AIDANTE : Je ne sais pas comment vous prenez tout cela.

> CLIENT : Je pensais que vous étiez de mon côté. Maintenant, j'ai l'impression que vous êtes comme les autres. Et en plus, je vous paye pour me parler comme cela !

Bien que l'aidante ait intenté une timide confrontation du client, ce dernier se rebiffe. Deux approches sont possibles vis-à-vis d'un client sur la défensive :

AIDANT A : Je me suis borné à résumer ce que vous m'avez raconté sur vous-même. Et vous savez que vous vous piégez vous-même. Revenons sur chaque point dont nous avons discuté pour voir si c'est bien le cas.

Cet aidant adopte une approche défensive et pratiquement juridique. Il est en train de recueillir des preuves. Cela risque de mener à une dispute plutôt qu'à un dialogue. L'aidante B recule un peu.

> AIDANTE B : Ainsi je me suis montrée dure et injuste envers vous… Je vous ai laissé tomber… Revenons en arrière.

Cette aidante se montre plus coopérative sans pour autant dire que sa confrontation était fausse et mauvaise. Elle laisse un peu de répit au client. Il a probablement besoin de temps pour réfléchir à ce qu'elle lui a dit. Elle essaie d'amorcer un dialogue constructif sans qu'il se mette en colère.

Ces principes sont fournis à titre indicatif. Ils n'ont rien d'absolu. À long terme, il faut faire appel à votre bon sens. Plus vous vous montrez accommodant, plus vous contribuez à la recherche de solutions de la part du client et plus celui-ci se sentira respecté.

De plus en plus de théoriciens comme de praticiens insistent sur la nécessité de lier la prise de conscience à la gestion des problèmes et à une action destinée à développer des nouvelles perspectives et opportunités qui s'offrent au client. Wachtel (1989) le formule de manière succincte en disant : « Il est justifié de penser que les prises de consciences cruciales sont celles qui engendrent directement les nouvelles actions dans le quotidien et, de plus, que ces prises de conscience sont tout autant la conséquence d'une nouvelle expérience que sa cause directe » (p. 18).

Cette confrontation suffit-elle à déclencher une action pour solutionner les difficultés ? Dans certains cas, oui. Quelques remises en question adroitement formulées incitent certains clients à se lancer dans une action positive et, une fois lancés, ils se débrouillent. D'autres disposent de toutes les ressources pour se bâtir une vie meilleure sans pourtant en avoir la force. Ils savent ce qu'ils devraient faire mais ne s'attellent pas à la tâche. Une ou deux impulsions dans la bonne direction leur permettront de surmonter leur inertie. Il m'est souvent arrivé d'avoir ce type de séance unique, comprenant un peu d'écoute attentive, une analyse, quelques questions exploratoires et une réponse empathique, ainsi qu'une brève confrontation permettant au client de revenir sur la bonne voie. Par contre, si vous aidez les clients à se questionner et à adopter une nouvelle perspective de pensée qui se traduit par une prise de conscience sans pour autant déboucher sur l'action et un changement de comportement, c'est un peu comme donner un coup d'épée dans l'eau. La relation d'aide devient un échange purement intellectuel au lieu d'une collaboration avec le client pour améliorer son existence.

## 12.3 DIFFICULTÉS INHÉRENTES À LA CONFRONTATION : MISES EN GARDE

Par sa nature même, la confrontation présente des côtés ombragés. La plupart des gens détestent être confrontés et redoutent souvent la remise en question, même si elle est bien menée. Si les aidants se montrent efficaces lors d'une confrontation avec les clients, ils ne se surprendront pas de sentir une certaine réticence de leur part. S'ils ne disposent pas d'une habileté suffisante pour mener une confrontation, il y a de grandes chances qu'ils rencontrent une forte résistance. Votre meilleur atout consiste à inciter les clients à se remettre en question et à leur prêter assistance.

### LES RÉACTIONS DÉFENSIVES DES CLIENTS À LA CONFRONTATION : CONSIDÉRER LA DISSONANCE DU MOI

Même lorsque la confrontation s'effectue à la demande expresse du client qui cherche à mieux vivre, cela peut le perturber d'une manière ou d'une autre. Divers auteurs se réfèrent à ce phénomène sous différents noms : crise, désorganisation, impression d'incapacité, déséquilibre et incertitude thérapeutique (Beier et Young, 1984). Comme le suggère le dernier terme, ces crises survenant lors du counseling peuvent être salutaires. Cela dépend, dans une large mesure, du doigté de l'aidant.

Même lorsque nous les incitons à se confronter ou que nous agissons à bon escient et avec bienveillance, certains clients s'esquivent et tentent de se faufiler. La théorie de la dissonance cognitive (Festinger, 1957 ; Draycott et Dabbs, 1998) apporte un éclairage particulier sur toute cette dynamique. Comme la dissonance (malaise, crise ou déséquilibre) est pénible, le client essaie de s'en débarrasser (voir Adler et Towne, 1999). Voici les cinq façons les plus typiques pour le client de se débarrasser du malaise associé à la dissonance. Analysez-les brièvement dans le contexte de la confrontation. Comme elles se manifestent sous forme de résistance, revoyez les différentes manières d'éviter ou de contrer cette résistance (chapitre 9) et voyez comment les appliquer dans les exemples suivants.

**Discréditer l'aidant.** Le client remis en question un peu trop fortement risque de confronter l'aidant. Il essaiera de lui démontrer qu'il ne vaut pas mieux que les autres. L'exemple suivant concerne une femme qui évoque ses problèmes matrimoniaux. L'aidant lui demande d'examiner son comportement au lieu de s'étendre à loisir sur le comportement inacceptable de son époux.

> CLIENTE : C'est facile pour vous de rester assis tranquillement en laissant entendre que je devrais être plus responsable dans mon couple. Vous n'êtes pas passé par où je suis passée. Vous n'avez jamais eu à subir sa brutalité. Vous faites probablement partie de ces couples charmants et petits-bourgeois.

La contre-attaque est une stratégie courante pour réagir face à une remise en question. Il vous faudra probablement répondre à quelques remarques sarcastiques du style : « Merci de sortir de votre tour d'ivoire pour me dire comment me sortir du pétrin. » Comment réagiriez-vous à cette répartie sur les « couples charmants et petits-bourgeois » ?

**Persuader les aidants de changer d'opinion.** Selon cette approche, le client tente de convaincre son aidant qu'il a mal interprété ses paroles et qu'il doit modifier son point de vue. L'exemple suivant concerne une cliente qui vient de décrire la façon dont elle pique une crise chaque fois que son mari fait une « connerie ». Le conseiller l'incite à analyser les conséquences de son propre comportement.

> CLIENTE : Je ne suis pas si sûre que ces crises soient inutiles. Je crois que c'est une façon de m'imposer. Si je la boucle et que je laisse les autres faire tout ce qu'ils veulent, je vais devenir une lavette. Et vous m'avez dit vous-même que je devrais démontrer une certaine assertivité. Je pense que vous vous rendez compte que je suis raisonnable. Je ne fais pas de crises ici parce qu'il n'y a aucune raison d'en faire.

Il arrive parfois qu'un conseiller sans méfiance se laisse entraîner dans une controverse par un client qui veut avoir absolument raison. Comment répondriez-vous à ce type de client ?

**Esquiver le problème.** C'est une forme de rationalisation. Un client à qui l'on demande de s'interroger sur son style sarcastique déclare n'y recourir que très rarement, se contenter de se payer la tête des autres, juste pour rigoler un peu comme tout le monde, et qu'il ne faut pas y attacher plus d'importance que cela. Le client a le droit de refuser de s'arrêter sur un sujet sans importance. C'est alors au conseiller d'être assez attentif pour départager l'essentiel de l'accessoire. Comment réagiriez-vous face à un tel client qui escamote un problème ?

**Se chercher des alliés en cas de contestation.** Certains clients, lorsqu'ils sont remis en question, essaient de rassembler des témoignages qui confortent leurs vues. Dans les cas extrêmes, ils changent même de conseiller parce qu'ils ont l'impression d'être incompris. Ils essaient de dénicher des aidants accommodants. Toutefois, le client reste généralement avec le même conseiller en lui relatant les témoignages des autres qui démentent son opinion.

> CLIENT : J'ai demandé à ma femme ce qu'elle pensait de mon attitude sarcastique. Elle a dit que cela lui était égal. Elle pense que mes amis me trouvent spirituel et que cela fait partie de ma manière d'être.

C'est une façon détournée de dire au conseiller qu'il se trompe. Celui-ci peut en effet être dans l'erreur, mais si les sarcasmes du client influent négativement sur ses relations, il doit trouver un moyen d'aborder la question. Que feriez-vous dans un pareil cas ?

**Collaborer lors de la séance, mais ne rien faire hors séance.** Le client accepte ce que dit le conseiller uniquement pour contourner le problème. Cependant, le but de la confrontation n'est pas d'obtenir l'acquiescement du client, mais d'établir une nouvelle façon d'envisager la situation pour intervenir positivement. Prenez le cas de cette cliente :

> CLIENTE : À dire vrai, je suis pas mal paresseuse et manipulatrice, sans même être très subtile.

C'est exact, la cliente est paresseuse et manipulatrice. Cependant, elle ne montre aucune volonté de changer. Si vous deviez faire tomber cette façade de « franchise », que feriez-vous ?

## CONFRONTATION ET ENJEUX PSYCHOLOGIQUES CHEZ LES AIDANTS

Sol Garfield a publié une série de quatre articles sur « le thérapeute en tant que variable négligée dans la recherche en psychothérapie » dans le numéro du printemps 1997 de *Clinical Psychology: Science and Practice*. De nombreux comportements et caractéristiques des aidants contribuent à soutenir et à enrichir les efforts des clients dans l'amélioration de leur existence, mais d'autres risquent parfois d'être bien moins clairs. Deux aspects de ces enjeux psychologiques plus ou moins inconscients sont abordés ici : la réticence de certains aidants à confronter les clients ou à les inciter à se confronter à eux-mêmes ainsi qu'à leurs propres blocages. Ce phénomène ne se limite pas à la relation d'aide. Prenez l'exemple du milieu de travail. Lorsque les gestionnaires font des remarques aux membres de leur équipe, ils se livrent à une forme de confrontation, celle de leurs subalternes – ou plutôt, ils invitent leurs subalternes à se livrer à une autocritique –, pour corriger leurs erreurs et trouver le moyen d'améliorer leur rendement, ne serait-ce qu'en théorie. Néanmoins, toutes les compagnies pour lesquelles j'ai eu l'occasion de travailler disent que les gestionnaires ont bien besoin d'améliorer leur manière de communiquer cette information de rétroaction.

**L'effet « motus et bouche cousue ».** Au début, certains stagiaires en counseling sont assez réticents à aider les clients à se confronter. Ils tombent dans le piège de ce que nous pouvons appeler l'effet « motus et bouche cousue » –, la tendance à ne pas annoncer les mauvaises nouvelles, même s'il est dans l'intérêt des autres de les connaître (Rosen et Tesser, 1970, 1971 ; Tesser et Rosen, 1972 ; Tesser, Rosen et Batchelor, 1972 ; Tesser, Rosen et Tesser, 1971). Dans l'Antiquité, il n'était pas rare que l'on exécute le porteur de mauvaises nouvelles, ce qui avait pour conséquence évidente une hésitation de la part des messagers à les communiquer. Les mauvaises nouvelles – et, par conséquent, celles qui favorisent l'autocritique – éveillent des sentiments négatifs chez celui qui les annonce, indépendamment de la façon dont il croit que l'autre réagira. Si vous êtes à l'aise avec les dimensions de soutien de la démarche d'aide, mais inconfortable avec celles qui suscitent la dissonance du client, vous aurez tendance à vous tenir « motus et bouche cousue », au risque de nuire à votre efficacité.

**Échappatoires à la confrontation.** Cette hésitation à questionner le comportement du client n'est pas mauvaise au tout début. À mon avis, elle est même préférable au fait de s'y lancer à corps perdu. Néanmoins, toute relation d'aide, même avec le plus égocentrique des clients, implique une forme d'influence sociale, c'est-à-dire un choix délibéré de votre part d'amener le client à telle ou telle autre prise de conscience. Il importe que vous compreniez votre réticence (ou votre empressement) à la confrontation –, c'est-à-dire que vous questionniez votre propre perception de la confrontation et de la notion même d'influence sociale dans la relation d'aide. Lorsque les stagiaires analysent ce qu'ils ressentent au moment de remettre en question les autres, voilà entre autres ce qu'ils découvrent :

✦ Je n'ai pas l'habitude de confronter les gens. Je suis plutôt du genre « vivre et laisser vivre ». J'hésite à me mêler de la vie des autres.

✦ Si je remets les autres en question, je m'expose dès lors à être moi-même confronté en retour. Cela risque d'être pénible ou je peux même découvrir des choses sur moi-même que j'aurais préféré ignorer.

✦ Je crains de me plaire à confronter les autres et j'ouvrirais alors la porte à mes sentiments négatifs à leur égard. Je redoute, au fond de moi-même, d'être quelqu'un de très coléreux.

✦ J'ai peur de blesser les autres, de leur faire du mal d'une façon ou d'une autre. J'ai souffert ou j'ai vu les gens souffrir lors de confrontations très maladroites.

✦ J'ai peur de creuser un peu trop et de trouver chez les autres des difficultés qui me dépassent, je crains que la démarche d'aide ne m'échappe.

✦ Si je remets en question les clients, ils ne m'aimeront plus et je veux qu'ils m'aiment.

Les séquelles de ce type de pensée persistent bien après que les stagiaires exercent leur profession. C'est aux aidants de s'aider eux-mêmes. Les gestionnaires souffrent parfois de l'effet « motus et bouche cousue » et donnent toutes sortes de bonnes raisons pour ne fournir aucune rétroaction à leurs employés. De toute évidence, c'est une chose que de se montrer prêt à se servir de la confrontation de manière responsable et c'en est une autre que de posséder l'habileté et la maturité nécessaires pour y parvenir. L'une des raisons expliquant l'absence de rétroaction des gestionnaires se doit à leur manque de préparation dans le domaine de la communication et du counseling.

**Blocages des aidants.** Toute une série d'ouvrages intéressants a été publiée sur les défauts et la faiblesse humaine des aidants (Kottler, 1993 ; Kottler et Blau, 1989 ; Pope et Tabachnick, 1994 ; Wood, Klein, Cross, Lammers et Elliot, 1985 ; Yalom, 1989). Ils conviennent particulièrement aux débutants – il vaut mieux prévenir que guérir – et aux aidants aguerris, car on en apprend à tout âge. Plus récemment, Kottler (2000) a donné aux stagiaires et aux novices une idée de ce que la passion et l'engagement apportaient en ce qui concerne les professions d'aide.

Les aidants sont des êtres humains comme leurs clients et ils souffrent également de blocages qui les empêchent d'être vraiment efficaces. La difficulté de certains aidants à adopter une attitude de collaborateur est attestée (voir Bohart et Tallman, 1999). À titre d'exemple, au cours d'une étude (Atkinson, Worthington, Dana et Good, 1991), les conseillers se sont déclarés presque unanimement partisans d'une approche « sentie » du counseling, alors que la majorité des clients de sexe masculin optait pour une approche tournée vers la réflexion ou vers l'action au détriment des sentiments, ce qui est loin de laisser présager une collaboration. Bien entendu, certains aidants peuvent être dépassés par l'échange thérapeutique. Il ne leur vient pas à l'idée que le client en a assumé la direction et qu'il est en train de les manipuler.

Les aidants entravent parfois la progression des clients en jouant le « jeu de l'introspection », une forme perverse de ce que nous venons de voir dans ce chapitre. Ils incitent les clients à aller d'une prise de conscience à l'autre, sans faire aucun lien avec une possible intervention qui permettrait de mieux gérer le problème. La plupart de ces prises de conscience sont orientées sur les théories de l'aidant plutôt que sur les problèmes du client. Cette démarche repose sur l'hypothèse sous-jacente que la prise de conscience est en soi une forme de guérison.

L'une des tâches des superviseurs est de permettre aux conseillers de prendre conscience de leurs blocages et d'en tirer un enseignement. Leur formation terminée, les aidants efficaces recourent à toutes sortes d'échanges, de consultations et de formations continues pour poursuivre ce processus, particulièrement s'ils sont face à des cas difficiles. Ils se questionnent, se demandant ce qu'ils ont évité, font appel aux conseils de leurs collègues. Sans en faire une obsession, ils s'analysent et se remettent en question, en revoyant leur rôle dans la relation d'aide. Plus simplement, ils continuent tout au long de leur carrière d'apprendre sur eux-mêmes, leurs clients et leur profession.

# ? QUESTIONS D'ÉVALUATION CONCERNANT L'ÉTAPE I.B : PROCESSUS ET DISCERNEMENT DANS LA CONFRONTATION

## De quelle manière dois-je procéder, à chacune des étapes suivantes, si je veux aider mes clients ?

### Processus de confrontation

- Aider les clients à prendre conscience des blocages se traduisant par des attitudes ancrées, des façons de penser et d'agir, et les inciter à entrevoir de nouvelles perspectives pour adopter des comportements plus réalistes.
- Ne pas hésiter à recourir à la confrontation chaque fois que cela est nécessaire dans la démarche d'aide.
- Garder en tête les objectifs de la confrontation, qui consistent à permettre aux clients de surmonter leurs blocages pour adopter des attitudes positives et à modifier les comportements tant intérieurs qu'extérieurs qui les confinent dans leurs problèmes et les rendent inaptes à profiter de leur potentiel.
- Encourager les clients à participer pleinement à la démarche d'aide.
- Inciter les clients à s'approprier leurs problèmes.
- Donner un coup de main aux clients pour formuler des problèmes solubles et entrevoir des solutions réalistes.
- Engager les clients à corriger les interprétations erronées de leurs expériences, de leurs actions et de leurs sentiments.
- Permettre aux clients de reconnaître et de dépasser les inévitables subterfuges de la vie.
- Aider les clients à détecter les opportunités qui s'offrent à eux.
- Inciter les clients à prendre conscience de leurs ressources inutilisées.
- Soutenir les clients dans leur tentative de lier leurs nouvelles perspectives à l'action.
- Aider les clients à acquérir le sentiment de leur efficacité.
- Amener les clients à dépasser les discussions et l'inertie pour agir.

### Discernement dans la confrontation

- Inciter les clients à se confronter.
- Autoriser votre confrontation
  - en établissant une collaboration efficace avec le client ;
  - en vous efforçant de comprendre son point de vue ;
  - en étant prêt à vous confronter ;
  - en réglant vos propres problèmes existentiels et en tirant parti de vos atouts.
- Confronter avec tact et honnêteté sans être ennuyeux et sans s'excuser constamment.
- Être précis et aller droit au but lors des remises en question.
- Insister sur les forces du client au lieu d'insister sur ses faiblesses.
- Ne pas trop exiger des clients dès le début.
- Inviter les clients à clarifier leurs valeurs et à agir en conséquence.

### Mises en garde

- Reconnaître les subterfuges des clients sans se montrer pour autant cynique.
- Accepter l'influence sociale dans la relation d'aide, avec le type d'ingérence que cela entraîne.
- Introduire la confrontation dans le counseling sans devenir un spécialiste de la confrontation.
- Avoir suffisamment confiance en soi pour surmonter l'obstacle du « motus et bouche cousue ».
- Confronter ses propres blocages face au fait de confronter le client.
- Accepter ses propres défauts et ses blocages, à la fois comme aidant et comme simple « citoyen ».

# CHAPITRE **13**

## ÉTAPE 1.C : OPTIMISATION DE LA DÉMARCHE

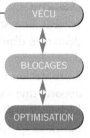

**13.1 ASPECTS ÉCONOMIQUES DE LA RELATION D'AIDE**

**13.2 TRIAGE : RECHERCHE INITIALE POUR L'OPTIMISATION
DE LA DÉMARCHE**

**13.3 OPTIMISATION DE LA DÉMARCHE : SE CONCENTRER
SUR LE PROBLÈME PRIORITAIRE ET LE CHANGEMENT
POSSIBLE DE PERSPECTIVE**

**13.4 OPTIMISATION DE LA DÉMARCHE :
PRINCIPES DE LA FOCALISATION**

- En cas de crise, aider en premier lieu le client à la gérer
- S'attaquer au problème qui semble le plus douloureux
- Commencer par les questions qui importent au client et sur lesquelles il souhaite travailler
- Commencer par une difficulté mineure mais soluble pour passer ensuite à une problématique plus vaste
- Travailler tout d'abord sur un problème qui, une fois réglé, apportera une amélioration générale de l'état du client
- Concentrer l'énergie sur un problème dont la résolution comporte plus d'avantages qu'elle n'exige d'efforts

**13.5 FOCUSING ET OPTIMISATION DE LA DÉMARCHE :
LA TECHNIQUE DE LAZARUS**

**13.6 ÉTAPE I.C ET ACTION**

**13.7 DIFFICULTÉS INHÉRENTES À L'ÉTAPE I.C : MISES EN GARDE**

**QUESTIONS D'ÉVALUATION CONCERNANT L'ÉTAPE I.C**

L'aide est coûteuse, à la fois financièrement et psychologiquement. Nous ne devons pas nous y engager à la légère. Par conséquent, il importe d'aborder ces aspects, qui se rapportent non seulement à l'étape I.C, mais à toutes les phases et à toutes les étapes de la démarche d'aide. Nous abordons ici cette question, parce que l'étape I.C introduit la notion d'*optimisation*. La question de l'optimisation consiste à se demander comment aider les clients à profiter au maximum de la démarche d'aide. Chaque aidant doit donc se demander s'il apporte une « valeur ajoutée » à chacune de ses interactions avec le client. Il doit aussi inciter le client à se demander si l'énergie qu'il investit dans cette relation est profitable, s'il prend des décisions qui pourront améliorer son existence. La question n'est pas de savoir si la relation d'aide est efficace, mais si elle fonctionne dans cette situation précise, si elle en vaut la peine.

Il importe pour l'aidant de se demander si son client est prêt ou non à évoluer et, si oui, dans quelle mesure. Le changement nécessite beaucoup d'efforts de la part des clients. S'ils ne sont pas suffisamment motivés, ils risquent de s'arrêter en chemin. Dans un tel cas, il y a gaspillage de ressources. À titre d'exemple, Dave et Roxane ressentent une certaine insatisfaction face à l'évolution de leur couple et recherchent le remède miracle. La motivation qui leur serait nécessaire pour réinventer leur mariage semble faire défaut. D'autre part, Élizabeth est une mère intelligente, mais elle s'ennuie profondément depuis le départ de ses enfants. Son mari voyage beaucoup, elle ne sait comment occuper son temps libre et son mode de vie actuel lui cause beaucoup d'insatisfaction. Elle ne manque pas de motivation pour faire face à son malaise, reconnaître de nouvelles opportunités pour remplir sa vie et en tirer parti. L'optimisation implique une bonne relation entre le client et l'aidant, la conjugaison de leurs efforts pour résoudre les bons problèmes et choisir les bonnes options, la formulation d'objectifs appropriés et la mise en œuvre de stratégies adéquates pour les atteindre – toutes ces interventions contribuent à un changement constructif.

## 13.2 TRIAGE : RECHERCHE INITIALE POUR L'OPTIMISATION DE LA DÉMARCHE

Les revues scientifiques font rarement mention du triage ou de la sélection – à savoir la décision de se concentrer sur les situations problématiques qui le méritent. Les raisons en sont évidentes. À juste titre, nous recommandons vivement aux aidants en devenir de prendre au sérieux les préoccupations de leurs clients. Nous les incitons également à adopter vis-à-vis d'eux une attitude optimiste, pleine d'espoir. Enfin, nous leur enseignons à ne pas prendre leur profession à la légère et à rester convaincus que leur intervention influencera la vie des clients. Pour ces raisons et bien d'autres, la première réaction du conseiller moyen consiste à aider les clients, quelle que soit la problématique présente.

Toutes ces intentions sont louables. Il est rassurant de penser que les aidants valorisent les clients et se préoccupent de leurs ennuis, qu'ils mettent de côté la tendance presque instinctive qui consiste à évaluer et à juger autrui et qu'ils se mettent au service des clients sur le plan humain. Néanmoins, les aidants, une fois équipés des modèles, des méthodes et des habiletés de la démarche d'aide, auront tendance à considérer que tous les problèmes humains requièrent leur attention. En fait, dans bien des cas, le counseling est à la fois une intervention utile et en même temps un luxe dont le coût est difficilement justifiable. La formule présentée au chapitre 8, pour évaluer la gravité des problèmes, constitue un outil précieux pour effectuer une sélection.

Sous le terme *thérapies différentielles*, Frances, Clarkin et Perry (1984) regroupent les méthodes pour faire correspondre différents types de traitements aux différents types de clients. Ils traitent également des cas pour lesquels l'absence de traitement s'avère la meilleure option. Dans cette catégorie, ils incluent les clients qui ont déjà connu des échecs lors de traitements ou ceux dont la situation semble empirer avec le traitement, tels :

✦ les criminels qui tentent d'éviter ou de diminuer leur condamnation en plaidant la maladie mentale. « Nous rendons un mauvais service à la société, au système judiciaire, aux détenus et à notre profession si nous nous évertuons à traiter des problèmes qui ne disposent d'aucun traitement efficace (p. 227) » ;
✦ les clients souffrant de maladies ou de malaises imaginaires (troubles factices) ;
✦ les clients qui manifestent une réponse négative chronique au traitement ;
✦ les clients qui ont de bonnes chances de s'en sortir seuls ;
✦ les clients en bonne santé souffrant de problèmes chroniques mineurs ;
✦ les clients peu motivés et résistants qui refusent le traitement.

Chaque cas requiert une décision éclairée et certains contestent les catégories susmentionnées ; cependant, le fait de refuser un traitement mérite une attention particulière.

Les options qui consistent à interrompre un traitement ou à n'en recommander aucun présentent un bon nombre d'avantages : mettre fin aux séances d'aide qui piétinent ou se révèlent destructrices ; empêcher le client comme l'aidant de perdre son temps, ses efforts et son argent ; ajourner la relation d'aide jusqu'à ce que le client soit prêt à se consacrer au changement constructif ; laisser un répit au client pour consolider les acquis des traitements antérieurs ; offrir au client la possibilité de découvrir ce qu'il peut accomplir sans traitement ; empêcher les aidants comme les clients de se leurrer ou de se tromper mutuellement ; et motiver le client à chercher de l'aide dans son entourage. Cependant, cette décision d'annuler ou d'interrompre un traitement infructueux va à l'encontre de la mentalité de la profession et elle reste, par conséquent, difficile à prendre.

Il va sans dire que la sélection s'effectue de façon très stricte. À titre d'exemple, les remarques suivantes sont superflues :

✦ « En fait, vos préoccupations ne sont pas très graves. »
✦ « Vous devriez réussir à régler cela par vous-même. »
✦ « Je n'ai pas le temps de m'occuper de questions aussi simplistes. »

Que ces remarques soient verbalisées ou demeurent implicites, elles démontrent un manque de respect et sont en fait une caricature du processus de sélection.

Les praticiens de la profession ne sont pas les seuls à se débattre avec les aspects économiques du traitement. Les médecins sont, jour après jour, aux prises avec des problèmes qui vont du danger de mort pour un patient à des situations sans gravité. Les statistiques laissent croire que plus de la moitié des gens qui se présentent devant un médecin ne souffrent d'aucun problème physique. Les médecins doivent dès lors trouver les moyens d'effectuer une sélection parmi les maladies de leurs patients. Je suis certain que les meilleurs médecins découvrent des façons de préserver la dignité de ces derniers. Il en va de même pour les infirmières de triage à l'urgence.

Les aidants efficaces, grâce à leur empathie, perçoivent et évaluent le niveau d'engagement de leurs clients, sans toutefois sauter aux conclusions. Ils tâtent le terrain de diverses façons. Si les problèmes des clients semblent mineurs, ils explorent des questions plus graves. Si les clients semblent hésitants et réticents à travailler, ils remettent leur attitude en question et les incitent à surmonter leur résistance. Toutefois, dans les deux cas, ils restent conscients qu'il faudra peut-être, et parfois même assez vite, conclure à l'inutilité de poursuivre les efforts, compte tenu des résultats. Il est recommandé, toutefois, d'aider les clients à parvenir seuls à cette conclusion ou de les y inciter fortement. Finalement, les aidants doivent cesser de voir certains clients, mais, ce faisant, respecter les valeurs fondamentales du counseling.

### 13.3 OPTIMISATION DE LA DÉMARCHE : SE CONCENTRER SUR LE PROBLÈME PRIORITAIRE ET LE CHANGEMENT POSSIBLE DE PERSPECTIVE

Les clients ont souvent besoin d'une aide extérieure afin d'appréhender la complexité même de leurs problèmes. Un homme de 41 ans, déprimé par un mariage battant de l'aile, un emploi routinier et ennuyeux, des relations interpersonnelles en détérioration progressive, des ennuis de santé et un problème d'alcoolisme ne peut pas tout régler d'un coup. Il doit se fixer des priorités. La question fondamentale est donc de se demander : Quelle est l'intervention prioritaire ? Quelle est l'intervention à privilégier compte tenu des ressources limitées de l'aidant et du client ? Par où commencer ?

Un travailleur social recommande à Andrée, une femme dans la trentaine, d'aller consulter dans une clinique externe de santé mentale. Lors de sa première visite, elle raconte d'une traite tous ses malheurs, passés et présents : des parents brutaux, une adolescence marquée par l'abus d'alcool et d'autres drogues, un mariage raté, le chômage, la pauvreté, etc. Andrée est si pressée de tout déballer que l'aidant n'a d'autre choix que de s'asseoir et d'écouter.

Par où faut-il commencer avec Andrée ? Comment investir efficacement temps, efforts et argent dans son cas ? Quels sont les coûts de l'aide dans son cas ?

La focalisation est une technique qui favorise l'optimisation de la démarche d'aide. Il s'agit de prendre en considération différents principes pour en arriver à une prise de décisions optimale et à une approche efficace avec le client. Ces principes se chevauchent ; plusieurs s'appliquent simultanément. Les trois premiers principes sont axés sur les priorités du client. Il importe tout d'abord d'aider le client à s'adapter, pour ensuite l'inciter à aller de l'avant.

+ En cas de crise, aider en premier lieu le client à la gérer.
+ S'attaquer au problème qui semble le plus douloureux.
+ Commencer par les questions qui importent au client et sur lesquelles il souhaite travailler.
+ Commencer par une difficulté mineure mais soluble pour passer ensuite à une problématique plus vaste.
+ Travailler tout d'abord sur un problème qui, une fois réglé, apportera une amélioration générale de l'état du client.
+ Concentrer l'énergie sur un problème dont la résolution comporte plus d'avantages qu'elle n'exige d'efforts.

Ces principes reposent sur l'idée sous-jacente d'une expérience initiale positive de la démarche d'aide, afin que le client y trouve la motivation nécessaire pour poursuivre son travail. Voici des exemples, bons et mauvais, de l'application de ces principes.

**En cas de crise, aider en premier lieu le client à la gérer.** Même si nous envisageons parfois l'intervention en situation de crise comme une forme de counseling à part entière (Baldwin, 1980 ; Janosik, 1984), nous l'entrevoyons également comme une application rapide des trois phases de la démarche d'aide.

PRINCIPE TRANSGRESSÉ : Pierre, un étudiant terminant la deuxième année d'un programme de troisième cycle de quatre ans en counseling, boit trop un soir et se fait accuser de harcèlement sexuel par une étudiante qu'il a rencontrée lors d'une fête. Sachant pertinemment qu'il n'a harcelé personne, il demande conseil à un professeur en qui il a confiance. Ce dernier lui pose de nombreuses questions sur son passé, ses relations avec les femmes, ce qu'il pense du programme qu'il suit, et ainsi de suite. Pierre s'énerve de plus en plus et finit par exploser : « Pourquoi me posez-vous toutes ces questions stupides ? » Il quitte la pièce pour aller se réfugier chez un ami dans une résidence étudiante.

PRINCIPE APPLIQUÉ : En voyant son agitation, son ami lui dit : « Mon Dieu, Pierre, dans quel état tu es ! Entre. Qu'est-ce qui se passe ? » Il écoute son récit des événements, l'interrompant à peine, ajoutant simplement un mot ou deux ici et là pour lui démontrer qu'il le suit. Il s'assied à ses côtés lorsque Pierre se tait ou pleure un peu et commence lentement à le rassurer, en le calmant et en entamant un dialogue détendu pour que son ami récupère son calme. L'ami de Pierre connaît quelqu'un au service aux étudiants. Ils l'appellent, se rendent sur place, et assistent à une séance de counseling et de stratégie portant sur les étapes à suivre pour faire face aux accusations de harcèlement.

L'ami de Pierre a une réaction instinctive nettement meilleure que celle de son professeur. Il fait de son mieux pour désamorcer la crise et aide Pierre à entreprendre la prochaine étape pour la gérer.

**S'attaquer au problème qui semble le plus douloureux.** Il arrive souvent que les clients, sans être en situation de crise, demandent de l'aide parce qu'ils souffrent. Leur souffrance devient alors un élément sur lequel il faut porter notre attention, puisqu'elle fragilise l'individu. S'ils semblent facilement influençables en raison de la douleur qu'ils ressentent, saisissez l'occasion, mais avancez prudemment. Cette douleur risque aussi de les rendre exigeants. Ils ne comprennent pas pourquoi vous n'êtes pas en mesure de les débarrasser de leurs problèmes sur-le-champ. Ce genre d'impatience est susceptible de vous irriter, mais il vous faut également la comprendre. Nous pouvons faire une analogie entre de tels clients et les patients d'une salle d'urgence, chacun étant convaincu qu'il requiert une attention immédiate. Leurs exigences quant au soulagement immédiat traduisent parfois un manque de maturité et, dès lors, une difficulté plus importante. Vous constaterez peut-être qu'ils sont eux-mêmes à l'origine de leur propre souffrance et vous devrez finir par les remettre en question. Toutefois, la souffrance, qu'elle soit auto-infligée ou non, reste toujours une souffrance. Le respect du client implique la considération de sa vulnérabilité.

> PRINCIPE TRANSGRESSÉ : Robert, un jeune homme dans la vingtaine, vient de se faire plaquer par sa femme et se présente complètement désemparé devant un conseiller. Le conseiller le perçoit dès le début comme quelqu'un d'impulsif, d'égocentrique et de difficile à vivre. Le conseiller l'amène tout de suite à remettre en question sa manière de traiter les autres, laquelle tend à les éloigner. Robert écoute sans répliquer.

> PRINCIPE APPLIQUÉ : Robert se rend alors chez une conseillère qui perçoit également certains indices d'égocentrisme, de manque de maturité et de discipline. Cependant, elle écoute attentivement son histoire, même s'il s'agit de sa version à lui. Elle analyse avec lui l'incident qui a entraîné le départ de sa femme. Au lieu d'alourdir sa souffrance en lui demandant de s'attaquer à son égocentrisme, elle axe la discussion sur ses aspirations pour l'avenir, particulièrement l'avenir proche. Évidemment, Robert pense qu'il voudrait voir revenir sa femme dans l'avenir immédiat. La conseillère déclare : « Je suppose qu'elle devrait être à l'aise avec l'idée de revenir. » Il lui répond : « Bien sûr. » Elle lui demande ensuite : « Que pourriez-vous faire pour lui donner davantage l'envie de revenir ? » Sa souffrance sert de motivation à travailler sur lui-même avec la conseillère, même à court terme, pour obtenir ce qu'il désire.

Cette dernière, contrairement au premier conseiller, n'a pas utilisé la souffrance comme un fouet. Peu importe la culpabilité de Robert, il n'a pas besoin qu'on la lui remette sous le nez. L'aidante se sert de cette souffrance comme d'un élément d'optimisation de la démarche. Qu'est-ce que Robert est prêt à faire pour se débarrasser de sa souffrance et se bâtir le futur qu'il affirme désirer ?

**Commencer par les questions qui importent au client et sur lesquelles il souhaite travailler.** Le cadre de référence du client est un élément d'optimisation de la démarche. D'après son vécu, vous risquez de penser qu'il ne s'attaque pas aux problèmes les plus importants. Toutefois, en l'aidant à travailler sur les questions essentielles à ses yeux, vous lui communiquez un message fondamental : « Je considère vos intérêts. »

PRINCIPE TRANSGRESSÉ : Une femme se présente devant un conseiller pour se plaindre de sa relation avec son patron. Elle croit que ce dernier est sexiste. Ses collègues masculins, moins talentueux qu'elle, récoltent les meilleurs projets et plusieurs d'entre eux ont décroché une promotion. Après avoir écouté son récit, le conseiller lui fait analyser ses antécédents familiaux pour connaître le contexte. Après l'avoir écoutée de nouveau, il émet l'hypothèse qu'elle ne s'est pas débarrassée de certains problèmes développementaux concernant son père et un frère aîné, et que cela influence encore son attitude envers les hommes plus âgés. Il poursuit davantage avec elle dans cette direction. Elle est troublée et se sent rabaissée. Comme elle ne se présente pas au second entretien, le conseiller se dit que cela confirme ses hypothèses.

PRINCIPE APPLIQUÉ : La même femme recherche l'aide d'un avocat spécialisé dans les cas d'égalité des chances. L'avocat, plus âgé et non seulement intelligent mais sage, l'écoute attentivement et l'interroge pour obtenir certains détails manquants. Puis, il dresse le portrait général de la situation advenant que l'on porte l'affaire devant les tribunaux. Au vu de ce contexte, il l'aide à explorer ses véritables intentions. Être plus respectée ? mieux payée ? Décrocher une promotion ? Changer de patron ? Mettre ses talents à profit ? Se replacer au sein d'une compagnie sans discrimination? Après l'avoir laissé formuler ses préférences, il discute avec elle des options pour obtenir ce qu'elle veut. Elle exclut une action en justice.

Le premier aidant lui impose ses priorités et se montre quelque peu sexiste lui-même. Le second aidant accepte les priorités de la cliente et l'aide à cheminer selon sa perspective. Il n'envisage aucune optimisation dans une action en justice, mais l'amène à considérer sa situation comme une occasion de réorienter sa carrière. Il sait que quelqu'un de son calibre trouvera sans mal un emploi dans une autre entreprise.

**Commencer par une difficulté mineure mais soluble pour passer ensuite à une problématique plus vaste.** Les situations problématiques complexes et importantes restent souvent vagues et difficiles à appréhender. En divisant le problème en sous-parties plus faciles à travailler, nous optimisons la démarche. Nous pouvons décomposer la plupart des problèmes en sous-problèmes plus abordables et plus faciles à gérer.

PRINCIPE TRANSGRESSÉ : Albert et Rita, tous deux dans la cinquantaine, ont un fils de 25 ans habitant à la maison et qui est schizophrène. Albert est gestionnaire dans une entreprise industrielle actuellement en crise. Sa femme a des antécédents de crise de panique et d'anxiété chronique. Tous ces problèmes ont créé beaucoup de tension au sein de leur couple. Ils se sentent coupables de la maladie de leur fils. Ce dernier est devenu grossier à la maison et les gens du quartier le rejettent en raison de son comportement bizarre. Ils blâment Albert et Rita de l'avoir mal élevé. Ils voient un conseiller partisan de l'approche systémique et sont troublés par cette approche dans laquelle tout est relié à tout. Ils recherchent un soulagement mais s'enlisent chaque jour tant ils n'arrivent pas à y voir clair. Ils en arrivent finalement à la conclusion qu'ils ne disposent pas des ressources nécessaires pour faire face à l'énormité de leurs difficultés et ils abandonnent.

PRINCIPE APPLIQUÉ : Quelques semaines s'écoulent avant qu'ils prennent leur courage à deux mains et consultent une psychiatre, Francine, qu'un ami de la famille leur a fortement recommandée. Bien que Francine saisisse la complexité systémique de la situation, elle comprend également qu'ils ont besoin de répit. Elle commence par rencontrer leur fils et lui prescrit des antipsychotiques. Son comportement bizarre se voit considérablement réduit. Elle dirige le couple vers la FFAPPAM (Fédération des familles et amis de la personne atteinte de maladie mentale[1]). L'association organise des rencontres de groupe qui favorisent le soutien des aidants naturels. Voici une approche au service de la psychologie positive. Leur implication dans l'un de ces groupes les aide à surmonter leur détresse. Ils vivent toujours beaucoup d'inquiétude, mais éprouvent maintenant un peu de soulagement. En outre, ils sont soulagés d'un fardeau de culpabilité, par le simple fait de côtoyer des personnes qui n'entretiennent pas de préjugés envers la maladie mentale.

La psychiatre les a aidés à cibler deux sous-problèmes gérables : le comportement de leur fils et leur sentiment d'isolement vis-à-vis de leur entourage. Ce soulagement immédiat les met en meilleure position pour s'attaquer à leurs difficultés à long terme.

**Travailler tout d'abord sur un problème qui, une fois réglé, apportera une amélioration générale de l'état du client.** Certaines difficultés, une fois maîtrisées, produisent des résultats qui dépassent toutes les espérances. Il s'agit d'un effet de généralisation.

PRINCIPE TRANSGRESSÉ : Jean, un charpentier célibataire dans la fin de la vingtaine, se présente à la clinique externe de santé mentale en se plaignant de plusieurs choses : de l'insomnie, une consommation de drogues légères, un sentiment d'aliénation de sa famille, une série de troubles psychosomatiques, ainsi qu'un attrait pour l'exhibitionnisme. Il a également une peur bleue des chiens, ce qui complique parfois son travail. Le conseiller considère qu'il peut régler ce dernier problème en recourant à la technique de modification du comportement décrite dans les manuels. Jean et lui passent beaucoup de temps à surmonter cette phobie. Sa peur des chiens s'amoindrit quelque peu et plusieurs de ses symptômes diminuent. Toutefois, graduellement, les vieux symptômes refont surface. Sa phobie, bien qu'importante, n'a pas de lien assez direct avec ses préoccupations premières pour provoquer un effet de propagation quelconque.

PRINCIPE APPLIQUÉ : Comme prévu, les principaux problèmes de Jean refont surface. Un jour, complètement perdu, il frappe plusieurs voitures avec son marteau

---

1   Vous pouvez rejoindre l'organisme au 1 800 323-0474.

sur son lieu de travail. On le surprend en train de dire : « Je vais te rendre la monnaie de ta pièce. » Il fait un court séjour dans le département de psychiatrie d'un hôpital général pour faire traiter rapidement et efficacement cette crise. Lors de ce séjour, il discute avec une infirmière en psychiatrie. L'interaction lui fait du bien, et ils décident ensemble de planifier quelques séances après son congé. Leurs discussions sont axées sur sa solitude, largement liée à son manque d'estime de soi : « Qui voudrait être mon ami ? » L'infirmière croit que Jean pourrait régler certains de ses problèmes en renouant avec son milieu. Jusqu'alors il a tenté de gérer ses problèmes en évitant les relations trop intimes avec les hommes et les femmes. L'infirmière aborde avec Jean des façons de commencer à socialiser. Au lieu de se concentrer sur l'origine des sentiments de solitude de Jean, l'infirmière adopte une approche centrée sur le développement des perspectives du client, l'aide à se lancer dans de courtes expériences de socialisation. Grâce à celles-ci, ses symptômes commencent à disparaître.

Le second aidant a vu le potentiel d'optimisation de la démarche dans le manque de contacts humains de son client. Les essais de socialisation n'ont pas tous porté fruit et ont révélé certaines difficultés de Jean. Son style de communication égocentrique et acerbe expliquait en partie le rejet des autres. Lorsqu'il réitéra sa question : « Qui voudrait être mon ami ? », l'aidant répondit : « Je suis certain que bien des gens accepteraient… si vous leur manifestiez un peu plus d'attention et si vous étiez un peu moins mordant dans vos propos. Vous n'êtes pas contrariant avec moi et nous nous entendons bien. Comment l'expliquer ? »

**Concentrer l'énergie sur un problème dont la résolution comporte plus d'avantages qu'elle n'exige d'efforts.** Il ne s'agit pas d'un prétexte pour éviter de s'attaquer aux problèmes difficiles. Tout problème exige beaucoup de travail de votre part comme de celle du client, alors les lois fondamentales à la fois économiques et comportementales laissent présager des résultats satisfaisants pour vous comme pour le client.

PRINCIPE TRANSGRESSÉ : Marguerite découvre avec horreur que Carl, son mari, est séropositif. Les examens révèlent qu'elle et son nouveau-né ne sont pas porteurs du virus. Ce résultat l'aide à encaisser le choc, mais sa relation avec Carl se détériore. Ce dernier affirme avoir contracté le virus en utilisant une « seringue usagée ». Cependant, elle n'était même pas au courant qu'il se droguait. Le conseiller axe la relation d'aide sur la nécessité de reconstruire la relation conjugale. Il annonce à Marguerite que ce sera une étape difficile, son mari et elle devant se pencher sur des aspects passés de leurs vies. Elle cherche des solutions pratiques pour se rapprocher de son mari et reconstituer sa vie de famille. Après trois séances, elle décide d'arrêter la thérapie.

PRINCIPE APPLIQUÉ : Marguerite cherche encore de l'aide. Le médecin qui traite Carl lui recommande un groupe d'entraide pour époux, enfants et compagnons de séropositifs. Durant les séances, Marguerite en apprend beaucoup sur les façons de poursuivre une relation avec quelqu'un qui a contracté le virus. Les rencontres sont très pragmatiques. Le fait que Carl n'y participe pas est bénéfique. Elle commence à mieux se comprendre et à prendre conscience de ses besoins. Se sentant en sécurité au sein du groupe, elle analyse ses erreurs dans sa relation avec Carl. Bien qu'elle ne reconstruise pas sa personnalité ni sa relation avec son mari, elle apprend à vivre de façon plus créative avec elle-même et avec lui. Elle se rend compte qu'ils devront probablement traverser d'autres étapes douloureuses, mais elle sent également qu'elle se prépare de mieux en mieux à faire face à l'avenir.

Il est coûteux et aléatoire de reconstruire sa personnalité comme ses relations, même *lorsque faire se peut*. Le ratio coût-bénéfice défie tout équilibre. Une fois encore, il peut s'agir d'un aidant plus préoccupé de ses propres théories que des besoins de ses clients. Marguerite obtient l'aide dont elle a besoin au sein d'un groupe et auprès d'une travailleuse sociale qu'elle consulte avec Carl.

Certains conseillers ne respectent pas ces principes ou n'en tirent pas tout le potentiel pour optimiser la démarche.

✦ Ils commencent par réaliser le cadre de référence du client, mais ne vont jamais au-delà.
✦ Ils font efficacement face aux difficultés exposées par le client, mais n'arrivent pas à le remettre en question pour l'amener à considérer ses blocages.
✦ Ils aident les clients à analyser les problèmes et à y faire face, mais ne les aident jamais à développer leur potentiel et à tirer profit de nouvelles opportunités.
✦ Ils reconnaissent la souffrance du client comme une source d'optimisation, mais lui accordent trop d'attention.
✦ Ils aident les clients à obtenir de petites victoires, mais ne savent pas tirer parti de leurs succès.
✦ Ils s'attaquent à des sous-problèmes qu'il est possible de résoudre aisément, mais ne parviennent pas à faire travailler leur client sur des questions majeures ni à envisager les avantages plus importants qui en découleraient.
✦ Ils permettent aux clients de faire face à des problèmes ou d'exploiter leurs ressources internes dans un domaine de l'existence (l'autodiscipline lors d'un programme d'exercices, par exemple), mais échouent à leur faire appliquer ces apprentissages à d'autres domaines moins évidents (l'autocontrôle dans les relations interpersonnelles, par exemple).

Une attitude ancrée sur l'optimisation de la démarche fait partie intégrante de la psychologie positive. Pour les aidants efficaces, c'est une seconde nature.

## 13.5 FOCUSING ET OPTIMISATION DE LA DÉMARCHE : LA TECHNIQUE DE LAZARUS

Arnold Lazarus (1976, 1981), dans un film sur son approche intégrée de la thérapie (Rogers, Shostrom et Lazarus, 1977), se sert utilement d'une technique de focusing[2].

---

2 Note du responsable de l'adaptation française. Le focusing est aussi une technique développée par E. Gendlin dans les mêmes années et repose sur certains préceptes similaires.

Cette dernière met en lumière l'importance du langage dans le counseling de même que l'importance des questions pour orienter les clients dans la bonne direction. À titre d'exemple, un aidant demande à une cliente de n'utiliser qu'un seul mot pour décrire son problème. Elle réfléchit un peu puis propose le mot « trouble ». L'aidant demande alors à la cliente de construire une expression avec le mot choisi. Elle propose l'expression « pensée trouble. » À l'étape suivante, la cliente doit composer une phrase simple décrivant son problème. Elle affirme : « Mon esprit est trouble et je n'arrive pas à avoir les idées claires. » L'aidant lui demande ensuite, à partir de cette phrase, de bâtir une description plus détaillée du problème. Elle en arrive à peu près à ceci :

> Lorsque je dis que mon esprit est trouble et que je n'arrive pas à avoir les idées claires, je décris par là ma réaction à ce que m'a dit mon patron la semaine dernière. J'ai travaillé très fort et beaucoup appris. Au cours des deux dernières années, j'ai reçu deux prix pour des projets. Et j'ai toujours obtenu de bons résultats. Mais quelqu'un d'autre a obtenu la promotion que je pensais décrocher. Selon moi, mon patron le préfère. Mais si je suis si compétente, pourquoi ne m'a-t-il pas promue moi aussi ?... J'avais l'impression que le ciel m'était tombé sur la tête... Depuis cet événement, je suis très troublée... Comme dans un brouillard... J'ai été loyale... Et cette histoire m'a vraiment atteinte.

Je ne vous conseille pas ici de commencer toutes vos séances de cette façon, ni aucune d'ailleurs, mais il s'agit d'une manière simple d'orienter une séance. Cette méthodologie s'intègre à n'importe quelle phase ou à n'importe quelle étape de la démarche d'aide. On demande alors aux clients de n'utiliser qu'un seul mot pour décrire ce qu'ils veulent.

AIDANT : Maintenant que vous vous êtes penché sur vos préoccupations, et dans ce contexte, résumez en un seul mot ou une courte phrase ce que vous voulez.

CLIENT : Voyons voir... Ma famille.

AIDANT : Très bien, votre famille. Faites maintenant une phrase. Décrivez votre désir en une phrase.

CLIENT : Je veux récupérer ma famille et ma vie de famille.

Ce client a monté une entreprise et réussi très rapidement dans le domaine des affaires. Ce succès lui est monté à la tête. Il a abandonné sa femme et ses trois enfants pour vivre avec une femme plus tape-à-l'œil. Six ans plus tard cependant, la situation est beaucoup moins brillante. Il a réussi, mais il est malheureux et il veut retrouver sa famille et la vie qu'il avait antérieurement. Qu'il soit réaliste et même possible d'y parvenir, c'est une autre histoire. Mais la technique de Lazarus lui permet de se concentrer sur ce point.

Il existe d'autres techniques pour optimiser la démarche. Dans la thérapie reposant sur l'introspection, on fournit au client un carnet de 45 pages contenant toute l'information dont il a besoin (Bowman, 1995 ; Bowman, Ward, Bowman et Scogin, 1996). Selon cette thérapie, qui vise à réduire l'anxiété et la dépression (Bowman, Scogin, Floyd, Patton et Gist,

1997), les clients disposent de feuilles pour dresser une liste de ce qui compte le plus pour eux et ensuite une liste de leurs difficultés. Ils comparent ensuite ces deux listes. Si l'un de leurs problèmes ne correspond pas à ce qui leur importe le plus, ils l'éliminent de leur liste. Cela ne sert à rien d'y consacrer de l'énergie. Ensuite, ils cherchent les solutions aux problèmes qui demeurent et on les encourage à trouver celles qui ont le plus de chance de fonctionner. Cette approche thérapeutique se base donc essentiellement sur l'optimisation, le caractère « rentable » de la démarche. L'encadré 13.1 dresse une liste des questions que vous pouvez proposer aux clients afin d'optimiser la démarche.

---

### ENCADRÉ 13.1
### QUESTIONS D'OPTIMISATION CONCERNANT L'ÉTAPE I.C

Aider les clients à se questionner sur les points suivants :

- Sur quel problème ou quelle opportunité devrais-je vraiment travailler ?
- Quelle difficulté dois-je affronter pour vraiment changer ma vie ?
- Quel problème ou quelle opportunité m'offre le meilleur résultat ?
- Quelles sont les questions que je veux et que je peux régler ?
- Quel problème, en se résolvant, en réglera d'autres ?
- Quelle capacité, une fois développée, m'aidera à régler des ennuis majeurs ?
- Par quoi ferai-je mieux de commencer ?
- S'il faut que je débute doucement, par où commencer ?
- Si j'ai besoin d'un coup de fouet ou d'un résultat immédiat, sur quel problème ou quelle opportunité devrais-je me pencher ?

---

## 13.6 ÉTAPE I.C ET ACTION

Comme toutes les étapes du modèle d'aide, l'étape I.C doit servir de stimulus à l'action du client. En aidant les clients à reconnaître les questions offrant un grand potentiel et à travailler dessus, nous devrions, si tout se déroule adéquatement, les amener à prendre un certain nombre de mesures mineures avant de passer à un plan d'action en bonne et due forme.

Un homme dans la trentaine fait part à une conseillère de tous ses problèmes et de toutes ses occasions manquées. Il saute d'un sujet à l'autre, en se concentrant sur les derniers ennuis de la semaine dernière. Celle-ci l'écoute toujours attentivement. Au début de la troisième séance, elle lui dit qu'elle voudrait vérifier une hypothèse avec lui. Elle poursuit en indiquant qu'elle a remarqué une constante dans tous les sujets qu'il a abordés : sa réticence à s'engager complètement envers quelqu'un ou quelque chose. Il est frappé de stupeur, parce qu'il se rend immédiatement compte que c'est vrai. Au cours des semaines suivantes, il commence à analyser ses ennuis et ses inquiétudes selon cette perspective. Il constate qu'il se retire chaque fois qu'il devrait s'engager, qu'il s'agisse d'un projet ou d'une personne. Il commence graduellement à s'impliquer de manière limitée. Lorsque la personne avec laquelle il entretient une relation sentimentale lui demande le degré de sérieux de cette relation, il dit avoir senti le besoin de changer de sujet ou de s'enfuir. Mais, au contraire, il n'a pas refusé de parler avec elle de l'avenir et des possibilités futures pour eux deux. Finalement, il accepte de parler de cette relation, à défaut de s'engager dans la relation elle-même.

En abordant des sujets essentiels, nous incitons certains clients à mobiliser des ressources qu'ils n'avaient pas utilisées depuis des années.

## 13.7 DIFFICULTÉS INHÉRENTES À L'ÉTAPE I.C : MISES EN GARDE

Pour des raisons évidentes, personne n'a la moindre idée du temps gaspillé dans les séances de counseling à parler de problèmes qui ne changent pas vraiment la vie des clients. Certains aidants risquent même inconsciemment d'encourager les clients à parler de sujets qui correspondent plus à leurs théories et à leur approche thérapeutique qu'aux besoins réels de ces derniers. Ils forcent le client à entrer dans un cadre conceptuel plutôt que de chercher avec lui les éléments qui lui permettront de progresser. Dans un autre ordre d'idées, les manuels de traitement (thème mentionné au chapitre 7), même s'ils sont efficaces en eux-mêmes, sont souvent bien trop limités dans leur approche et omettent un certain nombre de problèmes majeurs de la vie des individus. La profession d'aidant en est encore à ses débuts. Il nous arrive souvent de sourire avec nostalgie en regardant en arrière et en pensant à nos erreurs de jeunesse.

Le comportement des clients contribue également aux difficultés de l'étape I.C. Il arrive que les gens, pour une série de raisons, n'abordent pas leurs préoccupations majeures. Les aidants efficaces devraient pouvoir reconnaître les indices démontrant que le client dissimule certains problèmes essentiels, esquive des sujets importants ou raconte carrément des mensonges. Avec beaucoup de délicatesse, ils peuvent l'inciter à aborder ces questions. Cependant, les aidants ne lisent pas dans une boule de cristal. Les clients peuvent parfaitement éviter de parler de leurs problèmes s'ils le veulent ou lorsqu'ils s'y sentent obligés. Une des façons de contrer ce comportement d'évitement, c'est de le mentionner dans l'entente initiale avec le client. Le contrat pourra alors contenir quelque chose de ce genre : « Il arrive que les clients ne parlent pas des sujets qui les inquiètent réellement ou ne soient pas sûrs de la manière d'aborder une question particulière. Ils ont l'impression de ne pas être prêts. Ils peuvent même se sentir traqués et mentir. Comme les conseillers ne sont pas des clairvoyants, cela risque de leur échapper. Tout ce que je peux dire, c'est que je suis prêt à vous aider à explorer tous les éléments qui sont susceptibles de vous faire avancer. Je suis tout à fait conscient des petites faiblesses humaines, les miennes et celles de mes clients. Je ferai de mon mieux pour traiter de ces questions avec respect et compassion. » Formulez cela comme vous l'entendez. Un de mes clients m'a dit qu'il était heureux que je mentionne cette absence de faute relativement au mensonge : « Lors des dernières sessions, je ne vous ai pas dit toute la vérité. Mais maintenant, je suis prêt. » Et nous nous sommes attelés à la tâche.

### Est-ce que je parviens vraiment à :

◎ aider les clients à se concentrer sur les questions qui leur offrent le plus d'avantages ?

◎ maintenir le cap au cours de la démarche d'aide ?

◎ éviter de passer trop de temps sur la prise de conscience des problèmes et la phase exploratoire ?

◎ passer aux autres phases du modèle d'aide selon les besoins du client ?

◎ encourager les clients à agir en fonction de ce qu'ils apprennent ?

## QUATRIÈME PARTIE

## PHASE II : AIDER LES CLIENTS À DÉCIDER DE LEUR AVENIR

Les phases II et III, avec la flèche d'action[1], sont essentielles parce qu'elles concernent les objectifs, les résultats et l'action. Le chapitre 14 sert d'introduction à la phase II. Il s'intéresse aux solutions, à leur lien avec la thérapie brève ou de courte durée, à l'importance de la formulation des objectifs de même qu'à la nature particulière de la prise de décision.

Le chapitre 15, concernant l'étape II.A, porte sur l'aide fournie aux clients pour que ces derniers puissent envisager les perspectives d'un avenir meilleur. Comme ce chapitre s'intéresse au futur, il est centré sur le rôle que revêt l'espoir dans la relation d'aide.

Le chapitre 16, correspondant à l'étape II.B, fournit un aperçu de la démarche permettant aux clients de formuler leurs objectifs. Enfin, le chapitre 17, se rapportant à l'étape II.C, examine l'importance de l'engagement des clients vis-à-vis de leurs objectifs et du travail à accomplir pour les atteindre. Il traite également de l'autoefficacité ainsi que des moyens à adopter pour que les clients se motivent à aller de l'avant.

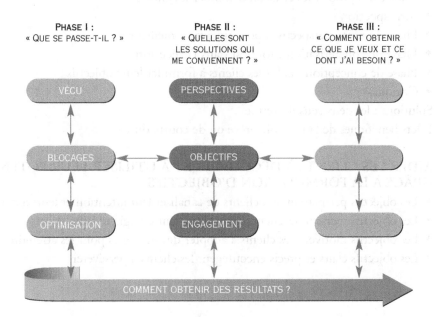

PHASE I :
« QUE SE PASSE-T-IL ? »

PHASE II :
« QUELLES SONT
LES SOLUTIONS QUI
ME CONVIENNENT ? »

PHASE III :
« COMMENT OBTENIR
CE QUE JE VEUX ET CE
DONT J'AI BESOIN ? »

VÉCU — PERSPECTIVES

BLOCAGES — OBJECTIFS

OPTIMISATION — ENGAGEMENT

COMMENT OBTENIR DES RÉSULTATS ?

---

1  La flèche d'action représente à la fois la base (l'idée maîtresse) et la finalité même du processus d'aide. Il en a été question aux chapitres 2 et 6.

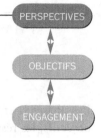

# CHAPITRE 14

## PRÉSENTATION DE LA PHASE II : « QUELLES SONT LES SOLUTIONS QUI ME CONVIENNENT ? » AIDER LES CLIENTS À DÉCIDER DE LEUR AVENIR

PERSPECTIVES

OBJECTIFS

ENGAGEMENT

### 14.1 LES TROIS ÉTAPES DE LA PHASE II
- Étape II.A : Nouvelles perspectives
- Étape II.B : Choix
- Étape II.C : Engagement

### 14.2 AIDE CENTRÉE SUR LES SOLUTIONS
Thérapies centrées sur les solutions, thérapies brèves ou de courte durée et méthode de l'approche positive
- Philosophie
- Perception des clients
- Acceptation du passé
- Rôle de l'aidant
- Phase de la découverte
- Nature des problèmes et façon d'aborder les choses
- Introspection
- Phase du rêve : perspectives pour un avenir meilleur
- Phase de concrétisation : tout est dans l'exécution
- Phase de conception : aidez les clients à formuler leurs objectifs
- Critiques

Solutions : les deux sens du terme

Effets bénéfiques de la thérapie brève ou de courte durée

### 14.3 AIDER LES CLIENTS À DÉCOUVRIR ET À UTILISER LEUR POTENTIEL GRÂCE À LA FORMULATION D'OBJECTIFS
- Les objectifs permettent aux clients de canaliser leur attention et leurs actions
- Les objectifs incitent les clients à mobiliser leur énergie et leurs efforts
- Les objectifs motivent les clients à adopter des stratégies pour les atteindre
- Les objectifs clairs et précis encouragent les clients à persévérer

## 14.4 AIDER LES CLIENTS À PRENDRE DE BONNES DÉCISIONS

Prise de décision rationnelle
- Collecte d'information
- Analyse
- Choix d'une option

Difficultés inhérentes à la prise de décision : les choix quotidiens
- Collecte d'information
- Traitement de l'information
- Choix et mise en application

Prendre des décisions éclairées
- La tendance au *statu quo*
- Le piège des justifications

Les phases II et III avec la flèche d'action constituent la partie essentielle du modèle d'aide parce qu'elles concernent les solutions. C'est lors de ces phases que les conseillers aident les clients à établir et à mettre à exécution un plan ou un programme visant un changement constructif. La reconnaissance et la clarification des situations problématiques comme des ressources inexploitées n'apportent aucun gain si on n'entreprend aucune action en ce sens. Les phases II et III passent en revue les aptitudes nécessaires à l'amorce d'un changement positif. Durant ces phases, les conseillers incitent les clients à se poser deux questions, pleines de bon sens, mais primordiales :

Que voulez-vous ?

et

Que devez-vous faire pour l'obtenir ?

Il arrive que les clients se sentent prisonniers de leurs problèmes. Selon leur gravité, ils envisagent un avenir troublé ou n'envisagent aucun avenir. Toutefois, comme le fait remarquer Gelatt (1989) : « L'avenir n'existe pas et n'est pas non plus prévisible. Il nous faut l'imaginer et l'inventer » (p. 255). Les étapes de la phase II décrivent trois façons pour les aidants d'accompagner leurs clients dans l'examen et la mise en place de solutions pour un avenir meilleur.

**Étape II.A : Nouvelles perspectives.** « Quelles perspectives puis-je envisager pour améliorer mon existence ? » « Quelles sont les opportunités à saisir ? » « Qu'est-ce qui semble m'attirer ? » « Quels sont mes besoins ? » En aidant les clients à se poser ces questions, les conseillers leur redonnent de l'espoir.

**Étape II.B : Choix.** « Qu'est-ce que je veux vraiment ? » En répondant à cette question, les clients optent pour des attentes réalistes parmi les choix envisageables. La relation d'aide a pour objet de les aider à formuler les meilleurs objectifs.

**Étape II.C : Engagement.** « Qu'est-ce que je suis prêt à faire pour obtenir ce que je désire ? » Il s'agit d'aider les clients à trouver la motivation de s'attaquer aux problèmes. Cela représente une autre dimension des coûts du changement.

La figure 14.1 résume bien ces trois étapes de la démarche d'aide. Sans minimiser l'aide apportée par les conseillers aux clients par l'intermédiaire des habiletés et des interventions de la phase I – à savoir, la clarification des problèmes, l'inventaire des ressources et des opportunités, l'adoption de nouvelles représentations plus positives de soi-même, d'autrui et du monde, l'optimisation de la démarche par la focalisation –, il faut rappeler que la véritable efficacité d'aide consiste à permettre au client de formuler des objectifs et d'agir en vue de les atteindre.

O'Hanlon et Weiner-Davis (1989) ont remarqué l'émergence, au sein de la profession, d'une tendance à « s'éloigner des explications, des problèmes et de la pathologie pour se tourner vers les solutions, les habiletés et les aptitudes » (p. 6). Une étude antérieure a démontré que les clients cherchaient à résoudre leurs difficultés et à aller mieux, tandis que de nombreux aidants s'attardaient sur l'origine des problèmes, en vue d'aider les clients à les régler grâce à l'introspection (Llewelyn, 1988). Les thérapies centrées sur les solutions (Berg, 1994 ; de Shazer, 1985 ; Fish, 1995, 1997 ; Manthei, 1998 ; Metcalf, 1998 ; Miller, Hubble et Duncan, 1996 ; Murphy, 1997 ; O'Connell, 1998 ; Walter et Peller, 1992 ; Zimmerman, Prest et Wetzel, 1997) s'attaquent à cette contradiction. De nos jours, trop d'approches de la relation d'aide continuent à se concentrer sur les activités de la phase I. Trop de programmes de formation des aidants insistent sur l'analyse des méthodes de la phase I ou lui confèrent une trop grande importance. Toute approche requiert la maîtrise des habiletés de communication, mais c'est un gaspillage de les confiner à la phase I. Cette analyse approfondie des difficultés découle d'une mentalité qui considère qu'un « travail » d'élaboration, d'acceptation, de deuil et de renoncement est une fin suffisante pour engendrer un changement de comportements. Les approches centrées sur l'action ou les solutions partent de l'hypothèse qu'on doit régler ou même transcender un grand nombre de problèmes, mettre l'accent sur le comportement plutôt que simplement « travailler » intérieurement les difficultés psychologiques. De toute façon, l'objectif d'aide, énoncé au chapitre 1, consiste à aider le client à gérer les problèmes, au lieu de se limiter à les analyser et à les comprendre. Elle vise également à développer de nouvelles perspectives sans se contenter de les reconnaître et d'en discuter.

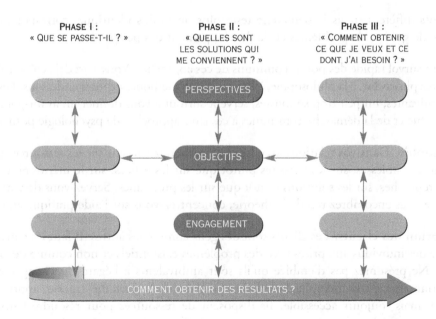

**FIGURE 14.1**
**MODÈLE D'AIDE – PHASE II**

## THÉRAPIES CENTRÉES SUR LES SOLUTIONS, THÉRAPIES BRÈVES OU DE COURTE DURÉE ET MÉTHODE DE L'APPROCHE POSITIVE

Les thérapies centrées sur les solutions, la thérapie brève ou de courte durée (Bloom, 1997 ; Cade et O'Hanlon, 1993 ; Cooper, 1995 ; Matthews et Edgette, 1999 ; Frieman, 1997 ; Hoyt, 1995 ; Preston, 1998 ; Ratner, 1998), de même que l'approche de la gestion de problèmes et du développement de nouvelles perspectives, appelée « méthode de l'approche positive » (*appreciative inquiry*) (Cooperrider et Srivasta, 1987 ; Zemke, 1999), partagent en commun une philosophie et une approche d'aide semblables à celles du présent ouvrage. Chacune, à sa manière, constitue une approche de la gestion de problèmes et, plus particulièrement, du développement de nouvelles perspectives. À titre d'exemple, la méthode de l'approche positive (Zemke, 1999) se compose selon les quatre phases ou étapes suivantes :

✦ **Découverte :** Qu'est-ce qui me motive ? Aider le client à dresser une liste de ses réussites, de ses points forts et de ses ressources, passés et présents.

✦ **Rêve :** Que peut-on espérer ? Encourager le client à discerner les perspectives pour un avenir meilleur.

✦ **Conception :** Quel est mon idéal ? Inciter le client à entrevoir les résultats, en imaginant l'évolution de ses sujets de préoccupation dans le futur.

✦ **Concrétisation :** Comment aller de l'avant ? Inciter le client à définir la meilleure façon de construire l'avenir qu'il s'est choisi. Pour certains, cette phase est une « destinée », car le client qui découvre son potentiel prend alors en charge son propre destin.

Les mots diffèrent, mais la démarche reste plus ou moins identique, correspondant au modèle de gestion de problèmes et de développement des perspectives.

Voici un survol rapide des points communs de ces approches. Vous avez déjà été sensibilisé, et le serez plus avant, à la philosophie, à l'esprit et aux méthodes exposés ci-dessous. Les catégories suivantes, un peu trop simplistes, servent surtout à vous donner un avant-goût de la philosophie et de la démarche communes à ces trois approches de psychologie positive.

**Philosophie.** Dans vos relations avec les clients, mettez l'accent sur les ressources plutôt que sur les faiblesses, sur les réussites plutôt que sur les échecs, sur le mérite plutôt que sur les reproches, sur les solutions plutôt que sur les problèmes. Servez-vous de votre bon sens. Ne vous encombrez pas de la théorie, concentrez-vous sur l'aide pratique au client.

**Perception des clients.** Les clients sont des gens comme les autres. Il faut les considérer comme des individus aux prises avec des problèmes existentiels et non comme des symptômes. Ne présumez pas d'emblée qu'ils sont ambivalents à l'égard du changement et récalcitrants face à la thérapie. Les clients possèdent une certaine sagesse, apprise puis oubliée, mais toujours accessible. Ils disposent de ressources pour résoudre leurs problèmes et possèdent leur propre conception de l'existence, comme chaque personne. Respectez la réalité qu'ils se sont construite, même s'il leur faut éventuellement la dépasser. D'une certaine façon, les clients sont les experts de leur propre vie. Faites en sorte qu'ils développent la force de résoudre leurs problèmes. Lorsque les aidants ne voient leurs clients que comme des problèmes à résoudre, ils les dépouillent de leur potentiel.

**Acceptation du passé.** On n'échappe pas aux traumatismes du passé et il est impossible de les nier. Toutefois, si vous incitez les clients à s'y plonger, ils peuvent en devenir prisonniers. En fait, plusieurs d'entre eux le sont déjà. Ils ont besoin qu'on les libère de leur passé. Cela dit, les clients doivent assimiler et intégrer les mauvaises expériences passées en évitant de s'enliser dans des relations de cause à effet. C'est une erreur que de fouiller le passé pour y chercher les causes sous-jacentes des symptômes actuels. Concentrez-vous sur la capacité du client à surmonter ses difficultés. La connaissance des causes ne résout habituellement pas les problèmes. Il faut les résoudre, un point c'est tout. Néanmoins, les clients envisagent l'avenir avec plus de confiance et d'aisance lorsqu'ils sont conscients de certains aspects de leur passé. Le mieux pour eux est de bâtir sur les réussites antérieures, sur ce qui a déjà fonctionné. S'il leur faut prendre en considération le passé, alors que ce soit pour renouer avec ce qu'il contient de meilleur. Nous adhérons ainsi à la vision qu'a Bushe (1995) de la méthode de l'approche positive (et, par là même, de la thérapie brève et de la thérapie centrée sur les solutions), une tentative de susciter une image collective d'un avenir prometteur, en explorant le meilleur de ce qui est et de ce qui a été.

**Rôle de l'aidant.** Les aidants sont des experts, des catalyseurs, des guides, des animateurs, des assistants. En adoptant le point de vue du client, du moins temporairement, les aidants parviennent à amoindrir les craintes et la résistance. Les reflets empathiques contribuent à démontrer leur compréhension du monde du client et leur travail consiste à déceler et à amplifier le potentiel naturel du client et tout signe positif de changement. Devenez un véritable explorateur à la recherche des éléments positifs. Sachez dresser l'oreille. Soyez à l'écoute du problème, mais encore plus du potentiel qui se cache juste derrière. Pour stimuler le dialogue, posez des questions qui incitent le client à répondre par des exemples positifs. Souvenez-vous que les questions ne sont pas seulement de simples questions, mais de véritables interventions.

**Phase de la découverte : Aidez les clients à identifier leurs compétences, leurs réussites et leurs moments de « normalité », et à en tirer parti.** Incitez-les à repérer les façons de penser, de se comporter et d'interagir qui ont déjà porté fruit. Qui plus est, comme les clients ne manifestent pas continuellement des comportements problématiques, encouragez-les à se concentrer sur les épisodes plus sereins. Ces moments de répit laissent présager des solutions. Recherchez avec eux ce qui a fonctionné lors de ces moments exempts de souffrance pour en tirer parti. Cherchez avec eux la manière de répéter des comportements qui ont bien marché. Demandez-leur de se remémorer les succès passés : par exemple lorsqu'ils ont réglé un différend de façon créative, du temps où leur couple fonctionnait ; quand ils ont refréné leur désir de boire. Aidez-les à bien analyser leur comportement dans ces moments-là et à se surprendre eux-mêmes de leur ingéniosité et de leurs talents. Décelez les compétences qui se profilent dans leur récit et leurs comportements. Chacun possède des aptitudes particulières. À vous de les trouver, car ce sont les forces sur lesquelles le client pourra compter. Comment se comporte-t-il lorsqu'il obtient de bons résultats ?

**Nature des problèmes et façon d'aborder les choses.** Les clients, comme tout le monde, deviennent le reflet de leur discours. Si vous les encouragez à parler de leurs ennuis, ils risquent fort de devenir des « gens à problèmes ». La relation d'aide tourne au vinaigre, puisqu'elle ne vise qu'à remédier aux pathologies et aux déficits. Les points sur lesquels les clients s'attardent deviennent une réalité chronique. Encouragez-les à percevoir leurs difficultés comme des doléances ou de simples complaintes, semblables à celles de tout le monde. En d'autres mots, relativisez leurs problèmes avec eux, car il s'agit de difficultés quotidiennes. Nous pouvons ainsi considérer la gloutonnerie comme un enthousiasme exagéré pour les textures et les goûts superbes d'une nourriture délicieuse. L'hyperactivité devient en fait un trop-plein d'énergie qui interfère avec le repos, la relaxation et les relations humaines. Un perfectionniste apprécie le travail bien fait, mais va trop loin. Incitez les clients à percevoir leur problème comme extérieur à eux-mêmes, sans qu'ils se laissent définir ou dominer par lui. Les problèmes sont des intrus qui ont parfois raison de nous, des anomalies qui nous affectent sans pour autant nous caractériser. Il n'est pas nécessaire d'en savoir beaucoup sur ces problèmes pour les résoudre. Soyez donc prudent dans le choix de vos questions. Celles-ci ne doivent pas enliser les clients dans des discussions sur leurs maux et les engluer dans leurs frustrations, leur impuissance et même leur désespoir.

**Introspection.** L'introspection n'est pas nécessaire au changement. Par conséquent, évitez de la provoquer, car elle concerne trop souvent les problèmes plutôt que les solutions. Dès lors, elle encourage les clients à continuer de se définir en termes de problèmes. Incitez plutôt les clients à construire des scénarios axés sur les résultats.

**Phase du rêve : Perspectives pour un avenir meilleur.** Le principe est le suivant : nous créons l'avenir que nous entrevoyons. L'aidant et le client doivent s'allier dans la recherche systématique des opportunités et des ressources. Il importe de stimuler l'imagination du client pour l'amener à découvrir de nouvelles façons d'aborder l'existence. Les questions doivent l'inciter à penser, de façon aussi créative que possible, à un avenir meilleur : comment entrevoyez-vous un avenir plein d'espoir ? Comment réaliser ces rêves ? Si vous n'aviez plus besoin d'aide, comment cela se traduirait-il dans vos actions ? Si on vous avait filmé en train de faire les bons choix pour vous-même cette semaine, quelles seraient les séquences saillantes de ce film ? Dans l'hypothèse selon laquelle vous désirez aller de l'avant, quelles actions concrètes devriez-vous entreprendre pour aller plus loin la semaine prochaine ? La méthode de l'approche positive vise à engager le client comme l'aidant dans un dialogue conduisant au développement d'un « vocabulaire structuré de l'espoir » (Ludema, Wilmot et Srivasta, 1997).

**Phase de conception : Aidez les clients à formuler leurs objectifs.** Il n'existe pas une seule bonne façon de mener sa vie. Encouragez les clients à concevoir activement des solutions qui transformeront leur potentiel en capacités et en aptitudes tangibles. Ces solutions n'ont pas à être complexes, même si le problème des clients l'est en soi. Amenez plutôt les clients à envisager des solutions simples aux problèmes difficiles. Il suffit souvent d'opérer de petits changements. Les solutions ne prétendent pas non plus tout résoudre. Nous ne sommes pas forcés de tout résoudre. Amenez les clients à trouver des solutions globales. Un changement survenant dans un domaine a des chances d'améliorer la situation dans un autre. Recherchez des interventions qui inversent la tendance des comportements autolimitatifs. N'hésitez pas à concevoir des solutions visant à éliminer les symptômes. Elles ne sont ni superficielles, ni inutiles, ni dangereuses. Elles doivent reposer sur la capacité du client à surmonter ses futurs problèmes pour pouvoir arrêter la thérapie en disposant d'outils précis pour ce faire.

**Phase de concrétisation : Tout est dans l'exécution.** Le rythme du changement variera pour chaque client. Certains nécessitent de l'aide pour s'orienter graduellement vers les solutions : pour eux, l'action la plus minime constitue un pas en avant. Cependant, il est aussi possible d'envisager un changement rapide. Avant tout, ne trompez pas les clients. Les solutions exigent souvent l'adoption de nouvelles façons de communiquer avec son entourage. Où trouver un soutien ? À qui faire appel pour progresser ?

Rappelez-vous que vous pouvez vous servir du modèle d'aide présenté dans ce livre comme d'un navigateur pour trouver et intégrer les cadres de référence, les méthodes et les techniques utilisés par d'autres approches d'aide. Une simple recherche, dans Internet, qui porte sur les thérapies centrées sur les solutions, la thérapie brève, la méthode de l'approche positive, révélera toute une série de sources d'inspiration, de cadres de référence, de méthodes et de techniques à intégrer à la démarche d'ensemble de gestion de problèmes et de développement des perspectives d'avenir.

**Critiques.** Certaines critiques ont été faites à l'égard de cette approche de psychologie positive d'aide (voir Zemke, 1999, et l'excellente section *commentaires* de la revue *American Psychologist* du mois de janvier 2001, p. 75-90). Certains chercheurs affirment qu'elle ouvre la voie à une approche béate et trompeuse, bien trop utopique. D'autres ne la trouvent pas assez concrète. Le changement consiste à faire face aux problèmes. Les gens ont l'habitude de s'attaquer aux problèmes. Dès lors, cette approche peut paraître trop simple pour certains praticiens et certains clients.

Par ailleurs, les approches traditionnelles d'aide axées sur la résolution de problèmes ont aussi leurs détracteurs (Zemke, 1999). Ces détracteurs critiquent leur terrible lenteur, et la nécessité pour le client de revenir sur ses échecs passés et de retracer les causes des problèmes. Elles se traduisent rarement par une nouvelle vision, partent du principe selon lequel le client ou l'aidant sait ce qu'il faut faire et, par conséquent, conduisent à parler en termes de vide à combler, en insistant sur le blâme et en favorisant une attitude défensive ainsi qu'un langage orienté sur les déficits.

Toutefois, l'association de la psychologie positive, avec ses thérapies centrées sur les solutions ainsi que sur la gestion de problèmes, et le développement des perspectives, répond à toutes ces critiques. Choisir l'une n'implique pas de renoncer à l'autre. L'interaction de ces deux philosophies fournit un système à toute épreuve. L'approche axée sur la gestion de problèmes et le développement des perspectives constitue l'ossature de la relation d'aide. Toutefois, selon les différentes phases et les différentes étapes, ce sont les besoins du client qui dictent la progression. La philosophie centrée sur les solutions oriente *la façon* dont le client et l'aidant font équipe pour avancer au fil de ces phases et de ces étapes. La souplesse est primordiale, de même que le bon sens et l'intelligence sociale. Agissez en tenant compte de ce qui convient le mieux au client.

## SOLUTIONS : LES DEUX SENS DU TERME

Cet ouvrage propose une approche d'aide centrée sur les solutions. Le mot *solution* pose néanmoins un problème d'ordre sémantique, car il englobe deux significations distinctes. Avant tout, il traduit l'idée de conclusion : des résultats, un dénouement, une fin. Prenez le cas de Paule, qui ne parvenait plus à maîtriser son alimentation. Elle creusait sa tombe avec sa fourchette, mais elle mange aujourd'hui modérément et a perdu beaucoup de poids. Elle a adopté une nouvelle attitude face à la nourriture. Voilà une solution dans le sens de dénouement. Le mot *solution* correspond également à la stratégie qu'adopte le client pour en arriver à cette conclusion ; on désigne alors les moyens. À titre d'exemple, Paule a suivi un programme en 12 étapes destiné aux outremangeurs et a assisté religieusement aux rencontres. Lors de la première rencontre, elle a déclaré manger de façon incontrôlable. Au sein du groupe, elle s'est familiarisée avec une série de modalités pour retrouver la maîtrise de son alimentation. Sa participation au groupe et l'emploi des stratégies apprises représentent des solutions au second sens du terme. Des activités ou des stratégies l'ont aidée à atteindre les résultats dont elle profite maintenant. La phase II de la démarche d'aide concerne les solutions au premier sens du terme : fins, accomplissements, objectifs, résultats, tandis que la phase III est axée sur les solutions au second sens du terme : moyens, actions, stratégies.

Cette distinction n'est pas insignifiante. De nombreuses approches de résolution de problèmes confondent les deux ou négligent les solutions en tant qu'objectifs finaux – ce que désirent réellement les clients – et parlent principalement de solutions en termes de stratégies à adopter pour résoudre les problèmes. Elles partent des problèmes ou des ressources et des opportunités inexploitées pour passer directement à l'action, sans faire le lien avec les résultats. La logique à adopter est la suivante : relier les solutions en tant qu'objectifs aux situations problématiques ou aux ressources inexploitées. Le problème de Paule vient de sa manière excessive de manger. Sa solution en tant qu'objectif est un programme composé d'exercices sains et d'habitudes alimentaires bien ancrées. Sa solution en tant que moyen est la participation à un programme en 12 étapes, jumelé à des stratégies d'autorégulation. Ce sont les objectifs et non les problèmes qui doivent guider l'action.

## EFFETS BÉNÉFIQUES DE LA THÉRAPIE BRÈVE OU DE COURTE DURÉE

Les thérapies brèves ou de courte durée sont, par essence, axées sur les solutions. Si nous ne disposons que de peu de temps, autant le consacrer à la planification d'un avenir meilleur. En fait, les titres de nombreux ouvrages et les articles portant sur les thérapies brèves comprennent l'expression « centrée sur les solutions » et vice versa. Les recherches ont démontré que les interventions de courte durée peuvent susciter des changements importants et à long terme. Qui plus est, les tenants de cette approche aiment travailler à partir d'objectifs très précis et réalisables dans un laps de temps raisonnable. La thérapie de courte durée, bien que brève, n'en reste pas moins complète (Lazarus, 1997). Asay et Lambert (1999), après avoir revu les recherches existantes sur ce genre de thérapie, ont tiré les conclusions suivantes :

> *Les thérapies sur une courte période (cinq à dix séances) permettent d'obtenir des résultats bénéfiques avec au moins la moitié des clients en pratique clinique normale. Pour la plupart des clients, la thérapie s'avère brève. […] Par conséquent, les thérapeutes doivent organiser*

*leur travail en vue d'optimiser les résultats sur quelques séances. Ils doivent également mettre sur pied et appliquer des méthodes d'intervention en prévision d'une participation des clients inférieure à dix séances.* (p. 42)

Les chercheurs en sont également venus à la conclusion que ce type de thérapie ne convient pas à trois catégories de clients. Tout d'abord, il est inadéquat pour les clients peu motivés ou hostiles : les thérapeutes qui disposent des habiletés nécessaires pour faire face à la résistance et qui possèdent une connaissance de base de la « technique d'entrevue motivationnelle (chapitre 11) » ont davantage de chance de réussir avec de tels clients. Deuxièmement, il ne convient pas aux clients qui se présentent avec des antécédents de relations problématiques : la capacité de l'aidant à établir une collaboration basée sur le principe d'une société juste (chapitre 9) est primordiale avec ce type de client. Enfin, il ne convient pas davantage aux clients qui s'attendent à être passifs face à la démarche : le défi de l'aidant consiste ici à permettre à de tels clients de trouver rapidement un sens des responsabilités ainsi qu'un sens de l'action, si profondément cachés soient-ils. Vous trouverez les stratégies pour ce faire tout au long de cet ouvrage. Bien entendu, toutes les relations d'aide ne doivent pas être de courte durée. Environ 20 % à 30 % des clients requièrent un traitement de plus de 25 séances.

## 14.3 AIDER LES CLIENTS À DÉCOUVRIR ET À UTILISER LEUR POTENTIEL GRÂCE À LA FORMULATION D'OBJECTIFS

L'établissement des objectifs, formulés explicitement ou non, fait partie du quotidien de toute personne.

> *Pourquoi adoptons-nous des objectifs ? Parce que si nous ne le faisions pas, nous n'irions nulle part. Personne ne cuisine, ne lit un livre ou n'écrit une lettre sans une ou plusieurs bonnes raisons de le faire. Nous souhaitons obtenir quelque chose en entreprenant certaines actions ou encore éviter ou prévenir une situation que nous ne souhaitons pas. Ces désirs servent de balises à l'action* [C'est nous qui le soulignons] ; *ils indiquent le chemin. Une fois formulés sous forme d'objectifs, ils jouent un rôle essentiel dans la résolution de problèmes.* (Dorner, 1996, p. 49)

Ne pas formuler d'objectifs est en soi un objectif. Ne pas nommer des objectifs ne signifie pas pour autant ne pas en avoir. Au lieu d'objectifs manifestes, il s'agit d'objectifs implicites. Ils seront mobilisateurs ou restrictifs. Nous n'aimons pas voir nos muscles sans tonus ou notre chair flasque dans le miroir, mais en refusant de nous mettre en forme, nous prenons la décision de nous laisser aller. Puisque la vie est remplie d'objectifs, choisis ou par défaut, il semble plus profitable de nous en faire des alliés plutôt que des adversaires.

Dans le meilleur des cas, les objectifs mobilisent nos énergies ; ils nous permettent d'avancer. Ils font partie intégrante de notre « système d'autorégulation ». S'ils nous conviennent, ils nous poussent dans la bonne direction. Selon Locke et Latham (1984), en aidant les clients à formuler des objectifs, nous renforçons leur autonomie selon les quatre façons suivantes.

**Les objectifs permettent aux clients de canaliser leur attention et leurs actions.** La conseillère d'un centre de réfugiés de Londres décrit Simon, victime de torture au Moyen-Orient, à sa superviseure comme un client désorienté et très peu coopératif dans l'analyse des tenants et des aboutissants de cette cruelle expérience. La superviseure lui suggère d'explorer avec Simon les perspectives pour un avenir meilleur. La conseillère débute la séance suivante en lui demandant : « Simon, si vous pouviez obtenir une chose qui vous manque en ce moment, quelle serait-elle ? » Simon lui répond spontanément : « Un ami ». Il reste ensuite très concentré durant tout le reste de la séance. Ses pensées ne concernaient pas les tortures subies, mais le fait d'être très seul dans un pays étranger. Lorsqu'il a abordé la torture, il a exprimé sa peur d'être défiguré, non pas physiquement, mais psychologiquement, en devenant ainsi peu attirant aux yeux d'autrui.

**Les objectifs incitent les clients à mobiliser leur énergie et leurs efforts.** Les clients qui semblent apathiques lors de la phase d'analyse des problèmes reprennent souvent vie lorsque nous leur demandons d'aborder les perspectives d'avenir qui peuvent s'offrir à eux. Après avoir rendu visite à un prêtre, une patiente d'un programme de rééducation à long terme, qui avait jusqu'alors été amorphe et peu coopérative, a déclaré à son conseiller : « J'ai décidé que Dieu et la Création seront au centre de mon existence et non la douleur. C'est ce que je veux. » Cela a marqué le commencement d'un nouvel engagement dans ce programme exigeant. Elle a collaboré de façon plus intense aux exercices contribuant à gérer sa souffrance, car les clients qui disposent d'objectifs sont moins enclins à la passivité. La formulation d'objectifs n'est pas forcément un exercice théorique. Nombre d'individus se lancent dans un changement constructif après avoir formulé des objectifs vagues ou rudimentaires. Selon Portelance (1992), la transformation d'attentes en objectifs permet de passer de la passivité à l'action. Le client n'est plus en mode d'attente face à son aidant, puisque ce dernier lui a remis la responsabilité (objectifs à atteindre) des changements à apporter à son existence.

**Les objectifs motivent les clients à adopter des stratégies pour les atteindre.** La formulation d'objectifs, une tâche de la phase II, conduit naturellement à la recherche de moyens pour les réaliser, une tâche de la phase III. Françoise, une femme de 70 ans que ses amis décrivaient comme « déclinant à vue d'œil », a décidé, à la suite d'une fausse alerte cardiaque, de vivre à 100 milles à l'heure ce qui lui restait à vivre. Elle a trouvé des façons ingénieuses de se recréer un cercle d'amis, de décorer sa maison et de prendre deux jeunes étudiantes universitaires comme pensionnaires.

**Les objectifs clairs et précis encouragent les clients à persévérer.** Les clients disposant d'objectifs clairs et précis sont non seulement tournés vers l'action, mais ont tendance à travailler plus fort et plus longtemps. Un patient atteint du sida, qui avait affirmé vouloir réintégrer sa famille élargie, a réussi, contre toute attente, à se rétablir de cinq hospitalisations pour atteindre son objectif. Il a tout fait pour trouver le temps qui lui manquait. Les clients disposant d'objectifs clairs et réalistes n'abandonnent pas et persévèrent davantage que ceux qui n'ont que des objectifs vagues ou n'en ont aucun.

Une étude effectuée par Payne, Robbins et Dougherty, en 1991, a démontré que les retraités fortement motivés par leurs objectifs s'avèrent davantage ouverts, sociables, impliqués, pleins de ressources et persévérants face à leur environnement social que les autres. Ces derniers se montrent davantage autocritiques, insatisfaits, blasés et égocentriques. Les gens qui savent où ils vont ne perdent pas de temps avec des vœux pieux, mais ils visent des résultats tangibles sur lesquels faire porter leurs efforts. Imaginez un continuum dont l'une des extrémités correspond à une personne sans aucun but précis, tandis qu'à l'autre se situe une personne qui sait où elle va. Vos clients se situent à n'importe quel point sur ce continuum. Serge veut devenir un meilleur superviseur, mais il a besoin d'aide pour établir un plan ou un programme afin d'atteindre ce but précis. En revanche, Lolita, l'une des collègues de Serge, ne sait même pas si son poste lui convient et ne cherche pas à examiner d'autres possibilités. Un client peut osciller entre différents points de ce continuum en fonction des problèmes concernés. Il possédera la maturité suffisante lorsqu'il s'agit de saisir les occasions de formation, mais il hésitera lorsqu'il sera question d'atteindre une maturité sexuelle. Nous nous sommes tous plus ou moins retrouvés sans buts précis à un moment ou à un autre de l'existence.

La formulation d'objectifs, formels ou non, fournit une orientation aux clients, qui peuvent alors :

+ poursuivre un but bien précis ;
+ orienter leur existence ;
+ adopter des schèmes de comportements positifs ;
+ se concentrer sur les résultats et sur les réussites ;
+ distinguer entre action dispersée et réalisations ;
+ adopter un style de vie déterminé au lieu d'errer sans but.

Locke et Latham (1990) ont rassemblé des années de recherche portant sur la valeur motivationnelle de la formulation des objectifs. Malgré l'indéniable valeur de cette formulation d'objectifs, très nombreuses sont les personnes qui n'en tiennent pas compte lors de la gestion de problèmes et du développement de nouvelles perspectives. Les conseillers ont la responsabilité d'aider les clients à formuler clairement leurs objectifs.

Il existe une multitude de théories et d'études sophistiquées sur les objectifs et leur formulation (Karoly, 1999 ; Locke et Latham, 1990, 1994). Comme vous vous en doutez, toutes ces théories et ces recherches sont loin de se traduire facilement sous forme de conseils pratiques aux aidants. Il existe également toute une série de manuels d'aide sur ce sujet et sur son application au quotidien (D. Ellis, 1999 ; K. Ellis, 1998 ; Secunda, 1999). Nous pouvons d'ailleurs tirer bien des conseils pratiques et des recommandations pertinentes de ces ouvrages, et les aidants en devenir se rendraient un bien mauvais service en les dédaignant. Une fois encore, le mot d'ordre est : trouvez un équilibre. Nous devrions recourir au meilleur de la théorie et de la recherche pour repérer dans les ouvrages de vulgarisation les conseils pratiques valables pour les aidants comme pour les clients.

## 14.4 AIDER LES CLIENTS À PRENDRE DE BONNES DÉCISIONS

Le deuxième but visé par la relation d'aide, exposé au chapitre premier, consiste à permettre aux clients, directement ou non, de résoudre leurs problèmes et de vivre plus pleinement et efficacement au quotidien. Une valeur clé de l'aide consiste à responsabiliser le client et à l'inciter à prendre non seulement les bonnes décisions mais à devenir un décideur. Il ne s'agit pas seulement d'un élément de confort mais d'une nécessité. Prenez le cas suivant :

> Le troisième mariage d'Alice vient de se terminer sur un échec. Un conseiller l'aide à analyser ses décisions passées concernant les relations amoureuses qu'elle a entretenues et brisées. Alice se rend compte qu'elle prend en général de mauvaises décisions à l'égard des autres, en faisant aveuglément confiance trop tôt. Bien qu'elle soit horrifiée par toutes ses erreurs passées, elle réalise que, sans ces séances, elle aurait été susceptible de les répéter. En étant plus consciente de ce comportement, elle est davantage en mesure de prendre des décisions sages et avisées.

Bien que nous ayons à prendre des décisions plus ou moins importantes chaque jour, la société ne donne aucune priorité à la formation dans le domaine de la prise de décision.

## PRISE DE DÉCISION RATIONNELLE

La prise de décision est une dimension de la gestion des problèmes comme du développement des nouvelles perspectives. Les difficultés que connaissent les clients sont souvent attribuables à une mauvaise prise de décision en amont. Nous n'avons qu'à observer nos propres actions pour réaliser à quel point les décisions que nous avons prises ou notre refus de décider nous ont attiré des ennuis. La démarche d'aide implique la prise de nombreuses décisions, comme nous avons déjà pu nous en rendre compte. Les clients doivent tout d'abord décider de consulter, de parler d'eux-mêmes, d'assister à une deuxième séance ; de réagir aux reflets empathiques, aux questions exploratoires et aux confrontations des aidants. Il leur faut choisir les problèmes sur lesquels ils travailleront. Nous verrons maintenant que les clients doivent également décider de ce qu'ils veulent pour formuler des objectifs, mettre sur pied des stratégies, dresser des plans et les mettre à exécution. Décider – ou laisser le monde décider pour vous –, voilà l'essence de la relation d'aide comme de l'existence.

La prise de décision, au sens large, est synonyme de résolution de problèmes. En effet, cet ouvrage pourrait s'intituler « Une approche d'aide centrée sur la prise de décision ». Ce chapitre, cependant, aborde la prise de décision dans un sens plus restreint : l'action interne (mentale) pour distinguer les options et choisir l'une d'entre elles. Il s'agit de l'engagement à faire ou non une chose donnée :

✦ « J'ai décidé d'aborder mes problèmes professionnels et de ne pas parler de mes difficultés sexuelles. »
✦ « J'ai décidé de lancer ma propre compagnie. »
✦ « J'ai décidé de demander au tribunal d'ordonner l'arrêt des procédures de maintien de la vie de ma femme, qui est dans le coma. »
✦ « J'ai décidé d'accéder à un meilleur équilibre entre vie professionnelle et personnelle. »
✦ « J'ai décidé de ne pas suivre de chimiothérapie. »
✦ « J'ai décidé d'arrêter de me rabaisser. »
✦ « J'ai décidé d'entrer dans une maison de retraite. »

L'engagement concerne tantôt une action interne, « J'ai décidé d'arrêter de m'en faire pour mon ex-femme », tantôt une action externe, « J'ai décidé de parler à mon fils de sa consommation d'alcool ». La prise de décision, dans son acception la plus large, comprend la concrétisation de la décision : « J'ai pris la résolution d'arrêter de fumer et je n'ai pas touché une cigarette depuis trois ans », « J'ai décidé que j'étais trop exigeant envers moi-même, alors j'ai pris une semaine de congé juste pour prendre du bon temps ».

Traditionnellement, on qualifiait la prise de décision de processus rationnel, linéaire, impliquant la collecte d'informations, l'analyse et le choix d'une option. Voici les étapes de base du processus de prise de décision.

**Collecte d'information.** La première tâche rationnelle consiste à recueillir l'information ayant trait à un problème ou à une préoccupation donné. Devant la possibilité ou non de choisir une série de traitements de chimiothérapie, une patiente a besoin de renseignements essentiels : En quoi consistent les traitements ? Quels seront leurs résultats concrets ? Quels sont les effets secondaires ? Quelles sont les conséquences de renoncer aux traitements ? Quel serait l'avis d'un autre médecin ? Et ainsi de suite. Elle obtient cette information de diverses manières : à partir d'Internet, dans les livres, lors de discussions avec des médecins ou d'autres patients ayant suivi le même traitement ou ayant délibérément choisi de ne pas s'y soumettre. De nos jours, pour prendre des décisions en connaissance de cause, les patients effectuent systématiquement des recherches dans Internet au sujet de leur état pathologique.

**Analyse.** L'étape rationnelle suivante consiste à traiter cette information, c'est-à-dire à l'analyser, à y réfléchir, à en discuter, à la méditer et à l'assimiler. Tout comme il existe différentes façons de recueillir l'information, il existe diverses manières de la traiter. Un traitement efficace permet de clarifier et de comprendre l'éventail des options envisageables. En établissant une liste des avantages et des inconvénients de chacune des options, nous trouvons le moyen de les analyser. Pour bien comparer les options, il faut des critères, et non des avis subjectifs ou objectifs. Dans l'exemple précédent, une patiente désire savoir si les semaines ou les mois de vie qu'elle gagnera en suivant les séances de chimiothérapie justifient ses efforts et son inconfort.

**Choix d'une option.** Il faut, pour finir, prendre une décision et faire des choix – à savoir, s'engager dans une action interne ou externe basée sur une analyse préalable : « Après y avoir bien réfléchi, j'ai décidé d'aller devant un tribunal pour obtenir la garde de mes enfants. » Tel que susmentionné, un choix avisé implique une action : « J'ai fait remplir les papiers de garde d'enfants par mon avocat ce matin. » Nous pouvons également recourir à des règles rationnelles pour prendre une décision. Une règle, formulée sous forme de question, concerne les conséquences d'une décision : « Est-ce qu'en faisant cela, j'obtiendrai tout ce que je veux ou seulement une partie ? » Les valeurs entrent également en ligne de compte, parce que, d'un certain point de vue, ce sont des critères de décision. « Devrais-je faire ceci ou cela ? En réalité, quelles sont les valeurs auxquelles j'adhère ? » La femme qui se bat pour la garde de ses enfants se dit en elle-même : « Je crois en l'équité. Je ne vais pas tenter d'extorquer une pension alimentaire exorbitante. Je ferai une demande raisonnable. »

Les conseillers encouragent les clients à s'engager dans une prise de décision rationnelle, en leur donnant un coup de main pour recueillir l'information, l'analyser et baser leurs actions sur cette analyse. Bien que ce soit effectivement ce qui se passe, ce n'est pas le fin mot de l'histoire.

## DIFFICULTÉS INHÉRENTES À LA PRISE DE DÉCISION : LES CHOIX QUOTIDIENS

La réflexion et la raison ne s'appliquent pas toujours comme prévu dans la vie de tous les jours. Lorsque les gens éprouvent des ennuis, ils risquent d'aggraver le problème en y réfléchissant et en le raisonnant, ce qui revient à dire que la prise de décision, au quotidien et dans le counseling, n'est pas le processus rationnel et tranché décrit ci-dessus. Elle finit plutôt par devenir un processus ambigu et complexe, ayant un côté difficile à appréhender (Cosier et Schwenk, 1990 ; Etzioni, 1989 ; Gilovich, 1991 ; Heppner, 1989 ; Kaye, 1992 ; March, 1994 ; Schoemaker et Russo, 1990 ; Stroh et Miller, 1993 ; Whyte, 1991). Gati, Krausz et Osipow (1996) se sont penchés sur les méprises et les confusions associées aux choix professionnels et ils ont répertorié dix façons dont ces décisions sont biaisées. Les décisions professionnelles parfaites n'existent pas.

Headlee et Kalogjera (1988) ont démontré que les difficultés à prendre de bonnes décisions pouvaient remonter dans l'enfance. Certains enfants se voient confrontés à de trop nombreux choix, tandis qu'on ne laisse que peu de latitude aux autres. Qui plus est, en raison de préjugés raciaux, ethniques, sexuels, religieux et autres, ces choix subissent une influence. Avant que l'enfant ne devienne adulte, les distorsions pervertissent le processus de prise de décision sans que personne n'en ait conscience. Les causes de ces distorsions sont innombrables. La prise de décision quotidienne apparaît souvent confuse, dissimulée, difficile à décrire, peu méthodique et, parfois, très irrationnelle. Une analyse des difficultés en matière de prise de décision, telle qu'elle s'effectue en réalité, laisse entrevoir une pratique loin d'être rationnelle des trois dimensions énoncées à la section précédente.

**Collecte d'information.** La collecte d'information doit aboutir à une clarification des problèmes requérant une décision. Un client qui hésite à divorcer a besoin de renseignements relatifs à toute cette démarche. Toutefois, l'information récoltée n'est pratiquement jamais exhaustive. Les décideurs, pour une raison ou une autre, sont souvent trop confiants et se limitent à des recherches sommaires. Ils obtiennent trop ou pas assez d'information ; cette information s'avère inexacte ou trompeuse ; ou ils laissent leurs émotions fausser leur recherche d'information. En counseling, le client qui doit décider de poursuivre ou non sa thérapie a parfois déjà pris sa décision et se ferme d'emblée aux renseignements susceptibles de confirmer ou d'infirmer son choix. Aucune information complète et sans équivoque n'étant disponible, toute décision représente un risque. En fait, il n'existe pas d'information entièrement objective. Toutes les informations dont dispose le décideur sont teintées de subjectivisme. Un patient atteint d'un cancer de la prostate qui consulte Internet pour savoir quoi faire se retrouve face à toute une gamme d'opinions et d'options déconcertantes. Dans cette optique, Ackoff (1974) appelle « gestion du désordre » la résolution de problèmes.

Éloïse devait décider d'épouser ou non son conjoint. L'un des obstacles à leur union était l'incompatibilité de leurs carrières. Elle ignorait, tout comme son conjoint, s'ils allaient conserver leurs emplois respectifs plus de cinq ans. Le fait de savoir peu de choses du passé de son futur mari constituait également un irritant. Cependant, elle pensait que cela ne poserait aucun problème. Elle l'aimait tel qu'il était aujourd'hui. Il savait qu'elle était catholique non pratiquante, mais ne savait pas très bien comment sa religion influençait sa vie ou l'influencerait à l'avenir, surtout s'ils décidaient d'avoir des enfants. La religion n'étant pas un problème pour le moment, il n'a pas cherché à s'interroger plus avant. Il y avait beaucoup d'autres choses qu'ils ignoraient à propos d'eux-mêmes et de l'autre. Ils ont fini par se marier, mais leur mariage n'a pas duré un an.

Il faut reconnaître que le vécu des clients n'est jamais complet et que l'information restera toujours partielle et sujette à distorsion. Les conseillers ne peuvent certes pas assurer que la collecte d'information en toutes situations est parfaite, mais ils sont en mesure de contribuer à la rendre suffisamment pertinente pour la gestion des problèmes et le développement des compétences des clients.

**Traitement de l'information.** Étant donné qu'il est impossible de dissocier la décision de celui qui la prend, le traitement de l'information s'avère aussi complexe que la personne qui fait le choix. Les sentiments et les émotions des clients, leurs valeurs qui diffèrent souvent de celles qu'ils professent, leur avis sur chaque chose, ainsi que leur niveau de motivation constituent des facteurs qui influencent l'analyse de l'information. Un traitement de l'information objectif et complet n'existe pas. Une mauvaise collecte d'information débouche souvent sur un mauvais traitement. Les clients, en raison de leurs partis pris, ne retiennent que certains éléments de l'information récoltée, plutôt que de se faire une idée d'ensemble d'une situation. Qui plus est, peu de clients disposent du temps ou de la patience nécessaire pour répertorier toutes les options envisageables face à un problème donné, de même que les avantages et les inconvénients de chacune d'elles. Par conséquent, certains affirment que la plupart des décisions se basent sur des préférences et non sur des faits : « Ça me plaît. Ça me paraît être une bonne idée. »

Julien faisait partie d'une catégorie à risque élevé pour le sida, en raison de sa consommation occasionnelle de drogue et de sa promiscuité sexuelle. Une fois, après s'être fait épingler pour consommation de drogue, on l'a forcé à assister à une série de séances de conscientisation à la maladie. Il a parfaitement écouté toute l'information ainsi fournie, mais ne l'a pas traitée convenablement. Il s'agissait de problèmes concernant les autres. Il n'avait pour sa part que très occasionnellement des relations sexuelles à risque. Il était certain que ses partenaires sexuelles étaient sûres. Un ou deux accidents n'allaient pas le tuer. Ils connaissaient des gens au comportement nettement plus à risque que le sien et rien ne leur était arrivé. Il tâcherait d'être plus prudent, ce qui, à en juger par son comportement, ne signifiait pas grand-chose. Il était en bonne santé et « les gens en bonne santé sont capables d'en prendre ».

Julien a dénaturé l'information en relativisant la plupart de ses comportements à risque. Dire qu'il vivait dangereusement est un euphémisme.

Les conseillers aident, dans une certaine mesure, les clients à surmonter leur inertie et à analyser les différents subterfuges, les idées préconçues, les valeurs contraignantes et les faux-fuyants qui les amènent à se mentir. Ainsi, l'aidant confronte un client qui se targue d'avoir adopté des valeurs « mûres », mais qui se réfèrent systématiquement à ses anciennes valeurs pour prendre une décision. Jeanne, une cliente qui a tenté de réorienter sa carrière, continue de considérer les options dans le domaine de la psychologie, bien que ses intérêts convergent vers les affaires. En son for intérieur, elle se répète sans cesse qu'elle doit opter pour la psychologie, au risque de trahir ses préférences. Le conseiller l'aide à prendre conscience de cette valeur contraignante, qui consiste à vouloir montrer une image altruiste d'elle-même au point de renoncer à ses préférences sur le plan professionnel. Cette cliente a fini par devenir experte-conseil, puis gestionnaire, pour finir cadre supérieure. Cependant, elle a dû continuer de soulager sa conscience en se répétant, ainsi qu'à autrui, que la direction d'une entreprise florissante représentait une importante contribution à la société.

**Choix et mise en application.** Une foule d'événements imprévus surviennent parfois lors de la concrétisation d'une décision. Les décideurs se heurtent à certains obstacles :

✦ Sauter la phase de l'analyse pour passer rapidement au choix. « Marions-nous. L'amour finira par l'emporter. »

✦ Ne pas tenir compte de l'analyse et baser ses décisions sur toute autre chose. L'analyse n'était rien d'autre qu'un leurre, les critères décisionnels, bien que dissimulés, pesaient déjà dans la balance. Après avoir longuement analysé les motifs de sa décision de devenir entrepreneur et de lancer sa propre compagnie, Alexandre a accepté l'offre d'une grande société. Il avait négligé le fait qu'il accordait priorité à la sécurité.

✦ Se livrer à ce que Janis et Mann (1977) appellent l'« évitement défensif », c'est-à-dire faire du surplace, se déresponsabiliser en rejetant la faute sur l'autre, rationaliser son indécision. Un homme âgé affirme : « Je sais qu'il est logique de vendre cette grande maison pour aller vivre dans un centre pour retraités, mais est-ce bien ce que les enfants souhaitent ? Peut-être que ça ne nous plaira pas... Nous risquons de rencontrer des gens avec qui nous ne nous entendrons pas. Nous devrions y réfléchir plus longuement. »

✦ Confondre déclaration d'intention et assurance de résultat. « Je sais ce que je veux. S'il s'avère que c'est un cancer de la prostate, je me fais opérer et j'en serai débarrassé. »

✦ Paniquer et opter pour une solution précipitée et boiteuse en échange d'un soulagement immédiat. Le choix convient parfois à court terme, mais entraîne des conséquences négatives à long terme. Thérèse et Bernard ont hâté leur mariage parce qu'elle était enceinte. Leur mariage bat de l'aile depuis deux ans.

✦ Pencher pour l'option qui semble la plus adéquate pour plusieurs, bien qu'elle ne convienne pas à soi. Sarah, 16 ans, est célibataire et toxicomane. Elle a donné son enfant en adoption. Deux ans plus tard, elle regrette amèrement sa décision.

✦ Se laisser emporter par l'enthousiasme ou d'autres émotions au moment du choix. Benoît est si ravi par l'offre d'une promotion qu'il accepte sur-le-champ. Il ne se rend compte que plus tard qu'il n'était pas fait pour être gestionnaire.

◆ Annoncer une décision, mais ne rien faire dans ce sens. Arnaud et Laura parlent d'impliquer leurs enfants adolescents dans les décisions familiales, mais planifient des vacances d'été sans les consulter, ce qui augmente le ressentiment de leurs rejetons.

◆ Concrétiser sa décision sans conviction. Sandra, qui se remet mal de la mort de son mari, décide de reprendre une vie sociale. Cependant, elle oublie souvent de retourner les appels, se décommande ou quitte les réunions peu après être arrivée, en fournissant souvent des prétextes boiteux aux yeux des autres.

◆ Prendre une décision et agir à l'opposé. Raphaël a décidé de renoncer à un emploi qui n'est apparemment pas fait pour lui, mais il finit par l'accepter.

Les difficultés inhérentes à la prise de décision s'expliquent par le fait que les choix ne sont pas toujours faciles, ni pour nous ni pour les autres. Les conseillers ne peuvent évidemment pas aider les clients à éviter tous les écueils de la prise de décision, mais ils essaient de les minimiser.

En résumé, la prise de décision rationnelle et linéaire, dans sa forme la plus pure, n'a probablement jamais été la norme dans les affaires humaines. La prise de décision s'effectue à plusieurs niveaux. Il existe un processus décisionnel rationnel au premier plan et un processus décisionnel émotif et impulsif en toile de fond. Gelatt (1989) a proposé une approche de la prise de décision prenant en considération cette double réalité : « Ce dont nous avons besoin aujourd'hui, c'est d'un cadre décisionnel et de counseling permettant aux clients de faire face au changement et à l'ambiguïté, d'accepter l'incertitude et l'incohérence, et de recourir au côté intuitif et irrationnel de la réflexion et des choix » (p. 252). L'incertitude positive signifie, paradoxalement, une attitude positive et confiante face à l'ambiguïté et au doute. Il s'agit de demeurer conscient de l'incertitude que représente l'avenir, tout en étant stimulé par le défi que pose cette incertitude. En acceptant les difficultés incontournables et inhérentes aux phases II et III, nous parvenons à établir des méthodologies pour permettre aux clients de prendre des décisions, d'en évaluer les conséquences et de les concrétiser par des actions tangibles.

## PRENDRE DES DÉCISIONS ÉCLAIRÉES

Nos sociétés ne se soucient pas d'enseigner la prise de décisions efficace, même si tout le monde est persuadé de son importance, tout comme celle de la communication interpersonnelle, de la résolution de problèmes, de l'éducation des enfants et de la gestion. Si nous demandons dans quels contextes acquérir ces aptitudes, nous obtenons un haussement d'épaules. Une fois encore, la vie se charge de nous l'enseigner. James March (1994) aborde la façon dont sont véritablement prises les décisions. Dans le dernier chapitre sur « la mécanique des décisions », March offre des suggestions sur la façon de prendre des décisions pertinentes et intelligentes. Hammond, Keeney et Raiffa (1998, 1999) proposent quant à eux un guide de la prise de décision éclairée, considérant bien sûr les nombreux écueils liés à cette tâche. Dans un article (1998), ils s'intéressent aux pièges de la prise de décision et à la manière de les éviter. En voici quelques-uns.

**La tendance au *statu quo*.** Les clients ont souvent une préférence pour les options qui perpétuent le *statu quo,* qu'ils envisagent comme l'option la plus sûre même si ce n'est pas le cas. Geoffroy, qui souffre d'un cancer de la prostate, doit prendre une décision concernant son traitement. Une des options consiste à ne rien faire, puisqu'il s'agit d'un cancer à évolution lente qui, s'il est surveillé, ne constitue pas un risque vital pour les hommes âgés. Toutefois, Geoffroy néglige le fait qu'il n'est pas un bon candidat pour cette approche. Que pourriez-vous faire pour l'aider à renoncer à cet *a priori* ?

✦ Aidez-le à déterminer son objectif premier : le confort ? la durée ? la santé ? Que vise Geoffroy ?

✦ Assistez-le lors de l'examen des options, selon ses besoins. Il est susceptible de vouloir plusieurs choses en même temps.

✦ Incitez-le à savoir s'il opte pour le *statu quo* précisément parce qu'il s'agit du *statu quo*.

✦ Permettez-lui de voir s'il ne cherche pas à éviter le risque, la souffrance ou les problèmes associés au choix d'une option différente du *statu quo*.

✦ Encouragez-le à envisager l'avenir. Dans le cas de Geoffroy, cet avenir menace d'être fort court. En fonction de la nature et de l'évolution de son cancer, le *statu quo* risque de ne pas durer très longtemps. « Imaginez-vous dans deux ans d'ici. Vous vous penchez sur votre vie telle qu'elle est aujourd'hui. Quelle décision auriez-vous plutôt prise ? »

✦ Aidez-le à déterminer s'il opte pour le *statu quo* parce qu'il éprouve de la difficulté à choisir parmi les autres options. Si tel est le cas, soutenez-le face à l'angoisse qu'implique ce choix.

Lors de toutes ces interventions, orientez vos remises en question sur les propres possibilités de guérison du client. Votre travail ne consiste pas à choisir pour lui ni à le persuader de quoi que ce soit. Il est possible de respecter tous les points ci-dessus sans le priver de ses responsabilités.

**Le piège des justifications.** Si une personne a secrètement, plus ou moins à l'insu d'autrui, et inconsciemment décidé de faire quelque chose ou d'éviter de le faire, elle cherche des preuves à l'appui ou évite toute remise en question de ce choix. Suzanne, dans ses premières années d'université, consultait un conseiller en raison de sa timidité et de son perfectionnisme. Elle s'est rapidement lassée, parce que ce conseiller tentait de voir si elle était timide à cause de son perfectionnisme (ses exigences trop élevées l'empêchant de se faire des amis) ou s'il ne découlait pas plutôt de sa timidité (en s'isolant des autres, elle avait le temps de faire les choses correctement) ou s'il s'agissait d'autre chose.

Un second conseiller, après l'avoir écoutée récapituler son expérience avec le premier, lui dit lors de leur deuxième séance : « Que voulez-vous : être parfaite ou être seule ? » Elle n'a pas bronché, est restée silencieuse un instant puis a déclaré : « Je veux quitter l'université. Ma mère est mourante. Elle a besoin de moi. Il ne lui reste peut-être que six mois à vivre ou peut-être deux ans. Peu importe. Ma place est à ses côtés. » Il s'agissait en effet d'autre chose. Lorsque le conseiller lui a demandé si c'est ce que sa mère souhaitait, Suzanne a répondu que là n'était pas la question. Lors d'une autre séance, après avoir découvert que ni sa mère, ni son père, ni ses trois frères cadets n'approuvaient sa décision de quitter l'université, le conseiller a tenté d'aborder la question sous différents angles. Suzanne était très intelligente. Elle a accumulé nombre d'arguments pour appuyer sa décision de soigner sa mère. La psychologie, la sociologie, la Bible, la théologie, les soins infirmiers palliatifs, toutes les sources de savoir ont été mises à contribution pour construire son « plaidoyer » en faveur de sa bonne décision. On aurait dit qu'elle était attaquée de toutes parts, même si ce n'était pas le cas. Sa famille et le conseiller savaient que c'était sa décision et que personne ne l'avait forcée, mais chacun voulait qu'elle fasse un choix basé sur de « bonnes » raisons. Selon Hammond, Keeney et Raiffa, quelle attitude pourrait adopter ce conseiller ? Voici quelques suggestions :

✦ Aider Suzanne à analyser soigneusement tous les arguments. Elle avait abordé jusqu'ici la question d'un point de vue très intellectuel et recueilli minutieusement tous les éléments dans le domaine des sciences humaines et de la théologie, en faisant bien peu de cas de ce que tentaient de lui dire ses proches.

✦ Obtenir qu'une personne se fasse l'avocat du diable auprès de Suzanne, en choisissant quelqu'un qu'elle respecte : ses amis, les amis de la famille, son médecin, un prêtre, etc. ; ou mieux encore, en faisant qu'elle soit l'avocat du diable en inversant les rôles entre Suzanne et l'aidant.

✦ Inciter Suzanne à analyser ses motivations et ce qu'elle veut vraiment. Sa décision de quitter l'université est-elle motivée par une autre raison que la maladie de sa mère ? Est-ce un moyen pour elle de rester « seule et parfaite » ? Si sa mère était en bonne santé, quitterait-elle quand même l'université ? Ces questions n'ont pas pour objet de fouiller plus en profondeur ses dynamiques internes, mais plutôt de lui rendre service pour l'aider à savoir ce qu'elle fait et ce qui la motive à agir ainsi.

✦ Si Suzanne demande conseil aux autres, l'aider à formuler ses questions de façon qu'elle ne leur dicte pas des réponses confirmant systématiquement ses choix. Elle pourrait demander : « Voici ce que je compte faire. Dis-moi ce que tu penses, sans me ménager. »

Il se peut très bien que Suzanne veuille quitter l'université pour rester auprès de sa mère durant ces moments difficiles. Cependant, la solitude ou le perfectionnisme la motive peut-être aussi. Qui plus est, même si les autres croient que c'est une mauvaise décision, Suzanne est persuadée du contraire. Après tout, c'est sa vie.

Il existe, évidemment, d'autres pièges à la prise de décision. Dans leur ouvrage, *Smart Choices: A Practical Guide to Making Better Decisions* (1999), Hammond, Keeney et Raiffa mettent sur pied un système permettant de faire des choix éclairés. Les huit éléments de ce système mettent l'accent sur les huit erreurs majeures les plus courantes lors de la prise de décision :

✦ s'attaquer au mauvais problème ;
✦ ne pas formuler les bons objectifs ;
✦ ne pas réussir à trouver une série d'options créatives et appropriées ;
✦ négliger certaines conséquences essentielles des options envisagées ;
✦ dédaigner les compromis ;
✦ ignorer l'incertitude ;
✦ ne pas tenir compte de sa tolérance au risque ;
✦ ne pas prévoir suffisamment une prise de décision rapide.

Toutefois, il serait préférable de formuler positivement ces huit derniers énoncés (« travailler sur le bon problème » au lieu de « s'attaquer au mauvais problème » et ainsi de suite). Ces huit éléments formulés positivement font également partie intégrante du processus de gestion des problèmes, abordé dans ces éléments essentiels aux phases II et III.

Finalement, les aidants, comme tous les êtres humains, n'échappent pas à la complexité de la prise de décision. Eux aussi, comme vous pouvez le constater, doivent prendre des décisions tout au long de la démarche d'aide. Pfeiffer, Whelan et Martin (2000), après avoir passé en revue les recherches existant sur la prise de décision, déclarent :

> *Lorsqu'on l'envisage dans son ensemble, cette recherche suggère que les individus ont tendance à considérer l'information, sa collecte et son traitement comme une confirmation, plutôt que comme un questionnement de leurs décisions concernant autrui. Les thérapeutes ne sont probablement pas à l'abri de cette prédisposition, compte tenu de la nature souvent complexe et ambiguë des problèmes de leurs clients.* (p. 429)

Peu importe votre niveau d'empathie, vous émettrez toujours, en tant qu'aidant et tout au long de la démarche d'aide, des hypothèses concernant vos clients et vous baserez vos décisions sur ces hypothèses. Votre tâche la plus ardue consiste à confronter en permanence ces hypothèses à la réalité de vos clients, dans le contexte de leur existence. Les théories restent des théories et les clients, des humains.

# CHAPITRE 15

## ÉTAPE II.A : « QU'EST-CE QUE JE VEUX ET DE QUOI AI-JE BESOIN ? » DISCERNER LES PERSPECTIVES D'UN AVENIR MEILLEUR

PERSPECTIVES

OBJECTIFS

ENGAGEMENT

L'étape II.A a pour objectif de permettre aux clients de s'orienter vers un avenir meilleur en explorant les perspectives qui s'offrent à eux. Un soir que je dînais au comptoir d'un petit restaurant, un jeune est venu s'asseoir à côté de moi. La conversation a été orientée vers les difficultés qu'il vivait avec l'un de ses amis. Je l'ai écouté un moment avant de lui demander de décrire le type de relation qu'il aimerait entretenir avec ce dernier. Il a réfléchi un moment avant de se lancer, puis a fini par décrire une amitié qui lui conviendrait. Il s'est alors arrêté et m'a fixé avant de dire : « Vous êtes sûrement un professionnel. » Je pense qu'il voulait dire par là que c'était la première fois que quelqu'un lui demandait d'entrevoir la possibilité d'un avenir meilleur.

Trop souvent, l'analyse et la clarification des situations problématiques débouchent directement sur la recherche de solutions au second sens du terme : des moyens permettant de régler le problème ou de considérer une opportunité intéressante. Cependant, dans bien des cas, le résultat importe plus que l'intervention. *Qu'obtiendra-t-on* une fois que ces actions auront porté fruit ? Comme nous avons pu le voir dans le chapitre précédent, le fait de ne pas préciser les résultats représente l'un des obstacles majeurs à la prise de décision. Le résultat constitue la Solution avec un grand *S*, alors que les actions prises pour y parvenir constituent la solution avec un petit *s*. Le fait d'envisager concrètement le résultat s'avère extrêmement énergisant, tandis que l'élaboration de stratégies sans idée claire du résultat représente un danger. La phase II concerne la formulation et la visualisation des résultats ou des réalisations voulus. L'étape II.A consiste à envisager les diverses perspectives. La phase III, quant à elle, est centrée sur les stratégies, les interventions et la planification pour l'obtention de ces résultats. Considérées sous une autre optique, les phases II et III concernent l'espoir.

### PSYCHOLOGIE DE L'ESPOIR

L'espérance est une réalité aussi vieille que l'humanité. Qui n'a jamais commencé une phrase par : « J'espère que... » ? Qui n'a jamais eu ou perdu l'espoir ? L'espoir, en tant que concept religieux, est également présent depuis les temps anciens. Saint Paul a déclaré que « L'espoir qui ne concerne que les choses tangibles n'est pas vraiment de l'espoir », en mettant ainsi l'accent sur la dimension d'incertitude qui lui est inhérente. Si vous êtes assuré de recevoir le prix Nobel demain, vous n'avez plus à l'espérer. C'est une chose assurée. L'espoir joue donc un rôle essentiel dans l'orientation et la mise en œuvre des perspectives d'avenir meilleur. Une recherche dans Internet révèle un intérêt de la psychologie scientifique pour l'espoir nettement plus marqué qu'on ne l'aurait cru au départ (Erickson, Post et Page, 1975 ; Stotland, 1969). Tel que déjà mentionné, Rick Snyder a beaucoup écrit sur l'utilisation à la fois positive et négative des justifications dans la vie quotidienne (Snyder, 1988 ; Snyder, Higgins et Stucky, 1983). À cet effet, il a pris position en faveur de l'espoir (McDermott et Snyder, 1999 ; Snyder, McDermott, Cook et Rapoff, 1997 ; Snyder, 1994a, 1994b, 1995, 1998 ; Snyder, Michael et Cheavens, 1999), à un point tel qu'il a établi un lien entre les justifications et l'espoir, dans un article intitulé « Négociations réalistes : des justifications à l'espoir et au-delà » (1988). Il a aussi mis au point des échelles permettant d'évaluer tant un profil ou un trait d'espoir (Snyder et autres, 1991) qu'un état d'espoir (Snyder et autres, 1996). On trouvera une bibliographie complète de ses travaux sur l'espoir sur le site Internet : http://www.psych.ukans.edu/faculty/rsnyder/hoperesearch.htm.

**Nature de l'espoir.** Snyder part de la prémisse selon laquelle les êtres humains se fixent des objectifs. L'espoir, selon Snyder, est la manière d'envisager ces objectifs. *Comme elle est enceinte, Catherine est résolue à arrêter de fumer, de boire et de consommer des drogues douces.* L'espoir consiste à avoir la volonté, le désir et la motivation pour réaliser ces objectifs. *Catherine est très résolue, car elle a vu les résultats catastrophiques chez les enfants dont les mères se droguent et elle est fondamentalement une bonne personne.* L'espoir est aussi une manière de réfléchir à des stratégies pour atteindre ses objectifs. *Elle sait que deux ou trois de ces amies lui donneront un coup de main pour obtenir l'aide dont elle a besoin et elle se propose de suivre un programme difficile en 12 étapes[1] pour atteindre son objectif.* Elle est pleine d'espoir. En affirmant qu'elle nourrit de grandes espérances, nous signifions que son objectif est clair, qu'elle envisage la situation (et donc l'urgence), qu'elle entrevoit de manière réaliste les étapes pour atteindre son objectif. Il faut donc avoir un sens de l'intervention et une idée claire des modalités. Bien entendu, l'espoir contient des dimensions émotives. Cependant, il ne s'agit pas d'une émotion flottante. C'est plutôt le sous-produit ou le résultat de la fixation des objectifs, une certaine évaluation de la situation et la prise en considération des modalités pour y parvenir. Catherine ressent une série d'émotions positives : allégresse, détermination et satisfaction en sachant qu'elle s'est fixé une fin et a trouvé les moyens d'y parvenir. Elle voit la lumière au bout du tunnel, même si elle demeure consciente des difficultés (son attirance pour le tabac, le vin et les drogues douces).

**Avantages de l'espoir.** Snyder (1995) a passé au peigne fin les publications existantes pour découvrir les avantages de l'espoir tel qu'il le définit. Voici ce qu'il a trouvé :

> *Un degré élevé d'espoir présente de nombreux avantages. Les gens remplis d'espoir poursuivent plus d'objectifs et des objectifs plus exigeants ; ils les atteignent plus souvent et s'en font de véritables défis. Ils sont plus heureux et moins démunis, disposent d'aptitudes supérieures, se remettent mieux de leurs blessures et souffrent moins d'épuisement professionnel, pour ne citer que certains des avantages.* (p. 357-358)

Les conseillers qui ne se consacrent pas suffisamment à aider les gens à entrevoir les perspectives, à formuler les objectifs, à préciser les stratégies ou les modalités et à acquérir un sens de l'action afin d'obtenir des résultats tangibles, finissent certainement par trahir leurs clients. Comme les phases II et III traitent des perspectives, des objectifs, de l'engagement et des modalités pour surmonter les obstacles, nous pourrions les considérer comme des « façons de nourrir l'espoir ».

---

[1] Note du responsable de l'adaptation française. À ne pas confondre avec les 12 points présentés plus loin dans le chapitre. Une note en bas de page au sujet des programmes anonymes de rétablissement en 12 étapes vous a été présentée au chapitre 11.

Un des personnages du roman de Gail Godwin publié en 1985, *The Finishing School,* met en garde contre les gens qui sont figés dans leur « soi final ». Les clients ne s'adressent pas nécessairement aux aidants pour ce motif – si c'était le cas, pourquoi consulteraient-ils ? – mais plutôt parce qu'ils se sentent à l'étroit dans leur soi actuel. Le counseling aide les gens à se libérer et à s'orienter. Prenez le cas de Colin. Malgré son jeune âge, il se sent prisonnier pour une série de raisons socioculturelles et émotionnelles.

> La première fois que le conseiller a rencontré Colin, il vomissait du sang dans la salle d'urgence d'un grand hôpital. Il faisait partie d'une bande et c'était la troisième fois qu'il se faisait rouer de coups dans l'année. Il risquait de porter les séquelles permanentes de sa dernière raclée. Son comportement le détruisait, mais il n'en connaissait pas d'autre. Il lui fallait se réinventer une existence, trouver un nouveau moyen de s'intégrer. Cette fois-là, il souffrait suffisamment pour envisager la possibilité d'opérer un changement.

Markus et Nurius (1986) se servent du terme *soi possible* pour donner une idée aux gens de ce qu'ils pourraient devenir, de ce qu'ils aimeraient devenir et de ce qu'ils craignent de devenir. Le conseiller qui a travaillé avec Colin n'a pas cherché à explorer les raisons socioculturelles et émotionnelles complexes responsables du pétrin dans lequel il se trouvait, mais il s'est tourné vers ses « sois possibles » pour l'encourager à trouver une autre raison de vivre, une autre orientation, une autre façon d'être. L'étape II.A concerne ces sois possibles. Cette notion de *soi possible* a retenu l'attention de nombreux aidants qui se sont intéressés au développement humain, et en particulier les éducateurs (Cameron, 1999 ; Cross et Marcus, 1994 ; Hooker, Fiese, Jenkins, Morfei et Schwagler, 1996 ; Strauss et Goldberg, 1999). Il vous suffit d'entrer l'expression *possible selves* dans un moteur de recherche Internet pour trouver une multiplicité d'utilisations de ce concept, chez les psychologues comme chez les enseignants. Votre tâche, au cours de l'étape II.A, consiste à inciter votre client à découvrir ses sois possibles.

## 15.2 APTITUDES À DÉCELER LES PERSPECTIVES D'UN AVENIR MEILLEUR

Dans le meilleur des cas, le counseling permet au client de passer d'un mode centré sur les problèmes à un mode d'appréhension de la réalité. Ce dernier requiert une certaine créativité et une pensée divergente. Néanmoins, selon Sternberg et Lubart (1996), la créativité a été largement ignorée par les psychologues. Dean Simonton (2000) examine les progrès dans la compréhension de la créativité dans le contexte de la psychologie positive. Cependant, si l'on en croit Taylor, Pham, Rivkin et Armor (1998), tout type de stimulation intellectuelle ne convient pas d'emblée. Cette stimulation de création a un effet positif dans la mesure où « elle ouvre une fenêtre sur le futur en permettant aux gens d'envisager de nouvelles perspectives et les moyens pour les concrétiser. Pour passer de la situation présente à un futur imaginé, il est essentiel d'anticiper et de gérer les émotions, comme de se lancer dans la résolution de problèmes » (p. 429). Ce type de conception rejoint les conceptions de Snyder. Nous sommes loin de la simple imagination ou de la rumination. Le modèle de gestion de problèmes et de développement des perspectives dans son ensemble permet aux clients de « mobiliser leur imagination », pour reprendre les termes de Simonton.

## CRÉATIVITÉ ET RELATION D'AIDE

L'un des mythes concernant la créativité consiste à considérer que certains individus sont inventifs tandis que les autres ne le sont pas. En fait, les clients, et le reste des individus, ont la possibilité d'être infiniment plus créatifs qu'ils ne le sont. Il faut donc trouver le moyen de réveiller leur imagination et c'est justement ce à quoi s'appliquent les phases II et III. Un examen des conditions de la créativité démontre que les gens en situation difficile n'ont guère tendance à mobiliser leurs facultés créatives (voir Cole et Sarnoff, 1980 ; Robertshaw, Mecca et Rerick, 1978, p. 118-120). Les caractéristiques d'une personne créative sont les suivantes :

✦ l'optimisme et la confiance, tandis que les clients se sentent souvent déprimés et démunis ;

✦ l'acceptation de l'incertitude et de l'ambiguïté, tandis que les clients ne les tolèrent pas et veulent s'en sortir le plus rapidement possible ;

✦ une multiplicité d'intérêts, les clients ayant généralement un champ d'intérêts passablement limité ou le chagrin et l'anxiété ayant gravement réduit leurs intérêts ;

✦ la flexibilité, par opposition à la rigidité des clients dans leur approche vis-à-vis d'eux-mêmes, des autres et de leur entourage ;

✦ une tolérance à la complexité, tandis que les clients sont souvent troublés et cherchent des solutions simples ;

✦ une facilité d'expression, contrairement aux clients qui éprouvent souvent du mal à verbaliser leurs difficultés, et encore plus leurs objectifs, et à les mettre en œuvre ;

✦ la curiosité, tandis que les clients se refusent à explorer les perspectives ou ont échoué dans leur tentative ;

✦ la volonté et la persistance, alors que les clients ont bien trop tendance à abandonner ;

✦ l'indépendance, alors que les clients sont assez dépendants ou se réfugient dans la contre-dépendance ;

✦ le non-conformisme et l'acceptation des risques calculés, les clients se montrant souvent conformistes et prudents ou, au contraire, se heurtant aux autres ou à la société en raison de leur marginalité ou de leur excentricité.

Un examen des principaux obstacles à la créativité (voir Azar, 1995) fait émerger d'autres problèmes. Voici une liste des éléments qui risquent de limiter l'innovation :

✦ la crainte : les clients sont souvent craintifs et anxieux ;

✦ les habitudes ancrées : ils risquent de s'obstiner dans leurs comportements, nuisant ainsi à leurs intérêts ;

- la soumission à l'autorité : ils demandent aux conseillers de leur donner la bonne réponse ou se réfugient dans la contre-dépendance (le revers de la médaille de la dépendance) et utilisent toutes sortes de subterfuges pour refuser l'assistance offerte ;
- le perfectionnisme : les clients s'adressent aux aidants précisément parce qu'ils souffrent de ce type de comportement et n'acceptent que les solutions parfaites ou idéales ;
- le conformisme social : le fait d'être différent gêne les clients qui veulent vivre un sentiment d'appartenance.

Il est facile de vanter les bienfaits de l'imagination et de la créativité au cours des phases II et III, mais c'est beaucoup plus difficile d'inciter les clients à se montrer inventifs et à exploiter leur capacité créatrice.

### PENSÉE DIVERGENTE

La plupart des gens ont une approche convergente de la résolution de problèmes : ils se contentent de chercher l'unique bonne réponse. Il apparaît évident qu'un tel raisonnement possède ses vertus. Cependant, bien des situations problématiques de l'existence sont trop complexes pour être analysées selon la pensée convergente, laquelle limite la façon dont les gens se servent de leurs propres ressources et de celles de leur milieu.

Par ailleurs, la pensée divergente, qui consiste à sortir des sentiers battus, se base sur le principe qu'il existe plus d'une solution. De Bono (1992) a inventé l'expression *pensée latérale,* ce qui, dans la relation d'aide, correspond aux multiples façons d'aborder un problème ou de tirer parti d'une opportunité. Malheureusement, la pensée divergente, aussi utile soit-elle, ne jouit pas vraiment d'une reconnaissance dans notre culture et se trouve parfois sanctionnée. À titre d'exemple, les étudiants qui utilisent la pensée divergente provoquent parfois l'irritation de certains de leurs professeurs, qui ne se sentent à l'aise qu'en posant des questions pour lesquelles il n'existe qu'une seule bonne réponse. Lorsque les étudiants suivent un raisonnement divergent et fournissent des réponses différentes de celles qui sont attendues, même si ces dernières s'avèrent valides et parfois plus pertinentes que les autres, ils risquent d'être rejetés, corrigés et punis. Les étudiants apprennent trop souvent que la pensée divergente ne leur rapporte rien, tout au moins à l'école, et ont tendance à généraliser cette expérience dans la vie pour finir par croire qu'il s'agit d'un comportement sans intérêt. Prenez le cas suivant :

> Mario veut être médecin, il s'est donc inscrit dans un programme de préparation à la médecine. Ses résultats sont bons, mais pas suffisamment pour qu'il puisse être admis. Lorsqu'il reçoit le dernier refus, il se dit que c'en est fini de son projet d'être médecin et se demande ce qu'il pourrait bien faire. Une fois diplômé, il accepte un poste dans la compagnie de son beau-frère. Toutefois, bien qu'il réussisse en tant que gestionnaire et qu'il gagne bien sa vie, une grande insatisfaction persiste en lui sur le plan professionnel. Il s'estime heureux de son mariage et de sa vie familiale ; par contre, sa carrière ne lui semble guère gratifiante.

Cette situation n'a donné lieu à aucune pensée divergente. Personne n'a demandé à Mario ce qu'il voulait vraiment faire. Il considérait la médecine comme la seule carrière valable et ne s'est jamais intéressé à d'autres perspectives professionnelles dans le domaine de la santé, alors qu'il en existe des dizaines, fort intéressantes et stimulantes.

Le cas de Caroline est passablement différent. Elle aussi voulait pratiquer la médecine, mais n'a pas pu entrer à l'université.

> Caroline s'est dit que la médecine l'intéressait toujours et qu'elle aimerait faire quelque chose dans ce domaine. Grâce à un conseiller professionnel du secteur de la santé, elle a examiné les diverses options. Bien qu'elle ait suivi un cours de premiers soins, elle ne s'était jamais rendu compte qu'il existait autant de perspectives professionnelles. Elle s'est inscrite à un programme en soins infirmiers. Elle est devenue infirmière. Tandis qu'elle travaillait dans une clinique à Sherbrooke – une expérience fort utile –, elle a réussi à terminer sa maîtrise en sciences infirmières, avec orientation axée sur les soins à la famille, en étudiant à temps partiel. Elle a choisi cette spécialité car elle pensait que cela lui permettrait non seulement d'offrir une gamme étendue de services aux patients, mais de prendre davantage de responsabilités dans le domaine.
>
> Une fois son diplôme obtenu, elle est allée travailler dans une petite ville de Gaspésie, chez un médecin en pratique privée. Comme ce dernier partageait son temps entre trois cliniques, Caroline assumait de grandes responsabilités au sein de la clinique où elle pratiquait. Elle enseignait également les soins infirmiers à la famille dans un cégep de la région et, dans le cadre d'un cours universitaire en médecine préventive, elle dirigeait des ateliers sur l'approche holistique. Cela ne la satisfaisait pas encore. Elle a donc terminé son doctorat en sciences infirmières. Elle enseigne maintenant à l'université et continue de pratiquer. Inutile de dire que sa persévérance a porté fruit, puisqu'elle est aujourd'hui très satisfaite de sa situation professionnelle.

Son but a toujours été une carrière dans le domaine de la santé. Grâce à la pensée divergente et à la créativité, Caroline a transformé ce but en une série d'objectifs spécifiques et les a mis à exécution. Cependant, pour une histoire qui finit bien, il en existe une multitude qui tournent mal. Contrairement à l'histoire de Caroline, celle de Mario constitue probablement la norme. Pour bien des gens, la pensée divergente est pénible ou trop exigeante.

## REMUE-MÉNINGES AU SERVICE DE LA PENSÉE DIVERGENTE

Le remue-méninges constitue une excellente façon pour les clients de penser de manière créative et divergente. Il s'agit d'une technique de déballage des idées dans le but d'analyser les éléments des situations complexes. Aux phases II et III, il permet au client de trouver le moyen d'envisager une amélioration de son sort et d'atteindre ses objectifs.

Pour appliquer cette technique, il importe de suivre certaines règles : arrêter de juger, trouver autant d'idées que possible, prendre comme point de départ une idée parmi plusieurs autres, oublier les contraintes habituelles du raisonnement et faire jaillir de nouvelles idées en revenant sur certains points de la liste. Voici un résumé des règles à suivre.

**Suspendre votre jugement et demander à vos clients d'en faire autant.** Lors d'une séance de remue-méninges, ne laissez pas les clients critiquer les idées qui leur viennent à l'esprit, et bien entendu, ne les critiquez pas non plus. Il semble que cette règle soit particulièrement efficace lorsqu'on a clarifié et défini la situation problématique et fixé des objectifs. Dans l'exemple qui suit, une femme dont les enfants sont élevés et mariés essaie de donner un sens à sa vie.

> CLIENTE : Une des options consisterait à faire du bénévolat, mais le mot même me semble pathétique.

> AIDANT : Ajoutez-le à la liste. Rappelez-vous que nous avons décidé d'en parler et de le critiquer plus tard.

Le fait de demander au client de ne pas émettre de jugement leur évite de jouer au « Oui, mais… », c'est-à-dire de formuler une bonne idée et de la rejeter immédiatement, comme dans l'exemple précédent. Pour les mêmes raisons, évitez les remarques du type : « J'aime bien cette idée », « Cela me semble utile », « Je n'en suis pas sûre » et « Comment cela pourrait-il marcher ? » L'approbation ou la critique prématurée brime la créativité. Lors d'une séance de remue-méninges, pour remettre leur couple à flot, Nina suggère de ne plus ressasser les rancœurs du passé. Son mari lui rétorque qu'elle n'en sera jamais capable, car c'est l'une de ses armes favorites. Le conseiller matrimonial se contente, quant à lui, de dire qu'il faut ajouter cette suggestion à la liste pour en évaluer le réalisme plus tard.

**Encourager les clients à trouver un maximum d'idées.** Le principe mis en évidence ici est que la quantité influe sur la qualité. Certaines des meilleures idées surgissent longtemps après la séance de remue-méninges. Limiter la séance risque donc d'occasionner des frustrations. Dans le cas ci-dessous, un individu inscrit à un programme de lutte contre la sexomanie est en train de dresser une liste des activités qui pourraient remplacer son obsession pour le sexe.

> CLIENT : C'est peut-être suffisant. Nous devrions commencer à synthétiser.

> AIDANTE : Vous n'aviez pas l'air d'être à court d'idées.

> CLIENT : Moi, absolument pas. En fait, c'est assez amusant. C'est presque libérateur.

> AIDANTE : Alors, continuons un moment, puisque c'est plaisant.

> CLIENT (après réflexion) : Eh bien, je peux me faire moine.

En revenant un peu plus tard sur cette possibilité, la conseillère lui demande « à quoi ressemblerait un moine de l'époque moderne qui n'est même pas catholique ». Cette remarque aide le client à explorer le concept de responsabilité sexuelle dans une optique radicalement différente, et à repenser la place de la religion et du dévouement aux autres dans sa vie. Par conséquent, dans les limites du raisonnable, plus on a d'idées, mieux c'est. En aidant les clients à trouver de nombreuses et nouvelles perspectives pour améliorer leur vie, nous multiplions leurs chances de trouver des perspectives valables et de les retenir pour les transformer en objectifs. Cependant, il ne faut pas faire de cette règle un absolu. Pour mettre une fin à cet exercice, servez-vous de votre connaissance clinique et de votre jugeote. Si le client souhaite arrêter, il vaut souvent mieux l'écouter.

**Inciter les clients à partir d'une idée pour en susciter d'autres.** C'est ce qu'on appelle un enchaînement. Sans critiquer les suggestions du client, encouragez-le à approfondir des stratégies déjà formulées et à combiner plusieurs idées différentes pour en tirer de nouvelles. L'exemple suivant concerne une cliente qui souffre de douleurs chroniques et essaie de trouver le moyen d'améliorer son sort.

> CLIENTE : En fait, s'il n'y a pas moyen de supprimer toutes les douleurs, alors je vais essayer de m'imaginer vivant une vie dans laquelle la douleur n'occupera pas une place prépondérante.

> AIDANT : Expliquez-moi un peu cela.

> CLIENTE : Les journaux sont pleins d'histoires de gens qui ont vécu avec une douleur pendant des années. Lorsqu'on les interroge, ils sont toujours malheureux. Un peu comme moi. Mais, de temps en temps, on trouve le récit de quelqu'un qui a réussi à cohabiter avec la douleur. Très souvent, il s'agit de quelqu'un qui s'est dévoué à une cause et y a consacré toutes ses énergies. Il n'a pas eu le temps de se laisser écraser par la souffrance.

Une cliente qui souffrait de sclérose en plaques a énoncé cette possibilité : « J'aimerais avoir une ou deux amies à qui je pourrais confier mes frustrations. » Alors que le conseiller lui demandait comment elle envisageait ces relations, elle répondit qu'il ne s'agirait pas de se plaindre à elles ni de s'apitoyer sur son sort, mais que cela ferait partie d'une relation normale dans laquelle on échange à la fois sur les joies et les peines, comme tout le monde.

**Inviter les clients à laisser aller leur imagination pour trouver des solutions même inusitées.** Lorsque les gens semblent à court d'inspiration ou que leurs suggestions restent assez terre à terre, demandez-leur de tracer un trait sous les éléments de leur liste, d'inscrire le mot « insolite » et de trouver des solutions extravagantes. Il est plus facile d'ajouter une touche de réalisme à des idées extravagantes que l'inverse. Les perspectives les plus fantaisistes contiennent souvent un soupçon de réalisme. Dans l'exemple suivant, un vieux garçon qui se sent solitaire explore de nouvelles perspectives pour le futur.

> CLIENT : Je ne trouve rien. Et ce que j'ai trouvé n'a rien de particulièrement excitant.

> AIDANT : Pourquoi ne pas essayer quelque chose d'un peu bizarre. Vous savez, une idée folle.

> CLIENT : Laissez-moi y penser. Je pourrais créer une commune et m'y installer… Et…

Les clients ont souvent besoin que nous leur donnions la permission de rêver, même de façon inoffensive. Ils répriment leurs bonnes idées parce qu'elles leur semblent ridicules.

C'est aux aidants de créer une ambiance propice à ce type de trouvailles, que nous ne devons pas seulement accepter mais encourager. Vous devez inciter les clients à multiplier les suggestions : prudentes, novatrices, radicales et même scandaleuses.

Il n'est pas toujours nécessaire de se lancer dans un remue-méninges en bonne et due forme. Votre rôle en tant qu'aidant est de garder ces règles à l'esprit et, grâce aux reflets empathiques et aux questions exploratoires, d'encourager vos clients à se livrer à un remue-méninges, même à leur insu. Cette attitude intellectuelle vous servira durant toute la démarche d'aide.

### QUESTIONS EXPLORATOIRES OUVERTES SUR L'AVENIR

L'une des façons d'inciter les clients à imaginer le futur consiste à les questionner ou à susciter en eux un questionnement sur l'avenir en faisant le lien avec leurs problèmes actuels, leur potentiel inexploité, les opportunités susceptibles de s'offrir à eux. En leur posant les questions suivantes, vous leur donnez un coup de main pour trouver des réponses à des questions plus fondamentales : « Qu'est-ce que je veux ? » et « De quoi ai-je besoin ? » Ces interrogations portent sur les résultats, autrement dit, sur ce que les clients obtiendront en passant à l'action.

✦ *Qu'adviendrait-il de ce problème si vous arriviez à mieux le gérer ?* Frédéric, un étudiant à l'université qui a toujours été solitaire, exprime son insatisfaction concernant la vie en général. En réponse à cette question, il a affirmé qu'il aurait des crises de panique moins fréquentes et passerait plus de temps avec les autres que tout seul.

✦ *Quels changements serait-il judicieux de faire dans votre mode de vie ?* Clotilde se décrit comme une ménagère ennuyeuse et répond qu'elle ne boirait plus autant, qu'elle ferait plus d'exercice, ne passerait pas ses journées à regarder les feuilletons télévisés et ferait quelque chose d'utile.

✦ *Que feriez-vous de différent avec vos proches ?* Yann, un étudiant de deuxième cycle qui fréquente une université tout près de chez ses parents, se rend compte qu'il n'a pas l'autonomie qu'il devrait avoir à son âge. Il fait remarquer qu'il ne laisserait plus sa mère prendre les décisions à sa place et qu'il irait vivre en appartement avec des amis.

✦ *Quels comportements pourriez-vous adopter pour améliorer votre existence ?* Marthe, une pensionnaire déprimée d'un centre d'hébergement, formule la suggestion suivante : « Je participerai davantage aux activités organisées par le centre. » Richard, qui souffre d'un lymphome, déclare qu'il ne se considérerait plus comme une victime et ferait des recherches dans Internet pour trouver toutes les perspectives de traitement de sa maladie. « Je sais qu'il en existe de nouvelles. J'obtiendrais une seconde et même une troisième opinion. Vous savez, je serais en train de gérer ma maladie au lieu de me contenter de souffrir et de ne rien faire. »

✦ *Quels types de comportement vous faudrait-il éliminer ?* Marthe, citée précédemment, ajoute à sa liste son intention de ne plus se critiquer pour une incontinence dont elle n'est pas responsable. Elle dit aussi qu'elle arrêterait de se plaindre, cela ayant pour effet de déprimer son entourage ainsi qu'elle-même.

✦ *Qu'est-ce que vous auriez que vous n'avez pas maintenant ?* Suzanne, une célibataire qui vit depuis 11 ans dans un HLM dit : « Je vivrais dans un endroit qui n'est pas infesté de rats. J'aurais des amis. Je ne serais pas malheureuse tout le temps. » André, torturé par son perfectionnisme, songe à l'idée de s'habiller de manière décontractée et d'en profiter. Il ajoute qu'il aurait une idée plus réaliste du monde et de sa place dans ce monde. « La réalité est désordonnée et chaotique, mais je trouve une certaine beauté dans ce chaos. »

✦ *Que pourriez-vous réussir que vous ne faites pas maintenant ?* Réjean, un divorcé dans la trentaine, déclare qu'il passerait son diplôme de deuxième cycle d'infirmier praticien. « J'ai déjà une formation pratique en sciences infirmières. J'enseignerais à mi-temps. J'entamerais une relation avec quelqu'un que j'aimerais épouser. »

✦ *Quel résultat pourriez-vous espérer si vous pouviez saisir cette opportunité ?* Liliane, qui malgré ses grandes capacités n'a reçu qu'une modeste promotion dans son entreprise et se considère comme une citoyenne de seconde classe, déclare que, dans deux ans, elle serait cadre dans sa compagnie ou occuperait un très bon poste dans une autre firme.

C'est une erreur de penser que les réponses des clients fuseront automatiquement de toutes parts. Posez-leur les questions de cette liste et encouragez-les à se les poser pour trouver des réponses. Instaurez un échange thérapeutique sur les perspectives d'améliorer leur existence. Bien des clients ne savent pas comment exploiter leur créativité innée. Ils n'ont pas l'habitude de la pensée divergente. Vous devez contribuer à leurs formulations novatrices. Certains clients se refusent à envisager des projets d'avenir, car ils craignent que cela n'exige plus de responsabilités de leur part. Ils doivent passer à l'action.

## EXEMPLES ET MODÈLES EN TANT QUE SOURCES D'INSPIRATION

Pour certaines personnes, il est plus facile de voir les nouvelles perspectives quand elles s'appliquent à d'autres. Il vous faut alors les aider à se creuser les méninges en leur fournissant des modèles. Il ne s'agit pas de donner l'exemple de vedettes ou de gens qui réussissent tout. Cela ne ferait que les déprimer. Dans le cas suivant, un conseiller matrimonial parle à un couple d'âge mûr et sans enfants. Ils en ont assez d'être ensemble. Lorsqu'il leur demande à quoi pourrait ressembler leur couple si la situation s'améliorait un peu, il se rend compte que la question les rebute et ils se montrent méprisants envers la vie de couple en général.

CONSEILLER : La question serait peut-être plus facile si vous pensiez à vos amis, à votre famille ou à vos connaissances.

FEMME : Aucun d'entre eux n'a un mariage très réussi. [Le mari acquiesce d'un hochement de tête.]

CONSEILLER : Non, je ne parle pas de couples hors de l'ordinaire. Je cherche simplement des choses qui feraient que votre couple fonctionnerait un peu mieux.

FEMME : Eh bien, Guy et Lise ne sont pas comme nous. Ils ne font pas toujours tout ensemble.

MARI : Qui a dit qu'on devait tout faire ensemble ? N'était-ce pas ton idée ?

FEMME : Eh bien, on est toujours ensemble. Si on n'était pas toujours ensemble, on ne se taperait pas autant sur les nerfs.

CONSEILLER : D'accord, est-ce qu'il y a d'autres personnes autour de vous dont la relation de couple vous inspire ?

MARI : Donald et Caroline font du bénévolat ensemble. Donald dit que cela leur permet de s'évader. Je pense qu'ils échangent beaucoup plus pour cette raison.

CONSEILLER : Bon, on avance… Quoi d'autre ? Quel est le couple que vous trouvez le plus intéressant ?

Même si le processus est un peu tortueux, ces deux conjoints arrivent à envisager une série de nouvelles perspectives pour relancer leur mariage. Le conseiller leur demande de les noter par écrit afin de ne pas les oublier. À cette étape, l'idée n'est pas de leur demander de s'engager dans une voie ou une autre, mais plutôt de considérer toutes les options.

Dans le cas suivant, la cliente découvre certaines choses en observant des gens qu'elle n'aurait jamais pris pour modèles.

> Françoise, une jeune étudiante assez renfermée sur elle-même, se rend compte que, sur le plan des relations sociales, elle n'est pas prête pour le monde des affaires dans lequel elle se prépare à entrer après son diplôme. Elle veut améliorer sa façon de communiquer avec les autres et régler un certain nombre de problèmes obsédants. Elle rencontre un conseiller du Service aux étudiants. Après une série de discussions avec lui, elle rejoint un groupe d'échange sur le campus qui donne une formation sur les communications interpersonnelles. Même si ce que les autres membres du groupe lui disent concernant ses expériences, ses comportements et ses sentiments lui ouvre des horizons, elle déclare à son conseiller en apprendre beaucoup plus en regardant agir les autres. Elle trouve des comportements qui l'inspirent. Plusieurs fois, elle se dit qu'elle n'aurait jamais pensé à cela et, sans tomber dans une imitation servile, elle commence à adopter des comportements qu'elle a observés.

Les modèles constituent un moyen pour les clients de désigner spécifiquement ce qu'ils veulent et ces modèles se retrouvent partout : parmi leurs relations, leurs amis, leurs associés ; dans les romans, l'histoire, à la télévision ou au cinéma. Le rôle des conseillers est d'aider les clients à reconnaître les modèles, à en extraire les éléments qui leur correspondent et à les transposer de manière réaliste à leur situation.

Lockwood et Kunda (1999) ont démontré que, dans des circonstances normales, les individus s'inspirent des modèles pour renforcer leurs motivations et s'analyser. Cependant, ce n'est pas toujours le cas. En se servant de ces modèles avec des individus qui ont examiné leur « meilleur soi antérieur », nous les exposons parfois au découragement. Leurs meilleurs moments, qui seraient de mauvais moments pour plusieurs, risquent de souffrir de la comparaison. Les modèles présentent souvent un « soi exemplaire » un peu trop parfait. Le passé de certains clients s'avère peu reluisant, à des années-lumière de ce que projettent certains modèles. Pourtant, les passés les plus difficiles recèlent parfois les ressources les plus surprenantes. Le courage déployé par des clients aux prises avec un passé pavé de traumatismes peut s'avérer un atout incommensurable. Refléter au client qu'il a fait face à l'adversité avec force et courage suffit à lui redonner une image de soi positive et à l'inciter à l'action constructive. Il vaut parfois mieux s'inspirer de ses propres victoires, aussi insignifiantes puissent-elles paraître, que de prendre appui sur des modèles auxquels il ne sera jamais possible de s'identifier. Somme toute, l'emploi des modèles de comportement est certes utile, mais il s'avère parfois délicat.

## 15.3 EXEMPLES ILLUSTRANT LES PERSPECTIVES D'UN AVENIR MEILLEUR

Les exemples suivants démontrent les conséquences importantes de l'utilisation des perspectives d'un avenir meilleur.

### CAS DE BERNARD : MOURIR DIGNEMENT

Bernard, un gros buveur, souffrait d'une atteinte hépatique irréversible et il était évident que son état allait empirer. Cependant, il voulait faire certaines choses avant de mourir. En orientant son action, il fut capable en quelques mois de régler certains points avec l'aide d'un conseiller, avant de mourir. Il avait établi une liste de priorités :

✦ « J'aimerais discuter avec quelqu'un qui a des convictions religieuses, comme un prêtre, afin de m'entretenir avec lui de questions fondamentales : la vie et la mort. »
✦ « Je ne veux pas mourir dans le désespoir, je veux mourir avec l'idée que j'ai donné un certain sens à ma vie. »
✦ « Je voudrais avoir un sentiment d'appartenance, faire partie d'un groupe de gens qui savent ce que je traverse, mais ne s'apitoient pas sur mon sort. Des gens qui ne me rejettent pas parce que je me suis laissé aller. »
✦ « J'aimerais régler certains problèmes financiers. »
✦ « Je voudrais être avec un certain nombre d'amis proches avec qui je veux partager les hauts et les bas de la vie quotidienne, sans avoir à fournir d'excuses. »
✦ « J'aimerais, aussi longtemps que possible, continuer à faire un travail productif, rétribué ou bénévole. J'ai été un marginal. Je veux maintenant faire ma part, même s'il s'agit de choses simples. »
✦ « Je veux vivre dans un endroit convenable, peut-être en colocation. »
✦ « Je dois recevoir des soins médicaux appropriés. J'aimerais que mon médecin soit compatissant. Quelqu'un qui m'inciterait à vivre jusqu'au bout. »
✦ « J'ai besoin de surmonter les moments de dépression et d'anxiété. »
✦ « Je veux me rapprocher de ma famille. Je veux que mon père me serre dans ses bras et je veux moi aussi le serrer dans mes bras. »

✦ « J'aimerais me réconcilier avec un ou deux de mes amis proches. Ils m'ont plus ou moins abandonné lorsque je suis tombé malade. Mais dans le fond, ce sont de bons gars. »

✦ « Je veux mourir dans ma ville natale. »

---

**ENCADRÉ 15.1**
**QUESTIONS CONCERNANT L'ANALYSE DES PERSPECTIVES**

Inciter les clients à se poser à eux-mêmes ce genre de question :

◎ Quels sont mes besoins les plus cruciaux ?

◎ Quelles sont certaines des perspectives d'un avenir meilleur ?

◎ Quels résultats ou quelles réalisations résoudraient mes problèmes les plus urgents ?

◎ Qu'en serait-il de ma vie si je pouvais tirer parti de quelques opportunités qui s'offrent à moi ?

◎ Où en serais-je dans un an ?

◎ Que devrais-je faire que je n'ai pas encore fait ?

◎ Quelles solutions extravagantes pourraient améliorer mon existence ?

---

Bernard n'a pas énoncé toutes les perspectives en une seule fois. Grâce à ses reflets empathiques et à ses questions exploratoires, le conseiller lui a permis de définir ses besoins pour formuler une série d'objectifs à partir de ses perspectives (phase II) et de leurs modalités de réalisation (phase III). L'encadré 15.1 fournit le type de questions que vous pouvez inviter vos clients à se poser, afin qu'ils entrevoient les perspectives d'un avenir meilleur.

### CAS DE LA FAMILLE GIRARD

Il s'agit d'un cas plus complexe, puisqu'il concerne une famille. Non seulement cette famille en tant que cellule a ses besoins et ses nécessités, mais chacun de ses membres possède les siens propres. Il est donc encore plus important d'examiner les perspectives d'avenir afin de concilier des besoins concurrents de chacun.

Le fils de Pierre et de Laurence, Claude, âgé de 15 ans, a été hospitalisé après un diagnostic de schizophrénie aiguë. Il a deux frères plus âgés, encore adolescents, et deux sœurs plus jeunes, de 10 ans et de 12 ans, qui vivent tous à la maison. Les Girard demeurent dans une grande ville et, même si les deux parents travaillent, ils ne sont pas à l'abri des fins de mois difficiles. L'hospitalisation de leur fils a gravement compliqué leur vie. Ils doivent obtenir de l'aide pour le soigner. Son traitement implique temps et argent alors que sa maladie perturbe ses frères et sœurs. Pierre et Laurence éprouvent des difficultés conjugales et souffrent d'un certain rejet social (« C'est une drôle de famille et le fils est fou » ; « Quel genre de parents sont-ils ! »). Pour aggraver les choses, Pierre et Laurence ne croient pas que le psychiatre et le psychologue de l'hôpital aient vraiment pris le temps de comprendre leurs difficultés. Ils ont l'impression que ces aidants essaient de renvoyer Claude dans son milieu et que l'hôpital veut s'en débarrasser : « Ils se contentent de lui donner quelques pilules pour vous le rendre après. » Personne ne leur a expliqué que l'hospitalisation à court terme servait à protéger les droits des patients et à éviter les effets néfastes d'un internement de longue durée.

Lorsque Claude est sorti de l'hôpital, on a dit à ses parents qu'il risquait d'avoir une rechute, sans leur expliquer quoi faire dans ce cas. Ils se trouvent à devoir le soigner dans un climat stigmatisant, sans information adéquate ni aucune aide. Ils sont très mécontents de l'établissement psychiatrique, car ils ont l'impression d'être abandonnés à eux-mêmes. Ils n'ont aucune idée de ce qu'ils doivent faire pour soigner leur fils ou affronter la série de problèmes familiaux provoqués par cette situation. Par chance, les Girard rencontrent quelqu'un qui a travaillé pour la Fédération des familles et amis de la personne atteinte de maladie mentale (FFAPAMM), et également pour une organisation de défense et d'éducation. Cette personne les renvoie à un service qui leur procure le soutien dont ils ont besoin.

Que réserve l'avenir à une famille de ce type ? Si on l'aide, comment peut-elle se redéfinir dans le futur ? Les travailleurs sociaux ont encouragé les Girard à cerner leurs besoins et leurs nécessités dans plusieurs domaines (voir Bernheim, 1989).

✦ *À la maison.* Il est souhaitable que l'environnement familial des Girard réponde aux besoins de chacun des membres de la famille. Ils ne veulent pas faire de leur maison une annexe de l'hôpital. Ils souhaitent non seulement soigner Claude, mais également continuer à pourvoir aux besoins de leurs autres enfants et aux leurs.

✦ *À l'extérieur.* Ils ont besoin d'un programme de traitement complet pour Claude. Il leur faut, pour cela, examiner tous les services disponibles, sélectionner ceux qui conviennent et les obtenir. Il faut également trouver un moyen de payer les médicaments et services, qui ne sont pas gratuits.

✦ *Soins à domicile.* Ils veulent que tous les membres de la famille sachent quoi faire concernant les symptômes résiduels (appelés symptômes négatifs) de Claude. Il risque de se replier sur lui-même ou de devenir agressif, mais ils doivent savoir comment communiquer avec lui et l'aider à surmonter ses problèmes de comportement.

✦ *Prévention.* Les membres de la famille doivent être capables de reconnaître immédiatement les symptômes annonciateurs d'une rechute imminente. Il leur faut aussi savoir quoi faire dans ces cas-là : rejoindre la clinique ou, au pire, appeler une ambulance ou la police.

✦ *Tensions familiales.* Il faut qu'ils arrivent à surmonter les tensions que tout cela risque d'engendrer. Ils doivent trouver le moyen de régler leurs difficultés, d'éviter les disputes ou, lorsqu'elles surviennent, d'empêcher la destruction des liens familiaux.

✦ *Rejet social.* Ils souhaitent comprendre et dépasser l'ostracisme de la société face à la maladie de Claude. Les enfants devraient savoir comment réagir lorsqu'on leur dit que leur frère est un dingue. Les membres de la famille doivent savoir à qui se confier, quoi dire et comment répondre aux interrogations, et supporter les critiques et les insultes.

✦ *Surmonter le chagrin.* Il leur faut savoir comment surmonter les sentiments normaux que provoque une telle situation : la culpabilité, la colère, la frustration, la peur et le chagrin.

Cette liste de Bernheim sert de guide pour inciter les clients à entrevoir les moyens d'améliorer leur existence. Les Girard ont d'abord besoin de cerner ces nouvelles perspectives. Ils doivent ensuite établir leurs priorités et les objectifs à atteindre. Cette tâche correspond à l'étape II.B. Pour connaître les dernières avancées dans le domaine de la psychologie positive pour le traitement des maladies mentales graves, consultez les travaux de Coursey, Alford et Safarjan (1997).

Lorsqu'il est question de cas lourds de maladies mentales dans une famille, Marsh et Johnson (1997) ne se bornent pas à analyser le fardeau émotionnel, mais examinent également la résilience familiale et les ressources internes et externes qui la soutiennent. Leur approche s'inspire de la psychologie positive et répertorie une série de modalités pour aider la famille (p. 233) :

1. comprendre leur expérience de la maladie mentale ;
2. harmoniser leur conception de la maladie mentale et la définir comme un aspect particulier mais normal de l'existence humaine ;
3. se centrer sur les points forts et les capacités de chacun ;
4. se renseigner sur la maladie, le réseau des soins médicaux et les ressources communautaires ;
5. développer les habiletés dans le domaine de la gestion du stress, de la résolution de problèmes et de la communication ;
6. surmonter les sentiments de chagrin et de perte ;
7. faire face aux symptômes de la maladie mentale et à leurs répercussions dans la famille ;
8. déceler les signes de rechute imminente et y réagir ;
9. créer une ambiance familiale soucieuse du bien-être de chacun ;
10. déterminer des attentes réalistes pour tout le monde ;
11. jouer un rôle significatif dans le traitement du malade, sa réhabilitation et son rétablissement ;
12. maintenir un équilibre entre les besoins de chacun des membres de la famille.

Johnson et Marsh proposent également un certain nombre de stratégies pour aider les familles à atteindre ces objectifs :

✦ *des interventions familiales* destinées à mettre l'accent sur le rôle de la famille comme réseau de soutien plutôt que comme cause de la maladie mentale ;
✦ *des groupes de soutien familial,* comme l'Association québécoise des parents et amis du malade mental (AQPAMM[3]) ; ces groupes apportent soutien et formation, et luttent pour l'amélioration des services ;
✦ *une consultation familiale,* afin que la famille puisse établir ses propres objectifs et prendre des décisions en toute connaissance de cause sur le type de services existants ;
✦ *une sensibilisation familiale,* concernant des informations sur la maladie mentale, les soins et le réseau d'établissements psychiatriques, les ressources communautaires et ainsi de suite ;
✦ *une psychopédagogie familiale,* centrée sur les stratégies de prise en charge et la gestion du stress.

---

3  Pour rejoindre l'AQPAMM, visitez le site Internet www3.sympatico.ca/aqpamm/.

Toutes ces modalités s'inspirent de la philosophie orientée sur les solutions abordées au chapitre 14.

**?**

## QUESTIONS D'ÉVALUATION CONCERNANT L'ÉTAPE II.A

- Dans quelle mesure faites-vous appel à votre imagination ?
- Comment appliquez-vous le concept de « soi possible » ?
- Quels sont les problèmes que vous rencontrez en essayant d'aider les clients à se servir de leur imagination ?
- Face aux situations problématiques, aux opportunités inexploitées, comment parvenez-vous à aider les clients à se concentrer sur ce qu'ils veulent ?
- Jusqu'à quel point appréhendez-vous la pensée divergente et la créativité chez vous et chez les autres ?
- Vous servez-vous efficacement de la compréhension empathique et des questions exploratoires pour permettre au client de se creuser les méninges afin qu'il puisse savoir ce qu'il veut ?
- Au-delà des questions directes ou exploratoires, à quelles stratégies avez-vous recours pour aider les clients à préciser ce qu'ils veulent ?
- Aidez-vous vraiment les clients à trouver des modèles leur permettant de préciser leurs besoins ?
- Dans quelle mesure réussissez-vous à vous servir avec aisance du modèle d'aide, particulièrement pour établir un dialogue entre les phases I et II ?
- Dans quelle mesure arrivez-vous à inciter les clients à concrétiser leurs apprentissages ?

# CHAPITRE 16

## ÉTAPE II.B : « QU'EST-CE QUE JE VEUX VRAIMENT ? »
## AIDER LES CLIENTS À SÉLECTIONNER DES
## OBJECTIFS RÉALISTES

PERSPECTIVES

OBJECTIFS

ENGAGEMENT

### 16.1 DES POSSIBILITÉS À LA SÉLECTION

### 16.2 SOUTENIR LES CLIENTS DANS LA FORMULATION DE LEURS OBJECTIFS

Aider les clients à formuler leurs besoins et leurs aspirations sous forme de résultats ou d'accomplissement

Aider les clients à transformer les attentes vagues en objectifs clairs et précis

* Bonnes intentions
* Buts vagues
* Objectifs précis

Aider les clients à formuler des objectifs ayant des effets tangibles

Aider les clients à formuler des objectifs prudents

Aider les clients à formuler des objectifs réalistes

* Ressources : encourager les clients à opter pour des objectifs correspondant aux ressources disponibles
* Réalisme : inciter les clients à opter pour des objectifs à leur portée

Aider les clients à formuler des objectifs durables

Aider les clients à adopter des objectifs flexibles

Aider les clients à choisir des objectifs selon leurs valeurs

Aider les clients à envisager des échéanciers réalistes pour l'atteinte des objectifs

### 16.3 BESOINS AU LIEU D'ASPIRATIONS

### 16.4 OBJECTIFS EN ÉMERGENCE

### 16.5 OBJECTIFS D'AJUSTEMENT

* Options acceptables
* Ajustement
* Autolimitation stratégique

### 16.6 THÉORIE DES OPTIONS RÉELLES

### 16.7 PARTI PRIS POUR L'ACTION EN TANT QUE MÉTAOBJECTIF

## QUESTIONS D'ÉVALUATION CONCERNANT L'ÉTAPE II.B

Une fois que les clients ont entrevu les perspectives d'un avenir meilleur, ils doivent effectuer certains choix, autrement dit, ils doivent sélectionner quelques-unes de ces perspectives pour les traduire sous forme de plan ou de programme de changement constructif. L'étape II.A concerne, à bien des égards, la *créativité* : faire tomber les barrières, élargir ses horizons, sortir des sentiers battus. L'étape II.B est, quant à elle, une question d'*innovation* et elle consiste à convertir les perspectives d'avenir en un programme réaliste de changement. La mise en œuvre d'un objectif constitue la solution, avec un grand *S*, aux problèmes ou aux ressources et opportunités inexploitées du client. Penchons-nous sur le cas suivant :

> Carmen, une Jamaïcaine, est arrêtée pour avoir tout saccagé et cassé de nombreuses fenêtres dans une banque. Cet accès de colère découlait de son impression de s'être vue refuser un prêt du fait d'être une mère célibataire noire. En abordant cet incident avec un travailleur social, elle se rend compte qu'elle a tendance à se laisser aller à des accès de colère. Un rien la fait démarrer au quart de tour. Elle réalise également qu'en déchargeant sa colère, comme elle l'a fait dans cette banque, elle s'expose à de multiples conséquences négatives. Toutefois, elle avoue sa rogne permanente face au « système ». Pour compliquer les choses, elle a tendance à passer sa rage sur son entourage, y compris ses amis et ses deux enfants. Le travailleur social l'aide à envisager quatre options pour affronter cette colère : l'évacuer, la réprimer, la canaliser ou simplement y renoncer et ignorer les choses qui la dérangent, y compris les injustices de son milieu. Cependant, il n'est pas dans son caractère de renoncer. En tentant d'évacuer sa rage, elle n'aboutit qu'à l'aggraver. La réprimer, selon elle, n'est qu'une autre façon d'abandonner et équivaut à une humiliation. De toute manière, la répression n'est pas son fort. Reste maintenant à explorer l'option qui consiste à canaliser cette colère. Carmen finit par adopter l'approche de la psychologie positive pour surmonter ses frustrations. Elle participe à un comité d'action politique impliqué dans l'intervention communautaire. Elle apprend à exprimer sa fureur sans renoncer à ses valeurs ni à leur expression. Elle découvre également qu'elle est douée pour influencer les autres et faire avancer les choses. Elle commence à se sentir en paix avec elle-même. Dorénavant, le système ne lui semble plus aussi impénétrable.

Les objectifs s'avérant la plupart du temps une véritable source de motivation, l'une des étapes les plus cruciales de la démarche d'aide consiste donc à aider les clients à les formuler de manière réaliste.

## 16.2 SOUTENIR LES CLIENTS DANS LA FORMULATION DE LEURS OBJECTIFS

Les objectifs réalistes ne tombent généralement pas du ciel. Il faut les formuler ou les concevoir, selon les termes employés au chapitre 14. Les conseillers efficaces amorcent un dialogue avec le client pour l'encourager à concevoir, à choisir, à esquisser, à formuler et à fixer ses objectifs. Les objectifs sont l'expression tangible des besoins et des aspirations du client.

Les objectifs qui émergent de ce dialogue entre le client et l'aidant seront d'autant plus concrets qu'ils présentent certaines des caractéristiques suivantes. Ils doivent être :

+ formulés en termes de *résultats* plutôt que sous forme d'activités ;
+ suffisamment *précis* pour permettre un suivi et susciter l'action ;
+ *cohérents* avec les perspectives envisagées ;
+ à la fois *audacieux* et *prudents* ;
+ *réalistes* quant aux ressources nécessaires pour les atteindre ;
+ *viables* sur une durée raisonnable ;
+ *flexibles* sans être approximatifs ;
+ *cohérents* avec les *valeurs* du client ;
+ réalisables dans un *délai* raisonnable.

Ces caractéristiques se traduiront différemment pour chaque client, car il n'existe pas de formule unique. D'un point de vue pratique, il est possible d'envisager ces caractéristiques comme des outils auxquels les conseillers peuvent recourir pour permettre aux gens de concevoir, de formuler ou de reformuler leurs objectifs. Les aidants inefficaces se perdront dans les détails de ces caractéristiques. Les aidants efficaces, quant à eux, les garderont à l'esprit, comme une seconde nature, en s'y référant au bon moment par le biais de questions exploratoires pertinentes et à point nommé. Ces caractéristiques, dès lors, prennent vie dans l'application souple des principes suivants.

### AIDER LES CLIENTS À FORMULER LEURS BESOINS ET LEURS ASPIRATIONS SOUS FORME DE RÉSULTATS OU D'ACCOMPLISSEMENT

L'objectif du counseling, comme nous l'avons dit maintes fois, ne consiste pas à discuter d'activités, ni à les planifier ni à les réaliser. La relation d'aide est une question de solutions avec un grand *S*. En disant : « Je veux commencer à faire de l'exercice », nous décrivons une activité au lieu d'un résultat. Si nous déclarons : « Dans 6 mois, je courrai 5 kilomètres en moins de 30 minutes, au moins 4 fois par semaine », nous formulons un résultat, un mode de comportement à mettre en place dans un certain laps de temps. Si une cliente déclare que son objectif est d'acquérir des habiletés de communication interpersonnelle, elle formule son objectif en termes d'activités – une solution avec un petit *s* – plutôt qu'en termes d'accomplissement. Cependant, si elle affirme vouloir être une mère et une épouse plus attentive, elle énonce son objectif en termes d'accomplissement, bien que l'expression « plus attentive » mérite clarification. Les objectifs formulés en termes de résultats orientent les clients.

Vous permettez aux clients de décrire ce qu'ils veulent en recourant à « l'approche en termes de participes passés » : consommation d'alcool arrêtée, nombre de disputes conjugales réduit, colère généralement maîtrisée. Formuler des objectifs en termes de résultats ou d'accomplissement ne se limite pas à une question de syntaxe. En incitant les clients à énoncer leurs objectifs en termes d'accomplissement plutôt que d'activités, nous leur permettons d'éviter les actions vaines et inconsidérées. Si une femme atteinte du cancer du sein étudie la possibilité de se joindre à un groupe d'entraide, nous devons l'aider à déterminer ce qu'elle cherche à retirer de cette expérience. La participation à un groupe et l'assistance aux séances sont des activités. Elle a besoin de soutien, de se sentir épaulée. Les objectifs sont, dans l'hypothèse la plus optimiste, l'expression des aspirations du client. Un client qui sait ce qu'il veut aura tendance à travailler non seulement plus fort, mais plus efficacement.

Prenez le cas de Christian, un ancien militaire souffrant d'épuisement et possiblement d'un syndrome de stress post-traumatique :

Christian faisait partie des Forces armées canadiennes. Après quelques missions à l'étranger, il a adopté un comportement étrange. Il ne semblait plus motivé par la carrière militaire. Il se retirait souvent, circulait parfois avec un air ahuri. Quelques altercations avec d'autres militaires lui ont valu le renvoi des Forces armées, décision qu'il n'a pas contestée. Peu à peu, il s'est replié sur lui-même, sans toutefois manifester un comportement bizarre. Il s'est fondu dans le paysage et a accumulé les petits boulots en négligeant de plus en plus son apparence. Il a déclaré au conseiller : « Vous savez, d'habitude j'essaie d'avoir l'air soigné, car j'ai hérité cela de la vie militaire. Ne vous méprenez pas, je ne suis pas un clochard ni quelqu'un qui néglige son hygiène corporelle, mais je ne suis plus moi-même ». Christian filait un mauvais coton et de sérieux problèmes le guettaient. Il était assailli par des souvenirs de guerre et dormait n'importe quand, de jour comme de nuit, « juste pour faire cesser ces pensées ». Édouard, son conseiller, s'entendait bien avec lui et l'avait aidé à raconter son vécu en remettant en question certaines de ses pensées autodestructrices. Il a continué de l'aider à se concentrer sur ce qu'il attendait de la vie. Ils ont oscillé entre les phases I et II, entre les difficultés et les perspectives d'amélioration de son existence. Christian a fini par parler de ce qu'il voulait réellement, de ce qu'il devait accomplir pour « renouer avec son ancien soi ». Voici un extrait de leur dialogue :

CHRISTIAN : Je dois émerger de ma tanière. Je sortirai davantage et je verrai du monde. J'arrêterai de m'apitoyer sur mon sort, pour l'amour de Dieu. Qui a envie de se trouver avec un bon à rien ?

CONSEILLER : À quoi ressemblera la vie de Christian dans un an ou deux ?

CHRISTIAN : Une chose est sûre, il fréquentera des femmes de nouveau. Il ne sera peut-être pas marié, mais il aura une petite amie. Et elle le percevra comme un gars normal.

Christian aborde ici le changement en tant que mode de comportement à mettre en place. Il dresse le portrait de ce qu'il veut être. Il formule certains objectifs. La question exploratoire du conseiller va dans le sens de cette approche orientée sur les résultats.

## AIDER LES CLIENTS À TRANSFORMER LES ATTENTES VAGUES EN OBJECTIFS CLAIRS ET PRÉCIS

Les objectifs précis stimulent plus l'adoption de comportements que les buts plus généraux. Le but traduit une attente globale et l'objectif global s'apparente au but, tout en étant plus axé sur l'action. Il a été mentionné auparavant que l'attente crée la passivité, l'objectif appelle l'action. Prenons par exemple le but qui consiste à être en bonne santé. L'objectif global qui lui correspond peut s'énoncer comme suit : dans deux mois, je me sentirai en meilleure forme physique. Dès lors, il importe d'articuler l'objectif global en objectifs plus précis et de les adapter aux besoins et aux capacités de chacun. Les objectifs spécifiques orientent l'action (d'ici trois mois, j'aurai perdu dix kilogrammes, je ne fumerai plus). Les aidants efficaces recourent aux questions exploratoires pour permettre aux clients de passer du général au particulier.

Christian a déclaré qu'il devait se montrer plus discipliné. Son conseiller l'a aidé à préciser cette affirmation.

> CONSEILLER : Sur quels domaines désirez-vous vous attarder ?
>
> CHRISTIAN : Eh bien, si j'entreprends de mettre un peu d'ordre dans ma vie, je dois reconsidérer le temps que je passe à dormir. J'ai l'habitude de me coucher et de me lever au gré de mes envies. C'est la seule façon dont je dispose pour me débarrasser de ces pensées et de l'anxiété. Mais je ne suis plus aussi anxieux que je l'étais. Les choses se calment.
>
> CONSEILLER : Alors devenir plus discipliné signifie un sommeil plus régulier, parce qu'il n'y a plus de raison aujourd'hui pour justifier le contraire.
>
> CHRISTIAN : Ouais, dormir à loisir n'est qu'une habitude. Et je ne peux pas avancer si je dors sans arrêt.

Christian a ici traduit l'expression « plus discipliné » en d'autres besoins et en aspirations à gérer, en lien avec l'université, le travail et les soins corporels. Ce renforcement de la discipline, sous forme de mode de comportements spécifiques, aura un impact résolument positif sur son existence.

Les conseillers contribuent à aider et à inciter les clients à passer des bonnes intentions et des désirs vagues à des buts vagues puis, à partir de là, à des objectifs précis.

**Bonnes intentions.** « Je dois m'y mettre » est une déclaration d'intention. Toutefois, même si ces bonnes intentions représentent un bon présage, il importe de les concrétiser en buts et en objectifs. Dans l'exemple suivant, le client discute de sa relation avec sa femme et ses enfants. Le conseiller l'a aidé à se rendre compte que sa famille perçoit négativement son « dévouement à son travail » et, comme il est ouvert à la remise en question, il apprend vite.

> JEAN : Bon sang, cette séance m'a ouvert les yeux ! J'ai vraiment été aveugle. Ma femme et mes enfants ne perçoivent pas mon investissement – ou plutôt, mon surinvestissement – dans le travail comme quelque chose que je fais pour eux. Je me suis fait des illusions, en croyant que je travaillais fort pour leur donner tout ce dont ils ont besoin. En fait, je passe la plupart de mon temps au travail parce que j'aime ça. Je travaille d'abord et avant tout pour moi. Il est maintenant temps de revoir certaines de mes priorités.

Voilà une déclaration de bonnes intentions, indiquant une réelle volonté de régler le problème après en avoir pris conscience. Jean pourrait très bien, à la sortie de cette séance et sans aide subséquente de son conseiller, adopter un nouveau comportement. Cependant, il aurait peut-être besoin d'aide pour redéfinir ses priorités.

**Buts vagues.** Un but vague dépasse une bonne intention. Il présente un certain contenu, en définissant le domaine sur lequel le client veut travailler et sa prise de position sur le sujet. Revenons à l'exemple de Jean et de son surinvestissement au travail :

> JEAN : Je ne crois pas passer tant de temps au bureau pour fuir ma vie de famille. Mais cette dernière se détériore parce que je ne suis pas assez présent. Je devrais passer plus de temps avec ma femme et mes enfants. En fait, je ne le dois pas, je le veux.

Jean est passé d'une déclaration d'intentions à un but ou un objectif vague : passer plus de temps à la maison. Cependant, il n'a pas encore décrit précisément comment il atteindra cet objectif.

**Objectifs précis.** Pour inciter Jean à se montrer plus clair, le conseiller recourt à des questions exploratoires en lui demandant ce que signifie pour lui « passer plus de temps à la maison ».

> JEAN : J'ai l'intention de passer systématiquement trois fins de semaine sur quatre à la maison et je ne travaillerai pas plus de deux soirs par semaine.

> CONSEILLER : Vous serez donc à la maison beaucoup plus souvent. Que ferez-vous de tout ce temps ?

Remarquez à quel point la déclaration de Jean se précise par rapport à l'énoncé de départ, qui se limitait à affirmer qu'il passerait plus de temps à la maison. Il formule un objectif en termes de comportement précis à adopter. Cependant, cet objectif s'exprime en termes quantitatifs mais non qualitatifs. Par sa question exploratoire, le conseiller le remet en question. Il n'est plus ici juste question du temps que Jean passera à la maison, mais de ce qu'il fera de ce « temps de qualité », selon l'expression consacrée. Un client qui tentait de trouver un équilibre entre sa vie professionnelle et sa vie familiale m'a dit une fois : « Ma famille, et plus particulièrement mes enfants, ne font pas la distinction entre quantité et qualité. Pour eux, la quantité est synonyme de qualité. Il n'est pas question de qualité sans une bonne dose de quantité. » Ceci conduit Jean à se questionner plus avant, parce que sa famille souhaite peut-être qu'il soit détendu à la maison.

Cet exemple souligne la différence qui existe entre objectifs *importants* et objectifs *d'ordre supérieur* ou *fondamentaux*. L'objectif fondamental de Jean est d'avoir une vie de famille épanouie. Un tel objectif, une fois énoncé clairement, différera d'une famille à l'autre et d'une culture à l'autre. Réfléchissez à la définition que vous vous en faites. Lorsque Jean déclare vouloir passer plus de temps à la maison, il énonce un objectif important. Sans être à la maison, il ne pourra faire d'activités ni avec sa femme ni avec ses enfants. Bien que le fait d'être présent soit un objectif en soi, parce qu'il correspond à un comportement *mis en place,* il ne s'agit assurément pas d'un objectif fondamental. Cependant, Jean ne se préoccupe pas de cet objectif fondamental. Lorsqu'il est à la maison, lui et les membres de sa famille connaissent tous ensemble une vie agréable ; là n'est pas la question. Toutefois, les objectifs importants constituent des *stratégies* permettant d'atteindre des objectifs d'ordre supérieur. Il importe donc de s'assurer que le client a bien saisi la teneur de cet objectif d'ordre supérieur. Si Jean passait beaucoup de temps au travail parce qu'il n'aimait pas être avec sa famille ou parce qu'il y vivait des conflits, cet objectif d'ordre supérieur ressemblerait à quelque chose comme « ressentir la motivation d'un milieu de travail intéressant » (si la vie à la maison était ennuyeuse) ou « trouver la paix » (en cas de conflits à la maison). Lorsque vous aidez les clients à concevoir et à formuler leurs objectifs importants, assurez-vous qu'ils peuvent répondre à la question importante : pourquoi ?

Ce processus de formulation consiste à aider les clients à passer des bonnes intentions aux objectifs de plus en plus spécifiques. Prenez l'exemple d'un couple dont le mariage a dégénéré en d'éternelles querelles, surtout pour des questions d'argent.

- ✦ *Bonne intention :* « Nous voulons reconstruire notre mariage. »
- ✦ *But vague :* « Nous voulons prendre des décisions financières de façon plus constructive. »
- ✦ *Objectif précis :* « Nous avons tendance à résoudre nos problèmes financiers familiaux en nous disputant. Nous aimerions nous disputer moins et prendre des décisions ensemble à propos des questions d'argent. Nous n'échangeons pas, nous nous querellons. Nous devons établir un budget mensuel. Sinon, nous argumenterons à propos de l'argent que nous n'avons même pas. Nous nous présenterons à la prochaine séance avec un budget provisoire. »

Assainir les finances du foyer est un objectif louable en soi, limiter les conflits improductifs également. Dans ce cas, cependant, l'établissement d'un budget familial équilibré, équitable et flexible contribue également à acheter la paix dans le ménage. Les déclarations d'intentions, les objectifs vagues, comme les objectifs précis conduisent tous vers des comportements positifs, mais la personne a de meilleures chances d'y parvenir si ses objectifs sont précis. Risquons-nous d'amener les clients à trop de précision quant à leurs objectifs ? Oui, s'ils se perdent dans des détails de planification et que la formulation de l'objectif passe avant l'objectif lui-même.

Si l'objectif est suffisamment clair, le client sera en mesure d'évaluer ses progrès pour l'atteindre. Nombre de gens considèrent le fait d'évaluer leurs progrès comme un incitatif majeur. Des objectifs trop vagues rendent difficile l'évaluation des progrès comme des réussites. « Je veux entretenir de meilleurs rapports avec ma femme » constitue un objectif très vague, difficile à vérifier. « Je veux que l'on fréquente davantage de gens, des couples qui nous plaisent tous deux » apporte davantage de précision, bien qu'il faille préciser ce qu'on entend par « fréquenter davantage de gens ».

Il n'est pas toujours nécessaire de comptabiliser l'atteinte ou non d'un objectif, bien que cela se révèle parfois utile. La relation d'aide vise une amélioration de l'existence et non pas un relevé exhaustif des activités. Néanmoins, il faut être à même de vérifier de quelque façon que ce soit les résultats visés. Prenez le cas d'un couple qui dit quelque chose du genre : « Notre relation est meilleure. Non parce que nous avons cessé de nous chamailler – en fait, nous nous sommes rendu compte que nous aimions nous chicaner. Mais notre vie s'est améliorée parce que la méchanceté a disparu de ces disputes. Nous nous acceptons davantage mutuellement. Nous sommes à l'écoute l'un de l'autre, nous abordons des sujets d'ordre plus personnel, nous sommes plus détendus et prenons davantage de décisions en commun sur les questions qui nous concernent tous deux. » Ce couple n'a pas besoin de tester scientifiquement l'amélioration de sa relation.

## AIDER LES CLIENTS À FORMULER DES OBJECTIFS AYANT DES EFFETS TANGIBLES

Les résultats et l'accomplissement sont dépourvus de sens s'ils n'ont pas l'impact souhaité sur la vie du client. Les objectifs adoptés par les clients doivent revêtir une signification pour eux, contribuer de manière significative à la gestion de la situation problématique d'origine ou au développement de perspectives plus satisfaisantes.

Marcel dirigeait l'entreprise familiale, une PME spécialisée dans la fabrication de produits alimentaires. Le fils de Marcel, Antoine, était représentant de commerce. Après avoir passé quelques années à se familiariser avec le métier et obtenu son MBA à temps partiel, Antoine réclamait davantage de responsabilités et d'autorité. Son père ne pensait pas qu'il était prêt pour cela. Ils en ont débattu fréquemment et leur relation en a souffert. Un ami de la famille a fini par les persuader de consulter un conseiller spécialisé dans les petites entreprises familiales. Ce spécialiste les a écoutés brièvement. Après tout, il s'agissait d'un problème auquel il avait été confronté maintes et maintes fois : la réticence et le conservatisme du père, l'obstination du fils.

Marcel souhaitait se limiter aux recettes ayant déjà fait leurs preuves. Antoine voulait devenir le spécialiste en commercialisation de la compagnie et élargir ses activités. Après en avoir discuté avec le conseiller, ils ont fini par s'entendre sur un scénario : ils mettraient sur pied un service de marketing dirigé par Antoine. Celui-ci pourrait répartir comme bon lui semblerait son temps entre les ventes et le marketing, à la condition de maintenir le chiffre d'affaires. Il fut convenu que Marcel n'interviendrait pas. Ils rencontreraient le conseiller une fois par mois pour aborder les éventuels problèmes et voir les progrès. Marcel insistait pour que les honoraires du conseiller soient pris à même l'augmentation du chiffre d'affaires. Après quelques affrontements initiaux, les querelles ont diminué radicalement. Antoine a trouvé facilement de nouveaux clients, mais ces derniers ont exigé certaines modifications à la gamme de produits, modifications que Marcel a approuvées à contre-cœur. Le chiffre d'affaires comme les bénéfices se sont accrus suffisamment pour embaucher une autre personne dans le secteur des ventes.

Il n'est pas toujours aussi aisé de régler ce type de problèmes dans les entreprises familiales. En fait, quelques années plus tard, Antoine a quitté l'entreprise familiale pour fonder sa propre entreprise. Cependant, une fois l'entente conclue, l'ensemble des objectifs sur lesquels le père et le fils s'accordaient s'est traduit par une amélioration tangible de la relation entre le père et le fils ainsi que de la santé de l'entreprise.

En deuxième lieu, les objectifs sont valides dans la mesure où ils mobilisent toutes les ressources des clients. Comme l'ont fait remarquer Locke et Latham (1984) : « Une analyse détaillée […] a démontré que, dans la mesure du raisonnable, […] plus l'objectif était stimulant, meilleure était la performance en résultat […]. Les gens s'efforcent d'autant plus que les objectifs sont ambitieux. Ils y mettent plus d'ardeur […]. En bref, la motivation est proportionnelle à l'importance du défi qu'implique l'atteinte d'un objectif donné […]. Même les objectifs inaccessibles dans leur totalité conduiront à des efforts plus élevés, à la condition de pouvoir en retirer un succès partiel et une compensation » (p. 21-26). Considérez le cas suivant :

> À la suite d'un accident de voiture, une jeune femme est devenue quadriplégique. Au début, elle nourrissait beaucoup de haine à son propre égard. Elle affirmait que l'accident était de sa faute et qu'elle avait été tout simplement stupide. Elle était en proie au désespoir. Cependant, avec le temps, et l'aide d'un conseiller, elle commença à ne plus se percevoir comme victime de sa propre stupidité, mais comme quelqu'un pouvant redonner espoir à des jeunes gens affectés par des événements marquants. Dans ses moments libres, elle rendait visite à de jeunes patients dans les hôpitaux et les centres de rééducation, incitait certains d'entre eux à participer à des groupes d'entraide et permettait aux gens dans sa situation de mieux gérer leur sort. Un jour, elle déclara à son conseiller : « La meilleure chose que j'ai faite fut d'arrêter d'être une victime et de devenir une compagne de route pour les gens comme moi. Ces deux dernières années, bien que difficiles par moments, furent les plus belles de ma vie. » Elle visait un objectif plutôt ambitieux : devenir une aidante optimiste au lieu de rester une victime égocentrique. Ce but s'est avéré plutôt réaliste.

Bien entendu, lorsqu'il est question d'objectifs, les défis ne doivent pas être impossibles à relever. Sur un graphique de courbe normale, il semble exister une relation entre la difficulté de l'objectif et sa réalisation. Si l'objectif est trop aisé, les gens le trouvent sans intérêt et n'en tiennent pas compte. S'il est trop difficile, les gens le rejettent. Toutefois, ce rapport difficulté/réalisation diffère pour chacun. Ce qui semble futile à certains peut paraître insurmontable à d'autres (voir la section ultérieure intitulée « Objectifs d'ajustement »).

## AIDER LES CLIENTS À FORMULER DES OBJECTIFS PRUDENTS

Le modèle d'aide décrit dans ce livre favorise l'action de la part des clients, mais cette action doit être à la fois dirigée et avisée. La discussion et la formulation des objectifs devraient contribuer à orienter le client et à lui inspirer une certaine sagesse. Le cas suivant commence mal, mais il se termine bien :

> Manuel, un étudiant de deuxième année à l'université, vient d'être admis dans un hôpital psychiatrique en raison de son comportement bizarre à l'université. Il était l'un des D.J. de la station de radio universitaire. Les responsables ont remarqué un jour son comportement visant à attirer l'attention, incluant d'assez longues parodies sur des thèmes religieux. À l'hôpital, on a découvert rapidement que ce jeune homme, plutôt agréable et sympathique, était en fait un grand solitaire. Tous les

gens qui le connaissaient croyaient qu'il avait beaucoup d'amis, mais ce n'était pas le cas. Sur un grand campus, son isolement était passé inaperçu.

Manuel a obtenu rapidement son congé de l'hôpital, mais il y est revenu toutes les semaines pour y suivre une thérapie. À un moment donné, il a abordé ses relations avec les femmes. Après avoir pris conscience de la superficialité de ses contacts avec elles et du fait qu'il ne les rencontrait qu'en groupe – il pensait entretenir une vie sociale plutôt épanouie avec les femmes –, Manuel a entrepris très sérieusement de se rapprocher des personnes du sexe opposé. Cependant, ses efforts se sont révélés désastreux, parce qu'il avait des problèmes sexuels et de communication fondamentaux. Il doutait également sérieusement de sa propre valeur et dès lors trouvait difficile de se consacrer aux autres. Il est retourné de nouveau à l'hôpital.

Le conseiller a aidé Manuel à surmonter son sentiment d'échec en insistant sur les leçons à tirer de cet « échec ». Grâce à son aide, Manuel est revenu sur les étapes de clarification du problème et d'adoption de nouvelles perspectives de la démarche d'aide. Il a ensuite formulé des objectifs à court terme plus réalistes au sujet de sa « réinsertion » au sein de son entourage. L'orientation n'avait pas changé – avoir une vie sociale normale –, mais les objectifs étaient maintenant plus raisonnables, plus à sa portée. Manuel s'est inscrit à une activité de théâtre à l'université et à un centre de loisir de son quartier. Ces deux activités lui ont permis de rencontrer plusieurs personnes.

Pour Manuel, le fait de passer de la clarification des problèmes à l'action, sans prendre le temps de discuter des perspectives à envisager ni de formuler des objectifs raisonnables faisait partie du problème plus que de la solution. Ses échecs lors de relations prolongées l'ont aidé à clarifier son problème avec les femmes. La prudence se retrouve sous deux formes : ne pas prendre de risques ou les choisir judicieusement. En gérant les problèmes et en explorant les perspectives, il faut faire preuve d'audace. C'est davantage une question de choix judicieux que de sécurité.

### AIDER LES CLIENTS À FORMULER DES OBJECTIFS RÉALISTES

En formulant des objectifs de mobilisation, nous parvenons souvent à stimuler les gens. Ces derniers relèvent le défi. En revanche, les objectifs trop ambitieux font généralement plus de mal que de bien. Locke et Latham (1984) l'ont ainsi résumé :

> *Rien n'engendre autant le succès que le succès lui-même. À l'inverse, rien ne désespère autant que les échecs répétés. L'un des buts principaux de la formulation d'objectifs est d'accroître le niveau de motivation de l'individu. Cependant, nous risquons d'avoir l'effet inverse si nous donnons à l'individu le sentiment constant de ne pas être à la hauteur en plaçant la barre trop haute.* (p. 39)

Un objectif est réaliste dans la mesure où le client dispose des ressources nécessaires pour l'atteindre et que l'objectif demeure à sa portée, *sans dépendre de circonstances extérieures*.

**Ressources : encourager les clients à opter pour des objectifs correspondant aux ressources disponibles.** Il est vain d'aider les clients à formuler des objectifs précis, importants et mesurables en l'absence des ressources nécessaires à leur atteinte. Prenez le cas de Réal qui, à cause d'une fusion et d'une restructuration profonde, s'est vu rétrogradé. Il souhaite alors quitter la firme et devenir consultant.

RESSOURCES INSUFFISANTES : Réal n'a pas l'assurance, le sens du marketing, l'expertise ni l'entregent requis pour devenir un bon consultant. Même si c'était le cas, il n'a pas les ressources financières suffisantes pour tenir durant le démarrage de son entreprise.

RESSOURCES SUFFISANTES : Remis en question par le conseiller en placement, Réal modifie ses intérêts. Le design graphique lui convient. Il n'est pas assez doué pour aspirer à un poste de technicien au sein du service de design de la société, mais il pose sa candidature pour un poste de superviseur dans ce même service. Il est doué pour les contacts, excelle dans la planification et la programmation, et en connaît assez en design graphique pour aborder les questions essentielles de façon poussée avec le personnel du service.

Réal combine ses aptitudes de gestionnaire avec son intérêt en design graphique pour s'engager dans une voie plus réaliste. Cet objectif est difficile, mais susceptible d'avoir un impact considérable sur sa vie professionnelle : l'occasion de démontrer ses talents en design graphique lui ouvrira d'autres portes.

**Réalisme : inciter les clients à opter pour des objectifs à leur portée.** Les clients vont parfois à l'encontre du but recherché en formulant des objectifs qui se trouvent hors de leur portée. Il est courant pour les gens de croire que leurs problèmes se résoudraient si seulement les autres agissaient différemment. Dans la plupart des cas, cependant, nous n'avons aucun moyen d'influencer les actions des gens. Prenez l'exemple suivant :

> Philippe, 16 ans, se sentait victime de la mésentente de ses parents. Chacun d'eux se servait de Pierre dans leur affrontement et celui-ci avait parfois l'impression d'être une balle de ping-pong. Un conseiller l'a aidé à voir que ses chances de modifier le comportement de ses parents étaient probablement très minces, mais qu'il était sans doute en mesure de maîtriser ses propres réactions lorsqu'il se sentait manipulé. Dès que ses parents commençaient à se disputer, il n'avait qu'à quitter la pièce plutôt que d'essayer d'intervenir. Si l'un d'eux tentait de le gagner à sa cause, il n'avait qu'à répondre qu'il ne pouvait pas prendre parti. Philippe s'est aussi efforcé de se créer une vie sociale épanouie à l'extérieur du foyer. Cela l'a aidé à tolérer les tensions qui l'assaillaient à la maison.

Philippe avait besoin de gérer ses interactions avec ses parents pour éviter de devenir un pion dans leurs propres querelles.

Les objectifs dépassent les clients si ces derniers sont empêchés par des forces extérieures sur lesquelles ils n'ont aucune influence et qui les empêchent de réaliser leurs objectifs.

Vivre dans un pays libre sera un objectif irréaliste pour une personne habitant un état totalitaire et qui ne possède aucun pouvoir de modifier la politique interne, les lois d'émigration de son pays ni celles de l'immigration des autres nations. Vivre aussi libre que possible dans un état totalitaire constitue sans doute un but pouvant se traduire par des objectifs réalistes.

## AIDER LES CLIENTS À FORMULER DES OBJECTIFS DURABLES

Les clients doivent s'en remettre à des objectifs qui se maintiendront. Un couple séparé déclare vouloir renouer. Ils revivent ensemble pour finalement divorcer six mois plus tard. Leur objectif de renouer était réalisable mais non viable. Peut-être auraient-ils dû se demander non seulement ce qu'il fallait faire pour se réconcilier, mais aussi pour rester ensemble. « À quoi doit ressembler notre couple pour se reconstruire et survivre ? » En présence d'un changement facultatif, il importe de se pencher dès le début sur la question de la persistance.

De nombreux programmes, à l'instar de celui des Alcooliques anonymes, fonctionnent grâce à leur approche au jour le jour. L'objectif de rester à jeun doit être maintenu uniquement pour une journée. Demain, on verra bien. Dans l'exemple suivant, l'entente de Marcel et d'Antoine était suffisamment solide pour produire des résultats à court terme. Elle leur a également permis de consolider leur relation et de faire marcher les affaires. L'objectif ne visait pas une entente durable, puisqu'en réalité les aspirations d'Antoine dépassaient l'entreprise familiale.

## AIDER LES CLIENTS À ADOPTER DES OBJECTIFS FLEXIBLES

Dans bien des cas, nous devons adapter les objectifs aux réalités changeantes. Dès lors, il faut parfois parvenir à un certain compromis entre précision et souplesse. Napoléon l'a fait remarquer en déclarant : « N'ira pas loin celui qui sait dès le départ où il s'en va. » La formulation d'objectifs trop rigides ou trop précis empêche les clients de tirer parti des occasions imprévues.

> Même s'il aimait son emploi et la compagnie pour laquelle il travaillait, Jonathan avait le sentiment d'être un marginal. Il pensait que son patron lui refilait la plupart du sale boulot et que des préjugés concernant son âge (il avait 19 ans) existaient dans son service. Il voulait quitter cet emploi pour en trouver un autre, avec un salaire tout aussi généreux. Un conseiller l'a incité à remettre en question son choix. Malgré la prospérité économique, l'industrie dans laquelle travaillait Jonathan était en récession. De plus, il y avait peu d'offres d'emploi pour quelqu'un ayant ses qualifications. Le conseiller l'aida alors à opter pour un objectif intérimaire, plus souple et en lien avec sa situation actuelle. Cet objectif consistait à ce qu'il se prépare pour un meilleur emploi dans un autre domaine. Dans six mois à un an, il serait fin prêt pour une carrière dans la nouvelle économie. Afin d'acquérir de nouvelles aptitudes, Jonathan commença par se porter volontaire pour des affectations spéciales, il suivit des cours intensifs en informatique et s'initia à Internet. Il retirait beaucoup de ces nouveaux apprentissages et ignorait beaucoup plus facilement les commentaires des plus vieux.

Le counseling est un processus en mouvement constant. Tout comme un organisme s'adapte à un environnement en mouvement, les clients doivent adapter leurs choix aux circonstances changeantes.

### Aider les clients à choisir des objectifs selon leurs valeurs

La relation d'aide implique une influence sociale mais l'éthique implique de respecter, dans la limite du raisonnable, les valeurs du client. Ces valeurs servent de critères pour la prise de décision. Les aidants remettent en question les individus pour les amener à reconsidérer ces valeurs, mais ils doivent prendre garde de ne pas les encourager à agir en désaccord avec celles-ci.

À la suite d'un accident de voiture, le fils de Vincent et d'Anne est dans le coma, à l'hôpital. Il est maintenu en vie artificiellement. Ses parents font face à beaucoup d'incertitudes, de souffrances et d'anxiété. On leur a dit qu'il était peu probable que leur fils sorte du coma. L'une des options consiste à arrêter le maintien des fonctions vitales. La conseillère ne doit pas les pousser à choisir cette option si elle va à l'encontre de leurs valeurs. Toutefois, elle peut les aider à explorer et à clarifier les valeurs impliquées. Dans ce cas, la conseillère leur suggère d'en discuter avec leur famille. Vincent et Anne vivent un dilemme, car les proches prétendent que l'arrêt des fonctions vitales est un acte qui vise à abréger les souffrances. Vincent et Anne y voient plutôt un acte irresponsable face à la vie. Ils ne savent pas non plus s'ils acceptent ou non le don d'organes. Comme nous pouvons le constater, des discussions sont nécessaires pour clarifier les valeurs et les enjeux liés à la situation.

L'obligation de suivre des objectifs ou des valeurs contradictoires est parfois une source de difficultés. Christian, l'ex-militaire, veut maintenant poursuivre ses études, mais il souhaite également gagner décemment sa vie le plus vite possible. En allant à l'université à temps plein, il s'endettera, mais sans diplôme universitaire il réduira ses chances d'obtenir l'emploi qu'il désire. Le conseiller l'encourage à préciser ses valeurs pour arriver à un compromis. Christian décide de travailler et d'étudier à temps partiel. Il opte pour un emploi de bureau au lieu d'aller dans la construction même s'il y est mieux rémunéré, car il serait trop fatigué pour poursuivre ses études.

### Aider les clients à envisager des échéanciers réalistes pour l'atteinte des objectifs

Les objectifs à atteindre un jour ou l'autre resteront probablement de vaines promesses. Par conséquent, il est bon d'aider les clients à réaliser leurs objectifs selon un échéancier. Greenberg (1986) traite de résultats immédiats, intermédiaires et finaux. Voici ce que cela donne dans le cas de la situation problématique de Jeanne, qui souffre dans maintes situations parce qu'elle se laisse manipuler par les autres. Elle doit s'affirmer davantage et faire valoir ses droits.

✦ Les *résultats immédiats* constituent des changements d'attitudes et de comportements au cours des séances elles-mêmes. Jeanne prend confiance en elle-même dans le cadre accueillant de la relation d'aide. Ses dialogues avec son conseiller lui apprennent à s'affirmer de manière concrète.

◆ Les *résultats intermédiaires* concernent les changements d'attitudes et de comportements conduisant à d'autres changements. Jeanne met du temps à s'affirmer dans sa vie professionnelle et sociale comme elle l'a appris dans ses séances d'aide. Elle sélectionne des situations sans grand danger pour mettre en pratique son assertivité. À titre d'exemple, elle tient tête à sa mère plus souvent.

◆ Les *résultats finaux* renvoient à la réalisation de l'ensemble du programme de changement constructif pour gérer les problèmes et développer de nouvelles perspectives. Il a fallu plus de deux ans à Jeanne pour qu'elle arrive à s'affirmer systématiquement, au jour le jour.

L'exemple qui suit concerne un jeune homme qui a été surpris en train de voler à l'étalage. Il est également question, dans ce cas, de résultats immédiats, intermédiaires et finaux.

Julien a 18 ans et il est en probation pour vol à l'étalage. Il consulte une conseillère des centres jeunesse dans le cadre d'un programme imposé par le tribunal. Dans son cas, le besoin immédiat consiste à surmonter ses réticences envers la conseillère nommée d'office et à établir une collaboration avec elle. Grâce aux aptitudes de la conseillère et à son attitude empathique mais ferme, il finit par la considérer comme une alliée et leur relation sert de tremplin pour la formulation d'autres objectifs. Un résultat intermédiaire concerne son changement d'attitude. Endoctriné par la télévision, Julien croit que la vie se consomme comme dans un resto rapide. La vie doit lui assurer une certaine prospérité sans qu'il ait à fournir d'effort. La conseillère l'aide à envisager son attitude revendicative et irréaliste en lui démontrant l'importance des efforts dans la plupart des réussites. Deux résultats finaux importants en découlent. Tout d'abord, il termine sa période de probation sans faire de tentative de vol à l'étalage. Deuxièmement, il décroche un emploi (dans un resto rapide !) et le conserve pour rembourser sa dette au détaillant.

Taussig (1987) démontre l'utilité de formuler et d'atteindre les mini-objectifs au début de la démarche d'aide. Considérez le cas de Pascal :

Pascal, un étudiant de 15 ans, songe à abandonner l'école à la suite de nombreux échecs scolaires répétitifs. Il n'entrevoit aucun avenir. Pascal est issu d'un milieu défavorisé et vit avec sa mère. Il n'a jamais connu son père. Lors d'une rencontre avec la mère, le conseiller en orientation de l'école apprend que Pascal était un élève doué au primaire. Cependant, les dernières années semblent avoir été très difficiles. La communication entre Pascal et sa mère est quasi inexistante. Il est agressif avec elle et passe le plus clair de son temps à jouer devant son ordinateur. Il a peu ou pas d'amis. Au lieu de rechercher les raisons fondamentales du malaise de Pascal, le conseiller tente de l'aider à formuler quelques objectifs qui le motiveraient et pourraient être atteints rapidement. L'un de ces objectifs concernait le contact social. Le conseiller l'a encouragé à participer à un club d'aide aux devoirs à l'école primaire du quartier. Ainsi, il ne se trouvait plus seul devant un ordinateur et renouait avec un milieu dans lequel il avait été jadis heureux. Un second objectif consistait à trouver un modèle auquel s'identifier. Pascal s'est lié d'amitié avec le responsable du club des devoirs, un homme d'une cinquantaine d'années qui venait tout juste de prendre une préretraite. L'attention particulière de ce modèle lui a été bénéfique. C'était le premier contact qu'il entretenait avec un homme en position d'autorité. Un troisième objectif visait à lui donner espoir en l'avenir. Pascal a passé plusieurs tests pour évaluer ses aptitudes et ses intérêts de carrière. Un programme de mise à niveau lui a été proposé afin de sauver son année scolaire. De la même façon qu'il a aidé des enfants du primaire, il a accepté l'aide d'un adulte pour le soutenir dans ses travaux scolaires après les heures de classes. En atteignant ces différents objectifs, il est devenu plus enthousiaste, il a apprécié la camaraderie au sein du groupe de bénévoles d'aide aux devoirs et a commencé à s'appliquer dans ses études.

Nous ne prétendons pas résoudre les problèmes sociaux complexes en formulant des objectifs. Cependant, l'atteinte de cette série de mini-objectifs permet de parcourir un bon bout de chemin vers la solution de ces problèmes.

Il n'existe pas d'échéancier universel. Nous devons atteindre certains objectifs immédiatement ; d'autres, bientôt ; d'autres encore constituent des objectifs à court terme tandis que les derniers concernent le long terme. Prenez le cas d'un professeur injustement accusé de pédophilie.

✦ *Un objectif « maintenant » :* soulagement immédiat des accès d'anxiété débilitants et maintien de son équilibre tout au long de l'enquête et des procédures judiciaires.
✦ *Un objectif « bientôt » :* obtenir une assistance judiciaire adéquate.
✦ *Un objectif à court terme :* gagner son procès.
✦ *Un objectif à long terme :* rétablir sa crédibilité au sein de la société et apprendre à vivre avec ceux qui continueront à le soupçonner.

Il n'existe pas de formule toute faite pour aider les clients à sélectionner les objectifs au bon moment et dans le bon ordre. La relation d'aide se fonde sur des principes de gestion de problèmes, mais elle demeure un art.

Il n'est dès lors pas toujours nécessaire de s'assurer que chaque objectif du programme de changement constructif d'un client répond à toutes les caractéristiques de ce chapitre. Pour certains clients, la formulation d'objectifs vagues suffit à déclencher le processus de gestion de problèmes et de développement de nouvelles perspectives. Ils conçoivent eux-mêmes leurs objectifs. D'autres requièrent de l'aide pour la formulation d'objectifs plus précis. Le principe est clair : encourager les clients à formuler des objectifs axés vers l'intervention, et même parfois sur l'urgence. Dans un cas, nous travaillerons sur la clarification des objectifs ; dans un autre, sur leur contenu et dans un autre encore, sur leur réalisme, les valeurs ou l'échéancier. L'encadré 16.1 présente quelques questions pour aider les clients à choisir et à formuler des objectifs.

Dans certains cas, les besoins et les aspirations du client coïncident. L'individu solitaire désire agrandir son cercle de relations et a besoin d'adhérer à un groupe pour s'épanouir. Parfois, dans d'autres cas, les clients ne désirent pas ce dont ils ont besoin. L'alcoolique bénéficierait d'une abstinence totale, mais il souhaite continuer à boire modérément.

---

**ENCADRÉ 16.1**
**QUESTIONS CONCERNANT LA FORMULATION DES OBJECTIFS**

- L'objectif est-il formulé en termes de résultats ?
- Est-il assez précis pour provoquer un nouveau comportement ? Quand saurai-je si je l'ai atteint ?
- Si j'atteins cet objectif, cela changera-t-il le cours des choses ? Cela contribuera-t-il vraiment à résoudre mes problèmes et à m'ouvrir à de nouvelles perspectives ?
- Cet objectif est-il audacieux tout en restant prudent ?
- Est-il réalisable ?
- Puis-je le maintenir à long terme ?
- Est-il suffisamment souple ?
- Est-il en accord avec mes valeurs ?
- Ai-je établi un échéancier réaliste pour l'atteindre ?

---

Le remue-méninges pour faire émerger les perspectives d'avenir devrait être axé sur les besoins et les aspirations qui sont significatifs pour le client. Prenez l'exemple d'Ivan :

Ivan, un entrepreneur de 41 ans, a eu un malaise cardiaque alors qu'il travaillait. Il n'avait pas fait de bilan de santé depuis des années. Il a été consterné d'apprendre qu'il souffrait de sclérose en plaques et d'une légère insuffisance cardiaque. Son avenir était menacé. Le père de l'un des amis de sa femme était lui aussi atteint de sclérose en plaques et il avait survécu et travaillé jusqu'à 70 ans et plus. Cependant, personne ne pouvait prédire l'évolution de sa maladie. Ivan avait fait sa fortune en mettant sur pied puis en revendant de petites entreprises. Il aimait cela et voulait continuer à travailler. Toutefois, il lui fallait un horaire moins exigeant physiquement. Il était exclu de travailler de 60 à 70 heures par semaine. Qui plus est, il avait toujours réinvesti l'argent de la vente d'une entreprise dans le lancement d'une autre. Maintenant, il devait penser à la sécurité financière de sa femme et de ses trois enfants. Jusqu'à maintenant, sa philosophie consistait à penser qu'il ne fallait pas se soucier de l'avenir. Cela lui fendait l'âme de devoir passer d'un mode de vie qui lui plaisait à un autre qui s'imposait.

Ivan était un client consentant qui devait faire contre mauvaise fortune bon cœur. Il faut souvent remettre en question les clients non consentants pour qu'ils prennent conscience de leurs besoins au-delà de leurs aspirations. Une femme, itinérante de son plein gré, s'est fait sauvagement attaquer dans la rue. Malgré cette agression, elle ne voulait pas renoncer à sa liberté d'action. Lorsqu'un conseiller commis d'office a questionné le genre de liberté qu'elle prônait, elle a admis que le fait d'être dégagée de toute responsabilité lui importait avant tout. « Je veux faire ce qui me plaît quand cela me convient. » Elle était libre de choisir son mode de vie. Le conseiller l'a aidée à examiner les conséquences de ses choix et a tenté de lui faire envisager les différentes options. Comment pouvait-elle être libre comme elle l'entendait tout en étant en sécurité ? Pouvait-elle trouver un compromis entre ce désir et ses besoins ? En définitive, c'était à elle de décider.

Dans le cas suivant, le client, en proie à la dépression, finit par pouvoir concilier ses aspirations et ses besoins :

Eugène, fils d'un diplomate rwandais, est venu étudié au Canada. Il a connu les atrocités de la guerre civile dans son pays d'origine mais n'en avait jamais vraiment parlé à quiconque. Il était inscrit à la maîtrise en santé publique et espérait rendre de bons services à ses concitoyens lorsqu'il retournerait au Rwanda. Une fois l'euphorie de la nouveauté estompée, il s'était senti épuisé et « vide ». Il n'entretenait pratiquement aucun contact avec les autres étudiants, peu importait l'origine ethnique. Il avait jusque-là renoncé à demander de l'aide, parce que chez lui « il avait toujours su mener sa barque ».

En abordant ses difficultés avec un aidant, il s'est graduellement rendu compte qu'il craignait le jugement des autres. Le conflit qui avait opposé les Tutsis et les Hutus dans son pays d'origine dissimulait des séquelles jusque-là passées sous silence. Il avait tenté de vivre comme dans son propre pays, mais la culture nord-américaine était trop présente. La crainte de se rapprocher de la communauté rwandaise de Montréal ne facilitait pas son intégration. Il était issu de la classe riche et dominante de son pays, souvent pointé du doigt pour le génocide passé. Il craignait par conséquent d'être jugé et même pris à parti. Son conseiller l'a aidé à entrevoir l'avenir selon de nouvelles perspectives. Il lui a fait poser un nouveau regard sur ses origines. Oui, la richesse et le pouvoir peuvent corrompre, mais ils peuvent aussi servir une noble cause. À partir de ce moment, Eugène a commencé à se renseigner sur la façon dont les immigrants tutsis et hutus cohabitaient au Canada. Il a passé du temps au sein de la communauté rwandaise de Montréal. Ses craintes se sont peu à peu estompées, son besoin de sécurité a été respecté et ses aspirations de vivre selon les valeurs de la société africaine ont été rencontrées. Il s'est fait des amis qui lui ont servi de modèles. En quelque sorte, il a débuté au Canada le travail qu'il entendait faire au Rwanda.

Dans ce cas, les objectifs répondent à une aspiration (vivre selon ses valeurs) et à un besoin (vivre en sécurité et se sentir respecté). Si Eugène avait négligé l'un au profit de l'autre, il n'aurait pas fait tout ce chemin.

Il n'y a pas toujours lieu de *concevoir* ni de *formuler* des objectifs de manière explicite. Les objectifs peuvent aussi parfois émerger naturellement du dialogue entre le client et l'aidant. Souvent, lorsque les clients parlent de leurs problèmes ou de nouvelles perspectives qu'il leur serait bénéfique d'adopter, d'éventuels objectifs et stratégies surgissent. Les clients, une fois que nous les avons aidés à clarifier une situation problématique par l'intermédiaire des questions exploratoires, des reflets empathiques et de la confrontation, commencent à envisager plus clairement ce qu'ils désirent et ce qu'ils doivent faire pour gérer leur problème. En effet, certains individus doivent commencer par agir dans une quelconque direction avant de mettre le doigt sur ce qu'ils veulent. Dès que les objectifs émergent, les conseillers incitent les clients à les clarifier et à trouver le moyen de les atteindre. Nous n'insinuons aucunement que les clients doivent attendre gentiment que « quelque chose survienne », ni qu'il faille essayer plusieurs solutions dans l'espoir de tomber sur la bonne, car ce genre d'« émergence » tend à être autodestructeur.

Les objectifs apparaissent souvent et nous ne devons pas sous-estimer leur formulation. Taussig (1987) a démontré que les clients réagissent positivement à la formulation d'objectifs, même lorsque ces derniers sont formulés au tout début de la démarche de counseling. En d'autres mots, il est parfois bénéfique de se mettre rapidement en action. Néanmoins, le rythme avec lequel un client se met en action diffère pour chacun.

Collins et Porras (1994) ont forgé l'expression « objectifs ambitieux, exigeants et audacieux » ou « objectifs supermobilisateurs ». Cependant, le terme correspond davantage au jargon publicitaire qu'aux réalités concrètes de la relation d'aide. Il est vrai que certains clients recherchent des objectifs ambitieux. Ils croient, peut-être à raison, que sans objectifs exigeants leur vie ne changera pas radicalement. Toutefois, même pour ces clients, une progression pas à pas s'impose. Il est généralement préférable de diviser un objectif démesuré en plusieurs étapes pour éviter le découragement. Le sens de l'expression « dans la mesure du raisonnable » diffère d'un client à l'autre.

**Options acceptables.** Bien que les objectifs difficiles ou « mobilisateurs » soient souvent les plus motivants, cela ne constitue pas une règle d'or. Certaines personnes décident d'entreprendre des changements drastiques dans leur vie, tandis que d'autres adoptent une approche plus modeste. Wheeler et Janis (1980) mettent en garde contre la recherche de l'objectif « absolu » en tout temps : « Parfois, il est plus raisonnable d'opter pour une option satisfaisante que de persister dans la quête de la résolution complète et parfaite. Le temps, l'énergie et les frais impliqués dans la recherche du meilleur choix possible sont susceptibles de l'emporter sur les avantages de ce choix lui-même » (p. 98). Prenez le cas suivant :

Jacinthe, acheteuse pour un grand magasin de détail, approche de l'âge mûr. Elle a consacré la plupart de ses temps libres à sa mère âgée. Elle a même renoncé à certaines promotions qui requéraient un horaire plus chargé et davantage de déplacements. Sa mère, choyée par son défunt mari et ses trois enfants, en a fait à sa tête toute sa vie. Elle joue maintenant le rôle de la vieille femme tyrannique, toujours négligée et insatisfaite. Même si Jacinthe sait qu'elle pourrait très bien vivre de façon beaucoup plus indépendante sans abandonner sa mère, elle hésite beaucoup à s'engager dans cette voie. Sa culpabilité lui interdit tout changement dans sa relation avec sa mère. Elle a même affirmé qu'être esclave des caprices de sa mère n'était pas aussi pénible que la culpabilité qu'elle avait ressentie les fois où elle lui avait tenu tête ou l'avait délaissée.

Le conseiller l'aide à se familiariser avec quelques attitudes à adopter vis-à-vis de sa mère. À titre d'exemple, elle part en voyage pendant deux semaines avec des amis malgré l'opposition de sa mère, qui trouve le moment mal choisi. Ces tentatives n'ont réussi que dans le sens où aucun mal n'en est résulté pour sa mère et que Jacinthe n'a éprouvé aucune culpabilité excessive, mais le counseling ne l'a pas aidée à restructurer sa relation avec sa mère. Ces expériences, cependant, lui ont apporté un sentiment de liberté. Elle se sent davantage libre de ne pas répondre à telle ou telle attente de sa mère. Il semble que ces exercices lui aient apporté assez de latitude pour rendre sa vie plus tolérable.

Dans ce cas, le counseling a aidé la cliente à se faire une vie « un peu plus agréable », alors que le conseiller aurait espéré mieux. À la question « Que souhaitez-vous ? », Jacinthe répondit : « Je veux un peu plus d'air et de liberté, mais je ne veux pas abandonner ma mère ». Sa « nouvelle » existence ne diffère pas radicalement de l'ancienne, mais cela lui suffit peut-être. C'est un changement modéré de perspective mais changement tout de même. Voici un cas pour lequel on choisit la solution la plus satisfaisante à défaut d'opter pour la meilleure.

Leahey et Wallace (1988) proposent l'exemple suivant d'un client qui fonctionne en mode d'ajustement :

> « Dans les cinq dernières années, je me considérais comme quelqu'un manquant de confiance en soi et j'ai lu des livres, suivi des thérapies et remis les choses à plus tard, jusqu'à avoir suffisamment d'estime de moi-même. Je dois simplement vivre ma vie, avec une bonne ou une mauvaise estime de moi. Aucun traitement ne s'impose vraiment. Je me contente d'être quelqu'un qui a suffisamment confiance en soi pour pouvoir gérer les situations. » (p. 216)

Le client suivant, abordant sa situation problématique sous un angle plus positif, adopte une attitude d'ajustement :

> « Je me considère comme complètement guéri [...]. Les différents états que j'éprouvais et que je considérais comme des symptômes sont encore présents [...]. Ces inquiétudes et cette anxiété me préparent chaque jour au travail que j'ai à faire. Elles m'empêchent d'être négligent devant mon état. Elles sont l'expression de mon désir d'avancer et de progresser. » (Weisz, Rothbaum et Blackburn, 1984, p. 964)

Dans certains cas, les clients seront satisfaits par des solutions superficielles, qui font disparaître les symptômes. Un couple pourra très bien se contenter de limiter les petites contrariétés de leur relation et de les régler. Bien que la structure de leur relation soit problématique en raison d'inégalités ou d'injustices fondamentales inhérentes à leur union, ce couple ne souhaite pas s'attarder sur la restructuration de sa relation pour remédier à ses tracas.

Certains aidants seront déçus en lisant ces exemples. D'autres les percevront comme des exemples valables de clients qui s'ajustent à la réalité plutôt que de la changer. Toutefois, les clients en question ont intenté des actions pour atteindre leurs objectifs, même minimes. Ils ont, *dans une certaine mesure,* modifié leur façon de penser ou de se comporter, en ayant le sentiment d'avoir amélioré leur vie.

**Ajustement.** Opter pour un objectif d'ajustement est souvent associé à la notion de *coping* (Coyne et Racioppo, 2000 ; Folkman et Moskowitz, 2000 ; Lazarus, 2000 ; Snyder, 1999). Tous les êtres humains choisissent parfois de s'ajuster à une difficulté plutôt que de la surmonter et d'opter pour des changements majeurs. Selon Leclerc, Lesage et Ricard (1997), le *coping* est un processus volontaire d'adaptation au stress. Il s'inscrit dans le quotidien et implique deux activités : résolution de problème et régulation émotionnelle. La résolution de problème peut être majeure et impliquer une transformation radicale des conditions d'existence du client. Toutefois, cette résolution peut être minime ou modeste et s'apparenter à un simple ajustement sans changement majeur. En général, le *coping* est associé à la gestion du stress au quotidien et, par conséquent, à un processus d'ajustement mineur[1]. Le point important à considérer ici est la nature ou l'importance même du changement anticipé. Il est faux de prétendre que seuls les changements majeurs entraînent un résultat valable. Dans les situations difficiles, la meilleure réponse de l'aidant est souvent d'inciter les clients à s'ajuster le plus simplement du monde, car de nombreux avantages en découlent. Une jeune mère avec trois enfants venait de perdre son mari. À quelqu'un qui lui demandait comment elle s'en sortait, la réponse était : « Je fais avec. » Elle faisait son deuil, prenait soin de ses enfants et les aidait à surmonter ce sentiment de perte. Elle s'acquittait de toutes les tâches qu'impliquait ce décès. À cette phase, qui pourrait faire mieux ?

Folkman et Moskowitz (2000), partant d'un point de vue emprunté à la psychologie positive, perçoivent l'affect positif comme jouant un rôle important dans l'ajustement. Ils s'intéressent donc à la façon dont cet affect surgit en réaction au stress chronique et se maintient. Ils suggèrent trois avenues :

✦ *Effectuer une réévaluation positive :* Aider les clients à envisager la situation sous un angle positif. À titre d'exemple, Denis, en se remettant de blessures multiples à la suite d'une chute à motocyclette, entrevoit l'ensemble du processus de rééducation comme « un truc qui me dépasse ». Prise comme un tout, la rééducation semble impossible. La conseillère en rééducation l'aide tout d'abord à s'imaginer dans les tâches quotidiennes, c'est-à-dire qu'elle l'aide à envisager le résultat final en dehors

---

1  Le *coping* est une notion complexe qui ne doit pas être associée à des qualificatifs qui évoquent la simplicité ou l'immaturité. Nous réagissons tous au stress en élaborant consciemment des stratégies qui varient en complexité. En ce sens, nous faisons tous du *coping*.

des activités ardues pour y parvenir. Denis ne doit pas s'ajuster au « truc qui le dépasse ». Il lui suffit de s'ajuster au jour le jour. Il reconstruit son corps. Chaque jour, il avance un peu, pas à pas sur le chemin de la guérison. Chaque semaine, on lui démontre qu'il en fait plus que la semaine précédente. Denis connaît des moments difficiles, bien sûr, mais il vit également des moments où l'affect positif (émotions et sentiments tels la joie et l'espoir) lui permet de persévérer.

✦ *Ajustement* (**coping**) *centré sur le problème :* Aidez les clients à faire face aux problèmes lorsqu'ils se présentent. Voici l'exemple d'Agnès, qui s'occupe de son mari atteint de sclérose en plaques. L'évolution de la maladie est imprévisible et incontrôlable. Cependant, elle n'a pas à s'ajuster à la sclérose en plaques. Au lieu de cela, chaque jour, chaque semaine ou chaque phase apporte son lot de problèmes. Son conseiller l'aide à « poursuivre des objectifs réalistes et atteignables en se concentrant sur la tâche ou le problème suivant, à savoir les soins à prodiguer » (Folkman et Moskowitz, p. 650). Agnès est encouragée par l'idée de ne devoir faire face aux problèmes que lorsqu'ils se présentent. La sensation de maîtrise qu'elle éprouve s'accompagne d'un affect positif. Même dans les moments de forte tension, elle dispose du courage nécessaire pour passer à l'étape ou à la phase suivante avec aisance.

✦ *Attribuer une signification positive aux circonstances ordinaires :* Folkman et Moskowitz ont demandé aux participants, tous des soignants s'occupant de sidéens, de décrire une action qu'ils avaient entreprise ou un événement qui était survenu et leur avait remonté le moral ou donné le courage d'arriver au bout de la journée. Plus de 99 % des soignants interrogés ont mentionné de telles circonstances. L'essentiel, c'est que, même en période de grand stress, les gens perçoivent les événements positifs et s'en souviennent. Ces circonstances n'avaient rien d'extraordinaire. Il s'agissait de dîner avec un ami, d'admirer un bouquet de fleurs dans une chambre d'hôpital ou de recevoir un compliment. Ces événements, et l'affect positif qu'ils suscitaient, leur permettaient de se rendre à la fin de la journée.

Lazarus (2000) met en garde contre tout ceci. Il fait remarquer que ce qu'on appelle communément émotions positives, comme l'amour et l'espoir, sont souvent mêlées à des sentiments négatifs qui engendrent de la détresse. Il est pénible pour les soignants de voir souffrir ceux qu'ils aiment. De plus, les émotions négatives, comme la colère, ne sont pas exclusivement négatives. La colère peut s'avérer positive ou inclure souvent des sentiments positifs. En outre, la colère peut fournir à une personne l'énergie nécessaire à l'affirmation et à l'établissement de ses limites en certaines circonstances. En d'autres mots, Lazarus met en garde contre un usage inconsidéré des approches de psychologie positive. Il n'est pas nécessaire de toujours ressentir des émotions et des sentiments positifs.

**Autolimitation stratégique.** Robert Leahy (1999) relie le manque de motivation et la résistance abordés au chapitre 9 à la formulation des objectifs sous la rubrique « autolimitation stratégique ». Les comportements d'hésitation et de résistance s'opposent au changement. Tout changement implique une part de risque et d'incertitude qui peut s'avérer elle-même inquiétante. En refusant ce changement, nous réduisons le risque comme l'incertitude. C'est la façon qu'a le client de dire : « Trop, c'est trop. Je ne veux plus m'engager dans un programme de changement nécessitant davantage d'efforts, ou impliquant davantage de stress, d'échecs ou de renoncements ». Les individus recourent alors à des stratégies habituelles : agresser le thérapeute, ne pas faire ses devoirs, être d'humeur changeante, avoir une attitude défaitiste, et ainsi de suite. Les aidants peuvent faire remarquer aux clients que ces derniers s'adonnent à ce que Leahy appelle une « autolimitation » et qu'ils ne choisissent pas les objectifs à leur place. Il existe une différence majeure entre les meilleurs objectifs possibles et ceux qui sont envisageables pour ce client particulier, dans ces circonstances données.

L'essentiel, c'est d'aider les clients à faire face aux malheurs de l'existence sans les accabler. Lorsque vous les encouragez à s'ajuster plutôt qu'à triompher des difficultés, ce n'est un échec ni pour vous ni pour eux. Aucune règle universelle ne s'applique en matière de résultats.

## 16.6 THÉORIE DES OPTIONS RÉELLES

Comme c'est toujours plus ou moins le cas, la question est de savoir comment aider les clients à formuler des objectifs face à un avenir incertain. L'approche nommée « théorie des options réelles » permet d'y répondre. Empruntée au milieu des affaires[2] (Trigeorgis, 1999), elle peut aussi s'appliquer à la vie privée. Le secret réside dans la flexibilité. Si l'avenir est incertain, il est avantageux de disposer d'un large éventail d'options. Il n'y a aucun intérêt à investir beaucoup de temps et d'énergie à formuler un objectif que nous devrons reformuler parce que le monde du client a évolué. Le jeu n'en vaut pas la chandelle. Par conséquent, aidez vos clients à choisir un ou plusieurs objectifs de remplacement pour pallier de telles éventualités. Si un client aboutit à trois possibilités viables, il poursuivra l'une d'entre elles en gardant les deux autres en réserve. De cette façon, le client sait non seulement où il s'en va, mais il possède un plan de rechange. Si la situation évolue, il optera pour le meilleur objectif, celui qui correspond le mieux aux circonstances du moment. Prenez cet exemple :

> Vincent travaillait pour une société d'exploitation minière en Abitibi. La société menaçait de faire faillite. Vincent devait s'ajuster rapidement à cette nouvelle donnée, puisqu'il était marié et père de deux enfants en bas âges. Sa femme Nicole, bien que sans emploi, détenait un diplôme d'hygiéniste dentaire. Plusieurs options s'offraient au couple. Vincent a rencontré le conseiller de la société, qui lui a fait part d'une possible réaffectation au courant de l'année dans une mine du Manitoba. Nicole a étudié les possibilités d'un travail à temps plein à Montréal et une offre d'embauche à temps partiel à Québec. Un retour aux études représentait une autre option qui s'offrait à Vincent. La famille de Nicole habitait à Québec et était prête à faire sa part pour faciliter la garde des enfants le jour. Le chômage était aussi une option à court et à moyen terme. Le couple a établi différents scénarios, un plan A, un plan B et même un plan C.

---

2   Pour plus d'information sur le sujet, consultez le site Internet suivant : www.esg.uqam.ca/document/2003-04/08-04.pdf.

Les clients peuvent certes reconnaître et formuler des options face aux risques et aux incertitudes de l'existence, mais il est avantageux de s'y préparer à l'avance. Nous avons déjà vu, dans un chapitre antérieur, la façon dont la théorie des options réelles s'applique aux clients qui visent une carrière en médecine. Si l'objectif fondamental est de s'épanouir en travaillant dans le domaine de la santé, un premier objectif consistera à devenir médecin. Toutefois, les risques et les incertitudes qui jalonnent le parcours pour atteindre cet objectif conduisent à envisager plusieurs autres carrières dans le domaine et à opter pour des solutions de remplacement. C'est plus rentable.

Dès lors, faire un choix ne signifie pas prendre une décision définitive. Le client pense qu'il s'engagera dans cette voie jusqu'à ce qu'une meilleure option se profile. Qui plus est, ses autres options lui permettent de rejeter une solution qui ne marche plus ; ou encore de laisser en suspens une option qui ne fonctionne pas à un moment donné. L'approche des options réelles offre liberté et flexibilité, et évite aux clients de tomber dans le piège du *statu quo,* mentionné antérieurement quant à la prise de décision.

## 16.7 PARTI PRIS POUR L'ACTION EN TANT QUE MÉTAOBJECTIF

Les clients formulent des objectifs en lien direct avec leurs situations problématiques, mais il existe également des métaobjectifs ou des objectifs prioritaires susceptibles de rendre les clients plus efficaces dans la poursuite des objectifs ainsi formulés et dans l'amélioration de leur existence. Le premier chapitre a déjà mentionné l'objectif global consistant à aider les clients à devenir plus efficaces dans la gestion des problèmes et le développement de nouvelles perspectives de vie. Un autre métaobjectif consiste à permettre aux clients de jouer un rôle plus actif dans leur propre vie, en devenant « plus efficaces » : agir plutôt que réagir, prévenir plutôt que guérir, initier plutôt que suivre.

> Laurent était aimé de ses supérieurs pour deux raisons. Tout d'abord, il était compétent et livrait la marchandise. Deuxièmement, il faisait tout ce qu'on lui demandait. Ses supérieurs le mutaient d'un poste à l'autre quand bon leur semblait, sans qu'il se plaigne. Toutefois, en prenant de l'âge, il a commencé à envisager davantage l'avenir et a réalisé qu'il y avait beaucoup de vrai dans l'adage « Si vous n'êtes pas responsable de votre carrière, personne ne l'est ». À la suite d'une séance avec un conseiller professionnel, il a dressé un portrait du genre de carrière qu'il souhaitait et l'a présenté à ses supérieurs. Il leur a démontré qu'un tel plan servirait autant les intérêts de la société que les siens. Au début, ils ont été déconcertés par l'assurance de Laurent, mais ils ont fini par acquiescer. Plus tard, quand ils ont tenté de l'écarter, il a défendu ses droits. Son affirmation de soi était son parti pris pour l'action.

Les gens actifs auront plus tendance à poursuivre des objectifs mobilisateurs plutôt que d'utiliser l'ajustement pour gérer leurs problèmes. Ils passeront facilement outre à la gestion de problèmes pour s'attaquer au développement des perspectives d'avenir qui leur sont les plus favorables.

### Dans quelle mesure :

◎ Aidez-vous vos clients à choisir des objectifs spécifiques parmi plusieurs options ?

◎ Remettez-vous les clients en question pour les amener à passer des bonnes intentions aux buts vagues, des buts vagues aux objectifs précis et des objectifs précis à l'action ?

◎ Encouragez-vous les clients à formuler des objectifs selon les caractéristiques de l'encadré 16.1 ?

◎ Incitez-vous les clients à formuler des objectifs prenant en considération leurs besoins comme leurs aspirations ?

◎ Incitez-vous les clients à prendre conscience des objectifs qui émergent naturellement de la démarche d'aide ?

◎ Aidez-vous les clients à envisager différentes options face à un avenir risqué et incertain ?

◎ Aidez-vous les clients à opter pour la bonne combinaison d'objectifs d'ajustement et de mobilisation ?

◎ Encouragez-vous les clients à envisager les conséquences des objectifs qu'ils formulent ?

◎ Incitez-vous les clients à plaider en faveur de l'action envers l'un de leurs métaobjectifs ?

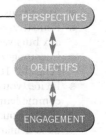

# CHAPITRE 17

## ÉTAPE II.C : « QUELS EFFORTS SUIS-JE PRÊT À DÉPLOYER POUR OBTENIR CE QUE JE VEUX ? » ENGAGEMENT

### 17.1 AIDER LES CLIENTS À S'ENGAGER À RÉALISER LEURS OBJECTIFS

Encourager les clients à se fixer des objectifs rentables

Inciter les clients à adopter des objectifs motivants

Inciter les clients à s'approprier les objectifs qu'ils se donnent

Aider les clients à résoudre les conflits de priorités

### 17.2 DE GRANDES ESPÉRANCES : AUTOEFFICACITÉ DU CLIENT

Nature de l'autoefficacité

Aider les clients à développer l'autoefficacité

- Habiletés
- Rétroaction critique
- Rétroaction positive
- Renforcement positif : la réussite
- Modèles
- Encouragements
- Apaiser les craintes et l'anxiété

### 17.3 PHASE II ET ACTION

### 17.4 DIFFICULTÉS INHÉRENTES À LA FORMULATION DES OBJECTIFS : MISES EN GARDE

### QUESTIONS D'ÉVALUATION CONCERNANT L'ÉTAPE II.C

Tel que mentionné antérieurement, l'étape II.C n'est pas vraiment une étape au plein sens du mot, mais elle fait plutôt partie du processus de formulation des objectifs. Les clients peuvent fort bien énoncer des objectifs sans pour autant être prêts à payer le prix de leur réalisation. Après avoir précisé ce qu'ils veulent et décidé de leurs objectifs, le combat est pour le moins engagé. C'est comme si un combat intérieur se livrait entre leur « ancien soi », ou leur ancien mode de vie, et leur « nouveau soi », ou nouveau mode de vie potentiel. Sur une note plus positive, l'histoire regorge d'exemples de gens qui, grâce à leur volonté tenace, réalisent des choses de prime abord impossibles.

Une femme qui avait deux fils dans la vingtaine souffrait d'un cancer terminal. Les médecins étaient convaincus de son décès imminent. Néanmoins, elle annonça un jour à son médecin qu'elle voulait vivre suffisamment longtemps pour assister au mariage de son fils prévu dans six mois. Le médecin opina vaguement sur la confiance en Dieu et les atouts dont elle disposait. Contre toute attente, cette femme survécut pour assister au mariage de son fils. Le médecin, invité au mariage, vint lui dire durant la réception : « Vous avez obtenu ce que vous vouliez ! Malgré les circonstances, vous devez vous estimer très heureuse. » Elle lui répondit d'un air narquois qu'il lui restait encore un fils à marier.

Même si le rôle des aidants n'est pas d'encourager les clients à fournir des efforts héroïques, ils ne doivent pas non plus les sous-estimer.

Durant l'étape II.C, qui d'habitude se déroule conjointement avec les deux autres étapes de la phase II, les conseillers encouragent leurs clients à se poser des questions de ce type :

✦ Pourquoi devrais-je poursuivre cet objectif ?
✦ Cela en vaut-il vraiment la peine ?
✦ Est-ce vraiment dans cela que je veux investir du temps, de l'argent et de l'énergie, compte tenu de mes ressources limitées ?
✦ D'autres options sont-elles susceptibles de mieux me convenir ?
✦ Quels sont les motifs qui me font emprunter cette voie ?
✦ Quelles sont les priorités qui entrent en ligne de compte ?

Là encore, il n'existe aucune recette universelle. Certaines personnes s'empressent de réaliser leurs objectifs aussitôt qu'elles les ont définis. D'autres, au contraire, s'endorment sur leurs lauriers une fois les objectifs formulés. Il arrive en outre que le même client se hâte de réaliser un objectif tout en reportant un autre à plus tard. Il pourra même s'y atteler rapidement et s'arrêter dans son élan. La tâche du conseiller consiste à rappeler au client ses engagements.

## 17.1 AIDER LES CLIENTS À S'ENGAGER À RÉALISER LEURS OBJECTIFS

Il existe une différence entre s'engager initialement vis-à-vis d'un objectif et s'engager pleinement dans une stratégie pour le mener à bien. Une action concrète constitue le premier signe d'engagement pour réaliser cet objectif. Si un client décide de se montrer moins agressif dans ses échanges avec les autres, il commencera par procéder à un examen de conscience chaque soir pour repasser toutes les conversations de la journée. Ce faisant, il découvrira, sans doute à son grand déplaisir, que lors de certains de ces échanges il a dépassé les bornes de l'ironie pour se montrer méprisant. Cela l'obligera à creuser un peu plus la question et à analyser les blocages reliés à sa façon d'échanger. Cette attitude dédaigneuse vis-à-vis des personnes qu'il ne considère pas dignes de son attention fait partie intégrante de sa façon de socialiser.

Vous pouvez aider les clients de diverses façons lors de cette phase initiale d'engagement, par exemple en les encourageant à intenter des actions concrétisant cet engagement : en les encourageant à se fixer des objectifs « rentables », en les incitant à se donner des objectifs motivants, en leur permettant de se les approprier et en les aidant à établir leurs priorités.

### ENCOURAGER LES CLIENTS À SE FIXER DES OBJECTIFS RENTABLES

Nous revenons ici sur les coûts de la relation d'aide. Il aurait fallu mentionner la rentabilité dans les caractéristiques des objectifs réalistes du chapitre précédent, mais cette notion est introduite maintenant en raison de son lien avec l'engagement. Certains objectifs exigent beaucoup plus qu'ils ne rapportent. Le fait de se demander si un objectif est rentable risque de paraître un peu trop technique, mais il s'agit d'un principe important. Les conseillers efficaces encouragent leurs clients à mieux utiliser leurs ressources : travail, temps, énergie émotionnelle, au lieu de les dilapider.

> Louise vient d'apprendre qu'elle est atteinte d'une maladie en phase terminale. En discutant avec ses médecins, elle découvre qu'il lui serait possible de prolonger sa vie en combinant la chirurgie, la radiothérapie et la chimiothérapie. Cependant, personne ne lui promet la guérison. Elle sait ce que coûte chaque traitement en termes d'anxiété et de souffrance. Finalement, elle décide de refuser ces trois types de traitement, qui prolongeront son existence sans lui garantir une qualité de vie. Grâce à la collaboration d'un médecin spécialisé en soins palliatifs, elle élabore un scénario alternatif qui lui permettra de soulager autant que faire se peut son anxiété et ses souffrances.

Il va sans dire qu'un autre patient aurait pu prendre une décision complètement différente. Les coûts et les bénéfices sont relatifs. Certains individus considèrent qu'un mois de vie supplémentaire vaut la peine, quel que soit le prix à payer.

Comme il est souvent impossible d'établir le rapport coût-avantage d'un objectif particulier, les conseillers auront tout intérêt à démontrer au client les conséquences de l'adoption d'un objectif spécifique. La décision d'une cliente d'accepter un emploi routinier au salaire minimum risque de résoudre son problème dans l'immédiat, mais se révélera éventuellement une mauvaise décision à long terme. Il est parfois difficile de faire entrevoir aux clients les conséquences de leurs choix. Une femme atteinte de cancer n'est plus en mesure de supporter les malaises et la dépression associés à la chimiothérapie. Elle met fin à son traitement du jour au lendemain, en affirmant se moquer de ce qui arrivera.

Personne ne l'aide à analyser les conséquences de sa décision. Finalement, son état de santé se détériorant, elle change son fusil d'épaule, car elle se rend compte qu'elle veut encore accomplir certaines choses avant de mourir. Cependant, il est trop tard. Si l'aidant l'avait encouragée à analyser plus à fond la situation, elle aurait pris une meilleure décision.

La méthode du bilan présentée au chapitre 19 constitue un outil sélectif pour aider les clients à évaluer les coûts et les bénéfices des objectifs retenus et des moyens pour les atteindre. Ce bilan permet également aux clients de sélectionner les stratégies d'ajustement optimal pour réaliser leurs objectifs.

## INCITER LES CLIENTS À ADOPTER DES OBJECTIFS MOTIVANTS

Les objectifs permettant de gérer une situation problématique ou de développer des perspectives de vie plus satisfaisantes, tout en étant rentables, ne remportent pas forcément la faveur du client. Le choix d'objectifs motivants semble aller de soi, mais il ne s'avère pas toujours facile. À titre d'exemple, pour bien des gens souffrant de dépendance aux drogues, une vie d'abstinence n'a rien de bien attirant, c'est le moins qu'on puisse dire.

> Le médecin de Maxime tente de convaincre celui-ci de débuter son sevrage en rapport à son antidépresseur. Malgré les progrès et son mieux-être, Maxime est réticent. Alors qu'il écoute et se montre ouvert, le médecin remet en question sa façon de considérer les médicaments ainsi que sa dépendance. Un beau jour, le médecin l'incite à « laisser tomber ses béquilles et à se tenir debout ». En un quart de seconde, Maxime ne se considère plus drogué, mais « infirme ». Un de ses amis a perdu une jambe dans un accident. Il se souvient que son ami a longtemps attendu qu'on lui pose une prothèse avant de pouvoir jeter ses béquilles. Cette métaphore concernant les béquilles et le fait de se tenir debout s'avère extrêmement positive pour Maxime.

Un incitatif est une promesse de récompense. C'est pourquoi les incitatifs permettent d'introduire la notion d'espoir dans la gestion de problèmes et le développement des nouvelles perspectives. Un objectif est intéressant dans la mesure où il s'accompagne de bénéfices. Pour cette raison, les conseillers doivent encourager leurs clients à se trouver des stimulants afin de puiser la motivation nécessaire tout au long de la démarche d'aide. D'ordinaire, il importe de convertir les objectifs négatifs en objectifs positifs, à savoir, d'abandonner un comportement négatif ou nuisible au profit de quelque chose d'utile. Il s'est avéré beaucoup plus facile pour Maxime de retourner à l'université que d'abandonner les médicaments, parce que ce retour représentait un plus. La possibilité tangible d'obtenir un diplôme et de décrocher un emploi professionnel constituait un incitatif énorme. En s'imaginant en train de jeter ses béquilles, il s'est motivé à arrêter sa consommation de médicaments.

## INCITER LES CLIENTS À S'APPROPRIER LES OBJECTIFS QU'ILS SE DONNENT

Les chapitres 10 à 12 ont été consacrés à l'importance pour les clients de s'approprier les problèmes et les ressources inutilisés qu'ils décrivent. Il est tout aussi essentiel pour eux de s'approprier les objectifs qu'ils se fixent et qu'ils les choisissent eux-mêmes plutôt que d'adhérer au choix de l'aidant ou d'une autre personne. Plusieurs questions exploratoires permettent aux clients de voir ce qu'ils sont prêts à faire pour régler certaines de leurs difficultés. À titre d'exemple, dans une séquence filmée d'une séance de counseling (Rogers, Perls et Ellis, 1965), une femme demande à Carl Rogers ce qu'elle devrait faire pour améliorer sa relation avec sa fille. Ce dernier lui répond : « Je pense que vous n'avez pas cessé de me dire ce que vous vouliez faire. » Elle savait exactement le genre de relation qu'elle voulait, mais lui demandait simplement son approbation. S'il la lui avait donnée, il l'aurait dépossédée en quelque sorte de cet objectif. À un autre moment, Rogers lui demande ce qu'elle veut qu'il lui recommande. Cette question redonne la responsabilité de la formulation des objectifs à la bonne personne, c'est-à-dire à la cliente.

> Christine, en instance de divorce, consulte un avocat. Ils ont déjà abordé tous deux la question de la garde des enfants, sans toutefois qu'elle prenne une décision. Un jour, elle se présente à lui en déclarant s'être décidée pour la garde partagée. Elle souhaite maintenant en étudier les détails, entre autres, quelle sera la résidence principale des enfants, la sienne ou celle de son mari. Son avocat lui demande alors comment elle en est arrivée à cette décision. Christine déclare en avoir discuté avec les parents de son mari (ils sont toujours en bons termes), lesquels lui ont suggéré cet arrangement. L'avocat propose à Christine de réexaminer sa décision en partant de zéro et de préciser la solution qu'elle souhaite ainsi que ses raisons. Il ne pense pas qu'elle doive supporter les conséquences d'une décision qui n'est pas la sienne.

En faisant nôtres les objectifs proposés par les autres, nous avons la possibilité de les blâmer si les résultats ne correspondent pas à ceux que nous avions souhaités. En outre, si nous nous contentons de suivre leurs conseils, nous omettons souvent d'analyser les résultats finaux.

L'engagement vis-à-vis des objectifs peut emprunter diverses formes : le conformisme, l'adoption et l'appropriation. Le simple conformisme aux objectifs est le moins utile. Quelqu'un qui se borne à répéter qu'il lui faudra changer certaines de ses habitudes s'il veut sauver son couple n'annonce rien de bon en ce qui concerne une modification substantielle de son comportement. Toutefois, c'est toujours mieux que rien. L'adoption représente un échelon supérieur. « Ces changements sont essentiels si nous voulons que notre couple ait une valeur pour chacun d'entre nous. Nous disons que nous voulons sauver notre couple, mais nous devons maintenant le prouver. » Dans ce cas, le client ne se contente plus seulement d'entériner l'objectif. Le fait de se conformer à un objectif ou de l'adopter ne suffit pas toujours, parce qu'il s'agit essentiellement d'une décision rationnelle. Dire qu'une chose est logique ne signifie pas, loin de là, que nous la désirions ardemment. L'appropriation atteint une forme supérieure d'engagement. Cela signifie, en clair, que le client considère qu'il ne s'agit pas seulement de l'objectif d'un autre ou d'une suggestion intéressante, mais qu'il s'agit de son idée et qu'il veut la mettre en pratique. Examinez l'exemple ci-dessous :

> Un gestionnaire consulte un conseiller après que ses employeurs lui ont laissé entendre que son avenir professionnel resterait très limité tant qu'il n'aurait pas modifié sa façon de traiter les membres de son équipe et ses autres collègues dans l'entreprise. Au tout début, le gestionnaire s'est refusé à établir un objectif quelconque : « Tout ce qu'ils veulent me faire faire, c'est de la foutaise. Cela ne

va pas du tout faire avancer l'entreprise. » Quand on lui a demandé si le fait de répondre à ce que les autres voulaient lui demanderait de grands efforts, il a réfléchi un moment puis a répondu par la négative. Cela a suffi pour le motiver. Il a dès lors pu surmonter sa résistance.

Avec l'assistance du conseiller, il a recensé quelques éléments de son style de gestion qui avaient bien besoin d'amélioration. En quelques mois, il s'est mis dans le bain. Compte tenu des réactions favorables des gens face à son nouveau comportement, il a fini par reconnaître que tout cela était très rationnel et il s'y est consacré, car cela avait un effet positif sur les gens de son service et ces changements s'imposaient. Il avait maintenant adopté cet objectif. Un an plus tard, il passait à la vitesse supérieure en s'engageant à fond pour améliorer son mode de gestion. Il a appris à déléguer, à donner et à demander une rétroaction aux autres, a participé à une série de stages pour les gestionnaires ainsi qu'à un groupe de travail en ressources humaines. Il complimente aujourd'hui régulièrement ses subordonnés pour leurs réalisations. Il en est arrivé à l'étape agréable : l'appropriation. Les gens de son service le considèrent comme l'un des meilleurs dirigeants de la société. Tout ce processus s'est étalé sur deux ans.

Ce gestionnaire n'a pas eu à changer de personnalité. Il n'a pas varié son opinion sur certains des cadres de direction qui, selon lui, ne prêchaient pas par l'exemple, et il avait raison. Cependant, il a modifié son comportement parce qu'il a progressivement découvert de nombreux avantages qui en découlaient.

Nous avons déjà abordé, au chapitre 3, la question des ententes pour structurer la démarche d'aide. Les engagements, autrement dit les contrats que les clients passent avec eux-mêmes, leur permettent de tenir leurs promesses au moment d'agir concrètement. Bien que les ententes constituent une promesse de la part des clients d'adopter certains comportements pour atteindre leurs objectifs, elles sont aussi au service de la réalisation de ces objectifs. L'intérêt de ces contrats ne réside pas seulement dans cette promesse implicite ou explicite, mais exige également un engagement. Prenez le cas de Dominique, une mère séparée, dont le fils aîné (François) a quitté le domicile pour aller vivre avec son père et qui refuse tout contact avec elle.

Un mois après le départ du fils aîné, Dominique est devenue dépressive et apathique. Elle était déjà séparée de son mari au moment de l'événement. Lorsqu'elle a enfin consulté un conseiller quelques mois plus tard, son comportement dépressif était assez marqué. Ses conversations avec l'aidant lui ont permis de surmonter sa culpabilité et de cesser de s'accuser continuellement, sans que son apathie disparaisse. Elle fuyait sa famille et ses amis, se repliait sur elle-même au travail et, sur le plan émotif, s'était même éloignée de son autre fils. Elle se refusait à envisager l'avenir sous un jour meilleur, car sans le retour de son fils, ou sans son rapprochement, l'avenir ne signifiait rien pour elle.

Sa belle-sœur la secouait un peu chaque fois qu'elle lui rendait visite, ce qui lui permettait d'oublier sa lourde préoccupation. Un soir, sa belle-sœur finit par lui lancer : « Tu essaies de te remettre de la décision et du silence de François, en te faisant du mal et en faisant à Thomas. Je suis sûre que jamais Robert n'aurait voulu cela ! » Après cette discussion, Dominique a parlé avec son conseiller des moyens de se rapprocher de Thomas, d'elle-même, de sa famille étendue et de son foyer. Grâce à une série d'ententes, elle a repris progressivement les comportements qui étaient les siens avant le départ de François. Elle a décidé de reprendre contact avec des amis et des membres de sa famille, de créer une ambiance plus gaie à la maison, d'inciter Thomas à inviter des amis et ainsi de suite. Ces ententes ont bien marché car, comme elle l'a dit à son conseiller, elle était une femme de parole.

Lorsque Dominique a commencé à réaliser ces objectifs, elle avait l'impression d'agir machinalement. Néanmoins, elle s'investissait réellement dans un nouveau mode de pensée. Grâce aux ententes, elle a pu passer de son engagement initial à une intervention concrète. Dans le cadre du counseling, ces ententes ne sont pas des documents juridiques, mais des instruments à employer, selon les besoins. Elles offrent souvent la structure et les incitatifs nécessaires aux clients.

## AIDER LES CLIENTS À RÉSOUDRE LES CONFLITS DE PRIORITÉS

Lorsqu'ils formulent des objectifs et établissent des programmes de changement positif, les clients ne prennent pas toujours en considération les conflits que leurs objectifs peuvent générer. Ces conflits concernent leurs priorités, à savoir, les choses qui leur demandent du temps et de l'énergie : travail, famille et loisirs. Prenez le cas d'une gestionnaire qui veut se former à l'informatique et à Internet, mais pour laquelle les urgences du travail et le règlement d'un divorce prennent tout son temps et sapent ses énergies. Elle ne parvient pas à réaliser pleinement un seul de ses objectifs. Pour opérer un changement constructif, il faut souvent réordonner ses priorités. Si un client décide de s'occuper de son couple, il ne pourra pas consacrer autant de temps aux copains. Une ouvrière sous-employée doit sans doute renoncer en partie à sa vie sociale si elle veut trouver un travail qui lui convient mieux. Elle finit par trouver un compromis. Une de ses amies lui montre comment se trouver un emploi en cherchant dans Internet. Elle découvre qu'elle peut trouver un emploi à plein temps assez bien rémunéré et qu'il est plus efficace de chercher dans Internet que d'utiliser les moyens habituels en disposant raisonnablement de temps pour voir des amis.

Cela ne signifie pas que les conflits de priorités sont à prendre à la légère. Il arrive que les gens aient à choisir entre deux priorités essentielles. La femme qui veut élargir ses horizons en s'impliquant à l'extérieur de la maison doit trouver le moyen de continuer à assumer les obligations familiales. C'est une question d'équilibre et cela est loin d'être une futilité. Une mère de famille monoparentale qui veut obtenir une promotion doit se partager entre ses nouvelles responsabilités et l'éducation de ses enfants. Un conseiller qui aidait un couple de professionnels à prendre la décision d'avoir un enfant leur a permis de réorganiser leur emploi du temps au début de la grossesse. Un an après la naissance de l'enfant, ils sont venus le consulter plusieurs fois pour des problèmes survenus depuis lors. Fait à noter, ils ont entamé la séance en lui exprimant à quel point ils étaient contents de lui avoir parlé de leurs conflits de priorités alors qu'ils hésitaient à prendre la décision d'avoir un enfant.

« Après la naissance du bébé, nous sommes souvent revenus sur ce que nous avions dit concernant les conflits de priorités et les façons de les régler. Cela a contribué à notre équilibre des deux dernières années. »

Même les engagements présentent des difficultés, car il n'existe pas d'entente parfaite. La plupart des gens n'envisagent pas les conséquences de toutes les clauses d'un contrat, que ce soit un mariage, une offre d'embauche ou un engagement précisant leurs obligations selon les objectifs fixés. Malgré leur bonne volonté, les gens ajoutent inconsciemment des clauses échappatoires aux contrats qu'ils passent avec les autres, par exemple « Je poursuivrai ce but tant que cela ne me coûtera rien » ou « Je ne serai pas grossier tant qu'elle ne me mettra pas au pied du mur ». Ce genre de « porte de sortie » est profondément ancré dans le processus de prise de décision. L'encadré 17.1 vous indique le genre de question que vous pouvez suggérer aux clients de se poser en ce qui concerne leur changement de priorités.

---

**ENCADRÉ 17.1**
**QUESTIONS CONCERNANT L'IMPLICATION DU CLIENT**

Vous pouvez amener le client à se poser ce type de questions lorsqu'il hésite à se lancer dans un programme de changement constructif :

◎ Dans quelle mesure suis-je prêt à changer en ce moment ?

◎ Est-ce que je veux vraiment ce que je dis vouloir ?

◎ Suis-je vraiment prêt à y consacrer beaucoup d'énergie ?

◎ Dans quelle mesure ai-je décidé moi-même de cet objectif ?

◎ Jusqu'à quel point est-ce que je valorise cet objectif particulier ?

◎ Suis-je assuré d'avoir le courage de me lancer dans ce processus ?

◎ Qu'est-ce qui me pousse à choisir cet objectif ?

◎ Qu'est-ce qui m'incite à m'engager dans ce programme de changement ?

◎ Quels bénéfices obtiendrai-je pour mes efforts ?

◎ S'il s'agit d'un objectif qui m'est dans une certaine mesure imposé, qu'est-ce que je fais pour me l'approprier ?

◎ À quelles difficultés vais-je me heurter en m'impliquant dans la poursuite de cet objectif ?

◎ Dans quelle mesure est-il possible que cet engagement ne soit pas authentique ?

◎ Que puis-je faire pour lutter contre la démotivation et surmonter les obstacles ?

◎ Comment puis-je renforcer mon engagement ?

◎ De quelle manière puis-je reformuler l'objectif pour le rendre plus attrayant ?

◎ Le moment est-il bien choisi pour poursuivre un tel objectif ?

◎ Que dois-je faire pour respecter mon engagement à long terme ?

◎ Quelles ressources peuvent m'être utiles ?

Nous analysons ici de façon plus globale, plus approfondie et plus pratique le rôle des attentes dans la vie (Kirsch, 1999). Les clients ont besoin d'être motivés pour se donner des objectifs et les réaliser. Plus ils trouvent cette motivation en eux-mêmes, mieux c'est, car il est préférable de compter sur ses propres forces. En aidant les clients à sélectionner leurs objectifs, à s'impliquer et à adopter une attitude active et confiante (Galassi et Bruch, 1992), le conseiller les encourage à se prendre en main. L'espoir d'un avenir meilleur favorise cette prise en main. Observez maintenant les attentes du client à travers le filtre de l'autoefficacité (Bandura, 1986, 1989, 1991, 1995, 1997 ; Cervone, 2000 ; Cervone et Scott, 1995 ; Lightsey, 1996 ; Locke et Latham, 1990 ; Maddux, 1995 ; Schwarzer, 1992). Ce concept d'autoefficacité s'avère extrêmement utile lorsqu'il s'agit de changements constructifs. Il est impossible d'en rendre toutes les nuances ici. Ce qui suit est destiné à piquer votre curiosité et à vous permettre de faire le lien entre l'autoefficacité et la relation d'aide. Vous pourrez ensuite vous plonger dans la multitude d'ouvrages portant sur ce sujet.

### NATURE DE L'AUTOEFFICACITÉ

Comme le fait remarquer Bandura (1995) : « L'autoefficacité perçue se réfère à la confiance de tout un chacun dans ses facultés de prévoir et d'exécuter les interventions requises afin de gérer les situations hypothétiques. La confiance en soi influence la façon dont les gens pensent, réagissent, se motivent et agissent » (p. 2). Les attentes des gens vis-à-vis d'eux-mêmes et la perception de leurs propres forces jouent grandement au moment d'affronter les difficultés, de s'investir dans une tâche et de persévérer malgré les obstacles. Les clients qui disposent d'une grande autoefficacité optent pour les choix les plus audacieux, passant des objectifs d'ajustement aux objectifs mobilisateurs. Les individus ont tendance à agir si les deux conditions suivantes sont réunies :

✦ *Résultats escomptés :* Les gens se décident à agir s'ils prévoient que leur action débouchera sur des résultats souhaitables ou des acquis : « Ma relation avec Sophie sera nettement améliorée. »

✦ *Confiance en ses propres moyens :* Les individus ont tendance à agir s'ils sont pratiquement assurés d'en avoir les moyens, à savoir, les connaissances, les aptitudes, le temps, l'énergie, le courage et les ressources voulues pour adopter un comportement qui leur apportera les résultats désirés. « J'ai la possibilité de régler ce conflit avec Sophie. Je peux le faire et je vais le faire. »

Voyons maintenant comment ces deux facteurs se combinent dans les quelques exemples suivants. Yolande, qui vient d'être victime d'un AVC, est non seulement convaincue qu'en participant à un programme de réadaptation très exigeant sur le plan physique elle pourra se remettre sur pied (résultat escompté), mais également qu'elle a tout ce qu'il faut pour parvenir petit à petit à suivre l'ensemble du programme (confiance en ses propres moyens). Elle aborde donc la rééducation avec une attitude extrêmement positive et fait de grands progrès. Yves, au contraire, n'est pas convaincu que sa cure de désintoxication lui permettra de s'épanouir dans la vie (résultat escompté négatif), même s'il croit pouvoir arriver à la fin de ce programme (confiance en ses propres moyens). Il exprime son refus au thérapeute. Ce dernier lui a promis de le débarrasser de la drogue, mais Yves continue à se dire qu'il ne voit pas l'intérêt de se désintoxiquer. Cet objectif est pour lui un objectif instrumental, lequel, sans objectif fondamental assez motivant, ne lui permet pas d'entamer le processus. Xavier est persuadé que la radiothérapie et la chimiothérapie sont nécessaires (résultat escompté positif), mais ne croit pas avoir le courage et la résistance suffisants pour se lancer dans ces traitements (manque de confiance dans ses propres moyens). Il s'y refuse lui aussi.

Les résultats escomptés et la confiance en ses propres moyens n'interviennent pas uniquement dans la relation d'aide, mais également dans la vie de tous les jours. Il suffit d'inscrire ce mot dans un moteur de recherche dans Internet pour trouver une série d'articles qui portent sur le sujet et en particulier sur ses applications au domaine de l'éducation (Lopez, Lent, Brown et Gore, 1997 ; Multon, Brown et Lent, 1991 ; Smith et Nadya, 1999 ; Zimmerman, 1996), de la santé (O'Leary, 1985 ; Schwarzer et Fuchs, 1995), de la rééducation (Altmaier, Russell, Kao, Lehmann et Weinstein, 1993) et du travail (Donnay et Borgen, 1999).

## AIDER LES CLIENTS À DÉVELOPPER L'AUTOEFFICACITÉ

Il existe diverses manières de donner confiance aux gens en leurs propres moyens (voir Mager, 1992). L'autoefficacité n'est pas une panacée réservée aux personnalités fragiles. Prenez le cas d'Alexandre, un gestionnaire à la forte personnalité qui veut modifier son attitude autoritaire envers les gens sans être convaincu de pouvoir y parvenir. « Après toutes ces années, c'est ma façon d'être », répondait-il. Il aurait été inutile de lui dire qu'il suffisait d'y croire pour y parvenir. Il fallait l'aider à réussir certaines choses pour renforcer sa confiance en ses possibilités de gestion.

**Habiletés.** *Assurez-vous que les clients possèdent les aptitudes qu'exige l'exécution des tâches souhaitées.* L'autoefficacité repose à la fois sur une aptitude et sur la conviction de posséder cette aptitude pour réaliser une tâche. Grâce à ses lectures et à des sessions de formation, Alexandre s'est renseigné sur l'écoute, la compréhension empathique, la rétroaction à formuler aux gens avec tact en s'attaquant résolument aux problèmes et en se remettant en question de façon constructive. En réalité, il possédait ce type d'aptitudes, mais n'y recourait guère. Ce fut une façon de se familiariser avec un potentiel inexploité. Prudence cependant : l'acquisition des aptitudes ne suffit pas en soi pour augmenter l'autoefficacité du client. Ce dernier doit, lors de ce processus, prendre conscience de ses ressources, de sa motivation et entretenir la certitude que ses perspectives peuvent s'améliorer. « Je dispose de ces aptitudes et je suis résolu à m'en servir pour régler la situation. »

**Rétroaction critique.** La rétroaction est un terme qui présente plusieurs définitions. Dans cet ouvrage, la rétroaction se définit comme un message que vous retournez à votre interlocuteur pour qu'il puisse connaître votre point de vue, vos opinions ou vos sentiments. Elle est qualifiée de critique lorsqu'elle permet d'émettre un avis, de présenter un point de vue critique. À titre d'aidant, *faites des remarques uniquement sur les comportements* *problématiques* du client sans critiquer sa personnalité, même si celle-ci vous apparaît problématique. Ce type de rétroaction permet au client de sauvegarder sa confiance en ses capacités, en éliminant les obstacles à la mobilisation de ses ressources. Après plusieurs rencontres avec Alexandre, j'avais pris l'habitude de lui souligner ses points forts et ses points faibles. Je lui disais quelque chose du genre :

> « Au cours de la réunion d'hier, vous avez écouté les idées de tout le monde, en y répondant. Puis-je faire une suggestion ? Il n'est pas toujours nécessaire de répondre positivement à toutes les idées émises. Quand c'est mauvais, c'est mauvais. Faites une sélection lorsque vous écoutez avant de répondre. Dites pourquoi certaines idées sont intéressantes alors que d'autres ne valent rien. Tout le monde en profite, que les idées soient bonnes ou mauvaises. »

Lorsque les critiques prennent la forme d'attaques personnelles, elles atteignent le client et il perd son autoefficacité. La remarque adressée à Alexandre était destinée à lui donner confiance, parce qu'elle signifiait qu'en écoutant attentivement il continuait d'exercer son jugement. C'est instructif et cela ne met personne en colère. Lorsque vous donnez votre avis à un client, vous gagneriez à vous demander si cela renforcera vraiment sa confiance en ses propres moyens.

**Rétroaction positive.** *Soyez aussi précis dans votre rétroaction positive que dans votre rétroaction critique.* Les encouragements renforcent la confiance des gens en eux-mêmes en soulignant leurs points forts et leurs réussites. C'est d'autant plus vrai que nous sommes précis. Bien souvent, les critiques regorgent de détails tandis que les louanges restent parcimonieuses. « Bien joué », c'est le genre de formule toute faite qui devient un cliché. Voici ce que j'ai dit à Alexandre :

> « Hier, vous avez interrompu Jean-Pierre alors qu'il se lançait dans l'un de ses monologues. Vous avez récapitulé ses idées essentielles. Puis, en quelques questions, vous lui avez démontré pourquoi son programme ne fonctionnait que partiellement. Les autres étaient ravis que vous l'ayez confronté. Il a appris quelque chose et cela a permis de gagner du temps. »

La formule pour donner une rétroaction positive spécifique consiste en gros à dire ceci : « Voilà ce que vous avez fait. Les résultats positifs ont été les suivants. Et voici les conséquences favorables qui en découlent. » En pointant les éléments intéressants de son comportement, nous encourageons Alexandre à les répéter et nous renforçons sa confiance en ses propres moyens en lui montrant qu'il est possible de faire une critique sans démolir les gens. Les clients doivent interpréter les rétroactions comme une information nécessaire à l'accomplissement d'une tâche.

**Renforcement positif : la réussite.** *Encouragez les clients à se lancer dans des interventions qui donnent des résultats positifs.* Les plus petits succès renforcent la confiance des clients. La réussite attire la réussite. Il arrive souvent qu'un succès minime encourage l'individu à se lancer dans une entreprise plus difficile : « Je suis capable de faire mieux. » Alexandre a commencé à déléguer certaines tâches mineures à ses subordonnés. Ils s'en sont fort bien tirés. Lorsque je lui en ai fait la remarque, il a répondu qu'il songeait à leur confier de plus grandes responsabilités, car ils aimaient cela et leurs réussites lui faisaient plaisir. En parvenant à déléguer, il avait acquis une certaine confiance en ses talents de gestionnaire. Il pouvait, avec davantage d'assurance, donner un mandat sans se soucier de savoir s'il allait être réalisé ou non. Néanmoins, il faut vous assurer que ce lien entre la réussite et l'augmentation de la confiance en soi existe. Une série de succès ne suffit pas nécessairement à donner confiance au client en sa propre efficacité. Il faut que cette réussite lui fasse prendre conscience de ses talents.

**Modèles.** *Aider les clients à accroître leur autoefficacité en apprenant des autres.* J'ai demandé à Alexandre de désigner le meilleur gestionnaire de son service et il m'a donné un nom. Je lui ai demandé de décrire cet employé et il m'a évidemment dit qu'il était extrêmement compétent, obtenait d'excellents résultats et était tenace. Alors, d'un air narquois, je lui ai fait remarquer que cet employé ne devait pas vraiment savoir s'y prendre avec les gens. Il s'est opposé en affirmant qu'il était très adéquat et savait être aussi délicat que les autres. Il a même poursuivi en me donnant toute une série d'exemples prouvant que ce gestionnaire était loin d'être déplaisant. Puis, il s'est arrêté, m'a regardé et m'a dit : « Vous m'avez bien eu, non ? » En apprenant, les clients deviennent plus efficaces et cela leur donne confiance en eux. Cependant, apprendre de l'expérience des autres est un peu plus délicat, comme nous venons de le voir. Alexandre était trop orgueilleux pour penser qu'un jour il pourrait apprendre de quelqu'un d'autre.

**Encouragements.** *Soutenez l'autoefficacité du client sans être condescendant.* Nous avons déjà abordé la notion d'encouragement au chapitre 11. Néanmoins, si vous voulez renforcer la confiance en soi du client, votre soutien doit être réel et vous devez encourager ce que le client a d'authentique. Il vous faut adapter vos interventions selon les individus et les circonstances. Un mot d'encouragement à un client pourra paraître condescendant à un autre. Si j'avais dit à Alexandre : « Essayez, je suis sûr que vous pouvez y arriver ! », j'étais sûr d'échouer avec lui. Il fallait que je me montre beaucoup plus subtil et indirect.

**Apaiser les craintes et l'anxiété.** *Aidez les clients à surmonter leurs peurs, car elles nuisent à leur sens de l'efficacité.* S'ils redoutent l'échec, ils se montreront réticents à agir. Par conséquent, tout ce qui contribue à les tranquilliser leur permet d'accroître leur confiance en leurs capacités. Dans son for intérieur, Alexandre craignait deux choses concernant son changement de style de gestion : nuire à la compagnie et paraître ridicule. En effectuant prudemment quelques modifications dans sa manière de gérer, la compagnie n'a ressenti aucun soubresaut. Alexandre a même remarqué que deux des membres de son équipe semblaient plus efficaces. Il a été plus difficile de l'aider à surmonter sa crainte du ridicule pour se montrer plus conciliant. Son comportement à l'extérieur du bureau s'est avéré utile. Alors qu'il agissait souvent en dictateur dans son service, il était très sympathique dès qu'il rencontrait les équipes sur le terrain. Je n'ai jamais rencontré une personne aussi efficace pour *rallier les troupes*. Et il ne faisait pas semblant. En parlant de ces deux attitudes radicalement différentes, il a pu surmonter sa crainte d'être tourné en dérision par ses subordonnés en les stimulant plutôt qu'en les dirigeant.

Le travail réalisé au cours de l'étape II.A, le développement des perspectives pour un avenir meilleur, peut suffire pour inciter certains clients à agir. Cela leur permet de ne plus s'appesantir uniquement sur leurs difficultés ou sur leur potentiel inexploité et de commencer à envisager un futur plus prometteur. Après avoir précisé certains de leurs besoins et de leurs aspirations, et avoir envisagé quelques objectifs possibles, ils se lancent dans l'action.

Francine est déprimée car son père, âgé et affaibli, ne cesse de la harceler même si elle a renoncé à se marier pour prendre soin de lui. Il lui arrive d'être très blessant. Cette attitude commence à se répercuter sur la qualité du travail de Francine. Un conseiller lui dit que son père n'est pas responsable de ses remarques cassantes, en raison de sa maladie. Cette remarque lui permet de se représenter la situation sous un nouvel angle et lui permet d'envisager d'autres perspectives. Elle se creuse un moment les méninges pour répondre à la question du conseiller concernant ce qu'elle souhaite pour elle-même et pour son père. Elle déclare vouloir préserver sa dignité ainsi que celle de son père et désirer vivre le genre de vie qu'il aurait souhaité pour elle s'il n'avait pas l'esprit dérangé. Après avoir passé en revue toutes les options pour améliorer la situation avec son père, elle n'a plus besoin de beaucoup d'aide. Elle a récupéré sa débrouillardise habituelle. La vie reprend son cours.

Pour d'autres clients, l'étape II.B sert de déclencheur. La formulation des objectifs leur permet de considérer l'existence sous un autre jour. Une fois qu'ils conçoivent clairement leurs besoins et leurs désirs, ils arrivent à les satisfaire.

Christophe, qui est au tout début de la vingtaine, a eu un accident de voiture alors qu'il conduisait en état d'ébriété. Sa femme a été tuée dans l'accident. Curieusement, il s'apitoie sur son triste sort sans démontrer beaucoup de remords. La conseillère, qui ne sait plus quoi faire, finit par remettre en question son repli sur lui-même. Elle lui demande de nommer la personne la plus honorable qu'il connaît. Après avoir tenté de se dérober, il mentionne son oncle, Fernand. « Pourquoi est-il si respectable ? Dites-moi ce qu'il fait », lui demande sa conseillère. Elle insiste un peu et Christophe finit par décrire la façon d'agir de cet homme intègre. Elle lui demande alors de réitérer cette même description en remplaçant cette fois le prénom Fernand par Christophe. Ce dernier est très mal à l'aise, mais la séance a un effet énorme sur lui. Le contraste entre la façon d'être de son oncle et la sienne le hante des jours durant. Cependant, il arrête progressivement de se considérer comme une victime. Il demande pardon à ses beaux-parents. Il commence à prendre conscience qu'il n'est pas seul au monde.

Pour d'autres clients encore, la perception d'un bénéfice concret découlant d'une action quelconque s'avère essentielle à leur mobilisation. Une fois qu'ils ont réalisé ce qu'ils peuvent en retirer personnellement, une forme d'égoïsme bien dirigé en quelque sorte, ils se lancent dans l'action.

Yvon est incarcéré pour crime sexuel à l'endroit d'un enfant. Il a écopé d'une peine d'emprisonnement de cinq ans. Bien qu'il ne nie pas systématiquement son problème de pédophilie, Yvon atténue sa responsabilité personnelle en se justifiant de mille façons. Lors d'une rencontre avec son agent de libération, Yvon est mis au courant de l'existence d'un programme de réhabilitation pour personnes souffrant de pédophilie. Les détenus qui s'inscrivent et complètent le programme d'une durée de six mois voient leur temps de détention diminué de façon substantielle. Yvon voit dans ce programme une opportunité de retourner plus rapidement en société. Il est cependant informé de la nature très éprouvante du programme. Le travail d'introspection que requiert sa guérison risque d'être fort pénible, nombre de détenus préférant abandonner le programme avant la fin. Il sera soumis à des activités quotidiennes de remises en question, des exercices de toutes sortes pour contrôler son agressivité et son impulsivité sexuelle. Il devra, lors de thérapies de groupe, discuter de sujets très intimes. Malgré ses appréhensions, Yvon se lance dans le programme. Bien que son motif initial était purement égoïste (diminuer le temps de détention), Yvon a su tirer profit des moments difficiles de sa thérapie pour réaliser le mal qu'il avait fait et développer son sens des responsabilités. De nouveaux incitatifs ont permis à Yvon de persévérer dans le programme. Plus impressionnants, ces incitatifs n'étaient plus simplement associés à un gain externe (diminution du temps d'incarcération), mais à une motivation interne (ne pas faire du mal à autrui).

Yvon n'a pas changé du jour au lendemain et il n'est pas devenu un exemple de vertu. Toutefois, il a trouvé une série d'incitatifs qui lui ont permis de se lancer dans une action indispensable. Yvon fait probablement parti de ces délinquants sexuels qui ne commettront jamais de récidive.


## 17.4 DIFFICULTÉS INHÉRENTES À LA FORMULATION DES OBJECTIFS : MISES EN GARDE

Malgré les avantages de la formulation des objectifs décrite dans les trois derniers chapitres, certains aidants et certains clients semblent conspirer en vue d'éviter ce processus. Il est curieux de voir les conseillers aider les clients à analyser les situations problématiques et les perspectives d'avenir inexploitées, mais s'abstenir de leur demander ce qu'ils veulent et les aider à formuler des objectifs. Comme le fait remarquer Bandura (1990) : « Malgré les preuves empiriques indiscutables [en faveur de la formulation des objectifs], la théorie des objectifs n'a jamais reçu l'attention qu'elle mérite dans le courant dominant de la psychologie » (p. xii). Il y a quelques années, la même préoccupation s'exprimait différemment. Un psychologue américain en développement humain s'adressait à l'un de ses collègues russes. Le Russe lui avait déclaré : « Il me semble que les chercheurs américains passent leur temps à essayer d'expliquer pourquoi un enfant finit par devenir ce qu'il est. En Union soviétique, nous nous efforçons de trouver comment un enfant peut devenir ce qu'il n'est pas encore » (voir Bronfenbrenner, 1977, p. 528). L'une des raisons pour lesquelles les conseillers n'aident pas leurs clients à se fixer des objectifs réalistes pour améliorer leur existence, c'est qu'on ne les a pas formés pour cela.

Il en existe d'autres. Tout d'abord, les clients considèrent la formulation des objectifs comme une démarche rationnelle et même trop rationnelle. Leur vie est tellement chaotique que la fixation des objectifs leur paraît un exercice inutile. Les aidants et les clients s'opposent à une approche aussi rationnelle et cela constitue un dilemme. D'un côté, nombre de clients ont besoin ou pourraient profiter d'une application rigoureuse de la démarche de gestion de problèmes, y compris l'élaboration des objectifs ; de l'autre, son aspect rationnel et la discipline qu'elle impose les rebutent. Ils y sont réfractaires. Qui plus est, en se fixant des objectifs, les clients s'obligent à quitter le confort relatif de l'analyse des situations problématiques et de la recherche de l'origine probable de ces difficultés dans le passé pour se lancer sur un terrain inconnu : l'avenir. Cela est tout autant inconfortable pour les aidants que pour les clients. Enfin, lorsqu'ils se fixent des objectifs, les clients doivent renoncer à passer pour de pauvres victimes. La responsabilité et la victimisation ne font pas bon ménage.

Une autre raison justifiant la résistance des clients à la formulation des objectifs réside dans le fait qu'ils se trouvent ainsi dans l'obligation de fournir des efforts, de prendre des décisions, de s'engager et d'agir. Si je déclare que je veux une chose, je dois aussi dire, en toute logique, ce que je ferai pour l'obtenir. Je suis conscient de son prix et prêt à le payer. Tout ceci exige des efforts et des sacrifices, et les clients ne se montrent pas toujours reconnaissants lorsque nous les aidons à réaliser cela. À la toute fin, les objectifs, aussi libérateurs soient-ils, coincent les clients de bien des manières. Si une femme choisit une carrière, elle risque de ne pas connaître le genre de mariage qu'elle aurait souhaité. Si un homme se consacre à une femme, il ne pourra pas papillonner.

Il existe un soupçon de vérité dans ce dicton ironique : « Il existe deux drames dans la vie : le premier est de ne pas obtenir ce que vous voulez, le deuxième est de l'obtenir. » En choisissant de se passer de drogue, de reconstruire son couple, de décider de la garde des enfants, d'obtenir une promotion, de prendre une retraite tranquille ou de quitter un mari violent, nous nous exposons souvent à de nouvelles difficultés. Même les bonnes solutions apportent leur lot d'ennuis. C'est une chose pour des parents de donner plus de liberté à leurs enfants, c'en est une autre que de vérifier comment ils utilisent cette liberté. Pour conclure, il existe ce qu'on appelle un regret d'action post-décision. Une fois leurs choix effectués, les clients commencent à y réfléchir à deux fois, s'empêchant souvent de concrétiser leurs décisions.

Quant à l'action, il arrive que certains clients s'y jettent à corps perdu. Le fait de se tourner vers l'avenir constitue une délivrance du passé et les toutes premières actions leur paraissent libératrices. Cependant, s'il leur manque la concentration et l'orientation que fournit l'étape II.B, ils se lancent prématurément, sans avoir soupesé toutes les options ni formulé les objectifs. Il leur faut souvent tout reprendre depuis le début.

Les aidants efficaces savent ce qui se cache au détour lors de la formulation des objectifs, à la fois pour le client et pour eux-mêmes, et ils se préparent à gérer leur partie de la démarche et à aider le client à assumer la sienne. Ils doivent suivre une formation complète sur la démarche de gestion de problèmes et être en mesure de se représenter la démarche d'aide dans sa globalité avec chacun des clients. Alors la formulation des objectifs, dans les termes mêmes du client, fera naturellement partie du processus. Les aidants astucieux réussissent à introduire subtilement la formulation des objectifs dans la démarche d'aide, sous une forme ou sous une autre. Ils y parviennent en passant avec aisance d'une étape à l'autre, même lors d'une thérapie de courte durée.

## ? QUESTIONS D'ÉVALUATION CONCERNANT L'ÉTAPE II.C

- ◎ Que faites-vous pour encourager les clients à entrevoir un avenir meilleur ?
- ◎ Que faites-vous pour vous assurer que les objectifs du client sont vraiment les siens et non ceux de quelqu'un d'autre ?
- ◎ Dans quelle mesure parvenez-vous à aider les clients à voir les avantages des objectifs qu'ils se fixent par rapport à leurs coûts ?
- ◎ Parvenez-vous à bien montrer au client le côté motivant des objectifs qu'il a choisis ?
- ◎ Êtes-vous suffisamment attentifs aux hésitations du client face aux objectifs qu'il a formulés et savez-vous comment l'aider à les surmonter ?
- ◎ Parvenez-vous à inciter le client à respecter ses engagements face aux objectifs qu'il s'est donnés ?
- ◎ Que faites-vous pour encourager le client à reconnaître, à analyser et à gérer les conflits de priorités ?
- ◎ Comment aidez-vous les clients à se lancer dans l'action définie par les objectifs ?
- ◎ Que faites-vous pour inciter les clients à acquérir et à renforcer leur sens de l'autoefficacité ?

# PHASE III : AIDER LES CLIENTS À ÉLABORER DES STRATÉGIES POUR ATTEINDRE LEURS OBJECTIFS

La phase III constitue une étape primordiale de l'aide orientée sur les solutions. Après avoir encouragé les clients à formuler leurs objectifs, il est souvent nécessaire de les assister dans la planification d'actions ou de stratégies pour les atteindre. Ces actions ou stratégies constituent des solutions avec un petit *s*. Le chapitre 18 propose une introduction à la phase III et aborde les stratégies à considérer pour parvenir à réaliser les perspectives d'avenir identifiées et adoptées à la phase II. Ce chapitre, portant sur l'étape III.A, traite des nombreuses modalités pour aider le client à atteindre un objectif donné. Elle porte sur les options. Le chapitre 19, traitant de l'étape III.B, considère le soutien aux clients pour choisir parmi ces stratégies celles qui sont le mieux ajustées à leurs besoins, à leur personnalité et à leurs ressources. Cette étape consiste à retenir l'option la plus pertinente. Enfin, le chapitre 20, portant sur l'étape III.C, se penche sur la concrétisation de ces objectifs et de ces stratégies en un plan de gestion des problèmes et de développement optimal des perspectives sur lesquelles le choix des clients s'est arrêté. Cette planification, qu'elle soit ou non formelle, joue souvent un rôle majeur dans la gestion de problèmes et la concrétisation des nouvelles perspectives.

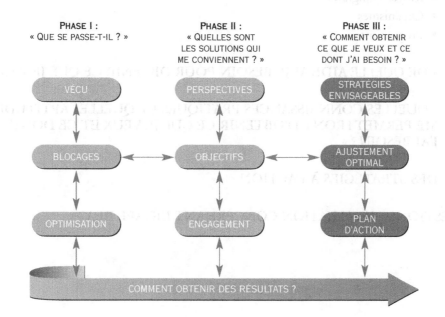

## CHAPITRE **18**

### ÉTAPE III.A : « QUELS SONT LES DIFFÉRENTS MOYENS D'OBTENIR CE QUE JE VEUX ET CE DONT J'AI BESOIN ? » STRATÉGIES D'INTERVENTION

**18.1  PRÉSENTATION DE LA PHASE III**

Étape III.A : Stratégies d'intervention

Étape III.B : Stratégies d'ajustement optimal

Étape III.C : Plans d'action

**18.2  DIFFÉRENTS MOYENS D'ATTEINDRE LES OBJECTIFS**

Inciter les clients à se creuser les méninges afin qu'ils trouvent des stratégies pour atteindre leurs objectifs

Instaurer un cadre de référence incitant le client à élaborer des stratégies

- ◆ Individus
- ◆ Modèles et exemples
- ◆ Groupes et collectivités
- ◆ Lieux
- ◆ Moyens tangibles
- ◆ Organismes
- ◆ Programmes

**18.3  « DE QUELLE AIDE AI-JE BESOIN POUR OBTENIR CE QUE JE VEUX ? »**

**18.4  « QUELLES CONNAISSANCES PRATIQUES ET QUELLES APTITUDES ME PERMETTRONT D'OBTENIR CE QUE JE VEUX ET CE DONT J'AI BESOIN ? »**

**18.5  DES STRATÉGIES À L'ACTION**

**QUESTIONS D'ÉVALUATION CONCERNANT L'ÉTAPE III.A**

L a planification, au sens le plus large du terme, comprend l'ensemble des étapes des phases II et III ; elle concerne à la fois les solutions avec un grand *S* et les solutions avec un petit *s*. Dans un sens plus restreint, la planification implique l'élaboration, le choix et l'organisation des stratégies nécessaires à l'atteinte des objectifs. Tandis que la phase II s'intéressait aux résultats – visualisation efficace des objectifs et des réussites –, la phase III concerne les activités et le travail requis pour produire ces résultats.

Les clients, lorsque nous les amenons à analyser ce qui cloche dans leur vie, demandent souvent des conseils sur la façon de s'y prendre, c'est-à-dire qu'ils s'intéressent plus particulièrement aux actions à entreprendre pour résoudre leurs difficultés. Toutefois, comme nous le verrons, l'action, bien qu'essentielle, n'a de valeur que dans la mesure où elle donne des résultats en termes de gestion de problèmes et de développement des perspectives. Les réussites ou résultats, tout aussi essentiels, n'ont de valeur que s'ils ont une répercussion positive sur l'existence du client. La distinction entre action, résultats et répercussion se vérifie dans l'exemple suivant :

> Hélène, une femme célibataire dans la quarantaine, fait d'énormes progrès pour arrêter de boire grâce à sa participation au programme des Alcooliques anonymes. Elle s'implique dans certaines activités : elle assiste aux réunions du groupe, suit le programme en 12 étapes, évite les situations susceptibles de l'amener à boire et téléphone aux membres des AA lorsqu'elle se sent déprimée ou tenaillée par l'envie de boire. Il résulte de tout cela qu'elle est sobre depuis plus de sept mois. Hélène a le sentiment d'une grande réussite et cela l'encourage beaucoup. Elle s'accepte mieux et retrouve une énergie et un enthousiasme, disparus depuis des années, pour faire de nombreuses choses : se constituer un cercle d'amis, s'impliquer dans des activités de loisir et voyager un peu.

> Cependant, Hélène entretient également une relation difficile avec un homme. En fait, elle se réfugiait en partie dans l'alcool afin d'échapper à ses problèmes de couple. Elle sait qu'elle ne tolère plus la violence psychologique de son compagnon, mais redoute la solitude qui suit une séparation. Elle tente dès lors de voir ce qu'elle veut vraiment, tout en redoutant que la meilleure option soit de mettre fin à cette relation.

> Elle s'est engagée dans de nombreuses interventions pour tenter d'améliorer cette relation. Elle s'est davantage affirmée face à lui. Elle a cessé tout contact chaque fois qu'il devient violent et ne le laisse plus prendre toutes les décisions les concernant tous deux. Cependant, leur union reste conflictuelle. Ses différentes interventions ne donnent pas un résultat satisfaisant. Elle n'a pas encore décidé exactement ce qu'elle veut, c'est-à-dire le genre de relation qu'elle souhaiterait, et ne sait même pas s'il est possible d'entretenir une relation avec cet homme. Elle n'a pas non plus décidé de rompre.

Finalement, lors d'un incident particulièrement violent, elle lui a dit qu'elle voulait mettre un terme à leur relation. Elle a fait le nécessaire pour couper tout contact avec lui (action) et le résultat est une rupture définitive, ce qui a pour conséquence un sentiment de libération, mais une impression de solitude. Une réorientation de la démarche d'aide s'impose pour l'aider à faire face à ce nouveau problème.

Selon notre définition usuelle, la phase III se compose de trois étapes. Celles-ci concernent toutes trois les actions envisagées par le client.

**Étape III.A : Stratégies d'intervention.** Aidez les clients à mettre sur pied des stratégies visant l'atteinte de leurs objectifs. « Quels sont les différents moyens d'obtenir ce que je veux et ce dont j'ai besoin ? »

**Étape III.B : Stratégies d'ajustement optimal.** Aidez les clients à opter pour des stratégies adaptées à leurs préférences et à leurs ressources. « Quelles actions me conviennent le mieux ? »

**Étape III.C : Plans d'action.** Aidez les clients à établir des plans réalistes. « Que dois-je faire pour aboutir à un changement constructif ? Par où dois-je commencer en premier lieu ? Que dois-je faire dans un deuxième temps ? dans un troisième temps ? »

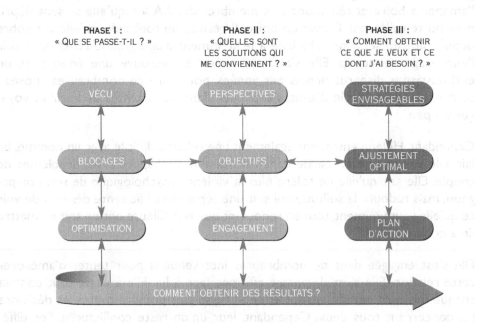

FIGURE 18.1
MODÈLE D'AIDE – PHASE III

La phase III, présentée à la figure 18.1, clôture la planification d'un programme de changement constructif. Cette phase concerne le plan d'action. Toutefois, ces trois étapes constituent la planification de cette action et ne doivent pas être confondues avec l'action en soi. Sans action, un programme de changement constructif n'est rien d'autre qu'une liste de souhaits. La sixième partie traite de la mise en application de ces plans.

La stratégie est l'art d'élaborer et de sélectionner des interventions réalistes visant l'atteinte d'objectifs dans des conditions défavorables, la pauvreté par exemple. Les situations problématiques dans lesquelles se débattent les clients constituent ces conditions défavorables ; les clients sont souvent en conflit avec eux-mêmes et le monde environnant. La façon la plus sérieuse, la plus humaine et la plus productive d'être à leurs côtés, c'est probablement de les aider à élaborer des stratégies pour qu'ils réalisent leurs objectifs. Voilà une autre étape de la démarche de counseling que les aidants évitent parfois, en raison de son caractère jugé trop technique. Ils rendent un bien mauvais service à leurs clients. Les individus qui se sont fixé des objectifs sans toutefois savoir clairement comment les atteindre restent complètement démunis.

Les stratégies se composent d'interventions qui consistent à aider les clients à réaliser leurs objectifs. L'étape III.A, qui consiste à élaborer toute une gamme de stratégies envisageables pour l'atteinte des objectifs, représente un exercice fructueux. Ce processus s'avère très libérateur pour les clients qui se sentent pris au piège de leurs problèmes et nourrissent des doutes sur la validité de leurs objectifs. Les clients qui savent quelle voie suivre pour parvenir à leur but disposent d'une plus grande confiance en eux-mêmes, ils savent qu'ils peuvent y arriver.

## 18.2 DIFFÉRENTS MOYENS D'ATTEINDRE LES OBJECTIFS

Une fois encore, il est question d'inciter les clients à faire preuve d'imagination et à recourir à la pensée divergente. La plupart des gens ne recherchent pas instinctivement différents moyens d'atteindre leurs objectifs avant d'opter pour celui qui leur semble aller de soi.

### INCITER LES CLIENTS À SE CREUSER LES MÉNINGES AFIN QU'ILS TROUVENT DES STRATÉGIES POUR ATTEINDRE LEURS OBJECTIFS

Le remue-méninges, abordé au chapitre 15, joue un rôle important dans l'élaboration des stratégies. Plus nous disposons de modalités pour atteindre un objectif, mieux c'est. Prenez le cas de Karine qui a pris conscience que son alcoolisme était en train de gâcher son existence. Son objectif est d'arrêter de boire. Elle sait intuitivement que le fait de réduire sa consommation ne suffira pas, elle doit arrêter complètement. Au début, elle a cru qu'une solution simple s'imposait d'elle-même : avant elle buvait, à partir d'aujourd'hui elle ne boira plus. Cette sobriété nouvellement acquise l'a fait persévérer pendant quelques jours ; puis ses mauvaises habitudes ont fini par prendre le pas sur ses bonnes résolutions. Ce schéma s'est répété plusieurs fois, jusqu'à ce qu'elle réalise finalement qu'il lui fallait de l'aide. Arrêter de boire, du moins pour elle, n'est pas aussi simple qu'elle le pensait à première vue.

Un conseiller d'un centre de traitement en matière d'alcoolisme et de toxicomanie l'a aidée à évaluer plusieurs techniques tirées d'un programme de désintoxication. Ils sont parvenus ensemble à dégager les possibilités suivantes :

- ✦ s'imposer un sevrage total et poursuivre sa vie ;
- ✦ devenir membre des Alcooliques anonymes ;
- ✦ sortir dans des endroits publics « sans alcool » ;
- ✦ prendre un médicament qui provoque des nausées s'il est ingéré avec de l'alcool ;
- ✦ remplacer la consommation d'alcool par d'autres activités agréables ;
- ✦ participer à un groupe d'entraide autre que les Alcooliques anonymes ;
- ✦ se débarrasser de toutes les boissons alcoolisées qu'elle a chez elle ;
- ✦ faire le serment de ne plus boire et, pour s'y engager plus sérieusement, le faire devant une personne significative ;
- ✦ suivre le programme de désintoxication dans un centre spécialisé ;
- ✦ éviter de fréquenter des amis qui boivent beaucoup ;
- ✦ modifier ses habitudes sociales ; trouver d'autres endroits que les bars et les cafés pour rencontrer des gens ;
- ✦ tenter l'hypnose pour réduire l'envie de boire ;
- ✦ recourir à des techniques de modification du comportement pour développer une aversion à l'alcool ; associer des électrochocs douloureux, mais inoffensifs, avec la consommation d'alcool ou même la simple intention de boire ;
- ✦ modifier les comportements ou les monologues intérieurs autodestructeurs, tels que « J'ai besoin d'un verre » ou « Un verre ne me fera pas de mal » ;
- ✦ devenir bénévole pour aider les autres à arrêter de boire ;
- ✦ lire des livres et visionner des films sur les dangers de l'alcool ;
- ✦ poursuivre sa thérapie pour obtenir le soutien et la motivation nécessaires pour rester sobre ;
- ✦ confier son intention d'arrêter de boire à sa famille et à ses amis proches ;
- ✦ passer une semaine avec une personne qui travaille auprès des alcooliques dans sa communauté et l'accompagner dans ses visites ;
- ✦ marcher dans les quartiers pauvres tout en méditant ;
- ✦ discuter avec les membres de sa famille de l'impact de l'alcoolisme sur leur vie ;
- ✦ manger certains aliments, comme des bonbons, qui réduisent le besoin de boire ;
- ✦ se trouver un passe-temps ou se lancer dans une entreprise exigeant beaucoup de temps et d'énergie ;
- ✦ remplacer l'alcool par toute une série d'activités enrichissantes, par exemple l'exercice physique ou la navigation dans Internet.

Cette liste est beaucoup plus longue que ne l'imaginait Karine avant que le conseiller ne l'encourage à passer en revue toutes les stratégies envisageables. Les gens deviennent des clients en bonne partie parce qu'ils ne font pas vraiment preuve de créativité pour trouver les moyens d'obtenir ce qu'ils veulent. Après avoir formulé les objectifs, pour les atteindre, il faut non seulement beaucoup d'efforts mais aussi beaucoup d'imagination.

Si les stratégies ne coulent pas de source pour un client, l'aidant peut « amorcer la pompe » par quelques suggestions. Driscoll (1984) l'a fort bien formulé.

> *La recherche d'options bénéficie de la collaboration et de l'incitation du client à discerner les moyens réalistes de ceux qui ne le sont pas. Cependant, nous devons être prêts à proposer nous-mêmes les options les plus pragmatiques, car les clients se révèlent souvent incapables de le faire d'eux-mêmes. Ceux qui parviennent à envisager de leur propre chef les options gagnantes sont plus disposés à s'y lancer. Le fait que les gens n'agissent pas de manière stratégique indique déjà qu'ils ne savent pas comment s'y prendre.* (p. 167)

L'aidant peut suggérer des options tout en laissant au client la principale responsabilité, celle qui consiste à évaluer et à choisir les stratégies envisageables. À titre d'exemple, le conseiller a la possibilité de recourir au message d'incitation et d'ouverture, il suggère quelques possibilités au client, puis lui propose d'en discuter pour voir ce qu'il en pense. Il peut également lui exposer certaines solutions adoptées par des gens aux prises avec le même genre de difficultés en lui demandant son avis. La partie « ouverture » de cette technique empêche le conseiller de tomber dans le piège des conseils. Il est clair que le client doit se pencher sur ces stratégies, opter pour celles qui lui conviennent et s'y engager.

Éric, un étudiant de deuxième cycle en psychologie, souffre de perfectionnisme. C'est un excellent étudiant, mais il s'inquiète systématiquement de savoir s'il a bien fait les choses. Après avoir rédigé un travail pratique ou donné une consultation, il s'inquiète en cherchant ce qu'il aurait pu mieux faire. Ce genre de comportement lui pèse lors des séances pratiques avec ses collègues stagiaires. Ces derniers lui font remarquer que cette attitude les met mal à l'aise et interfère avec le déroulement de la démarche d'aide. Un étudiant lui dit : « Tu me donnes l'impression que je n'agis pas comme il faut en tant que client. »

Éric prend alors conscience de la nécessité d'en faire moins et que, en se préoccupant moins des détails de la relation d'aide, il sera plus efficace en tant qu'aidant. Son objectif consiste à se détendre lors des séances d'aide, à se dégager de l'obligation d'être parfait et à apprendre de ses erreurs plutôt que de s'efforcer de les éviter. Il aborde avec son superviseur les façons de s'affranchir de cette obligation de perfection.

SUPERVISEUR : Que pouvez-vous faire pour essayer de vous détendre ?

ÉRIC : Je dois concentrer mon attention sur le client et ses objectifs plutôt que de me préoccuper de moi-même.

SUPERVISEUR : Un changement d'orientation fondamental s'impose donc dès le début.

ÉRIC : Exactement… ce qui signifie que je dois me débarrasser de certaines croyances inhibitrices.

SUPERVISEUR : Lesquelles ?

ÉRIC : Que la perfection technique du modèle d'aide prime sur la relation avec le client. Je me perds dans les détails du modèle et j'oublie que je suis un être humain face à un autre être humain.

SUPERVISEUR : En quelque sorte, il faut réintroduire la dimension humaine dans votre conception de la démarche d'aide… D'autres comportements internes à modifier ?

ÉRIC : Une autre conception me porte à penser que je dois être le meilleur de la classe. C'est ma façon d'être, du moins en ce qui concerne les matières théoriques. Pourtant, être aussi efficace que possible pour aider un client n'a rien à voir avec le fait d'être en concurrence avec mes camarades de classe. La concurrence est une distraction. Je sais que c'est en moi. Ça convenait peut-être au secondaire, mais maintenant…

SUPERVISEUR : Très bien, être le premier de classe n'a plus sa raison d'être…

ÉRIC (en l'interrompant) : Tout à fait. Même les exercices que nous faisons les uns avec les autres ne sont pas un jeu, ils sont réels. Vous savez, beaucoup d'entre nous abordent des problèmes vécus.

SUPERVISEUR : Vous venez de mentionner les attitudes à adopter et les conséquences qu'elles peuvent avoir sur les séances d'aide. Y a-t-il des comportements externes susceptibles de contribuer à tout cela ?

ÉRIC (marquant une pause) : J'hésite parce que je me rends compte à quel point je reste prisonnier de mes perceptions, toujours en train de m'évaluer… D'un point de vue pratique, j'aime bien ce que Justin et Manon font. Avant chaque séance avec leurs « clients », lors de leurs séances d'entraînement, ils passent cinq à dix minutes pour situer le client dans la démarche d'aide et déterminer ce qu'ils devraient faire lors de la prochaine séance pour le faire progresser et contribuer à l'aider. Cet exercice redirige l'attention là où elle doit être, sur le client.

SUPERVISEUR : Donc une mini-préparation avant chaque séance vous obligerait à sortir de votre monde pour entrer dans celui du client.

ÉRIC : Autre chose encore. Lors du visionnement hebdomadaire de nos vidéocassettes de formation, je me rends compte que je commence toujours par observer mon comportement au lieu de ce qui arrive au client… Bon, je pourrais discuter de ce dont nous venons de parler avec ma partenaire de formation. Elle m'aidera sans doute à rajuster le tir.

SUPERVISEUR : Je ne sais pas si vous abordez cette question de perfectionnisme quand vous êtes dans la peau du client lors des séances pratiques ou des réunions hebdomadaires sur les relations sociales.

ÉRIC (hésitant) : En fait, pas vraiment. Je viens juste de réaliser à quel point cela me conditionnait… À dire vrai, je pense ne pas l'avoir mentionné parce que je préfère que mes collègues me perçoivent comme quelqu'un de compétent et non pas comme un perfectionniste… Eh bien, ce n'est plus un secret maintenant, alors j'imagine que je vais mettre tout ça au programme de mon groupe de relations sociales.

Ce dialogue, émaillé d'empathie, de questions exploratoires et de confrontation de la part du superviseur, fait apparaître plusieurs stratégies qu'Éric pourra utiliser afin d'adopter une mentalité davantage centrée sur le client. Il conclut en déclarant que ses interactions avec sa partenaire de formation lui permettront sans doute d'approfondir tout ceci.

## INSTAURER UN CADRE DE RÉFÉRENCE INCITANT LE CLIENT À ÉLABORER DES STRATÉGIES

Comment poser les bonnes questions exploratoires aux clients pour les aider à élaborer une multiplicité de stratégies ? Un simple cadre de référence fait la plupart du temps l'affaire. Considérez le cas suivant :

Lucien est atteint d'un cancer en phase terminale. Ses séjours à l'hôpital se sont succédé ces derniers mois et il sait qu'il ne lui reste probablement pas plus d'un an à vivre. Tout en étant réaliste, il souhaite profiter au mieux de cette année. Il déteste l'hôpital, surtout quand il s'agit d'un grand établissement où l'on se perd dans l'anonymat. L'un de ses objectifs est de mourir à l'extérieur de l'hôpital. Il voudrait mourir de la façon la plus douce possible, compte tenu des circonstances, et rester en possession de ses facultés aussi longtemps que faire se peut. Comment atteindre ces objectifs ?

Pour faire découvrir à vos clients les stratégies envisageables, par des questions approfondies et des messages d'incitation, amenez-les à faire l'inventaire des ressources disponibles : les gens, les modèles, les groupes ou les collectivités, les lieux, les moyens tangibles, les organismes, les programmes ainsi que leurs ressources personnelles.

**Individus.** Quelles sont les personnes susceptibles d'aider les clients à poursuivre leurs objectifs ? Lucien obtient le nom d'un médecin de famille qui se spécialise dans le traitement de la douleur chronique liée au cancer. Il enseigne aux gens toute une variété de techniques pour apaiser cette douleur. Lucien mentionne la possibilité pour sa femme et sa fille d'apprendre à lui donner des injections d'analgésiques. Un ami lui a raconté comment son père avait bénéficié d'excellents soins palliatifs pour mourir à domicile. Qui plus est, il pense trouver le courage dont il a besoin en parlant de temps en temps à un ami dont la femme est morte du cancer, un homme qu'il respecte et en qui il a confiance.

**Modèles et exemples.** D'autres personnes font-elles ce que le client désire entreprendre ? L'un des collègues de travail de Lucien est décédé du cancer à la maison. Lucien lui a rendu visite à quelques reprises. C'est d'ailleurs ce qui lui a donné l'idée de l'imiter, ou du moins, de ne pas mourir à l'hôpital. Il a remarqué que son ami ne se laissait jamais aller à s'apitoyer sur son sort. Il envisageait la mort comme faisant partie de la vie, ce qui avait beaucoup touché Lucien à l'époque. En réfléchissant maintenant à cette expérience, il aurait sans doute tendance à adopter la même attitude combative.

**Groupes et collectivités.** Quels regroupements communautaires proposent aux clients des stratégies pour atteindre leurs objectifs ? Lucien, sans avoir jamais été vraiment un fervent pratiquant, sait que sa paroisse dispose de ressources pour aider ceux qui sont dans le besoin. Une recherche sommaire lui permet de se rendre compte que des bénévoles de son quartier ont mis sur pied un ensemble de services pour faciliter le quotidien des malades. Il effectue également une recherche dans Internet pour découvrir qu'il existe plusieurs groupes d'entraide pour les gens dans sa situation.

**Lieux.** Existe-t-il des endroits particuliers susceptibles d'apporter un soutien quelconque ? Lucien songe immédiatement à Lourdes, le lieu de pèlerinage où affluent les catholiques souffrant de toutes sortes de maux. Il n'espère pas de miracle, mais il a le sentiment que ce recueillement lui insufflera une énergie nouvelle. C'est un peu fou comme idée, mais pourquoi ne pas faire un pèlerinage ? Il dispose encore du temps et des ressources financières pour tenter l'expérience. Il découvre également un endroit virtuel : un groupe de discussion dans Internet destiné aux patients atteints du cancer et à leurs soignants. Ce groupe l'aide à s'évader et, parfois, à devenir un aidant plutôt qu'un client.

**Moyens tangibles.** Quels moyens tangibles sont à la disposition des clients pour atteindre leurs objectifs ? Lucien s'est informé sur l'usage combiné de différents médicaments afin d'atténuer la douleur, ainsi que sur les effets secondaires de la chimiothérapie. Il a appris que certains types d'électrothérapie pouvaient chasser la douleur chronique. Il analyse ces options avec son médecin et prend même l'avis d'un autre médecin.

**Organismes.** Quels groupes ou quelles institutions sont à la disposition des clients ? Lucien entre en contact avec un organisme qui aide les jeunes cancéreux à réaliser leurs rêves. Il s'inscrit comme bénévole dans cet organisme. En tant qu'aidant, il estime recevoir autant d'aide, de motivation et de réconfort qu'il en donne.

**Programmes.** Existe-t-il des programmes sur mesure destinés à aider les clients dans cette situation ? Lucien apprend qu'un nouvel établissement de soins palliatifs près de chez lui offre trois programmes. L'un d'eux aide les gens en phase terminale à rester dans leur milieu de vie le plus longtemps possible. Une deuxième offre la possibilité d'entrer à l'hôpital à temps partiel, tandis qu'un troisième, destiné à ceux qui ne peuvent passer que peu ou pas de temps dans leur milieu, propose une hospitalisation. Les objectifs de ces programmes correspondent en grande partie à ceux de Lucien.

L'encadré 18.1 présente certaines questions que vous pouvez suggérer aux clients pour les aider à élaborer des stratégies visant l'atteinte de leurs objectifs.

◎ Maintenant que je sais ce que je veux, que dois-je entreprendre ?

◎ Maintenant que je sais où je veux aller, quelles sont les voies possibles pour y parvenir ?

◎ Quelles sont les actions qui me mèneront à bon port ?

◎ Maintenant j'ai pris conscience de l'écart entre ce dont je dispose actuellement et mes désirs ainsi que mes besoins, comment tenter de réduire cet écart ?

◎ Quelles sont les différentes façons pour atteindre mes objectifs ?

◎ Par où commencer ?

◎ Que puis-je faire dès maintenant ?

◎ Que faire ensuite ?

## 18.3 « DE QUELLE AIDE AI-JE BESOIN POUR OBTENIR CE QUE JE VEUX ? »

Nous pouvons aussi envisager l'étape III.A comme permettant aux clients d'accéder aux ressources, à la fois internes et environnementales, dont ils ont besoin pour poursuivre leurs objectifs. Bien des clients ne savent pas mobiliser les ressources nécessaires. Le soutien social est l'une des ressources les plus importantes. On a beaucoup écrit sur le genre de soutien que les aidants doivent offrir à leurs clients (Alford et Beck, 1997 ; Arkowitz, 1997 ; Castonguay, 1997 ; Yalom et Bugental, 1997). En un sens, l'ensemble de cet ouvrage concerne ce type de soutien. Cependant, comme les clients doivent poursuivre leurs objectifs « dans la vraie vie », ils ont également besoin d'un soutien social. Malheureusement, comme l'a démontré Robert Putnam (2000) avec bien des preuves à l'appui, un tel soutien n'est pas toujours facile à trouver. Son argument majeur concerne la dangereuse réduction du capital social au sein de la société nord-américaine : la disparition des liens sociaux informels et le manque d'engagement civique. Putnam signale une nette diminution de la participation à des réunions organisées, à des relations entre les voisins et à des rencontres avec les amis et la famille. À ne pas confondre avec la solitude, l'isolement social est un problème de plus en plus courant aujourd'hui.

Le soutien social reste un élément clé du changement (voir Basic Behavioral Science Task Force of the National Advisory Mental Health Council, 1996).

*On a considéré le soutien social [...] en tant que variable explicative de l'évolution de la maladie mentale. Dans environ 75 % des études effectuées auprès de patients atteints de dépression, les facteurs de soutien social ont accru la réussite initiale du traitement et aidé les patients à conserver leurs acquis. De la même façon, des études portant sur des individus atteints de schizophrénie ou en proie à l'alcoolisme ont démontré une corrélation entre un bon niveau de soutien social et un faible taux de rechute : hospitalisations moins fréquentes, réussite du traitement et maintien des acquis. (p. 628)*

Dans une étude portant sur la perte de poids et le maintien de cette perte (Wing et Jeffery, 1999), les clients qui s'assuraient l'aide d'amis obtenaient davantage de succès qu'en s'engageant en solo dans la bataille. C'est ce qu'on appelle la facilitation sociale, qui diffère grandement de la dépendance. La simple présence d'individus qui se comportent d'une façon particulière provoque un effet d'entraînement chez la personne qui veut adopter un comportement semblable. Cette facilitation sociale, une approche de la psychologie positive, s'avère stimulante, tandis que la dépendance est le plus souvent déprimante. Par conséquent, une culture d'isolement social augure bien mal pour les clients. Bien entendu, ces conclusions vont dans le sens de ce que nous pressentons d'emblée. Qui n'a jamais bénéficié de l'aide d'amis ou de la famille dans les moments difficiles ? Le soutien social représente un facteur de protection important en matière de santé, et ce, peu importe la culture. Les études au Québec tendent aux mêmes résultats et aux mêmes conclusions que celles qui ont été entreprises chez nos voisins du Sud (Chouinard et Robichaud-Ekstrand, 2003).

Lorsqu'il est question de soutien social, deux catégories de clients se profilent. Tout d'abord, nous trouvons ceux qui mènent une vie sociale appauvrie. Dans le cas de ce premier groupe, il faut les aider à trouver des ressources sociales pour qu'ils puissent se réinsérer dans la société de façon fructueuse. Cependant, comme l'a fait remarquer Putnam (2000), même lorsque les clients disposent, du moins en théorie, d'un réseau social, ils ne s'en servent pas toujours efficacement. Ce second groupe pose un problème différent aux conseillers, qui devront inciter leurs clients à exploiter ces ressources humaines pour arriver à mieux gérer leurs situations difficiles.

En fait, l'étude de la Basic Behaviorial Science Task Force (1996), citée précédemment, a démontré que ce sont les individus complètement désemparés qui ont le plus besoin de soutien social et risquent d'en recevoir moins, car l'expression de leur désarroi éloigne les sympathisants potentiels. Qui, à un moment ou à un autre, n'a pas évité un ami ou un collègue dans le besoin ? Par conséquent, nous devons enseigner aux clients en plein désarroi à en moduler les manifestations. Qui veut aider un plaignard ? D'autre part, les sympathisants potentiels peuvent également apprendre à s'occuper d'amis ou de collègues désemparés, même lorsque ces derniers expriment une grande détresse.

L'étude de ce groupe de travail suggère deux stratégies fondamentales pour susciter le soutien social : aider les clients à mobiliser ou à renforcer le soutien de leurs réseaux sociaux existants et élargir leur réseau social par l'établissement de nouveaux liens. Ces stratégies entrent toutes deux en jeu dans le cas suivant :

> Alexandre, un célibataire en déplacement constant partout dans le monde pour raison de travail, est tombé malade. Il avait certes beaucoup d'amis, mais éparpillés dans différents pays. N'étant pas marié, et n'ayant aucune attache sentimentale, il n'avait aucun « soignant naturel » dans sa vie. Il a reçu d'excellents soins médicaux, mais il a mal réagi sur le plan psychologique.
>
> Une fois sorti de l'hôpital, il s'est rétabli lentement, en raison surtout de son manque de soutien social. En désespoir de cause, il a consulté un conseiller pendant quelques séances, lesquelles se sont avérées très utiles. Son conseiller l'a confronté et l'a amené à demander de l'aide à ses amis « proches », dans tous les sens du terme.

Alexandre avait minimisé sa maladie parce qu'il ne voulait pas être un fardeau. Il s'est rendu compte que ses amis étaient tout à fait prêts à l'aider. Toutefois, en raison de leur disponibilité limitée, il a décidé, après quelques hésitations, de se tourner vers le réseau social plutôt restreint de sa ville natale et de demander l'aide de certaines personnes très chaleureuses de son quartier. Il craignait d'être accablé par des gens pieux, mais il a trouvé des gens comme lui. Qui plus est, ils avaient, dans l'ensemble, une bonne intelligence sociale et savaient quand distribuer ou non leur sollicitude. De fait, la plupart du temps, cette sollicitude se résumait en une simple attitude amicale. Enfin, il a engagé quelques étudiants de l'université locale pour faire un peu de traitement de texte et quelques courses pour lui. Ces derniers lui ont aussi apporté un certain soutien.

Comme l'a fait remarquer le groupe de travail, il importe non seulement que les gens soient disposés à offrir un soutien, mais que ceux qui en ont besoin connaissent également cette disponibilité. Dans le cas d'Alexandre, cela revenait à modifier son attitude et son ouverture d'esprit face à la possibilité de recevoir de l'aide.

Finalement, tous les clients doivent un jour ou l'autre s'en sortir sans l'aide d'un conseiller. Dès lors, les aidants efficaces tentent dès le début de les encourager à explorer les possibilités de soutien social en fonction de leurs situations problématiques. À la phase de la flèche d'action, il est temps de poser des questions de ce genre : « Qui est susceptible de vous aider à faire cela ? Qui vous remettra en question lorsque vous voudrez baisser les bras ? Avec qui pouvez-vous partager ce genre de préoccupations ? Qui vous félicitera lorsque vous aurez atteint votre objectif ? »

Bien que le soutien social soit souvent essentiel, il ne constitue pas l'unique ressource nécessaire au client pour poursuivre ses objectifs. Les aidants efficaces contribuent à la mise en place de ressources au sein de la démarche d'aide.

## 18.4 « QUELLES CONNAISSANCES PRATIQUES ET QUELLES APTITUDES ME PERMETTRONT D'OBTENIR CE QUE JE VEUX ET CE DONT J'AI BESOIN ? »

Il arrive souvent que les gens s'attirent des ennuis ou ne parviennent pas à s'extraire de situations difficiles parce qu'ils ne disposent pas des aptitudes ni des habiletés nécessaires pour y faire face. Si tel est le cas, il est nécessaire d'adopter une stratégie globale consistant à aider ces clients à acquérir ces aptitudes et à apprendre à mieux s'adapter. En outre, il s'avère primordial pour certains clients de recourir à des formations axées sur des compétences dans le cadre de la thérapie – ce que Carkhuff (1971) a intitulé, il y a des années, la « formation en tant que traitement ». Nous aggravons la situation au lieu de la résoudre en remettant en question les clients pour les amener à s'engager dans des activités pour lesquelles ils ne possèdent pas les habiletés nécessaires. Quelles connaissances pratiques et quelles aptitudes faut-il au client pour qu'il obtienne ce qu'il veut ? Prenez le cas suivant :

Domenico et Zoé sont tombés amoureux, se sont mariés et ont presque vécu une lune de miel durant deux années. Cependant, les affrontements qui surgissent inévitablement de la vie à deux ont fini par se faire jour. Ils ont découvert, entre autres, qu'ils comptaient trop sur leurs sentiments amoureux et que maintenant, en leur absence, ils ne pouvaient plus échanger sur les questions financières, sexuelles et morales. Il leur manquait certaines habiletés de communication interpersonnelles essentielles. Qui plus est, la compréhension des besoins de développement de l'autre leur faisait défaut. Domenico avait peu de connaissances pratiques concernant les exigences d'une femme de 20 ans, pas plus que Zoé ne connaissait les modèles culturels de son mari italien de 29 ans. Leur relation a commencé à se détériorer. N'ayant que peu d'aptitudes pour résoudre leurs problèmes, ils ne savaient comment faire face à cette situation.

Domenico et Zoé avaient besoin d'acquérir certaines aptitudes. Cela n'a rien d'étonnant. La dégradation d'une relation se doit souvent à un manque d'habiletés de communication et d'aptitudes à la vie quotidienne. Je connais un conseiller matrimonial qui travaille avec des groupes de quatre couples. La formation en habiletés à communiquer fait partie de sa démarche. Il sépare les femmes des hommes et leur enseigne à tous la manifestation de l'attention, l'écoute active et la compréhension empathique. Lors de l'étape pratique, il commence par mettre deux femmes ensemble et deux hommes ensemble ; puis, un homme et une femme qui ne sont pas mariés. Enfin, il réunit les couples, leur enseigne une version simplifiée du processus de gestion de problèmes abordé dans ce livre et leur donne un coup de main pour mettre en pratique les habiletés acquises afin qu'ils puissent résoudre leurs difficultés. En somme, il les dote de deux séries d'aptitudes à la vie quotidienne : la communication interpersonnelle et la résolution de problèmes.

La littérature scientifique regorge de programmes pour fournir aux clients les connaissances pratiques et les aptitudes nécessaires afin de gérer leurs problèmes et s'épanouir. Certains mettent l'accent sur des problèmes spécifiques. Ainsi, Deffenbacher et ses associés (Deffenbacher, Thwaites, Wallace et Oetting, 1994 ; Deffenbacher, Oetting, Huff et Thwaites, 1995) ont conçu et évalué des programmes destinés à la maîtrise de la colère en général. Ces programmes, même s'il faut les adapter aux clients, foisonnent de stratégies qui permettent d'atteindre des objectifs. Le prochain chapitre traitera des façons d'adapter de tels programmes génériques à chaque individu.

## 18.5 DES STRATÉGIES À L'ACTION

Toutes les étapes de la démarche d'aide visent à inciter le client à agir, mais cela est particulièrement vrai de l'étape III.A, qui traite des actions envisageables. Nombre de clients, une fois qu'ils ont commencé à entrevoir certaines actions pour obtenir ce qu'ils veulent, les entreprennent sur-le-champ, sans besoin de plan formel. Voici quelques exemples de personnes qui, avec de l'aide, ont sélectionné les stratégies pour atteindre leurs objectifs et sont intervenues en conséquence.

Jean-François est dans l'armée depuis dix mois. Il souffre de surmenage et, sans que cela soit forcément paradoxal, s'ennuie. Il a parfois consulté un conseiller pédagogique de la base. Lors de ces séances, Jean-François a clairement pris conscience que le fait de ne pas avoir un diplôme d'études secondaires jouait en sa défaveur. Le conseiller lui a mentionné la possibilité de terminer ses études en restant dans l'armée. Jean-François réalise qu'on le lui avait déjà proposé lors des rencontres d'orientation, mais qu'il n'avait pas retenu cette option. Il s'était engagé dans l'armée parce qu'il n'aimait pas l'école et que son manque de qualification l'empêchait de trouver un emploi. Cependant, aujourd'hui, il souhaite obtenir son diplôme le plus vite possible.

Il a reçu l'autorisation requise de son commandant pour aller à l'école. Il s'est informé des cours dont il avait besoin et s'est inscrit à temps pour la session suivante. Il a obtenu rapidement son diplôme, s'est senti beaucoup mieux dans sa peau et a découvert de nombreux postes intéressants dans l'armée. En atteignant son objectif – décrocher son diplôme d'études secondaires –, il est parvenu à surmonter ses difficultés.

Jean-François est l'un de ceux qui ont la chance, avec un peu d'aide, de savoir formuler rapidement un objectif (le quoi) tout comme de déceler et de mettre en pratique les stratégies (le comment) pour l'accomplir. Remarquez également que l'objectif d'obtenir son diplôme lui a ouvert la voie à d'autres objectifs : se sentir en paix avec lui-même et obtenir un meilleur emploi dans l'armée.

La voie empruntée par Joëlle vers la gestion de problèmes diffère grandement de celle de Jean-François. Elle a eu besoin d'être davantage épaulée.

D'aussi longtemps qu'elle se souvienne, Joëlle a toujours été craintive. Elle avait particulièrement peur d'être rejetée et d'échouer. Pour cette raison, sa vie sociale était limitée. Elle accumulait les emplois sûrs, mais ennuyeux. Elle était devenue si déprimée qu'elle fit même, sans conviction, une tentative de suicide, résultant davantage de l'expression de son angoisse et d'un appel à l'aide que d'une tentative sérieuse de se débarrasser de ses problèmes en mettant fin à ses jours.

Lors de son séjour à l'hôpital, Joëlle a suivi quelques séances de thérapie avec l'un des psychiatres résidents. Ce psychiatre l'a soutenue et l'a aidée à faire face à la fois à la culpabilité dérivant de sa tentative de suicide et à la dépression qui l'avait poussée à ce geste. Le fait de confier à quelqu'un des détails qu'elle gardait en général pour elle-même a semblé bénéfique. Elle a commencé à envisager sa dépression comme une sorte de résignation acquise. Elle s'est rendu compte qu'elle laissait ses peurs dicter ses choix. Elle a réalisé également petit à petit qu'elle disposait de nombreuses ressources inexploitées. Elle était intelligente et, sans être particulièrement belle, avait bien d'autres attraits. Elle avait le sens de l'humour, même si elle se donnait rarement l'occasion de le démontrer. Elle était également sensible aux autres et fondamentalement humaine.

À sa sortie de l'hôpital, Joëlle est retournée plusieurs fois aux consultations externes. Elle en est arrivée à vouloir intervenir sur sa crainte générale et sa passivité, particulièrement sur le plan social. Une infirmière en psychiatrie lui a enseigné la relaxation et les techniques de blocage de la pensée pour l'aider à réduire son anxiété. La diminution de son anxiété l'a mise en condition de bâtir des relations sociales. Avec l'aide de l'infirmière, elle a formulé les deux objectifs suivants : se faire quelques amis et devenir membre de certains groupes. Toutefois, elle ne savait pas du tout comment s'y prendre. Elle pensait que l'amitié et une vie sociale épanouie surgissaient tout naturellement. Elle a réalisé rapidement que beaucoup de gens devaient s'efforcer d'améliorer leur vie sociale et que pour certaines personnes cela n'avait rien d'automatique.

L'infirmière a aidé Joëlle à trouver différents groupes dans lesquels elle pouvait s'impliquer et à voir ensuite lesquels répondaient à ses besoins sans lui occasionner trop de tension. Elle a finalement choisi de se joindre au groupe d'artisanat du YMCA du coin. Ce groupe lui a donné l'occasion de commencer à développer quelques-uns de ses talents et de rencontrer des gens sans se heurter aux exigences d'une relation intime. Elle s'est également familiarisée avec d'autres programmes parrainés par le centre, mais cette fois davantage orientés vers l'aspect social. Dans ce programme d'artisanat, elle a rencontré des gens qui lui plaisaient et à qui elle semblait plaire. Elle a commencé à aller prendre un café avec eux, puis à aller dîner de temps en temps.

Joëlle avait toujours besoin du soutien et de l'encouragement de son aidante, mais son anxiété s'estompant graduellement, elle se sentait moins seule. Il lui arrivait néanmoins de se laisser envahir par l'anxiété. Elle manquait une réunion au YMCA tout en affirmant y avoir assisté. Cependant, quand elle a fait d'avantage confiance à son aidante, elle lui a révélé ce comportement autodestructeur. L'infirmière l'a aidée à élaborer des stratégies d'adaptation en cas d'intensification de son angoisse.

Les problèmes de Joëlle étaient plus graves que ceux de Jean-François et celle-ci ne disposait pas d'autant de ressources immédiates que lui. Par conséquent, elle nécessitait davantage de temps et d'attention pour formuler des objectifs et élaborer des stratégies.

**?**

## QUESTIONS D'ÉVALUATION CONCERNANT L'ÉTAPE III.A

### Quelle est votre efficacité face aux activités suivantes ?

- ◉ Recourir à des questions exploratoires, des messages d'incitation et confronter les clients pour les aider à trouver des stratégies possibles.
- ◉ Aider les clients à recourir à la pensée divergente pour chercher des stratégies.
- ◉ Inciter les clients à se creuser les méninges afin qu'ils trouvent le maximum de moyens d'atteindre leurs objectifs.
- ◉ Recourir à une démarche suscitant la créativité des clients dans l'élaboration de stratégies.
- ◉ Aider les clients à reconnaître et à acquérir petit à petit les ressources dont ils ont besoin pour poursuivre leurs objectifs.
- ◉ Aider les clients à discerner et à développer les aptitudes nécessaires à l'atteinte de leurs objectifs.
- ◉ Aider les clients à envisager les actions découlant des stratégies retenues.

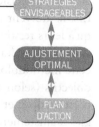

# CHAPITRE 19

## ÉTAPE III.B : « QUELLES SONT LES STRATÉGIES QUI ME CONVIENNENT ? » STRATÉGIES D'AJUSTEMENT OPTIMAL

### 19.1 « QU'EST-CE QUI ME CONVIENT LE MIEUX ? » LE CAS DE ROBERT

### 19.2 AIDER LES CLIENTS À CHOISIR DES STRATÉGIES D'AJUSTEMENT OPTIMAL
- Stratégies précises
- Stratégies valides
- Stratégies réalistes
- Stratégies en accord avec les valeurs du client

### 19.3 MISE À L'ESSAI DES STRATÉGIES

### 19.4 MÉTHODE DU BILAN POUR CHOISIR LES STRATÉGIES
Exemple de bilan
Usage réaliste du bilan

### 19.5 DE L'ÉTAPE III.B À L'ACTION

### 19.6 DIFFICULTÉS INHÉRENTES À LA SÉLECTION DES STRATÉGIES : MISES EN GARDE
- Faire des vœux pieux
- Jouer la sécurité
- Éviter le pire
- Atteindre un équilibre

## QUESTIONS D'ÉVALUATION CONCERNANT L'ÉTAPE III.B

Aux deux dernières étapes du stade III, les clients repassent par un processus de prise de décision. Après avoir identifié nombre de stratégies pour atteindre leurs objectifs, ils doivent maintenant retenir celles qui conviennent le mieux à leur situation ainsi qu'à leurs ressources pour établir un plan de changement constructif. Il n'est pas essentiel de suivre ces étapes selon le processus formel exposé ici. Les conseillers, familiarisés avec cette méthodologie de planification, aident les clients à trouver un moyen de réaliser leurs objectifs (selon leurs besoins et leurs aspirations), d'une manière systématique, flexible, personnalisée et rentable. À l'étape III.B, on encourage les clients à sélectionner les stratégies d'ajustement optimal. L'étape III.C traite quant à elle de la façon d'élaborer un plan détaillé à partir de ces stratégies.

Certaines personnes, une fois qu'on leur a donné un coup de main pour envisager une série de stratégies, poursuivent d'elles-mêmes, en sélectionnant les meilleures stratégies, en dressant un plan d'action et en le mettant à exécution. D'autres, cependant, ont besoin qu'on les aide à choisir les stratégies les mieux adaptées à leur situation. C'est pourquoi nous avons ajouté l'étape III.B à la démarche d'aide, car il est vain de demander au client de se creuser les méninges pour trouver des stratégies qu'il ne saura pas mettre en application par la suite.

Prenez le cas de Robert. On l'a aidé à découvrir les deux stratégies d'ajustement optimal qui lui étaient nécessaires pour trouver une stabilité émotive et il est ainsi parvenu à obtenir des résultats dépassant les espoirs les plus fous.

> Un beau matin, alors qu'il avait 18 ans, Robert s'est réveillé incapable de parler comme de bouger. On l'a transporté à l'hôpital, où on a diagnostiqué une schizophrénie catatonique. Après plusieurs séjours hospitaliers, accompagnés de traitements de pharmacothérapie et d'électroconvulsothérapie, on a fini par diagnostiquer une schizophrénie paranoïde, considérée comme incurable.
>
> Une rapide rétrospective de son existence conduisait à penser que sa détresse émotionnelle résultait en grande partie des problèmes restés sans solution ainsi que d'un manque de soutien affectif. Il avait été séparé de sa mère durant quatre ans lorsqu'il était jeune et, une fois avec sa mère dans une ville qui leur était inconnue à tous deux, il avait subi de nombreuses persécutions à l'école en raison de son accent et des traits typés de son visage. Il avait connu tout simplement trop de tensions et de changements au cours de l'existence. Il s'était protégé en s'isolant et était envahi par des sentiments de perte, de peur, de rage et d'abandon. Le moindre changement lui semblait intolérable. Sa stupeur catatonique était apparue en automne, au moment de débuter ses études au cégep. C'était la goutte qui avait fait déborder le vase.
>
> Durant son séjour à l'hôpital, Robert, encouragé par les autres patients, s'est dit convaincu qu'il pouvait contribuer à se remettre de sa maladie. Il n'avait pas forcément à devenir la victime de sa propre pathologie ou de l'institution qui

le soignait. En réfléchissant à ses séjours hospitaliers, aux médicaments et aux électrochocs, il a déclaré que les traitements étaient si affligeants qu'il n'y avait rien d'étonnant à ce que son état ait empiré. D'une manière ou d'une autre, il a trouvé le moyen de mobiliser ses ressources internes pour sortir de l'hôpital. Il a fini par trouver un emploi et se marier.

Un jour qu'il connaissait de nombreux problèmes au travail et avec sa famille, Robert a ressenti une grande agitation et a eu l'impression qu'il allait mourir étouffé. Son médecin l'a fait entrer à l'hôpital pour un traitement complémentaire. Heureusement, il a rencontré Sandra, une infirmière psychiatrique qui était convaincue que la plupart des patients de l'établissement se trouvaient là parce qu'ils manquaient de soutien avant, pendant et après leurs crises. Elle lui a permis de se rendre compte de ce manque, spécialement durant les périodes de tension. Dans les groupes de counseling qu'elle tenait à l'hôpital, Sandra a également découvert que Robert avait le doigté pour encourager les autres. Son but vague visait toujours sa stabilité émotionnelle et il était prêt à fournir les efforts nécessaires pour y parvenir. Ses meilleures stratégies ont donc été de trouver un soutien affectif et également d'aider les autres à surmonter leurs difficultés, deux objectifs instrumentaux.

À l'extérieur, Robert a initié un groupe d'entraide pour les anciens patients comme lui. Il est devenu un participant à part entière de ce groupe. Sandra, l'infirmière psychiatrique, a également montré à sa femme comment agir pour lui apporter de l'aide en période de stress. Pour venir au secours des autres, Robert a non seulement fondé ce groupe d'entraide, mais a établi tout un réseau de groupes d'entraide pour les anciens patients.

Voilà l'exemple impressionnant d'un individu qui s'est concentré sur un objectif vague, la stabilité émotionnelle, et l'a transformé en une série de buts réalisables et immédiats. Pour concrétiser ces buts, il a découvert deux grandes stratégies : s'entourer en permanence d'un soutien émotionnel et aider les autres. Il a ensuite traduit les stratégies dans l'action. Ce faisant, il a atteint l'équilibre qu'il cherchait.

## 19.2 AIDER LES CLIENTS À CHOISIR DES STRATÉGIES D'AJUSTEMENT OPTIMAL

Les critères utilisés pour sélectionner les stratégies qui visent l'atteinte des objectifs ressemblent en quelque sorte aux critères destinés à choisir les objectifs, lesquels sont présentés à l'étape II.B. Nous reverrons rapidement ces critères au moyen d'une série d'exemples. Les stratégies qui permettent d'atteindre les objectifs, tout comme les objectifs eux-mêmes, doivent être précises, valides, prudentes, réalistes, flexibles, viables, rentables, tout en respectant les valeurs du client. Voici quelques-uns de ces critères et la façon dont ils s'appliquent à la sélection des stratégies.

**Stratégies précises.** Pour atteindre les objectifs, les stratégies doivent être suffisamment spécifiques pour guider le comportement. Dans l'exemple précédent, les deux stratégies vagues de Robert, qui consistaient à acquérir une stabilité émotionnelle en obtenant un soutien affectif et en aidant les autres, se traduisaient par des stratégies spécifiques : consulter Sandra, bénéficier de l'aide de sa femme, participer à un groupe d'entraide. La différence est frappante avec le cas de Sylviane.

> Sylviane a été admise dans un hôpital psychiatrique parce que les voisins avaient remarqué son comportement bizarre. Elle était débraillée et se promenait en les accusant de tous les péchés. On a diagnostiqué une schizophrénie. Elle vivait seule depuis cinq ans, à la suite de la mort de son mari et s'était, semble-t-il, isolée progressivement des autres pour sombrer dans l'aliénation. Les médicaments qu'on lui a administrés à l'hôpital ont permis de soulager certains de ses symptômes. Elle a cessé de sermonner les autres et a pris soin de son apparence physique, mais elle est restée passablement repliée sur elle-même. On lui a recommandé l'ambiothérapie, un euphémisme pour dire qu'on l'aidait à suivre la routine plus ou moins bénéfique de l'hôpital : un peu de travail, un peu d'exercice et quelques occasions de socialiser. Elle était toujours renfermée et plus ou moins déprimée. On ne lui a fixé aucun objectif thérapeutique et le programme général prévu ne lui convenait absolument pas.

Sylviane n'a nullement bénéficié de cette soi-disant ambiothérapie, qui ne correspondait pas à ses besoins. Il s'agissait d'un programme général légèrement supérieur aux soins habituels basés sur la pharmacothérapie[1]. En revanche, les stratégies de Robert se sont avérées efficaces. Non seulement elles lui ont permis d'acquérir une stabilité, mais elles lui ont également donné une nouvelle perspective de l'existence.

**Stratégies valides.** Lorsqu'elles sont appliquées, les stratégies sont fiables dans la mesure où elles incitent les clients à tirer parti de leurs ressources et à atteindre leurs objectifs. Non seulement le programme de Sylviane était trop général, mais il manquait de contenu. Par contre, les stratégies de Robert étaient efficaces, en particulier celle qui consistait à fonder et à gérer un groupe d'entraide. Que pouvait-on faire pour Sylviane ?

> Un psychiatre nouvellement engagé, inspiré par le concept de Corrigan (1995) concernant les « champions de la réadaptation psychiatrique », s'est immédiatement rendu compte qu'il fallait à Sylviane autre chose que des soins psychiatriques standards inspirés de l'ambiothérapie. Il l'a impliquée dans un programme global d'apprentissage social, qui comprenait à la fois une restructuration cognitive, un apprentissage social, de même que des interventions de modification du comportement telles que les différentes formes de renforcement, et le modelage. Sylviane a très bien réagi à ce nouveau programme passablement exigeant. Elle a obtenu son congé dans les six mois et, grâce au soutien apporté par le programme ambulatoire, elle a pu réintégrer son milieu.

---

1  Commentaires du responsable de l'adaptation française. J'attire votre attention sur le ton et les mots employés par G. Egan pour décrire l'ambiothérapie. L'ambiothérapie ou thérapie par le milieu, sans être une panacée, n'est pas une futilité lorsqu'elle est pratiquée dans les règles de l'art. Voir Fortinash et Holoday-Worret (2003) à la partie IV, qui traite des modalités thérapeutiques.

Le programme prévu pour Sylviane était non seulement valide, mais spécifique, réaliste, viable, flexible, rentable et en accord avec ses valeurs. Il était doublement rentable : non seulement il tirait parti au mieux de son temps, de son énergie et de ses ressources psychologiques, mais il lui a permis, ainsi qu'aux autres, de réintégrer son milieu. Ce programme respectait ses valeurs parce que, contrairement aux impressions du personnel hospitalier, elle ne voulait pas qu'on la laisse tranquille mais appréciait la compagnie d'autrui autant que son indépendance. De retour dans son entourage, elle s'est beaucoup mieux comportée.

**Stratégies réalistes.** Si les clients optent pour des stratégies inaccessibles, ils se piègent. Pour être réaliste, une stratégie doit être mise en œuvre par le client, avec ses propres ressources, sous son contrôle, sans se heurter à des obstacles insurmontables. Les stratégies de Robert auraient pu sembler irréalistes à la plupart des gens et des aidants. Cependant, et cela fait ressortir un élément important, il ne faut pas sous-estimer les capacités du client mais au contraire l'inciter, dans la mesure du possible, à adopter des objectifs ambitieux. Dans l'exemple suivant, Denis passe d'une stratégie irréaliste à une autre, tangible, pour obtenir ce qu'il veut :

> Denis vivait dans une maison de transition après avoir quitté un hôpital psychiatrique. Il lui arrivait de vivre des épisodes dépressifs qui l'empêchaient de s'adonner à quelque activité que ce soit pendant quelques jours. Il voulait se trouver un emploi parce qu'il pensait que cela lui remonterait le moral et l'estime de soi, tout en lui permettant d'être indépendant. Il répondait au hasard aux petites annonces et essuyait refus après refus. Il lui manquait tout simplement le genre de ressources nécessaires pour se présenter sous un jour favorable lors d'une entrevue. En outre, il n'était pas prêt à s'investir dans un emploi régulier à temps plein.

Laissé à lui-même, Denis ne parvenait pas à sélectionner les stratégies adéquates pour atteindre des objectifs, mêmes modestes. Voici ce qui est arrivé par la suite :

> L'université la plus proche a reçu des fonds pour fournir des services communautaires aux maisons de transition de la région métropolitaine. Ce programme prévoyait, entre autres, de trouver des compagnies prêtes à embaucher les résidents de ces foyers de transition, à la satisfaction des deux parties. L'un des conseillers de ce programme a aidé Denis à se mettre en contact avec ces entreprises qui disposaient de modalités spécifiques pour aider les gens souffrant de troubles psychiatriques. Ce dernier en a trouvé deux qui lui semblaient répondre à ses besoins. Certains des meilleurs employés de ces entreprises souffraient de problématiques diverses, y compris des troubles psychiatriques. Après quelques rencontres, Denis a décroché au sein de l'une de ces compagnies un emploi qui correspondait tant à ses capacités qu'à sa situation. Toute la culture organisationnelle était axée sur le genre de soutien qu'il lui fallait.

De toute évidence, il existe une différence entre être réaliste et laisser les clients se sousestimer. Les stratégies valides insistent sur l'adoption d'objectifs exigeants et finissent par être les plus gratifiantes. Le cas de Robert illustre à merveille ce propos.

**Stratégies en accord avec les valeurs du client.** Assurez-vous que les stratégies adoptées par les clients correspondent bien à leurs valeurs. Prenez le cas de Marguerite, mère de deux enfants qui était en instance de divorce. Son mari était alcoolique et très peu enclin à assumer ses responsabilités paternelles.

Lors de la préparation de la comparution, cette femme et son avocat se sont affrontés fréquemment. L'avocat était déterminé à saper la crédibilité de son mari sur tous les plans. Marguerite s'est opposée à ce genre de tactique, car elle avait l'impression de se rabaisser et de ne voir que la partie sombre de son mariage. Elle avait tout de même vécu des moments de joie au cours des dernières années. Elle en a ensuite discuté avec sa conseillère matrimoniale et un autre avocat. Elle n'en a pas démordu et ils ont préparé ensemble une défense basée sur des faits mais exempte de tout élément scabreux.

À la suite du prononcé de la cour, Marguerite a obtenu la garde des enfants alors que le père s'est vu octroyé le droit de garde une fin de semaine sur deux. Bien qu'elle aurait préféré la garde complète, le verdict lui est apparu comme un compromis acceptable. Dans les séances qui ont suivi avec sa conseillère, Marguerite a déclaré que l'un des moments les plus difficiles avait été cette discussion avec son avocat au sujet du type de défense à adopter. D'un côté, elle se disait qu'elle devait trouver tous les moyens pour obtenir une garde complète, mais de l'autre, elle se refusait à employer des moyens déloyaux et de dénigrer outre mesure son ex-mari. Les séances avec la conseillère matrimoniale lui ont fait voir à quel point elle vivait du ressentiment par rapport à son ex-mari et le danger qui la guettait alors de tomber dans une stratégie de dénigrement qu'elle aurait regretté par la suite. La conseillère lui a permis de clarifier la situation et de préciser ses valeurs, mais elle n'a aucunement tenté d'imposer ses propres valeurs ou celles de l'avocat à sa cliente.

L'encadré 19.1 reprend le genre de questions que vous pouvez demander à votre client de se poser pour sélectionner la meilleure stratégie.

---

### ENCADRÉ 19.1
### QUESTIONS CONCERNANT LES MEILLEURES STRATÉGIES

- ◉ Quelles seront les meilleures stratégies pour obtenir ce que je veux et ce dont j'ai besoin ?
- ◉ Quelles sont les meilleures stratégies dans le contexte ?
- ◉ Quelles sont les stratégies qui correspondent le mieux à mes ressources ?
- ◉ Quelles seront les stratégies les plus rentables compte tenu de mes ressources ?
- ◉ Quelles sont les stratégies les plus efficaces ?
- ◉ Quelles sont les stratégies qui s'adaptent le mieux à ma façon d'agir ?
- ◉ Quelles sont les stratégies qui correspondent le mieux à mes valeurs ?
- ◉ Quelles sont les stratégies qui auront le moins de conséquences indésirables ?

Certaines personnes trouvent plus facile de sélectionner des stratégies si elles peuvent les essayer d'abord et en voir ensuite les implications. Prenez le cas suivant :

> Deux partenaires financiers s'affrontent sur une question de propriété des actifs de l'entreprise. Ils veulent à la fois que l'entente soit juste, que l'entreprise n'en souffre pas, tout en préservant leur relation. Une de leurs collègues leur permet de tester certaines solutions. Sur ses conseils, ils consultent un avocat pour connaître le processus et les conséquences d'un règlement judiciaire, rencontrent également un conciliateur spécialisé dans ce genre de litige et font appel à une firme d'arbitrage.

Dans ce cas, la mise à l'essai présentait l'intérêt additionnel de leur laisser le temps de se calmer. Ils ont fini par adopter la solution du conciliateur.

Dans l'exemple suivant, Karine, après s'être creusé les méninges avec l'aide de son conseiller à la recherche de stratégies pour renoncer à l'alcool, a décidé d'en essayer quelques-unes.

> Surprise par le nombre de programmes existants, Karine s'est lancée à fond dans plusieurs activités. Elle a assisté à une séance publique des Alcooliques anonymes, a participé à une rencontre d'un groupe sur le mode de vie féminin, est allée visiter un centre spécialisé de désintoxication et s'est inscrite pour deux semaines au programme d'introduction à l'exercice physique du YWCA. Après avoir essayé ces différents programmes, elle en a discuté avec son conseiller. Sa recherche de la solution la mieux adaptée lui a permis de mobiliser ses énergies et de renforcer sa résolution de ne plus boire.

Il arrive, évidemment, que les clients mettent à l'essai les stratégies dans l'intention de reculer devant l'action. Ce n'était certainement pas le cas de Robert. En assistant au groupe d'entraide à sa sortie de l'hôpital, il se trouvait d'une certaine façon à essayer des stratégies. Même s'il appréciait ce groupe, il pensait pouvoir lancer un autre groupe destiné exclusivement aux anciens patients et axé spécifiquement sur leurs besoins.

**19.4 MÉTHODE DU BILAN POUR CHOISIR LES STRATÉGIES**

Généralement, pour permettre aux clients de prendre des décisions, il est possible de se servir d'une sorte de bilan. Nous devons employer cette méthodologie pour toutes les décisions importantes liées à la démarche d'aide : pour obtenir en premier lieu de l'aide, pour travailler à un problème plutôt qu'à un autre, pour opter pour tel ou tel objectif. Le bilan permet d'accepter ou de refuser le rapport entre coûts et bénéfices. Une telle approche appliquée à la sélection des stratégies pour atteindre les objectifs se base sur le type de questions suivantes :

- Quels sont les avantages de cette stratégie pour moi ? pour mes proches ?
- Dans quelle mesure ces avantages me conviennent-ils ? Conviennent-ils à mes proches ?
- Dans quelle mesure ces avantages ne me conviennent pas et ne conviennent pas à mes proches ?
- Quels sont pour moi les coûts découlant du choix de cette stratégie pour moi et pour mes proches ?
- Dans quelle mesure ces coûts me conviennent-ils ? Conviennent-ils aussi à mes proches ?
- Dans quelle mesure ces coûts ne me conviennent pas et ne conviennent pas à mes proches ?

Revenons à l'exemple de Karine. Elle s'est servie de la méthode du bilan pour évaluer la viabilité non seulement d'un objectif, mais des stratégies pour l'atteindre. Elle avait décidé d'arrêter de boire. L'une des stratégies envisageables pour atteindre cet objectif consistait à suivre une cure de désintoxication durant un mois. Cette solution l'attirait. Néanmoins, comme il s'agissait d'une décision importante, Johanne, sa conseillère, lui a donné un coup de main pour dresser un bilan des coûts et des bénéfices impliqués. Après avoir complété son bilan, Karine en a discuté avec sa conseillère et elle a ainsi pu considérer les avantages et les inconvénients pour elle, pour son mari comme pour ses enfants.

### EXEMPLE DE BILAN

#### Avantages de la cure de désintoxication
- *Pour moi.* C'est positif car cela signifie clairement que je suis capable de faire quelque chose pour changer ma vie. C'est vraiment un changement radical. J'aurai aussi du temps pour moi. Je serai dégagée de mes obligations envers ma famille, mes amis et mon travail. Je considère que c'est l'occasion de faire des projets. Je dois imaginer comment j'agirai lorsque je serai sobre.
- *Pour mes proches.* Je pense surtout à ma famille. Cela leur permettra de vivre sans souffrir de la présence d'une personne alcoolique à la maison. Je ne suis pas en train de me dénigrer. Je pense qu'ils pourront reconsidérer la vie familiale et prendre des décisions concernant les changements qu'ils aimeraient faire. Un changement radical comme mon départ leur insufflera sûrement de l'espoir. Ils ont eu peu de motifs d'en avoir au cours des cinq dernières années.

#### Côté positif des bénéfices
- *Pour moi.* Je suis partagée sur ce point. Mais en le regardant seulement du côté positif, je trouve légitime de m'accorder un mois de liberté. Je ressens vraiment le besoin de repartir du bon pied. Ce ne sont pas seulement des vacances, car il s'agit d'une cure de désintoxication très exigeante.
- *Pour mes proches.* Je pense que ma famille n'éprouvera pas de difficulté à me voir partir durant un mois. Je suis sûre qu'ils vivent cela comme une action positive qui bénéficiera à tout le monde.

### Côté négatif des bénéfices

✦ *Pour moi.* Le fait de partir un mois me semble un luxe, un caprice. Même si en prenant une décision aussi radicale j'ai la possibilité de changer ma façon de vivre, cela me demande beaucoup. Je crains que tout aille bien lorsque je suivrai cette cure, mais qu'après je me retrouve devant rien. Je crois que cela me donnera une autre chance dans la vie, mais j'ai des doutes quant à cette autre chance. J'ai besoin d'aide sur ce point.

✦ *Pour mes proches.* Les enfants sont assez jeunes pour s'adapter à ma nouvelle personnalité. Mais je ne suis pas sûre de la façon dont mon mari prendra la chose. Il s'est plus ou moins adapté au fait que je suis souvent saoule. Même si je ne l'ai jamais quitté et qu'il ne m'a jamais quittée, je me demande s'il veut que je sois sobre. Cela fait peut-être partie des « coûts » dans cet exercice. J'ai besoin d'être aidée sur cette question. Bien sûr, je dois en parler à mon mari. J'ai également noté que certaines de mes hésitations ne viennent pas de la cure en elle-même, mais du fait de vivre une existence sans boire. Cet exercice m'a beaucoup aidée à prendre conscience de cela.

### Coûts de la cure de désintoxication

✦ *Pour moi.* D'abord, il y a l'argent. Pas seulement les frais du programme, mais aussi le fait que je perdrai quatre semaines de salaire. Mais j'ai perdu beaucoup d'argent en buvant. Mon engagement à changer de mode de vie semble représenter le coût majeur. Je sais que ce programme n'est pas une partie de plaisir. Je ne sais pas exactement ce qu'il implique, mais il doit y avoir des moments très difficiles. En fait, la plupart du temps, je pense que ce sera difficile.

✦ *Pour mes proches.* C'est un programme privé et cela coûtera cher. Je ne m'occuperai pas de la maison durant un mois. Je risque d'apprendre des choses sur mon propre compte, susceptibles de leur rendre la vie difficile. Mais vivre avec une femme et une mère alcoolique n'est pas un cadeau non plus. Qu'arrivera-t-il si je reviens en étant plus exigeante vis-à-vis d'eux – je veux dire dans le sens positif ? Il faut que j'en discute plus sérieusement.

### Côté positif des coûts

✦ *Pour moi.* Je suis d'accord sur les coûts financiers que cela implique et les exigences que représente cette cure sur les plans physique et psychologique. Je suis prête à payer. Quels sont les sacrifices à consentir pour les changements de mon mode de vie ? En principe, je suis d'accord pour en défrayer les coûts, mais je ne sais pas très bien en quoi cela consiste. J'ai besoin d'un coup de main.

✦ *Pour mes proches.* Ils devront se serrer la ceinture, mais je n'ai aucune raison de croire qu'ils s'y refuseront. En même temps, je ne peux pas prendre des décisions à leur place. Je pense de plus en plus qu'il faudrait avoir une séance de counseling en présence de mon mari et de nos enfants. Je crois qu'ils sont d'accord pour avoir une nouvelle « personne » à la maison, même si cela signifie faire des ajustements et changer un peu leurs habitudes. Je veux vérifier cela avec eux, mais je pense qu'il serait utile de le faire avec la conseillère. Je crois qu'ils accepteront de venir.

## Côté négatif des coûts

✦ *Pour moi.* Même si je suis prête à changer, je déteste penser qu'il me faudra accepter une vie parfois triste et ennuyeuse. Je bois en partie pour échapper à cette grisaille ; je vis une bonne partie du temps dans mon imagination, dans un monde de rêves. C'est idiot, mais c'est comme cela. Il faut que je fasse des projets d'une manière ou d'une autre. J'ai besoin d'aide pour cela.

✦ *Pour mes proches.* J'ai vraiment l'impression que ma famille pourrait éprouver des difficultés en étant confrontée d'un coup à une mère ou à une épouse sobre, dans la mesure où j'agirai différemment. Je me demande s'ils veulent d'une mère casanière et traditionnelle. Je ne crois pas que je pourrais le supporter. On verra tout cela lors de la rencontre avec la conseillère.

Karine conclut que, tout bien pesé, la cure de désintoxication semble une bonne idée. Cette solution lui paraît plus sérieuse qu'un programme en clinique externe. Toutefois, c'est également ce qui l'effraie.

En recourant à ce bilan, elle a pu opter pour un programme initial, mais cela lui a permis aussi d'entrevoir des questions sur lesquelles elle ne s'était pas vraiment penchée jusqu'alors. Après avoir établi son bilan, elle rencontre sa conseillère avec du pain sur la planche. Cet exemple met l'accent sur l'utilité des exercices et des autres modes de structuration qui permettent au client de mieux se responsabiliser quant à ce qui survient durant et à l'extérieur des séances d'aide.

### USAGE RÉALISTE DU BILAN

Envisagez maintenant cette approche du bilan d'un côté plus pragmatique et plus flexible. Il ne faut pas forcément s'en servir avec tous les clients pour soupeser le pour et le contre de chaque intervention. Il faut adapter ce bilan aux besoins du client : choisir les éléments qui profiteront le plus lors de la poursuite de *cet* objectif ou de *cette* série d'objectifs. En fait, l'un des meilleurs usages de ce bilan consiste à ne pas y recourir de façon directe. Gardez-le à l'esprit chaque fois que le client prend une décision. Servez-vous-en comme d'un filtre pour écouter le client, puis reprenez certains éléments pertinents pour lui poser des questions exploratoires afin qu'il se concentre sur les questions qu'il a peut-être laissées de côté. L'une des questions qui découle du bilan consiste à voir comment les décisions du client affectent ses proches. Une autre, pour tempérer un optimisme exagéré, consistera à l'interroger sur les inconvénients d'une stratégie. Il n'existe aucune recette infaillible.

### 19.5 DE L'ÉTAPE III.B À L'ACTION

Certaines personnes conçoivent une foule d'idées excellentes pour régler les difficultés, mais n'aboutissent jamais à rien. Elles ne possèdent pas la discipline suffisante pour examiner leurs idées, retenir les meilleures et les traduire en actions. Ce genre de processus leur semble trop fastidieux, même si c'est précisément ce qui leur conviendrait. Prenez le cas suivant :

Roger est sorti complètement déprimé de sa visite chez le médecin. Ce dernier venait de lui annoncer qu'il présentait un risque élevé de maladie cardiaque et qu'il lui fallait changer son mode de vie. Roger est quelqu'un de sarcastique, soupe au lait, qui ne fait pas facilement confiance aux autres. Le fait d'exprimer sa méfiance et son hostilité ne parvient pas à les atténuer, au contraire, cela ne fait que les augmenter. Pour changer radicalement sa façon d'être, il lui fallait donc apprendre à faire confiance aux gens. Il a sélectionné trois objectifs vagues : réduire sa méfiance envers les intentions des autres ; atténuer la fréquence et l'intensité de ses émotions, la rage, la colère et l'irritation et ; enfin, apprendre à traiter les gens avec délicatesse. Par des lectures, il s'est informé des stratégies suggérées pour aider les gens à poursuivre ces trois objectifs (voir Williams, 1989). Celles-ci consistaient à :

✦ tenir un journal pour enregistrer les manifestations d'hostilité et découvrir les caractéristiques du cynisme et de l'irritation ;

✦ trouver une personne de confiance pour lui parler du problème ;

✦ pratiquer l'interruption de la pensée, lorsqu'on se surprend à ruminer des pensées hostiles ou des pensées qui mènent à des sentiments hostiles ;

✦ se raisonner au moment de critiquer les autres ;

✦ développer un mode de pensée empathique, c'est-à-dire se mettre dans la peau de l'autre ;

✦ apprendre à se moquer de ses propres défaillances ;

✦ essayer différentes techniques de relaxation, spécialement pour contrer les pensées négatives ;

✦ trouver les moyens de faire confiance à autrui ;

✦ développer une habileté d'écoute active ;

✦ substituer l'assertivité à un comportement agressif ;

✦ prendre du recul, vivre au jour le jour ;

✦ s'entraîner à pardonner aux autres sans se montrer condescendant.

Roger se targuait d'être rationnel (même si cette rationalité contribuait à lui attirer des ennuis). Il a donc pris connaissance de cette liste, sélectionné les stratégies pouvant faire l'objet d'une « expérience », selon ses propres mots. Il a décidé de consulter un conseiller (dans un souci d'objectivité), il a tenu un journal pour enregistrer ses comportements hostiles et a utilisé les tactiques d'interruption de la pensée, en se raisonnant chaque fois qu'il sentait la moutarde lui monter au nez. Le conseiller s'est dit en lui-même qu'aucune de ces stratégies ne traduisait nécessairement un changement d'attitude de la part de Roger envers les autres. Néanmoins, il ne l'a pas confronté sur ce point. Il a pensé que le mieux pour lui serait de mettre ces stratégies en pratique. En approfondissant son problème, Roger finirait par se rendre compte qu'il était plus grave qu'il ne le pensait. Il s'est lancé éperdument dans cette expérience.

Il avait choisi des stratégies qui correspondaient à ses valeurs. Le problème, c'est que ces valeurs avaient besoin d'être réexaminées. Cependant, le fait d'agir lui a donné l'occasion d'apprendre.

## 19.6 DIFFICULTÉS INHÉRENTES À LA SÉLECTION DES STRATÉGIES : MISES EN GARDE

Les difficultés inhérentes à la prise de décision, déjà abordées au chapitre 14, se retrouvent également dans la sélection des stratégies destinées à l'atteinte des objectifs. Goslin (1985) l'a parfaitement exprimé :

> Lorsque nous définissons un problème, nous n'aimons pas beaucoup penser aux possibilités déplaisantes, nous avons des difficultés à associer [...] des valeurs aux différentes options en présence, nous avons tendance à conclure prématurément, en négligeant ou en sous-estimant les conséquences à long terme et nous sommes indûment influencés par la première formulation du problème. En évaluant les conséquences des différentes options, nous accordons trop d'importance aux risques connus avec certitude. Nous sommes bien davantage sujets à une manipulation [...] lorsque nous n'avons pas vraiment précisé nos propres valeurs. [...] Un problème majeur [...] pour [...] les individus est de savoir quand chercher l'information additionnelle pour prendre les décisions. (p. 7, 9)

En sélectionnant les interventions, les clients omettent souvent d'évaluer les risques impliqués et de voir si le jeu en vaut la chandelle. Gelatt, Varenhorst et Carey (1972) proposent quatre façons auxquelles recourent parfois les clients pour éviter d'entrevoir ces facteurs de risque ou ces probabilités de réussite et d'échec : faire des vœux pieux, jouer la sécurité, éviter le pire et atteindre un certain équilibre. Les trois premières options sont souvent adoptées sans réfléchir et font ainsi partie des motifs inconscients d'une sélection pipée ou perdue d'avance.

**Faire des vœux pieux.** Dans ce cas, les clients choisissent une intervention qui présentera des chances (du moins l'espèrent-ils) d'aboutir à l'atteinte d'un objectif, quel que soit le risque, le coût ou la probabilité. Ainsi, Jaqueline veut que son ex-mari augmente le montant de la pension alimentaire qu'il lui verse pour les enfants. Pour ce faire, elle ne cesse de l'enquiquiner pour le culpabiliser. Elle ne tient pas compte du risque couru (il peut se fâcher et arrêter de lui donner quoi que ce soit), du coût (elle dépense beaucoup de temps et d'énergie émotionnelle à se disputer avec lui) ou de la mince probabilité de réussite (il réagit mal lorsqu'on le talonne). En faisant des vœux pieux, les clients agissent à l'aveuglette et s'engagent dans des interventions sans en évaluer l'efficacité. Au pire, il s'agit d'une approche imprudente. Les clients qui, malgré leurs efforts redoublés, ne parviennent à rien sont souvent ceux qui s'en remettent à ces vœux pieux, s'entêtant à persévérer dans leurs tactiques favorites mais peu efficaces. Les aidants efficaces trouvent le moyen de confronter les clients qui se bercent d'illusions : « Jaqueline, revoyons ce que vous faites pour que Thomas augmente la pension alimentaire et quels résultats cela donne. »

**Jouer la sécurité.** Dans ce cas, les clients se cantonnent dans des interventions sûres, qui ne présentent pas de grands risques mais qui évacuent du même coup la probabilité élevée d'obtenir des résultats acceptables. Rémi, un gestionnaire au début de la quarantaine, est assez insatisfait de la façon dont son patron le traite. Ce dernier ne tient pas compte de ses suggestions, contrecarre sa délégation de pouvoir et ne répond pas à ses demandes pour discuter de ses possibilités d'avancement. Ses objectifs concernent sa carrière. Il veut manifester son insatisfaction à son patron et savoir ce que ce dernier pense de lui et de ses possibilités professionnelles. Il s'agit d'objectifs instrumentaux, puisque son objectif global consiste à progresser dans sa carrière. Néanmoins, il n'arrive pas à aborder cette question avec son patron lorsque celui-ci est de mauvais poil et, quand ce dernier est de bonne humeur, il ne veut pas ruiner l'ambiance. Il fait allusion à son mécontentement, il lui arrive même d'en plaisanter. Il en informe les autres dans l'espoir que cela arrivera jusqu'aux oreilles du patron. Durant les réunions d'évaluation, il se laisse néanmoins intimider par celui-ci. Pourtant, selon lui, il fait tout ce qu'on peut attendre d'un individu raisonnable. Il ne se rend pas compte qu'il refuse absolument de se mouiller. L'aidant lui fait remarquer qu'il ne prend aucun risque et que, même s'il n'indispose pas son patron, il ne sait toujours pas à quoi s'attendre en ce qui concerne ses possibilités d'avancement.

**Éviter le pire.** Bien souvent, les gens optent pour des solutions qui leur permettent d'éviter le pire. Ils essaient de minimiser le risque extrême, sans savoir réellement en quoi il consiste. Christiane, qui n'est pas heureuse dans son couple, se donne comme objectif de faire preuve de plus d'assertivité. Pourtant, sans se l'avouer ni en faire part à son conseiller, elle redoute avant tout que son compagnon la quitte. Par conséquent, l'assertivité qu'elle dit manifester n'est en fait que sa conciliation habituelle, avec quelques variantes. À titre d'exemple, de temps en temps, elle annonce à son mari qu'elle sort avec des amis et ne rentrera pas pour souper. Elle ignore qu'il apprécie un tel répit. Elle finit par prendre conscience que ses absences ne le contrarient nullement. Elle persiste dans ce genre d'assertivité, mais ne prend jamais le temps de discuter avec son mari de leur relation. C'est peut-être le début de la fin. Au tout début d'une séance, le conseiller lui demande comment elle réagirait si l'un de ses meilleurs amis lui disait : « Jacques obtient exactement ce qu'il veut de toi. » Christiane sursaute, mais elle sort de cette séance avec un point de vue beaucoup plus réaliste.

**Atteindre un équilibre.** Idéalement, les clients choisissent des stratégies pour lesquelles les probabilités de réussite contrebalancent les risques encourus. Cette approche conjuguée est la plus difficile à mettre en œuvre, parce qu'elle implique différentes actions : analyser rigoureusement les situations problématiques et les perspectives pour s'en sortir, choisir les objectifs appropriés, percevoir clairement les valeurs, prioriser les stratégies selon ces valeurs et évaluer l'efficacité de toutes les interventions possibles. Fait plus important encore, elle demande de surmonter les blocages qui pourraient dénaturer ces activités. Comme certains clients éprouvent des difficultés à équilibrer correctement le jeu du balancier, il est essentiel que leurs conseillers les aident à sortir de cette impasse. Certains peuvent s'embourber à vouloir trouver le parfait équilibre, reléguant l'action au second rang.

## ? QUESTIONS D'ÉVALUATION CONCERNANT L'ÉTAPE III.B

### Dans quelle mesure parvenez-vous à aider les clients à sélectionner les stratégies qui leur conviennent le mieux ?

- En les encourageant à choisir des stratégies précises et spécifiques qui correspondent à leur capacité et s'ajustent à leurs objectifs, à leur façon d'être et à leurs valeurs, tout en étant efficaces ?
- En les aidant à essayer les stratégies et à en bénéficier ?
- En les incitant, dans certains cas, à se servir d'un bilan pour sélectionner les stratégies en mettant en évidence les bénéfices et les coûts pour eux-mêmes, les autres et leur environnement ?
- En les encourageant à affronter les difficultés de la sélection des interventions, à savoir : faire des vœux pieux, jouer la sécurité, s'ingénier à éviter le pire au lieu de se concentrer sur ce qu'ils veulent ou perdre du temps à la recherche de stratégies parfaitement équilibrées ?
- En les impliquant dans la sélection des stratégies pour les inciter à gérer leurs problèmes ?

# CHAPITRE 20

## ÉTAPE III.C : « COMMENT M'Y PRENDRE POUR OBTENIR CE QUE JE VEUX ET CE DONT J'AI BESOIN ? » AIDER LES CLIENTS À ÉLABORER DES PLANS

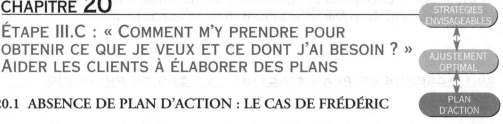

STRATÉGIES
ENVISAGEABLES

AJUSTEMENT
OPTIMAL

PLAN
D'ACTION

Après avoir identifié et sélectionné les stratégies pour atteindre leurs objectifs, les clients doivent élaborer des plans à partir de celles-ci. C'est la tâche de l'étape III.C, durant laquelle les conseillers encouragent les clients à dresser des plans, à prioriser les actions : que faire en premier lieu, dans un deuxième temps, et ensuite ? Cela leur permet d'obtenir ce qu'ils veulent, c'est-à-dire d'atteindre leurs objectifs.

## 20.1 ABSENCE DE PLAN D'ACTION : LE CAS DE FRÉDÉRIC

En l'absence d'un plan d'action clair et détaillé pour atteindre leurs objectifs, certains clients restent empêtrés dans leurs difficultés. Prenez le cas de Frédéric, président d'une grande société :

> Frédéric était très ambitieux. Il avait la bosse des affaires, si bien qu'il avait rapidement grimpé dans la hiérarchie. Comme Vincent, le président de la compagnie, se préparait à prendre sa retraite, il était logique que Frédéric lui succédât. Cependant, il y avait une anicroche. En plus d'être un excellent patron, Vincent était également un meneur d'hommes. Il avait une vision claire de l'évolution de la compagnie au cours des cinq à dix prochaines années. Dès le début, il avait saisi l'intérêt d'Internet et s'en était servi pour apporter un avantage concurrentiel à son entreprise.
>
> Bien que coriace, Vincent s'entendait bien avec les gens et, comme les employés représentaient le capital humain de la société, il savait que la satisfaction des clients dépendait autant d'eux que des produits. Il prenait très au sérieux les résultats d'une étude concernant deux millions d'employés aux États-Unis réalisée au tournant du millénaire, dont l'une des phrases du résumé lui revenait sans cesse à l'esprit : « Les gens se joignent aux compagnies, mais quittent les directeurs. » Afin de capter les meilleurs talents, il ne pouvait pas se permettre des directeurs qui s'aliénaient les membres de leur équipe.
>
> Frédéric était, quant à lui, totalement différent. Il s'impliquait directement dans la gestion, ce qui dans son cas signifiait qu'il détestait déléguer, quel que soit le niveau de compétence des autres. Il surveillait de très près les employés lorsqu'il leur confiait une tâche, renversait leurs décisions de manière humiliante, n'écoutait que très superficiellement et avait une vue à très court terme de l'entreprise. Il se préoccupait des chiffres de la semaine passée et se conduisait plus en gérant qu'en dirigeant. Ses subalternes le considéraient comme un gestionnaire outrancier.
>
> Un beau jour, Vincent s'est assis avec Frédéric pour lui dire qu'il le considérait comme son successeur direct, mais qu'il avait quelques réticences à son sujet. « Frédéric, si c'était juste une question de sens des affaires, vous pourriez assumer la direction aujourd'hui. Toutefois, ce genre de poste, du moins tel que je l'entends, requiert un leader. » Vincent lui a expliqué en détail ce qu'il entendait par là, lui précisant la façon dont il devrait modifier son comportement.

C'est ainsi que Frédéric a fait quelque chose qu'il n'aurait jamais pensé faire auparavant. Il a commencé à rencontrer un mentor. Lisette était auparavant cadre dans une autre société du même secteur mais, pour des raisons familiales, elle était devenue une aidante. Frédéric l'avait choisie parce que sa connaissance des affaires lui inspirait confiance et que cela lui importait plus que tout. Ils ont collaboré plus d'une année, lors de repas d'affaires ou de rencontres éclairs, tôt le matin ou tard le soir. De toute évidence, Frédéric appréciait leurs échanges concernant la conduite des affaires.

L'objectif final de Frédéric était de devenir président. S'il lui fallait pour obtenir ce poste devenir le genre de meneur d'hommes que son patron lui avait décrit, il y parviendrait. Comme il était très intelligent, il réussit à élaborer quelques stratégies créatives pour progresser dans cette voie, sans toutefois jamais pouvoir s'engager dans un programme articulé et structuré qui lui aurait permis d'évaluer ses progrès. Lisette l'y incitait, mais il était toujours trop occupé ou jugeait qu'un programme formel serait trop étouffant. C'était assez étrange, d'autant plus que, professionnellement, la planification constituait l'un de ses points forts.

Frédéric avait toujours la bosse des affaires. Cependant, il continuait de tourner autour des stratégies qui lui auraient permis de devenir le genre de leader que Vincent espérait. On lui avait offert la chance non seulement de corriger certaines de ses erreurs, mais également de modifier et de parfaire son style de gestion. Pourtant, il a gaspillé ses chances. Au bout de deux ans, Vincent a choisi quelqu'un d'autre pour assurer sa succession.

Frédéric n'a jamais canalisé ses actions. Il n'a jamais été capable de devenir le type de dirigeant que Vincent voulait comme président. Pourquoi ? Frédéric avait deux blocages très importants que son aidante n'a pu l'aider à surmonter. Tout d'abord, il n'avait jamais pris le concept de direction de Vincent au sérieux. Il n'était donc pas prêt à un programme de changement, car il considérait que le poste de président lui revenait d'office et que son sens des affaires prévaudrait à la toute fin. Ensuite, il pensait qu'il lui suffirait de retoucher légèrement son style de gestion, alors qu'il lui fallait faire des changements fondamentaux.

Lisette n'a jamais remis en question Frédéric lorsqu'il a essayé « certains trucs » qui n'ont mené à rien. Le résultat aurait peut-être été bien différent si elle lui avait dit par exemple : « Voyons, Frédéric, tu sais très bien que tu n'adhères pas vraiment à la conception du leadership de Vincent et tu ne fais que tourner autour du pot. Vincent s'en rendra compte immédiatement et tu ne fais que perdre ton temps. Tu ne veux pas de ce programme parce que tu n'y crois pas. Alors on s'y attelle ou on y met fin. » D'une certaine façon, elle était de collusion avec lui, parce qu'elle appréciait beaucoup leurs échanges (pièges ou blocages du côté de l'aidante) dans le domaine des affaires. Lorsque le poste lui est passé sous le nez, Frédéric a quitté la compagnie laissant Lisette méditer sur sa réussite en tant que cadre, mais sur son échec comme aidante.

## 20.2 LES PLANS : UNE VALEUR AJOUTÉE AU PROGRAMME DE CHANGEMENT DES CLIENTS

Certains clients, une fois qu'ils savent ce qu'ils veulent obtenir et ce qu'ils doivent réaliser pour y parvenir, se prennent en main, élaborent un plan et vont de l'avant. D'autres clients requièrent une certaine assistance. Comme certains clients (et certains aidants) ne se rendent pas bien compte de l'intérêt d'un plan, il est préférable de commencer par un passage en revue des avantages de la planification.

Tous les plans ne doivent pas nécessairement être formels. Au cours de la démarche d'aide, nous réalisons un certain nombre de « petits projets », sans toujours les baptiser ainsi. Thérèse, une alcoolique qui veut cesser de consommer, aimerait bien trouver une épaule secourable. Elle rejoint Georges, un ami qui est parvenu à arrêter de se droguer, et lui fait part de ses ennuis en lui demandant sa collaboration. Il accepte sur-le-champ. Voilà un premier objectif atteint. Ce petit projet fait partie de son programme général de changement. Ce type de programme de changement comporte un certain nombre d'objectifs mineurs et, en mettant à exécution les petits projets, nous parvenons à les atteindre.

Un plan en bonne et due forme porte essentiellement sur les grandes étapes que les clients doivent atteindre pour obtenir ce qu'ils veulent et ce dont ils ont besoin. Nous les aidons à répondre à la question suivante : « De quoi ai-je besoin en premier lieu, en deuxième lieu, en troisième lieu ? » Une planification réussie s'élabore à partir des stratégies nécessaires à l'atteinte des objectifs, elle les divise en étapes réalistes, les priorise et établit un échéancier pour compléter chaque étape.

Une telle planification formelle, à condition de correspondre aux besoins des individus, présente de nombreux avantages.

**Les plans insufflent aux clients la discipline nécessaire.** Nombre de clients se heurtent à des difficultés parce qu'ils manquent avant tout de discipline. La planification constitue une exigence raisonnable qui leur permet de mettre de l'ordre dans leur existence. Denis, le résident d'une maison de transition décrit dans le chapitre précédent, avait besoin de cette discipline et a grandement profité d'un programme de recherche d'emploi. De fait, les programmes standardisés, en 12 étapes, comme celui des Alcooliques anonymes, exigent ou encouragent une certaine autodiscipline.

**Les plans empêchent les clients de se décourager.** Ils permettent aux clients de voir que les objectifs sont atteignables s'ils cheminent pas à pas. Il est possible de réaliser de grands projets en avançant progressivement vers des objectifs de taille. Robert, l'ancien patient d'un hôpital psychiatrique qui est parvenu à créer un réseau de groupes d'entraide pour ses homologues, a commencé modestement en participant lui-même à l'un de ces groupes. Il ne s'est pas transformé du jour au lendemain en un entrepreneur de l'entraide. Il s'agit d'un processus progressif.

**La formulation des plans permet aux clients de trouver des moyens plus efficaces d'atteindre les objectifs, c'est-à-dire de trouver de meilleures stratégies.** M. Gascon était un alcoolique. Lorsque sa femme et ses enfants, au cours de la rencontre avec un conseiller, ont commencé à formuler un bilan pour surmonter leurs réactions face à son alcoolisme, ils se sont rendu compte que les stratégies qu'ils avaient essayées s'avéraient d'une efficacité variable. Avec l'aide d'Al-Anon, groupe familial, ils ont tout réévalué. L'alcoolisme de M. Gascon avait grandement perturbé la famille. La planification les aiderait à restaurer un certain ordre.

**Les plans offrent la possibilité de réévaluer le réalisme et l'adéquation des objectifs.** Cet aspect de la planification constitue un exemple du type de dialogue qui devrait se retrouver aux différentes étapes de la démarche d'aide. Lorsque Réal, un cadre intermédiaire ayant essuyé de nombreux échecs au travail, a commencé à élaborer un plan pour surmonter la perte de son emploi, il s'est rendu compte que ses objectifs initiaux, qui consistaient à récupérer son poste et à porter des accusations de harcèlement psychologique contre son employeur, étaient complètement irréalistes. Il les a modifiés pour négocier avec son ancien employeur un dédommagement de départ et une promesse de bonnes références qui faciliteraient l'obtention future d'un emploi dans une autre firme. Réal s'est aussi préparé à chercher du travail en participant à un groupe d'entraide en matière de recherche d'emplois.

**Les plans permettent aux clients de prendre conscience des ressources nécessaires pour qu'ils puissent mener à bien leurs stratégies.** Lorsque Denise a été capable, grâce à l'aide d'un conseiller, de formuler un plan pour réorganiser son existence après la disparition de son plus jeune fils, elle s'est rendu compte que la présence d'un réseau de soutien lui faisait défaut pour mener à bien ce projet. Elle s'était éloignée de sa famille et de ses amis, mais maintenant, pour retrouver une vie normale, elle savait qu'elle devait réintégrer son milieu, s'y impliquer et y trouver des appuis. Cet objectif s'est greffé à son programme de changement constructif.

**En ébauchant des plans, les clients découvrent certains obstacles imprévus à l'atteinte des objectifs.** Dave, un jeune représentant de compagnie pharmaceutique qui avait tué accidentellement une femme lors d'un carambolage, rencontrait un conseiller en raison de ses difficultés à gérer toutes les facettes de sa vie. Célibataire et sans famille proche, il s'isolait de plus en plus et n'avait pas repris le boulot, à cause de sa crainte par rapport à la conduite automobile, malheureusement indispensable pour son travail. Ce n'est qu'en commençant, à l'aide de son conseiller, à élaborer des plans pour retrouver une vie normale et les mettre en pratique qu'il a pris conscience de la honte qu'il éprouvait en raison de cet accident dont il n'était pas responsable. Il se sentait si coupable qu'il ne parvenait pas à nouer des liens avec les autres. Le fait de surmonter cette honte a joué un rôle important dans son processus de guérison.

La formulation des plans ne résout pas tous les problèmes des clients, mais elle permet de gagner du temps plutôt que de le gaspiller. Bien des clients se lancent dans des activités inutiles dans l'espoir de résoudre leurs difficultés. La planification leur permet de tirer le meilleur parti de leur temps. Mentionnons toutefois qu'il existe certaines difficultés inhérentes à la planification. Pour avoir une idée d'ensemble de ces difficultés, consultez Dorner (1996).

## 20.3 FORMULATION DU PLAN : TROIS EXEMPLES

Pour susciter l'action, des plans en bonne et due forme s'imposent ; des plans faisant état d'activités ou d'actions pour : (1) parvenir à un objectif ou à un sous-objectif ; (2) structurer des activités selon un ordre logique mais flexible ; (3) fixer un échéancier pour la réalisation de chacune des étapes clés. Par conséquent, nous nous retrouvons devant trois questions simples :

✦ Que faut-il concrètement entreprendre pour atteindre cet objectif ou ce sous-objectif ?
✦ Selon quelle séquence devons-nous le faire ? Que faut-il faire d'abord, ensuite, après et ainsi de suite ?
✦ Quel est l'échéancier prévu ? Que devons-nous faire aujourd'hui, demain, le mois prochain ?

Dans le cas de clients qui formulent des objectifs complexes ou difficiles, il est bon de les aider à se fixer des sous-objectifs afin qu'ils progressent pas à pas vers le but ultime. À titre d'exemple, après avoir décidé de lancer un réseau de groupes d'entraide composés d'ex-psychiatrisés, Robert s'est donné toute une série de sous-objectifs à accomplir avant de concrétiser son projet. La première étape consistait à constituer un groupe d'essai. Cet objectif important lui a donné l'expérience nécessaire pour mieux planifier la suite. Lors d'une étape subséquente, il a établi une sorte de charte pour cette organisation. Un des sous-objectifs, menant à l'objectif principal, était formulé ainsi « mise en place de la charte ».

De manière générale, plus le plan est simple, mieux c'est. Néanmoins, la simplicité ne constitue pas une fin en soi. La question n'est pas de savoir si un plan ou un programme est compliqué, mais plutôt de voir s'il est suffisamment bien conçu pour donner des résultats. Si nous subdivisons des plans complexes en divers sous-objectifs et stratégies nécessaires pour les mettre en œuvre, nous pourrons les réaliser tout aussi bien que les plans simples, en partant du principe que l'échéancier est réaliste. De manière schématique, cela se présente comme suit :

> Le sous-programme 1 (ensemble d'activités) mène au sous-objectif 1 (habituellement, un objectif important).
> Le sous-programme 2 mène au sous-objectif 2.
> Le sous-programme $n$ (le dernier de la séquence) mène à la réalisation du dernier objectif.

**Cas de Mélanie.** Prenons l'exemple de Mélanie, une cliente qui a formulé un certain nombre d'objectifs pour résoudre une situation problématique complexe. L'un de ses objectifs consistait à trouver un emploi. Le plan menant à ces objectifs comprenait un certain nombre d'étapes, correspondant à chaque sous-objectif. Les sous-objectifs suivants faisaient partie du programme de recherche d'emploi de Mélanie. Ils se présentaient sous forme de réalisations (l'approche des résultats).

> Sous-objectif 1 : rédaction d'un curriculum vitae.
> Sous-objectif 2 : choix du type d'emploi recherché.
> Sous-objectif 3 : prospection du marché du travail.
> Sous-objectif 4 : sélection des meilleures offres d'emploi.
> Sous-objectif 5 : calendrier des entrevues.
> Sous-objectif 6 : passage des entrevues.
> Sous-objectif 7 : évaluation des offres.

La réalisation de ces sous-objectifs conduisait à l'atteinte de l'objectif global du plan de Mélanie, c'est-à-dire obtenir le genre d'emploi qu'elle souhaitait.

Elle a également établi un processus détaillé ou un programme pour atteindre ces sous-objectifs. Dans le cas de la prospection du marché du travail, cela comprenait : une recherche sur un ou plusieurs sites Internet offrant des emplois, la lecture de la section « offres d'emploi » des journaux locaux, des appels aux amis et aux connaissances susceptibles de fournir des pistes, une visite aux agences de placement, la lecture des babillards de l'école et une rencontre avec une personne du bureau de placement. Il convient parfois d'établir une séquence des activités, mais pas obligatoirement. Dans le cas de Mélanie, il était important qu'elle rédige son curriculum vitae avant de commencer à analyser les offres d'emploi. Toutefois, en ce qui concerne les différentes méthodes pour trouver des offres d'emploi, la séquence importe peu.

**Cas de Ginette : la rentabilité de la planification.** Ginette, étudiante d'une université en région, a décidé de devenir travailleuse sociale. Même si son université n'offre pas de programme dans le domaine du travail social, elle parvient, avec l'aide de l'orienteur de l'institution, à trouver plusieurs cours de premier cycle susceptibles de lui donner une base pour le diplôme convoité. Il est convenu qu'une première année de cours dans sa région lui permettra de vérifier ses intérêts et ses aptitudes à la profession d'aidant et de rehausser son dossier académique plutôt faible. Par la suite, si l'intérêt persiste, elle pourra s'inscrire dans une autre université, cette fois, en travail social. Parmi la liste des cours disponibles, l'un d'eux s'intitule « Aptitudes à la résolution de problèmes sociaux ». Un autre porte sur l'efficacité dans les échanges interpersonnels. Un troisième concerne la psychologie du développement : les tâches de la fin de l'adolescence et du début de l'âge adulte. Ginette suit ces cours dans l'ordre où ils se présentent. Son premier cours porte ainsi sur les aptitudes à la résolution de problèmes sociaux. Il a le mérite de comprendre un bon nombre d'exercices pratiques et le désavantage d'exiger une certaine compétence sur le plan des échanges interpersonnels. Elle réalise tardivement qu'elle prend les cours sans suivre une séquence logique ni optimale. Elle aurait eu de biens meilleurs résultats en commençant d'abord par prendre le cours sur l'efficacité dans les échanges interpersonnels.

Ginette s'est également portée volontaire pour le programme d'entraide étudiant de sa résidence, sous l'égide du service aux étudiants. Les conseillers de ce centre sélectionnent avec soin les participants au programme, mais ne leur offrent qu'une formation sommaire. Ginette réalise alors que le cours de psychologie du développement lui aurait bien servi dans ce genre de programme. Il lui aurait permis de mieux se comprendre comme de mieux comprendre les autres. Elle réalise finalement que mieux vaut programmer ses activités. Au cours du semestre suivant, elle abandonne le programme d'entraide. Elle rencontre l'un des psychologues du service d'aide aux étudiants, analyse les possibilités de cours avec lui et décide de ceux qui lui conviennent pour élaborer sa séquence de cours. Elle se demande si elle n'aurait pas dû s'investir dès le départ dans des études en travail social, quitte à délaisser sa région natale plus tôt que prévu. Elle ressent de l'amertume face à l'orienteur qui, selon elle, a prêché pour sa paroisse en lui « vendant l'idée » de préparer sa demande dans une autre université, pendant l'année scolaire, en suivant des cours dans son village. Le programme ou plan d'action de Ginette aurait gagné en efficacité si elle l'avait élaboré en amont. Nous constatons ici un manque flagrant de planification.

**Cas de Frédéric revu et corrigé.** Reprenons le cas de Frédéric, le vice-président qui avait besoin d'acquérir des talents de leadership, et voyons comment une meilleure planification lui aurait été bénéfique. Dans ce cas fictif, nous lui accordons, comme à Scrooge dans l'histoire de Dickens, une seconde chance.

Que devrait-il faire alors ? Pour devenir un véritable dirigeant, Frédéric décide de modifier son style de gestion avec ses subalternes en les faisant participer davantage au processus de prise de décisions.

Il souhaite se montrer plus attentif, établir les objectifs de travail par l'entremise du dialogue, demander aux membres de son équipe des suggestions et déléguer. Il sait qu'il devrait motiver les gens qui travaillent directement avec lui, en tenant compte de leurs besoins individuels et en leur donnant son opinion sur la qualité de leur travail, en reconnaissant leurs initiatives et en les félicitant lorsque leurs résultats dépassent les objectifs.

Selon quelle séquence devrait-il procéder ? Frédéric décide que la première démarche à faire est de rencontrer chacun des membres de son équipe pour lui demander : « Que puis-je faire pour que vous parveniez à exécuter votre travail ? Quelle pourrait être ma contribution à ce niveau ? Quel type de gestion vous conviendrait le mieux ? » De ces échanges, il pourrait déduire les besoins de chaque membre de son équipe et prévoir ses interventions en conséquence. La seconde étape apparaît également évidente. C'est le moment de planifier les activités de l'année et chaque membre de l'équipe doit connaître ses objectifs. Voilà le moment idéal pour commencer à faire émerger des objectifs résultant du dialogue plutôt que de se limiter à les assigner. Frédéric envoie une note de service à chacun de ses subalternes en leur demandant d'analyser la stratégie et le plan d'affaires de l'entreprise et de prévoir chacune de leurs fonctions en rédigeant la liste de leurs objectifs de gestion pour l'année à venir. Il leur demande de présenter des objectifs complémentaires.

Quels délais se donne Frédéric ? Il rejoint tous les membres de son équipe immédiatement pour savoir ce qu'ils attendent de lui. Au cours des trois semaines, il parvient à fixer avec eux ses objectifs. Il repousse à plus tard l'activité de délégation, jusqu'à ce qu'il ait en sa possession des données plus précises sur la performance de chacun. Voilà les grandes lignes du plan que Frédéric aurait pu adopter et les améliorations possibles par rapport aux tentatives avortées et désordonnées de son style de gestion – à la condition, bien sûr, d'être convaincu de la validité et de la rentabilité d'une approche différente de la gestion du personnel.

L'encadré 20.1 donne un aperçu des questions que vous pouvez poser au client pour l'aider à développer le réflexe d'élaborer systématiquement un plan pour obtenir ce qu'il veut, comme ce dont il a besoin.

## ENCADRÉ 20.1
## QUESTIONS CONCERNANT LA PLANIFICATION

Voici certaines questions que vous pouvez suggérer à vos clients de se poser pour que ceux-ci aboutissent à un plan réaliste de changement constructif :

◎ Quelle séquence d'interventions me permettra d'atteindre mon objectif ?

◎ Quelles sont les actions essentielles à entreprendre ?

◎ L'ordre selon lequel se déroulent ces actions est-il important ?

◎ Quel est le meilleur échéancier pour chacune de ces actions ?

◎ Quelles sont les étapes du programme qui ont besoin d'être subdivisées ?

◎ Comment rendre mon plan suffisamment souple et informel ?

◎ Où trouver les ressources, y compris le soutien social, pour mettre en œuvre ce plan ?

## 20.4 PERSONNALISER LE PROCESSUS DE CHANGEMENT CONSTRUCTIF

Il y a quelques années, j'ai prêté à l'un de mes amis un excellent ouvrage, bien que fort exhaustif et détaillé, sur l'épanouissement personnel. Deux semaines plus tard, il est revenu me voir et, en lançant le livre sur mon bureau, m'a dit : « Qui est capable de passer à travers tout ça ! » J'ai rétorqué : « Quiconque s'intéresse à l'épanouissement personnel. » C'était une réponse moralisatrice et irréaliste. La planification, dans la vie de tous les jours, ressemble rarement à celle des ouvrages théoriques. Ces ouvrages proposent une série de principes, de méthodes et de schémas rarement utilisés. La plupart des gens sont trop impatients pour élaborer le type de plans présenté dans la section précédente. C'est l'une des raisons qui expliquent le très mauvais bilan du changement non organisé : même si les clients se fixent des objectifs réalistes, il leur manque la discipline nécessaire pour élaborer des plans acceptables. La planification détaillée représente une tâche trop ardue.

Par conséquent, les stades II et III de la démarche d'aide, de même que leurs six étapes, ont besoin d'être mis à la portée des gens. Si les aidants sautent les étapes de détermination des objectifs et de planification, ils ne répondent pas aux besoins de leurs clients. D'un autre côté, s'ils les incitent d'une manière suffisante, professorale et machinale à se lancer dans ces étapes – s'ils n'humanisent pas le processus –, ils risquent de se mettre à dos les gens qu'ils essaient d'aider. Ces derniers risquent fort de leur répondre qu'ils en ont assez de tous leurs grands discours. C'est pourquoi nous avons résumé ici les principes permettant de guider la démarche de changement constructif de l'étape II.A à l'étape III.C.

### PENSER EN TERMES DE PLANIFICATION DÈS LE DÉBUT DE LA DÉMARCHE D'AIDE

Dès le commencement de la démarche d'aide, une attitude tournée vers le changement constructif doit être palpable. Nous reprenons ici la métaphore de l'hologramme présentée au chapitre 2 : toute la démarche d'aide se retrouve dans chacune de ses parties. Les aidants doivent compter sur les propres possibilités de guérison des individus ainsi que sur leur capacité de changer leur existence et éviter de les considérer comme des individus submergés par leurs problèmes. Alors qu'il écoute le vécu de son client, l'aidant doit commencer à réfléchir aux possibilités de remédier à la situation et, par des questions exploratoires, découvrir les solutions envisagées par le client, aussi hypothétiques soient-elles. Tel que mentionné précédemment, en incitant le client à prendre son existence en main dès le début, nous le conditionnons en quelque sorte à une approche planificatrice. Si la relation d'aide concerne avant tout les solutions, il faut introduire dès le début la réflexion à propos des stratégies. Lorsque le client expose l'un de ses problèmes, l'aidant lui demande rapidement ce qu'il a déjà tenté pour remédier à la situation.

Caroline est une femme battue qui refuse de quitter son mari à cause des enfants. Dès le début, la conseillère a considéré sa situation du point de vue de la démarche d'aide globale. Alors qu'elle écoutait le vécu de Caroline, sans le dénaturer, elle a entrevu quelques objectifs et stratégies possibles. Au cours des séances, elle a permis à Caroline de voir comment les femmes maltraitées réagissaient d'ordinaire à leur triste condition et lui a démontré l'inefficacité de certaines de ces réactions. Caroline a également appris à ne plus se culpabiliser de cette violence et à surmonter ses craintes pour adopter des stratégies énergiques visant à régler la situation. À la maison, elle répond à son mari et cesse d'être soumise dans l'espoir, vain, d'éviter les mauvais traitements. Elle s'inscrit également à un groupe d'entraide pour femmes battues, groupe dans lequel elle trouve du réconfort et apprend comment demander la protection de la police et exercer un recours devant les tribunaux. D'autres séances avec la conseillère lui ont permis de changer, de cesser d'être une victime pour devenir une femme capable de surmonter l'adversité et une personne dynamique. Elle a d'abord affronté les problèmes pour ensuite développer des nouvelles perspectives.

Au lieu d'imposer aux clients un programme standardisé, les aidants doivent dès le début garder à l'esprit l'importance de personnaliser un plan d'action, fondé sur le changement constructif.

### ADAPTER LA DÉMARCHE DE CHANGEMENT CONSTRUCTIF À LA PERSONNALITÉ DU CLIENT

La détermination des objectifs, l'élaboration des stratégies et la mise en œuvre des plans s'effectue de manière formelle ou non. Il existe toute une gamme de réactions. Certains clients préfèrent une planification détaillée, car cela correspond à leur façon d'être.

Claire a eu besoin de counseling lorsque ses enfants ont quitté la maison. Elle n'éprouvait aucune difficulté spécifique, mais un grand vide se profilait quand elle envisageait l'avenir. Le conseiller lui a permis d'envisager cette période de l'existence comme une expérience normale plutôt que comme un problème psychologique. Cela lui a donné l'occasion de se remettre en question et de s'épanouir (voir Raup et Myers, 1989). Elle avait la possibilité de réorganiser son existence. Après avoir discuté pendant un certain temps des réactions inadaptées de cette phase de transition, Claire et son conseiller en sont venus à entrevoir les différentes perspectives ou scénarios de changement. Claire aimait se creuser les méninges, élaborer des scénarios détaillés, peser le pour et le contre des différentes options, choisir des stratégies et élaborer des plans en bonne et due forme. Elle avait pris soin de toute sa famille des années durant. Même si elle se retrouvait devant un contenu nouveau, elle connaissait le processus de la planification.

Voici un autre cas :

> Philippe doit réorganiser son existence après un grave accident d'automobile. Il a décidé de s'inscrire à un programme de réadaptation et de changer de carrière. Le fait d'avoir un programme détaillé d'intervention l'a non seulement aidé à garder le moral mais l'a aussi aidé à réaliser une série d'objectifs. Ces petits triomphes personnels l'ont ragaillardi et lui ont permis de progresser, lentement certes, tout au long du processus de réadaptation.

Claire et Philippe ont d'emblée adopté l'approche de la psychologie positive, qui sous-tend les programmes de changement constructif. Le travail et la discipline nécessaires pour développer et exécuter leurs plans les ont grandement stimulés. Il semble néanmoins que beaucoup de gens, pour ne pas dire la majorité, ne sont pas comme eux. Ils se retrouvent alors à l'autre extrémité du spectre : « Je me perds dans tous ces détails et je ne ferai rien. »

Kirschenbaum (1985) remet en question l'idée selon laquelle la planification doit systématiquement fournir un plan détaillé d'actions spécifiques, y compris leur séquence de réalisation ainsi qu'un échéancier. Voici trois questions à se poser :

✦ Dans quelle mesure les activités doivent-elles être spécifiques ?
✦ Pouvons-nous modifier la séquence de réalisation ?
✦ Quel est le degré de priorité de chaque activité ?

Dans certains cas, selon Kirschenbaum, une certaine souplesse quant aux actions, à la séquence de réalisation et à l'échéancier encourage les individus à poursuivre leurs objectifs, en leur offrant l'opportunité de choisir leurs activités de manière flexible et selon leur rythme. Grâce à cette flexibilité sur le plan de la planification, les clients se sentent plus libres, deviennent plus autonomes et adoptent une attitude proactive. Il semble qu'une planification rigide mène souvent à l'échec dans la réalisation des objectifs à court terme.

Prenons le cas de Pierre, un chef de famille monoparentale, père d'un fils déficient intellectuel. Une de ses collègues l'a confronté un beau jour en lui disant qu'il avait fait de son fils un boulet et que cela n'était bon pour aucun des deux. Sur le coup, cette remarque a piqué Pierre au vif, mais, avec beaucoup de réticence, il a finalement cherché de l'aide. Il n'a jamais discuté d'un programme de changement global avec son aidante, mais elle l'a encouragé à faire quelques petits changements à la maison. Les jours où il rentrait du travail passablement fatigué et frustré, il s'arrêtait un moment chez des amis dans l'immeuble. Cela lui évitait de passer sa colère sur son fils. Ensuite, au lieu de rester cloîtré toute la fin de semaine, Pierre a trouvé des moyens simples de se détendre, en allant au zoo ou en visitant un musée avec son fils et une amie. Il a découvert que celui-ci, malgré son handicap, appréciait beaucoup ces loisirs. En résumé, il a trouvé quelques moyens très simples d'agrémenter sa vie sociale tout en s'occupant de son fils. Sa conseillère avait une tournure d'esprit orientée vers le changement constructif dès le début, mais elle n'a pas essayé d'entraîner Pierre dans une démarche de planification lourde et formelle.

Par ailleurs, une approche désinvolte de la planification, du genre « Il faudrait bien que je bouge un peu ces jours-ci... », est également autodestructrice. Il suffit de revoir ses propres expériences pour voir qu'une telle attitude ne mène à rien. Dans l'ensemble, les conseillers devraient conduire leurs clients à adopter une planification aussi rigoureuse que le requiert la situation. Il n'existe pas de formule toute faite, il faut tenir compte des besoins des clients comme du bon sens. Certaines choses pressent, d'autres peuvent attendre. Certains clients ont besoin de plus de latitude que d'autres. Il est parfois préférable d'énoncer clairement les actions à prendre, tandis que, d'autres fois, il suffit d'aider les clients à formuler ces actions en termes vagues et à les laisser intervenir à leur guise, comme ils le jugent bon. S'il s'agit d'une thérapie de courte durée, incitez les clients à agir dès le début pour qu'ils atteignent leurs objectifs. Plus tard, lors d'une séance ultérieure, demandez-leur de revoir ce qu'ils ont entrepris, de laisser tomber ce qui ne marche pas, de persévérer dans les actions qui donnent des résultats et d'adopter d'autres stratégies plus efficaces en réorganisant leur programme. Si vous ne disposez que d'un nombre limité de séances avec le client, vous n'avez pas le temps de vous lancer dans une sélection détaillée d'objectifs et une planification globale de grande envergure. La solution à adopter dans un tel contexte est de demander au client d'opter pour les actions les plus constructives.

### ÉTABLIR UN PLAN POUR LE CLIENT ET, AU BESOIN, LE REVOIR AVEC LUI

Plus les aidants acquièrent de l'expérience, plus ils démontrent des aptitudes à concevoir des programmes adaptés qui conviennent à différents types de client. Ils se constituent une réserve de programmes utiles et empruntent différents éléments de ces programmes pour en créer de nouveaux. Ils mettent ainsi leurs connaissances et leur expérience au service des clients qui ne disposent ni des habiletés ni des dispositions pour élaborer ces plans eux-mêmes. Les aidants ne cherchent évidemment pas à créer une dépendance, mais au contraire à encourager les clients à décider eux-mêmes. À titre d'exemple, un conseiller pourra d'abord proposer un plan préliminaire au lieu d'un programme détaillé. Il collaborera ensuite le client pour compléter cette esquisse préliminaire et l'adapter aux besoins et à la personnalité du client. Examinez l'exemple suivant :

Catherine, une femme qui a décroché au niveau secondaire mais a réussi à obtenir un certificat d'équivalence, était obèse et vivait repliée sur elle-même. Au cours des années, sa surcharge pondérale l'avait conduite à limiter ses activités. Ses tentatives sporadiques de suivre un régime n'avaient fait qu'aggraver son obésité. Elle souffrait de dépression chronique et manquait par conséquent d'imagination pour élaborer un plan un tant soit peu cohérent. Après avoir compris l'étendue du problème de sa cliente, la conseillère a esquissé un programme de changement qui consistait pour Catherine, entre autres choses, à cesser de se juger, à redéfinir sa conception de la beauté, à briser son isolement et à se restructurer sur le plan cognitif pour atténuer la dépression (voir Robinson et Bacon, 1996). L'aidante a également effectué des recherches dans le domaine de la santé sur l'obésité et les moyens de la traiter. Elle a présenté les résultats de cette recherche à Catherine, en les simplifiant au maximum et en ajoutant des détails au besoin, pour se faire comprendre au fur et à mesure que Catherine s'impliquait dans la démarche de planification et dans la prise de décisions.

Dans cet exemple, la conseillère a rassemblé des éléments issus de tout un éventail de programmes existants. Cependant, les conseillers demeurent tout à fait libres d'élaborer leurs propres programmes à partir de leur expérience et de leurs compétences dans le domaine. L'idée consiste à fournir la matière première permettant d'amorcer le travail du client, de lui proposer une voie sur laquelle s'engager. Le plan s'élabore tranquillement au cours des échanges et selon le degré de précision que le client est prêt à accepter.

L'efficacité des plans s'apprécie fondamentalement dans les interventions du client pour gérer les problèmes et développer les aptitudes qui correspondent à ses besoins et à ses aspirations. Il n'existe pas de bons ni de mauvais plans en soi. Ce sont les résultats qui comptent, bien plus que la planification ou les efforts eux-mêmes. Le prochain et dernier chapitre explique comment réussir cette planification.

## 20.5 ADAPTATION DES PROGRAMMES STANDARDISÉS AUX BESOINS DES CLIENTS

Il existe beaucoup de programmes standardisés pour les clients aux prises avec des problèmes particuliers. Il s'agit le plus souvent de programmes de changement constructif qui ont fait leurs preuves. Le programme en 12 étapes des Alcooliques anonymes est l'un des plus connus. Il a été adapté à la consommation abusive de drogues et à la toxicomanie. On fait également appel à la désensibilisation systématique, une approche behavioriste, pour traiter les clients souffrant de SSPT, syndrome de stress post-traumatique (Frueh, de Arellano et Turner, 1997). Ce programme comprend des séances de relaxation musculaire, l'instauration d'une hiérarchie des peurs, ainsi que des séances hebdomadaires de désensibilisation systématique du client face à ses peurs. Ce programme permet de soulager des symptômes tels que les pensées intrusives, les crises de panique et les épisodes dépressifs. Les programmes décrits dans les manuels de traitement mentionnés au premier chapitre constituent également des exemples de programmes spécifiques à certaines clientèles. Donald Meichenbaum (1994) a publié un ouvrage très complet sur le traitement du SSPT, ouvrage qui comprend aussi un manuel pratique. Le rôle des conseillers consiste à adapter ces programmes pour en faire des programmes « à la carte », en accord avec les besoins spécifiques des clients. Réfléchissons aux programmes suivants.

**Programme de prévention de la pédophilie.** Il existe de nombreux programmes de traitement pour les pédophiles déclarés, mais rares sont les programmes de prévention. Considérons l'exemple suivant :

Après une série de séances qui ne menaient nulle part, le conseiller a dit à Paul : « Nous avons parlé de beaucoup de choses, mais je ne sais toujours pas pourquoi vous êtes venu me voir en premier lieu. » Cela a incité Paul à révéler son problème majeur, même s'il avait fallu beaucoup de stimulation pour y parvenir. Paul était attiré par les enfants prépubères des deux sexes. Sans jamais avoir eu de comportement pédophile, il était de plus en plus tenté de passer à l'acte.

Pour les besoins de Paul, le conseiller a adapté un programme néo-zélandais, baptisé Kia Marama (Hudson et autres, 1995), un programme cognitivo-comportemental complet destiné aux agresseurs d'enfants déjà incarcérés. Le programme original comprenait un travail intensif de remise en question des attitudes perverses, l'examen de toute une série de thèmes sexuels, une perception du monde du point de vue de la victime, le développement d'habiletés à la résolution de problèmes et aux relations interpersonnelles ainsi qu'à la gestion du stress, de même qu'une formation à la prévention des rechutes. Avant de s'engager dans un programme intensif et fait sur mesure, l'aidant et Paul ont soupesé longuement tous les éléments du programme susceptibles de lui convenir.

Une activité de prévention en vaut bien cent de réadaptation. Non seulement Paul est-il parvenu à éviter de graves ennuis, mais il a pu mettre en application ce qu'il avait appris dans ce programme – en particulier, la gestion du stress – dans d'autres domaines.

**Programme pour aider les assistés sociaux à se trouver un emploi.** Il existe au Québec plusieurs ressources communautaires dont l'objectif est l'aide à l'emploi. Certaines ressources s'adressent spécifiquement à la clientèle jeune adulte ; d'autres, aux femmes vivant la pauvreté. Certains organismes visent la réinsertion au travail des personnes souffrant de handicaps physiques ou de troubles mentaux. La connaissance des différents programmes communautaires peut grandement faciliter le travail des conseillers au moment de la phase d'élaboration d'un plan de travail pour le client en recherche d'emploi. Le conseiller peut s'inspirer d'une foule d'activités et de tâches proposées dans les différents programmes communautaires et gouvernementaux. Le développement de la personnalité du client (estime de soi, autonomie, habiletés de communication), le recours à des tests d'orientation à la carrière, la consultation avec un ergothérapeute, l'adhésion à un club de recherche d'emploi, l'encadrement pour la rétention au travail, etc., représentent quelques exemples de ces activités possibles. Il existe dans la région de Victoriaville un programme intitulé *Services intégrés pour l'emploi*[1] qui s'adresse aux femmes de cette région. Ce programme offre une gamme de services intégrés et traduit bien l'idée de globalité de la démarche qui est ici véhiculée. Le programme est qualifié de global puisqu'il considère différents éléments (facteurs de protections, ressources, services et actions) qui facilitent le changement. Vous pouvez trouver dans Internet un nombre imposant de programmes qui offrent ce type de démarche globale. Les bibliothèques scientifiques et les moteurs de recherche en santé (Medline, Cinhal, Psychinfo) facilitent aussi l'identification de ces programmes.

**Programme de promotion du bien-être : l'exercice.** Certains programmes contribuant au bien-être général peuvent aussi se greffer sur la démarche d'aide. Les programmes d'exercice sont probablement les moins utilisés à cet effet (Burks et Keeley, 1989). McAuley, Mihalko et Bane (1997) se sont penchés sur la relation multidimensionnelle qui existe entre l'exercice et l'autoefficacité. Plusieurs faits concourent à indiquer que les programmes

---

1   Vous pouvez trouver de l'information sur le site Internet suivant : www.siemploi.com.

d'exercice constituent un apport positif dans le traitement de la schizophrénie et de l'alcoo-lisme. De tels programmes contribuent également à soulager directement la dépression et la douleur chronique, de même que l'anxiété (Tkachuk et Martin, 1999). La discipline acquise dans la pratique de l'exercice stimule la maîtrise de soi dans d'autres domaines. Dans son ouvrage *Working It Out: Using Exercise in Psychotherapy* (1999), Kate Hays a réalisé une étude exhaustive de toutes les possibilités de psychologie positive inhérentes à l'exercice. Pour conclure sur ce sujet, voici une expérience personnelle. Après m'être conditionné à faire de l'exercice, lorsque je rechignais à la tâche, je me posais la question suivante : « Est-ce qu'il t'est arrivé une seule fois d'avoir regretté de faire du sport ? » La réponse étant « jamais », je m'attelais de ce pas.

Finalement, nous ne trouvons pas des programmes standardisés uniquement dans les ouvrages spécialisés. Plusieurs ouvrages vulgarisés en proposent également. Des livres comme *Thoughts and Feelings* (McKay, Davis et Fanning, 1997) regorgent de stratégies méthodiques pour le traitement d'une multiplicité de troubles psychologiques. Les meilleures constituent une traduction pratique et réaliste des concepts les plus avancés dans le domaine.

## ? QUESTIONS D'ÉVALUATION CONCERNANT L'ÉTAPE III.C

**Lorsqu'ils encouragent leurs clients à élaborer des plans pour qu'ils se lancent dans l'action, les aidants gagnent à se poser les questions suivantes :**

- Dans quelle mesure est-ce que j'applique les principes de la planification dans ma propre vie ?
- Est-ce que j'ai réellement adopté la conception de l'hologramme dans la relation d'aide, en considérant chaque séance et chaque intervention dans le contexte global de l'ensemble de la démarche ?
- Est-ce que je passe assez rapidement à la planification lorsque je constate que le client en a besoin pour gérer ses problèmes et développer de nouvelles perspectives plus profitables ?
- Quelles sont les actions que j'entreprends pour inciter les clients à surmonter leurs réticences face à la planification ? Est-ce que je les aide efficacement à reconnaître les avantages de celle-ci ?
- Est-ce que j'incite les client à formuler les sous-objectifs qui leur permettront d'atteindre les objectifs du scénario retenu ?
- Est-ce que je permets aux clients de discerner de façon pratique les interventions qui leur permettront de réaliser ces sous-objectifs, d'établir un ordre de priorité pour ces interventions et un échéancier réaliste à cet effet ?
- Lors de l'étape de planification, est-ce que je prends en considération la spécificité et les besoins de chaque client ?
- Même à cette étape de planification, est-ce que je reviens avec aisance, le cas échéant, aux autres étapes antérieures du modèle d'aide ?
- Est-ce que ma collaboration à la planification incite les clients à passer facilement à l'action ?
- Est-ce que je présente l'aspect technique du changement constructif de façon accessible ?
- Est-ce que j'adapte adéquatement le processus de changement constructif à la personnalité du client ?
- Suis-je efficace à présenter aux clients un programme standardisé et personnalisé qui répond à leurs besoins spécifiques ?

La flèche d'action du modèle d'aide traduit la différence entre planification et action. Les neuf étapes des phases I, II et III sont toutes axées sur la planification du changement, non sur le changement lui-même. Cependant, cet ouvrage insiste sur la nécessité d'incorporer l'action à la planification et inversement. Cela signifie que nous avons chaque fois tenté de dégager et d'illustrer, dès le début, les « actions mineures » nécessaires à la progression du processus de changement. Nous nous attarderons ici de manière plus formelle sur les actions fructueuses – à la fois aux obstacles entravant ces actions et aux moyens de les contourner.

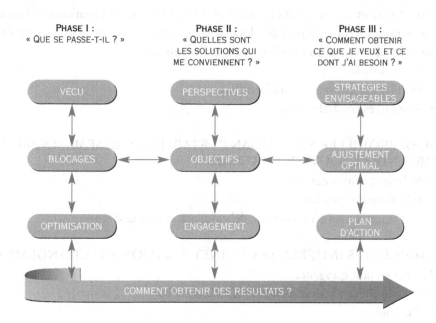

PHASE I :
« QUE SE PASSE-T-IL ? »

PHASE II :
« QUELLES SONT
LES SOLUTIONS QUI
ME CONVIENNENT ? »

PHASE III :
« COMMENT OBTENIR
CE QUE JE VEUX ET CE
DONT J'AI BESOIN ? »

VÉCU

PERSPECTIVES

STRATÉGIES
ENVISAGEABLES

BLOCAGES

OBJECTIFS

AJUSTEMENT
OPTIMAL

OPTIMISATION

ENGAGEMENT

PLAN
D'ACTION

COMMENT OBTENIR DES RÉSULTATS ?

# CHAPITRE 21

« COMMENT OBTENIR DES RÉSULTATS ? »
AIDER LES CLIENTS À METTRE À EXÉCUTION
LEUR PLAN D'ACTION

## 21.1 AIDER LES CLIENTS À DEVENIR DE BONS TACTICIENS

Inciter les clients à concrétiser leurs intentions

Encourager les clients à éviter les imprudences

Inciter les clients à élaborer des plans de rechange

Encourager les clients à surmonter leur tendance à faire du surplace

Aider les clients à détecter les obstacles et les ressources disponibles pour qu'ils réalisent leurs projets

- Obstacles
- Éléments mobilisateurs

Aider les clients à trouver des incitatifs et des satisfactions qui soutiennent leur action

Encourager les clients à prendre des engagements et des ententes centrés sur l'action

Aider les clients à surmonter leurs erreurs et leurs échecs

- Soutien social
- Habiletés cognitives et intellectuelles
- Ressources psychologiques

## 21.2 SE DÉBROUILLER SANS AIDANT : ÉTABLIR UN RÉSEAU SOCIAL POUR OBTENIR LE SOUTIEN D'AUTRUI

- Relations confrontantes
- Réactions des proches
- Cas exceptionnel d'un client se débrouillant sans aidant

## 21.3 DIFFICULTÉS INHÉRENTES À L'INSTAURATION DU CHANGEMENT

Aidants en tant qu'agents

Inertie du client : hésitation à faire les premiers pas

- Passivité
- Impuissance acquise
- Langage intérieur irréaliste
- Cercles vicieux
- Désorganisation

Entropie : la tendance des choses à se désordonner

Opter pour le *statu quo*

Dans son livre intitulé *True Success* (1994), Tom Morris énumère les conditions de la réussite. Elles consistent à :

✦ décider ce que l'on veut – c'est-à-dire, un objectif ou une série d'objectifs mobilisateurs ;
✦ se concentrer sur la préparation et la planification ;
✦ croire en sa propre capacité d'atteindre ses objectifs, c'est-à-dire, avoir confiance en soi ;
✦ mobiliser ses énergies émotionnelles ;
✦ démontrer constance, détermination et persévérance dans la poursuite des objectifs ;
✦ manifester une intégrité qui inspire confiance et rallie les autres ;
✦ avoir le plaisir d'apprécier la démarche en elle-même.

Le rôle du conseiller consiste à aider les clients à adopter tous ces comportements internes et externes afin qu'ils atteignent les objectifs.

Certains clients, une fois qu'ils ont une idée claire de ce qu'ils doivent entreprendre pour affronter une situation problématique ou développer des perspectives d'avenir plus profitables, s'engagent tête baissée, avec ou sans plan formel. Ils n'ont pratiquement pas besoin de soutien ni de remise en question de la part de leur aidant. Ils trouvent en eux-mêmes les ressources nécessaires à la réalisation de leur projet ou encore obtiennent soutien, opinion et critique constructive de leurs proches. D'autres clients, même s'ils sont en mesure de formuler des objectifs et d'élaborer des stratégies pour les réaliser, sont, pour diverses raisons, coincés lorsqu'il s'agit de passer à l'action. La plupart des clients oscillent entre ces deux extrêmes.

La discipline et la maîtrise de soi jouent un rôle important dans les programmes d'instauration du changement. Kirschenbaum (1987) a découvert que de nombreux éléments contribuent à l'apitoiement ou à l'inertie : un faible engagement initial au changement, un manque d'autoefficacité, des attentes peu élevées en termes de résultats, le recours à l'autopunition plutôt qu'à l'autosatisfaction, une attitude dépressive, l'impossibilité de gérer les tensions émotionnelles, le manque d'autorégulation et de techniques efficaces de modification des habitudes, une soumission à la pression sociale, l'incapacité à surmonter les éventuelles rechutes du début, de même qu'une tendance à se concentrer sur l'aspect négatif des choses – à s'attarder sur la difficulté de la situation problématique au lieu de se concentrer sur l'attrait des options possibles.

Nous avons vu que l'autodétermination et la maîtrise de soi sont essentielles à l'action. Kanfer et Schefft (1988, p. 58) différencient deux sortes de maîtrises de soi. Tout d'abord, la *maîtrise de soi sur le plan décisionnel* consiste en un choix unique qui permet de mettre fin au conflit. Ainsi, un couple prend la décision de divorcer et entame les procédures à cet effet. Vient ensuite la *maîtrise de soi prolongée,* qui impose une résistance permanente aux habitudes et aux comportements néfastes. À titre d'exemple, il ne suffit pas pour une cliente de décider de contrôler sa colère lors de situations conflictuelles. Chaque fois qu'un conflit survient, elle doit renouveler sa résolution. Elle aura tout intérêt à adopter une attitude qui lui permet d'envisager les conflits comme des occasions d'apprentissage et non uniquement comme des affrontements. Il s'agit d'une façon positive de rester sur ses gardes.

La plupart des clients ont besoin de ces deux types de maîtrises de soi pour mieux diriger leur vie. La décision d'un client d'arrêter complètement de boire (maîtrise de soi décisionnelle) doit s'accompagner de la capacité à faire face aux inévitables tentations qui surviendront à long terme. La maîtrise de soi prolongée exige l'adoption d'une mentalité préventive ainsi qu'une certaine débrouillardise. Il est plus aisé pour le client qui a cessé de boire de refuser une invitation à prendre un verre plutôt que de s'asseoir toute la soirée avec des amis et de résister à la tentation de boire.

La figure 21.1 ajoute la flèche d'action au modèle d'aide.

### MODÈLE DE L'AIDANT EFFICACE

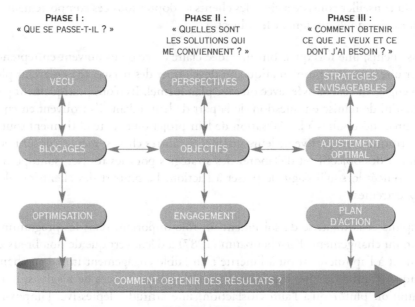

**FIGURE 21.1**
**MODÈLE D'AIDE – COMPLÉTER LA PLANIFICATION PAR L'ACTION**

## 21.1 AIDER LES CLIENTS À DEVENIR DE BONS TACTICIENS

Lors de la phase de réalisation, il importe de compléter les stratégies pour atteindre les objectifs par la tactique et la logistique. Une stratégie est un plan pratique permettant d'accomplir un objectif donné. La tactique est l'art d'adapter un plan à la situation en présence. Cela implique d'être en mesure de modifier ses plans sur-le-champ pour faire face aux imprévus. La logistique est l'art d'assurer au moment opportun les ressources nécessaires à la réalisation d'un projet.

Geneviève souhaite suivre un cours de statistique durant l'été pour alléger son prochain trimestre universitaire. Un peu plus de temps libre lui permettrait de jouer dans l'une des pièces de théâtre de l'école, ce qui fait partie de ses priorités.

Cependant, elle n'a pas l'argent pour payer ce cours et l'université où elle souhaite le suivre exige le paiement d'avance des cours d'été. Geneviève prévoyait payer ce cours en gagnant de l'argent pendant l'été, mais ne disposait pas encore de cette somme. Elle s'est alors renseignée à droite et à gauche, et a pu, avec la signature de ses parents, bénéficier d'un prêt étudiant à la banque de son quartier.

Dans cet exemple, Geneviève reste fidèle à son plan global (stratégie). Toutefois, elle l'adapte à une circonstance imprévue, l'exigence d'un paiement d'avance (tactique), en localisant une autre ressource (logistique).

Étant donné que nombre de clients bien intentionnés et motivés ne sont pas de bons tacticiens, les conseillers gagneront à faire appel aux principes qui suivent pour les inciter à entreprendre une action concrète, soutenue et déterminée.

### INCITER LES CLIENTS À CONCRÉTISER LEURS INTENTIONS

L'adoption d'objectifs précède l'adoption d'un plan d'action (voir le chapitre 17) mais sans en assurer à coup sûr la réalisation. Gollwitzer (1999) a cherché une façon simple d'aider les clients à s'adapter aux problèmes courants de conversion des objectifs en actions : le refus de se lancer, la tentation de se laisser détourner, la reprise des anciennes habitudes, et ainsi de suite. Un engagement profond vis-à-vis d'un objectif ne suffit pas. Pour atteindre l'objectif, il importe également de s'engager tout autant envers des actions spécifiques. Les bonnes intentions, comme l'a fait remarquer Gollwitzer, ne méritent pas leur mauvaise réputation. Les intentions résolues, telles que « J'ai la ferme intention d'étudier une heure chaque jour durant la fin de semaine avant de dîner », ont « définitivement plus de chances de mener à une réalisation que les intentions formulées de façon vague » (p. 493).

> *La concrétisation des intentions dépend de leur formulation en termes d'objectifs, qui précisent le moment, le lieu et les modalités menant à leur atteinte. Cette formulation se structure plus ou moins ainsi : « Lorsque la situation x surviendra, j'adopterai la réaction y ! » Elles lient par conséquent les éventualités anticipées aux réactions visant l'atteinte des objectifs.* (p. 494)

Suzanne, une infirmière auxiliaire d'un centre hospitalier, déclare : « Lorsque Édith (une des patientes) se montrera grossière, je ne réagirai pas sur-le-champ. Je me dirai que ses paroles sont le résultat de sa maladie, puis je lui répondrai patiemment et gentiment. » Son objectif permanent vise à maîtriser sa colère et les autres réactions négatives vis-à-vis de ses patients. Cependant, Suzanne poursuit cet objectif en réitérant continuellement ses intentions fermes et concrètes. Édith étant une patiente particulièrement difficile, Suzanne doit fréquemment se rappeler ses intentions. Toutefois, son intention première de substituer la bienveillance et la sérénité à la colère et à l'impatience signifie que ses réactions sont plus ou moins automatiques. Le signal externe – colère, injures et manque de considération de la part de la patiente – déclenche chez elle la réaction appropriée. D'une certaine façon, les mauvais comportements de la patiente deviennent pour elle des occasions de réactions plus positives. Vous pouvez ainsi inciter les clients à se formuler des intentions fermes et spécifiques pour faire face automatiquement aux obstacles et ainsi concrétiser leurs objectifs.

## ENCOURAGER LES CLIENTS À ÉVITER LES IMPRUDENCES

Pour certains clients, le problème ne réside pas dans l'apathie, mais dans l'imprudence. Il s'avère souvent risqué de se précipiter sur la première stratégie qui vient à l'esprit.

> Edgar a dû être opéré plusieurs fois à la suite d'une blessure au dos. Après sa deuxième intervention, il se sentait un peu mieux, mais son dos a fini par lui faire mal de nouveau. Lorsque le médecin lui a déclaré que ce n'était plus opérable, Edgar s'est retrouvé dans l'obligation de vivre avec une douleur chronique. Il est devenu rapidement évident que son état psychologique influait sur l'intensité de cette douleur. Lorsqu'il était anxieux ou déprimé, la douleur semblait nettement empirer.
>
> Edgar a abordé le problème avec un conseiller. Un jour, il a pris des renseignements sur une clinique antidouleur du centre-ville. Sans en parler à personne, il s'est inscrit à un programme de six semaines. Dix jours plus tard, il était de retour, plus déprimé que jamais. Il nourrissait des attentes excessives vis-à-vis de ce programme, en raison de l'ampleur de ses besoins. L'approche holistique du programme en question visait à aider les participants à développer un mode de vie plus réaliste. Le programme concernait l'alimentation, la gestion du stress, la résolution de problèmes et la qualité de vie interpersonnelle. Le counseling de groupe faisait partie du programme, ainsi que la formation. À titre d'exemple, on enseignait aux participants des approches comportementales de gestion de la douleur.
>
> Le problème, c'est qu'Edgar s'était présenté à la clinique avec des attentes irréalistes. Il avait lu rapidement la brochure de la clinique et avait acheté un programme « clés en main » sans en examiner les détails. S'attendant à trouver un miracle de la médecine moderne qui ferait disparaître ses douleurs par enchantement, il a été extrêmement déçu en découvrant un programme portant essentiellement sur la réduction et le soulagement de la douleur plutôt que sur son élimination.

L'objectif d'Edgar était de se débarrasser de la douleur, mais il s'agissait d'un objectif peu réaliste. Il aurait été préférable de rechercher l'atténuation et le soulagement de la douleur, et même d'apprendre à vivre avec la douleur. Son conseiller n'a pu lui éviter de faire deux erreurs : formuler un objectif irréaliste et, en désespoir de cause, adopter la première stratégie venue. Manifestement, une action qui repose sur des hypothèses sans fondements est risquée. Dans le cas d'Edgar, il s'agissait de l'hypothèse selon laquelle il pourrait se débarrasser complètement de la douleur.

## INCITER LES CLIENTS À ÉLABORER DES PLANS DE RECHANGE

Si les conseillers aident les clients à se creuser les méninges pour qu'ils développent des scénarios ou des perspectives d'avenir profitables (objectif) et formulent des stratégies pour les atteindre (interventions requises), alors les clients disposeront de la matière première pour élaborer des plans de rechange. Ces plans répondent à la question « Quoi faire si le plan d'action retenu ne fonctionne pas ? » Les plans de rechange font des clients de meilleurs tacticiens. L'élaboration de plans de rechange part du fait que nous vivons dans un monde imparfait. La plupart du temps, il faut ajuster les objectifs ou même en changer. La même chose se vérifie en ce qui concerne les stratégies permettant de les atteindre.

Lucien, qui souffre de cancer en phase terminale, a décidé d'entrer dans une unité de soins palliatifs qu'il avait visitée. L'unité en question disposait d'un programme complet pour aider les patients comme lui à mourir dans la dignité. Une fois-là, cependant, il nourrissait quelques doutes. Il avait le sentiment d'être incarcéré. Heureusement, il avait prévu des scénarios de rechange avec son conseiller. L'un d'eux consistait à aller vivre chez une tante qu'il aimait et qui l'aimait tendrement, en bénéficiant des services à domicile d'une infirmière de l'organisme VON (Infirmière de l'ordre de Victoria du Canada) dédié au soin et à la qualité de la vie. Il a quitté l'unité de soins pour aller chez sa tante et n'y est retourné que pour y finir ses jours.

Les plans de rechange sont particulièrement utiles lorsque les clients optent pour des programmes à risques élevés qui visent à atteindre un objectif essentiel. S'ils ont des plans de rechange, les clients parviennent à se responsabiliser davantage. En se rendant compte qu'un plan ne fonctionne pas, ils doivent alors décider ou non de mettre en œuvre leur plan de rechange. Ces plans doivent être simples. Un conseiller se contente de demander simplement ce que fera le client si la solution ne fonctionne pas. Comme dans le cas de Lucien, il est possible d'aider les clients à dresser un plan d'urgence en cas d'échec lors du premier plan choisi.

### ENCOURAGER LES CLIENTS À SURMONTER LEUR TENDANCE À FAIRE DU SURPLACE

À l'autre bout du spectre, nous trouvons des clients qui persistent à remettre l'action à plus tard. Plusieurs raisons justifient cette tendance, nommée plus techniquement l'atermoiement ou la procrastination. Prenons le cas d'Élise :

Élise, déçue par la relation qu'elle entretenait avec son père au sein de l'entreprise familiale, avait décidé de lancer sa propre compagnie. Elle croyait pouvoir compter sur les compétences en affaires acquises à l'école et dans l'entreprise familiale. Dès lors, son objectif consistait à fonder une petite entreprise de génie logiciel qui concevait des produits destinés au marché des entreprises familiales.

Une année s'écoula sans qu'elle dispose de produits à mettre en marché. Un conseiller l'aida à prendre conscience de deux éléments. Tout d'abord, ses activités – effectuer des recherches dans le domaine ; en apprendre davantage à propos de la dynamique familiale ; assister à des séminaires portant sur la technologie de l'information ; passer de courtes périodes aux côtés de divers professionnels, comptables et avocats, travaillant spécifiquement avec des entreprises familiales ; élaborer et réviser des plans d'affaires et concevoir une brochure –, bien qu'utiles, ne contribuaient pas directement à la création de produits tangibles. Le conseiller l'aida à prendre conscience qu'à un certain niveau elle avait peur de se lancer en affaires. Elle disposait de nombreux produits en cours d'élaboration. Une trop longue préparation et des produits à moitié terminés traduisaient bien cette crainte. Elle se retroussa donc les manches, termina un produit et le commercialisa dans Internet. À sa grande surprise, ce produit remporta un certain succès, pas un succès fou mais cela signifiait que le processus était enclenché. Après avoir mis un premier produit sur le marché, elle put facilement en élaborer d'autres et les commercialiser.

Élise n'était assurément pas paresseuse. Elle était très active et avait fait toutes sortes de choses utiles. Cependant, elle avait également évité les actions les plus essentielles : concevoir et mettre en marché des produits. La procrastination est souvent faussement associée à la paresse. Un tel jugement nuit à la relation d'aide. Comme une voiture qui s'enlise, le moteur tourne à plein régime mais rien n'avance. Il est préférable de se demander pourquoi la personne fait du surplace et s'enlise dans son problème.

### AIDER LES CLIENTS À DÉTECTER LES OBSTACLES ET LES RESSOURCES DISPONIBLES POUR QU'ILS RÉALISENT LEURS PROJETS

Il y a plusieurs années, Kurt Lewin (1969) a codifié le sens commun en élaborant ce qu'il a appelé l'« analyse du champ de forces ». En langage ordinaire, cela signifie la révision par le client des principaux obstacles et éléments mobilisateurs qui influencent l'action. Le mot d'ordre est : un homme averti en vaut deux.

**Obstacles.** La reconnaissance des obstacles éventuels à la concrétisation d'un programme permet d'alerter les clients.

Roland et Marie, un couple vivant dans la métropole, sont mariés depuis environ cinq ans et n'ont pas réussi à avoir d'enfants. Ils décident finalement d'en adopter un et consultent à cet effet une conseillère spécialisée dans ce domaine. En les aidant à établir un plan d'action, elle les incite à analyser leurs motivations, à revoir leurs aptitudes pour devenir des parents adoptifs, à entrer en contact avec une agence d'adoption, de même qu'à se préparer pour l'entretien. Après avoir conçu un plan d'action, Roland et Marie, avec la collaboration de leur conseillère, identifient deux obstacles ou écueils éventuels : le sentiment négatif qui anime souvent les parents potentiels au moment où leur dossier est examiné par les services d'adoption, et les sentiments d'impuissance et de frustration causés par la lenteur et le caractère incertain du processus d'adoption lui-même.

Nous tenons ici pour acquis que les clients qui sont prévenus des embûches qu'ils risquent de rencontrer dans le cadre d'un plan d'action donné seront moins désorientés lorsqu'ils y seront confrontés. L'identification des obstacles éventuels consiste, au mieux, en un recensement des obstacles potentiels plutôt qu'en une recherche autodestructrice de toutes les choses susceptibles de mal tourner.

Ces obstacles incombent aux clients eux-mêmes, aux autres, au milieu social ou, à plus grande échelle, aux forces environnementales. Une fois un obstacle repéré, il importe de recenser les façons de le surmonter. Il suffit parfois de prendre conscience d'un écueil pour mobiliser les ressources permettant d'y faire face. En d'autres occasions, une stratégie d'adaptation plus explicite s'impose. Dans l'exemple précité, la conseillère a prévu quelques séances de jeux de rôles avec Roland et Marie dans lesquels elle tenait le rôle de l'examinatrice de l'agence et adoptait une attitude adverse durant l'interrogatoire. Ces répétitions les ont aidés à rester calmes lors des véritables entretiens. La conseillère leur a également permis de repérer un groupe d'entraide de parents en processus d'adoption. Les membres du groupe partageaient leurs espoirs et leurs frustrations tout en s'apportant un soutien mutuel. Bref, Roland et Marie étaient maintenant préparés à faire face aux embûches susceptibles de se trouver sur leur chemin.

**Éléments mobilisateurs.** Dans une veine plus positive, les conseillers peuvent aider leurs clients à discerner des ressources inexploitées susceptibles de faciliter leur action.

> Judith trouvait extrêmement déprimant le fait d'aller à ses séances hebdomadaires de dialyse. Elle savait que sans cela elle mourrait, mais elle se demandait si cela valait la peine de vivre avec l'obligation de dépendre d'une machine. Le conseiller lui a fait prendre conscience qu'elle gâchait sa vie en laissant de telles pensées décourageantes l'envahir. Il lui a montré comment entretenir des pensées élargissant sa vision du monde au lieu de la confiner à elle-même, à son malaise et à cette machine. Judith était une jeune femme très curieuse et avait un penchant pour la lecture, la connaissance et la spiritualité. Elle a trouvé dans différents ouvrages une source de pensées positives. Elle s'est aussi particulièrement intéressée à la sophrologie, une forme particulière de thérapie qui s'intéresse à la conscience humaine. Elle a entamé une nouvelle routine : le jour précédant sa visite à la clinique, elle commençait à se préparer psychologiquement par la lecture de pensées positives. Puis, en se rendant à la clinique et lors de l'administration du traitement, elle méditait tranquillement sur ses lectures.

Dans ce cas, la cliente, au lieu de se considérer comme une victime, a puisé dans les ressources inexploitées de la pensée positive. Ces ressources, issues du remue-méninges, visent à contourner les obstacles par l'action et elles s'avèrent très utiles pour certains clients. En aidant les clients à se creuser les méninges pour trouver des éléments mobilisateurs, nous augmentons leurs probabilités d'agir dans leur propre intérêt. Il peut s'agir d'actions fort simples. Georges voulait éviter une technique diagnostique invasive. Après une séance de remue-méninges, il décida de demander à un ami de l'accompagner. Cela signifiait deux choses : la première est qu'il serait obligé de traverser cette épreuve, puisqu'il avait demandé de l'aide. La seconde est que la présence même de son ami le distrairait de ses peurs. Prenons le cas de Lucie, qui avait l'habitude de se laisser emporter par ses humeurs. Cette habitude se vérifiait particulièrement lorsqu'elle rentrait à la maison après une journée difficile au travail. Elle s'en prenait à sa belle-mère et à ses enfants. Après une séance de counseling, elle a apporté deux photos au travail : sur l'une, prise le jour de son mariage, on voyait sa belle-mère ; l'autre était une photo récente de ses enfants. Lorsqu'elle garait sa voiture en arrivant au travail, elle disposait ces deux photos sur le siège du conducteur, si bien que le soir, en ouvrant la portière de sa voiture, la première chose qu'elle voyait était ces deux photos de sa vie à son meilleur. Pendant le trajet qui la conduisait vers sa maison, cela la portait à réfléchir sur l'attitude qu'elle adopterait en rentrant.

## AIDER LES CLIENTS À TROUVER DES INCITATIFS ET DES SATISFACTIONS QUI SOUTIENNENT LEUR ACTION

Les clients évitent de participer à des programmes d'intervention lorsque les incitatifs et les compensations du *statu quo* l'emportent sur ceux de l'action.

Michel, un policier jugé pour avoir fait usage de force excessive envers un jeune délinquant, a suivi plusieurs séances avec le conseiller du service de déontologie. Lors de ces séances, le conseiller a appris que, même si c'était la première fois que Michel s'attirait des ennuis avec les tribunaux, il ne s'agissait pas de la première manifestation de sa brutalité. Il se comportait comme un tyran en patrouille, était un despote à la maison et avait des prises de bec avec des inconnus lorsqu'il fréquentait les bars avec ses amis. Certains de ces faits sortirent au grand jour lors du procès.

Jusqu'au jour de son inculpation, son comportement agressif ne lui avait pas attiré d'ennuis, même si ses amis l'avaient souvent averti de se montrer plus prudent. L'insigne qu'il portait lui donnait la permission d'agir à sa guise. Son inculpation et ce procès l'avaient profondément ébranlé. Avant, il se considérait invulnérable ; maintenant, c'était l'inverse. Il était naturellement horrifié à l'idée de perdre son emploi. Il fut reconnu coupable, suspendu du service de police durant plusieurs semaines et sa réaffectation était conditionnelle à un suivi psychothérapeutique.

Après son inculpation, Michel a modifié radicalement son comportement agressif, même à la maison. Bien sûr, la peur des conséquences de son agressivité agissait comme puissant incitatif pour qu'il change. S'il récidivait, la cour ne ferait preuve d'aucune indulgence. Le conseiller a adopté une approche sévère envers ce policier endurci. Il a confronté Michel en l'accusant d'être « resté un éternel adolescent » et de « se cacher derrière son insigne ». Il a qualifié d'inacceptable le pouvoir que Michel exerçait sur autrui. Il s'est adressé à la partie saine de la personnalité de Michel, au type « bien » qu'il pouvait assumer s'il s'en donnait la peine. Il lui a dit de but en blanc que la peur qu'il éprouvait ne serait probablement pas suffisante pour lui éviter des ennuis futurs. Après la période de suspension, cette peur s'évanouirait et Michel retomberait facilement dans ses vieilles habitudes. Pire encore, il lui a déclaré que la peur était la béquille des « hommes faibles[1] ».

Dans une veine plus positive, le conseiller a perçu dans l'expression de la vulnérabilité de Michel les possibilités d'amélioration, cachées derrière une dure carapace. Les véritables incitatifs, selon le conseiller, devaient provenir de ce « gars bien » qu'il portait en lui. Il a aidé Michel à dresser le portrait d'un policier, d'un père de famille et d'un ami dur mais bon. Il lui a demandé d'être attentif aux comportements courtois — à la maison, en patrouille, avec ses copains — pour disposer d'une expérience de première main des récompenses associées.

---

1  Note du responsable de l'adaptation française. Notez ici que le conseiller n'est pas un thérapeute mais un responsable du service de déontologie, d'où le ton résolument confrontant des échanges. Dans un contexte psychothérapeutique, cette façon d'agir frôlerait le manque de respect.

Le conseiller n'a pas tenté de changer la personnalité de Michel, car il ne croyait pas à de telles transformations. Cependant, il l'a encouragé fortement à trouver et à faire émerger une série d'incitatifs différents, plus constructifs, qui guident ses interactions avec autrui. Ces nouvelles motivations devaient chasser les anciennes, qui consistaient à asseoir son pouvoir.

Les incitatifs et les récompenses qui aident en premier lieu le client à mettre en œuvre un programme de changement constructif diffèrent parfois de ceux qui lui permettront de persévérer dans cette voie.

> Didier, un homme dans la trentaine, s'est remis d'un accident de travail qui l'a laissé partiellement paralysé et a entamé une dure rééducation. Aujourd'hui, après des mois, il est prêt à abandonner. Le conseiller lui demande de visiter l'unité des enfants. Didier est à la fois ébranlé par l'expérience et stupéfait du courage de beaucoup de ces enfants. Il remarque particulièrement un adolescent suivant un traitement de chimiothérapie. Didier trouve qu'« il semble si positif à propos de tout ». Le conseiller lui raconte que ce jeune homme était lui aussi tenté d'abandonner. Didier et le jeune garçon se voient fréquemment. Didier surmonte la douleur. Le garçon persévère. Trois mois plus tard, ce dernier meurt. Malgré son chagrin, Didier déclare : « Je ne peux pas abandonner maintenant ; ça serait le laisser tomber complètement. »

L'association de Didier et de l'adolescent s'est révélée être un excellent stimulant. Cela lui a permis de renforcer sa résolution. Le conseiller, célébrant cet engagement renouvelé avec Didier, l'a invité également à trouver des incitatifs de rechange pour les fois où les incitatifs actuels semblent perdre leur efficacité. L'un d'eux consistait à se marier et à fonder une famille, malgré les séquelles de l'accident.

Les activités de changement constructif qui ne sont pas récompensées perdent avec le temps leur vigueur, s'affaiblissent et disparaissent parfois. Ce processus s'intitule « extinction ». C'est ce qui s'est passé avec Denis.

> Denis, un homme d'âge mûr, avait passé beaucoup de temps dans des hôpitaux psychiatriques. Il avait découvert que l'une des façons de ne pas devoir entrer à l'hôpital était de mettre une partie de son excès d'énergie au service d'autrui. Il n'était pas retourné une seule fois à l'hôpital durant les trois ans où il avait travaillé dans une soupe populaire. Cependant, ayant l'impression de devenir de plus en plus maniaco-dépressif au cours des six derniers mois et craignant de devoir être hospitalisé de nouveau, il fit appel à l'aide d'un conseiller en psychiatrie.
>
> Ses discussions avec le conseiller menèrent à des conclusions intéressantes. Il découvrit que, tandis qu'au début il travaillait à la soupe populaire parce qu'il le voulait, il y allait maintenant par obligation. Il se sentait coupable de renoncer et craignait que cela ne provoque une rechute. En somme, il n'avait pas perdu sa motivation pour aider les autres, mais son travail actuel n'était plus intéressant ni stimulant. À la suite de ses séances avec le conseiller, Denis commença à travailler pour un groupe qui offrait un hébergement aux sans-abri et aux personnes âgées. Il investit son énergie dans son nouvel emploi et ne se sentit plus cyclothymique.

La leçon à tirer dans ce cas, c'est qu'il est possible de mettre en place les incitatifs, puis de les tenir pour acquis. Toutefois, n'oublions jamais qu'ils ont besoin d'être entretenus.

## ENCOURAGER LES CLIENTS À PRENDRE DES ENGAGEMENTS ET DES ENTENTES CENTRÉS SUR L'ACTION

Nous avons discuté plus tôt de l'engagement comme d'un moyen d'aider les clients à s'impliquer dans ce qu'ils veulent – à poursuivre leurs objectifs. Cet engagement leur permet également d'initier et de soutenir une action visant la gestion de problèmes et le développement de nouvelles perspectives. À titre d'exemple, Feller (1984) a mis au point le « contrat de recherche d'emploi » pour aider les demandeurs d'emploi à persister dans leurs recherches. Dans ce contrat, les clients répondent honnêtement à tous les énoncés puis agissent conformément à certaines directives. Ce faisant, plus que de s'engager à respecter un comportement de recherche d'emploi, les clients s'engagent à adopter des pratiques psychologiques afin d'adopter une mentalité plus positive.

> Je reconnais que, peu importe le nombre de fois où j'entrerai sur le marché du travail, mon niveau de qualification, mon expérience ou ma formation académique, les énoncés suivants SE CONFIRMERONT :

1. Il suffit d'un seul OUI pour décrocher un emploi ; le nombre de réponses négatives n'affecte en rien mon prochain entretien.
2. Le marché du travail n'offre seulement que 20 % des emplois qui s'offrent actuellement à moi.
3. C'est par les contacts qu'on trouve environ 80 % des possibilités d'emploi.
4. Plus il y a de gens qui connaissent mes compétences et savent que je cherche un emploi, plus j'ai de chances qu'ils me donnent une piste pour en trouver un.
5. Plus je décris en détail les problèmes que je suis en mesure de résoudre ou les résultats que j'obtiens, au lieu de décrire les emplois que j'ai occupés, plus les gens me trouveront qualifié pour un grand nombre d'emplois.

> Je reconnais que, sans tenir compte de mon besoin de trouver du travail, les énoncés suivants sont EXACTS :

6. Si je réduis mes dépenses et que je fais davantage de choses pour moi-même, je résous en partie mes problèmes d'argent.
7. Plus je me montre positif, plus les gens s'intéresseront à moi et à mes compétences professionnelles.
8. Si je me détends et que je fais de l'exercice quotidiennement, mon attitude et ma santé constitueront un attrait pour les employeurs potentiels.
9. Plus j'entreprends des activités positives et plus j'ai de contact avec des personnes enthousiastes, plus je retiendrai l'attention de nouveaux contacts et d'employeurs potentiels.
10. Même si les choses ne tournent pas comme je l'ai prévu, je reste libre de décider chaque jour de mes propres pensées, de mes sentiments et de mes comportements.

Il est facile de voir comment des contrats de ce genre s'avèrent souvent mobilisateurs dans plusieurs types de situations de résolution de problèmes et de développement des possibilités. Les engagements et les ententes avec autrui reposent sur les énergies du client.

Voici un autre exemple. Dans ce cas, de nombreuses parties ont dû s'engager dans diverses clauses de l'entente.

Un garçon en septième année du primaire perturbait régulièrement sa classe. Les mesures disciplinaires habituelles ne semblaient donner aucun résultat. Le professeur a donc parlé de la situation avec le conseiller pédagogique et ce dernier a réuni tous les intéressés : le garçon, ses parents, le professeur et le directeur. Le conseiller a proposé une entente simple. Lorsque l'élève perturberait la classe, la seule et unique solution consisterait à le renvoyer chez lui. Lorsque le professeur lui ferait remarquer son comportement perturbateur, le garçon irait se présenter au bureau du directeur pour obtenir son congé, sans que celui-ci lui fasse des remontrances. Une fois à la maison, il informerait le parent qui s'y trouve de sa présence, encore une fois sans recevoir aucune punition. Le lendemain, il retournerait à l'école. Tous ont validé l'entente, même si les parents comme le directeur trouvaient difficile de ne pas le punir.

Le premier mois, l'élève a passé bien des journées ou des demi-journées à la maison. Le mois suivant, il n'a raté que deux demi-journées et le troisième, seulement une. En réalité, il voulait vraiment être à l'école avec ses camarades. C'était notoirement plus intéressant. Pour obtenir ce qu'il voulait, il a dû maîtriser son comportement.

Le conseiller soupçonnait que l'élève aimait beaucoup socialiser avec ses camarades de classe. Maintenant, il devait toutefois mériter ce privilège. Le fait d'adopter un comportement raisonnable en classe n'était pas si cher payé.

### AIDER LES CLIENTS À SURMONTER LEURS ERREURS ET LEURS ÉCHECS

Les clients, comme tout le monde, trébuchent et s'écroulent parfois en tentant de concrétiser leur programme de changement constructif. Toutefois, chacun détient en soi un certain degré de *résilience* lui permettant de se relever, de se ressaisir et de repartir de plus belle. La capacité de rebondir est une capacité essentielle de l'existence. Holaday et McPhearson (1997) ont compilé une liste des facteurs courants influençant la résilience. Leur étude concernait les grands brûlés, mais ce qu'ils disent de la résilience s'applique à nous tous et à nos clients. Ils distinguent entre la résilience *axée sur les résultats* de celle qui est *axée sur le processus*. Tandis que la résilience d'un point de vue général est la capacité de surmonter un stress important ou l'adversité ou encore la capacité de s'y adapter, la résilience axée sur les résultats implique le retour à un état antérieur. Il s'agit de la résilience qui permet de retomber sur ses pieds. Josée vit un divorce perturbant, mais en quelques mois elle rétablit sa position. Ses amis lui disent qu'ils la retrouvent enfin. Elle leur répond : « Oui, mais en plus audacieuse et en plus sage. » La résilience axée sur le processus, pour sa part, constitue l'effort continu d'adaptation et fait normalement partie de la vie de certaines personnes. Les grands brûlés que Holaday et McPhearson ont étudiés diraient quelque chose du genre : « La résilience ? C'est mon état d'esprit et la raison pour laquelle je suis ici » et la résilience « est au plus profond de vous, elle est déjà présente, mais vous devez y recourir » ou encore « Pour y arriver, il faut beaucoup de détermination, de courage et de lutte, mais c'est à vous de choisir » (p. 348).

Il est possible d'encourager ces deux types de résilience chez les clients. Prenons la résilience axée sur les résultats. Cyril trouve qu'il est trop dépensier parce que l'argent lui file entre les doigts et qu'il fait de mauvais investissements. Même s'il commet encore quelques erreurs, il s'est sorti de cette impasse. Une fois son objectif atteint, il s'engage à respecter un budget serré et la situation se stabilise. Il n'est pas difficile pour lui de tenir ses bonnes résolutions financières, parce qu'il serait trop dur de retomber dans ses mauvaises habitudes. Considérons maintenant quelques exemples de résilience axée sur le processus. Simon doit lutter constamment pour maîtriser sa colère. Il doit faire sans cesse appel à toutes ses ressources pour ne pas ruer dans les brancards. Nadine, quant à elle, souffre du syndrome de fatigue chronique et doit puiser en elle la force de continuer chaque jour. Comme beaucoup de gens souffrant de cette maladie, elle souhaite faire de son mieux et donner une bonne impression (voir Albrecht et Wallace, 1998). Les jours où elle réussit à rassembler ses énergies, les gens qu'elle rencontre n'arrivent pas à croire qu'elle est malade. Elle doit lutter quotidiennement contre ce genre d'incrédulité de la part d'individus par ailleurs intelligents.

Holaday et McPhearson (1997, 1999) considèrent que le soutien social, les habiletés intellectuelles et les ressources psychologiques contribuent à la résilience.

**Soutien social.** Il repose sur les valeurs globales d'une société envers ses individus, particulièrement ceux qui connaissent des ennuis, et comprend le soutien communautaire du voisinage, des collègues de travail, des autres fidèles à la cause et ainsi de suite ; le soutien personnel des amis et des autres relations privilégiées ; de même que le soutien familial, les liens affectifs au sein d'un système familial. Un grand brûlé a ainsi déclaré que c'est sa femme qui l'avait fait lever de son lit d'hôpital et lui avait appris à marcher de nouveau.

**Habiletés cognitives et intellectuelles.** Un niveau d'intelligence moyen semble contribuer grandement à la résilience. Cependant, il existe différents types d'intelligence : théorique, sociale, pratique, etc. Comme Holaday et McPhearson (1997) l'on fait remarquer, « l'intelligence est également associée à la capacité de faire appel à l'imagination et à l'espoir » (p. 350). Les habiletés cognitives incluent également le style de *coping* privilégié par la personne. Ainsi, un style agressif (Zimrin, 1986) plutôt qu'un style passif, consentant, compréhensif ou accommodant contribue souvent davantage à la résilience : « Je me fous de ce que disent les autres, la bataille n'est pas terminée ; ne me dites pas que je ne peux rien y faire. » Les clients font souvent face en discutant leurs sentiments. Un grand brûlé a déclaré : « Il m'arrive encore de m'apitoyer sur mon sort et de passer une mauvaise journée, mais ce n'est pas grave. » D'autres stratégies d'adaptation utiles impliquent d'éviter de se culpabiliser et d'utiliser l'énergie de sa colère pour faire face au monde plutôt que de se détruire. Un client m'a dit une fois : « Quand j'étais petit, je voulais que les cicatrices disparaissent, mais maintenant je n'y fais même plus attention. Elles font partie de moi. » D'autres facteurs cognitifs de la résilience incluent le degré et la manière dont les clients maîtrisent leur existence et la façon dont ils interprètent leurs épreuves. Un client qui s'était remis à boire pendant quelques jours m'a dit : « Il s'agit d'un dérapage et non d'un mode de vie. Des dérapages surviennent ici et là. On peut y faire face. Ce sont les modes de vie dont il faut se méfier. »

**Ressources psychologiques.** Certains traits de caractère ou certains tempéraments protègent les individus du stress et contribuent à les faire retomber sur leurs pieds. Ils incluent le siège du contrôle interne, l'empathie, la curiosité, une tendance à rechercher les expériences originales, un haut niveau d'activité, une souplesse face aux situations nouvelles, le sens de l'humour, la capacité de gagner l'estime des autres, une perception de soi juste et positive, l'intégrité de sa personne, le désir de se protéger, la fierté de ses réussites, ainsi qu'une aptitude au plaisir.

Cependant, au risque que cette liste sonne comme un sermon, il ne faut pas oublier qu'il existe un éventail de « leviers de résilience » chez chaque client. Votre travail consiste à les aider à découvrir ces leviers, à les actionner et à se remettre d'aplomb. La résilience se trouve au plus profond de vous-même comme au cœur de vos clients. Elle fait partie de leur possibilité d'autoguérison.

## 21.2 SE DÉBROUILLER SANS AIDANT : ÉTABLIR UN RÉSEAU SOCIAL POUR OBTENIR LE SOUTIEN D'AUTRUI

Dans la plupart des cas, la relation d'aide est un processus à relativement court terme. Cependant, même dans le cas de thérapie à long terme, les clients devront finir par se débrouiller seuls sans leur aidant. Idéalement, la démarche de counseling permet non seulement aux clients d'affronter des situations problématiques spécifiques ainsi que de développer des ressources inexploitées et d'en profiter mais, tel que souligné au chapitre 1, elle les équipe des connaissances pratiques et des aptitudes requises pour gérer plus efficacement ces situations.

Parce qu'il est souvent difficile de respecter un programme de changement constructif, le soutien social et le regard critique des proches aident la plupart du temps les clients à agir, à persévérer dans leurs actions, et à maintenir et à consolider les gains. Lorsqu'il est question de soutien social et de regard critique (remise en question par les proches), il existe plusieurs voies à la phase de la réalisation :

✦ Les conseillers assistent les clients dans la mise en œuvre de leur plan de changement constructif puis les clients, de leur propre initiative et en puisant dans leurs propres ressources, prennent la responsabilité de ces plans et les poursuivent seuls.
✦ Les clients continuent de consulter régulièrement un aidant lors de la phase de réalisation.
✦ Les clients consultent un aidant occasionnellement, soit sur demande, soit selon un calendrier établi.

✦ Les clients participent à un groupe d'entraide tout en consultant leur aidant, ces séances individuelles cessant au fil du temps.
✦ Les clients entretiennent des relations sociales qui leur apportent un soutien continu et une remise en question lors des changements qu'ils apportent à leur existence.

Nous avons abordé plus tôt la question du soutien et les ouvrages scientifiques tendent à se concentrer sur le *soutien bienveillant*. Quelques mots s'imposent donc à propos du *soutien* confrontant dans la vie de tous les jours.

**Relations confrontantes.** Nous avons suggéré antérieurement qu'un soutien sans remise en question s'avérait parfois inutile, tandis qu'une remise en question sans soutien était souvent irritante. Idéalement, l'entourage des clients doit leur fournir un mélange judicieux des deux.

Henri, un homme au début de la cinquantaine, souffre d'une affection exigeant une intervention chirurgicale immédiate. Il réagit plutôt bien à l'opération et obtient son congé de l'hôpital en un temps record. Les premières semaines, il semble, dans la limite du raisonnable, redevenir lui-même. Cependant, il réagit mal aux médicaments qu'il a dû prendre après l'opération, il retombe malade et adopte les manies d'un invalide chronique. Même lorsque l'on trouve la bonne combinaison de médicaments, il persiste dans son comportement de chronicité. Alors qu'immédiatement après son opération il s'était tenu debout, il commence maintenant à traîner les pieds. Il parle également sans arrêt de ses symptômes et se dispense des activités normales en raison de son état.

Au début, les amis d'Henri se trouvent face à un dilemme. Ils comprennent la gravité de l'opération et tentent de se mettre à sa place. Ils lui apportent tout le soutien dont il a besoin. Cependant, ils réalisent graduellement qu'il s'éloigne des autres par son comportement et se maintient en marge de l'existence. Leur appui est essentiel mais insuffisant. Ils essayent tous les moyens pour remettre en question son comportement : tourner en dérision ses gestes d'« invalide », se montrer fermes dans leurs échanges avec lui, faire la sourde oreille à ses discours concernant ses symptômes et l'inclure systématiquement dans leurs activités.

Henri ne réagit pas toujours bien aux remises en question de ses copains, mais dans ses meilleurs moments il s'estime chanceux d'avoir de tels amis. Lorsque les clients tentent de modifier leur comportement, les conseillers peuvent les aider à trouver des personnes disposées à leur offrir un mélange judicieux de soutien et de remise en question.

**Réactions des proches.** Dans son ouvrage sur la compétence humaine, Gilbert (1978) maintient que « c'est surtout une information plus complète qui accroît la compétence en gestion de la performance au jour le jour ». La rétroaction constitue en effet l'une des façons d'apporter à la fois soutien et remise en question. Si les clients veulent réaliser leur plan d'action, ils doivent bénéficier d'une information adéquate sur la qualité de leurs actions. Parfois, ils se connaissent eux-mêmes ; d'autres fois, ils ont besoin d'un point de vue détaché. L'objectif de la rétroaction n'est pas de formuler un jugement sur la performance du client mais d'offrir des conseils, un soutien et une remise en question ; de faire miroir au client afin qu'il puisse se percevoir. Il existe deux types de rétroaction.

✦ *Confirmation.* En apportant leur confirmation, les proches, que ce soit les aidants, la famille, les amis ou les collègues, laissent savoir au client qu'il est sur la bonne voie – c'est-à-dire qu'il progresse, selon les étapes de son plan d'action, vers l'atteinte de ses objectifs.

✦ *Correction.* En apportant une correction, les proches l'avertissent qu'il s'est égaré et lui indiquent quoi faire pour revenir sur le droit chemin. Cette correction s'exprime souvent sous la forme d'avis, de conseils et de confrontations.

La correction, qu'elle provienne des aidants ou de l'entourage immédiat du client, doit respecter les principes suivants :

✦ être effectuée avec bienveillance ;
✦ garder à l'esprit que les erreurs sont autant d'occasions de s'améliorer ;
✦ combiner correction et confirmation ;
✦ rester concrète, précise, concise et directe ;
✦ être axée sur les comportements du client plutôt que sur des traits de caractère plus évasifs ;
✦ faire le lien entre les comportements et les objectifs ;
✦ analyser les conséquences des comportements ;
✦ éviter les injures ;
✦ offrir une rétroaction dosée – en accablant le client, nous allons à l'encontre de l'exercice tout entier ;
✦ engager le client dans un dialogue et l'inviter non seulement à commenter la rétroaction donnée, mais à développer ses idées ; les sermons ne servent généralement à rien ;
✦ aider le client à découvrir différentes façons de faire et, au besoin, enclencher le processus ;
✦ explorer les implications du changement par rapport au *statu quo*.

L'esprit de ces « règles » doit aussi guider la confirmation. Trop souvent les gens détaillent excessivement une correction mais se contentent d'un compliment rapide quand il s'agit de féliciter une personne pour une réussite. Toute rétroaction offre l'occasion d'apprendre. Examinons l'énoncé suivant du père qui tire son chapeau à son fils, un étudiant au secondaire, après qu'il s'est porté au secours d'un ami brutalisé par des camarades de classe :

« Jean-Seb, je suis fier de toi. Tu as tenu bon même lorsqu'ils se sont retournés contre toi. Ils étaient hostiles, mais tu ne l'as pas été. Tu as donné ton opinion calmement, mais fermement, sans t'excuser. Tu t'en es tenu à tes paroles en étant prêt à en assumer les conséquences. C'est plus facile maintenant que certains d'entre eux sont venus s'excuser, mais sur le moment tu ne savais pas qu'ils le feraient. Tu as été honnête avec toi-même. Maintenant, les meilleurs d'entre eux l'apprécient. Je ne suis pas sûr que je me serais tenu debout comme tu l'as fait… Mais j'aurais davantage tendance à le faire maintenant. »

Tout en restant bref, il s'agit de bien plus que d'un « Je suis fier de toi mon fils ». En décrivant précisément un comportement et en analysant les conséquences, nous transformons une rétroaction positive en apprentissage.

Bien entendu, l'un des principaux problèmes de la rétroaction est de trouver des personnes dans l'entourage du client qui le voient suffisamment agir pour rendre cette rétroaction fructueuse, qui s'en soucient suffisamment pour le prévenir et disposent des aptitudes suffisantes pour le faire de manière constructive.

**Cas exceptionnel d'un client se débrouillant sans aidant.** Tel que mentionné antérieurement, les clients s'adaptent ou gèrent le plus souvent leurs problèmes sans toutefois les résoudre. Prenez le cas suivant d'une femme qui est loin d'avoir opté pour le *statu quo*, bien au contraire. Son cas démontre éloquemment qu'il n'existe pas de formule unique concernant l'élaboration et la réalisation d'un programme de changement constructif.

Vicky admet sans détour qu'elle n'a jamais complètement surmonté sa maladie. Il y a de cela une vingtaine d'années, on l'a diagnostiquée comme souffrant d'un trouble bipolaire. Voici *grosso modo* ce que cela impliquait : elle passait environ six semaines euphoriques ; puis c'était la dégringolade et pendant environ six semaines elle broyait du noir. Après cela, elle était normale pendant environ huit semaines. Ce cycle impliquait de nombreux séjours à l'hôpital. Au bout de sept ans de ce régime, alors qu'elle avait passé beaucoup de temps à l'hôpital, elle a pris une décision. « Je ne retournerai plus à l'hôpital. Je ferai tout ce qu'il faut pour ne plus avoir à y retourner. » Cet objectif non négociable constituait son manifeste.

Partant de cette déclaration d'intention, Vicky a énoncé ce qu'elle voulait, selon les termes de l'étape II.B : a) Elle canaliserait l'énergie de ses périodes d'euphorie ; b) gérerait ou du moins endurerait invariablement la dépression de ses moments neurasthéniques ; c) elle ne perturberait pas la vie des autres par son comportement ; et d) ne prendrait aucune décision importante durant ses périodes euphoriques ou dépressives. Avec l'aide d'un conseiller, pour le moins non conventionnel, elle s'est lancée dans l'action pour concrétiser ses objectifs. Elle se servait de ses objectifs vagues comme d'un phare pour guider son action.

Vicky en a appris autant qu'elle a pu sur sa maladie, y compris les signaux annonciateurs des temps de crise et la façon de faire face aux moments euphoriques comme aux moments sombres. Pour gérer ses périodes d'euphorie, elle apprit à canaliser son accès d'énergie pour la rediriger vers des activités utiles ou du moins non destructrices. Ses stratégies pour maîtriser ses accès d'énergie étaient axées sur le téléphone. Elle savait d'instinct que, pour contrôler sa maladie, elle devait non seulement gérer ses problèmes, mais également développer de nouvelles stratégies. Lors de ses temps libres, elle passait de longues heures au téléphone avec une quantité d'amis, en prenant garde de n'accabler personne. Ces véritables marathons téléphoniques firent partie de son mode de vie. Elle fit remarquer qu'une facture de téléphone salée valait mieux qu'un séjour à l'hôpital. Elle considérait le téléphone comme sa soupape de sécurité. Elle a même monté sa propre entreprise dans le domaine de la téléphonie et a travaillé d'arrache-pied pour la faire prospérer.

Durant ses périodes d'euphorie, elle faisait tout ce qu'elle pouvait pour se fatiguer et dormir un peu, consciente de l'importance du sommeil si elle souhaitait éviter l'hôpital. Cela consistait à faire de longues journées. Elle s'est entourée de personnes pour la soutenir, dont son mari. Elle a pris particulièrement soin de ne pas le surcharger. Elle faisait occasionnellement appel aux services d'un centre de crise, mais préférait éviter toute action susceptible de lui rappeler l'hôpital.

Il est important de noter que l'élément moteur dans ce cas est la décision de Vicky de ne plus retourner à l'hôpital. Sa détermination a tout enclenché. Ce cas illustre également l'état d'esprit idéal à adopter durant la phase de la mise en application de la démarche d'aide. Voilà une femme qui, avec l'aide ponctuelle d'un conseiller, a pris en main sa vie. Elle a formulé des objectifs simples et a élaboré un ensemble de stratégies élémentaires pour les atteindre. Elle n'a plus jamais été hospitalisée. Certains diront que ce processus ne l'a pas guérie. Cependant, son objectif n'était pas tant de guérir que de réussir à vivre une vie aussi normale que possible dans la réalité. Certains encore diront que son approche manquait d'élégance. Toutefois, elle avait certainement le mérite d'obtenir des résultats.

---

### ENCADRÉ 21.1
### QUESTIONS CONCERNANT LA MISE EN ŒUVRE DES PLANS

- ◎ Maintenant que je dispose d'un plan, comment passer à l'action ?
- ◎ Ai-je assez d'initiative ? Comment m'améliorer ?
- ◎ Quels sont les obstacles à prévoir ? Lesquels sont cruciaux ?
- ◎ Comment puis-je contourner ces obstacles ?
- ◎ Comment puis-je maintenir mes efforts ?
- ◎ Que faire quand j'ai envie de tout laisser tomber ?
- ◎ Quel genre de soutien me permettra de persévérer ?

---

L'encadré 21.1 donne un aperçu du genre de questions que vous pouvez demander aux clients de se poser lorsqu'ils mettent en application leur programme de changement.

## 21.3 DIFFICULTÉS INHÉRENTES À L'INSTAURATION DU CHANGEMENT

De nombreuses raisons justifient l'échec des clients à intervenir par eux-mêmes. Quatre d'entre elles sont abordées ici : la mentalité passive des aidants, l'inertie du client, le fait d'opter pour le *statu quo,* ainsi que l'entropie du client. En prenant connaissance de ces phénomènes courants, gardez à l'esprit ce qui a été dit précédemment à propos de la concrétisation des intentions. Celle-ci joue parfois un rôle primordial pour aider les clients à surmonter les obstacles exposés ci-après.

## AIDANTS EN TANT QU'AGENTS

Driscoll (1984) a abordé la tendance des aidants à réagir à l'inertie de leurs clients par une sorte de passivité, une position qui se résume par un « désolé, c'est à vous de jouer ». Il maintient que cette position est une erreur.

> *Un client qui refusait toute responsabilité a ainsi invité le thérapeute à prendre en main la situation. En restant passif, le thérapeute a déjoué cette manœuvre et ne lui a laissé qu'une possibilité : prendre des initiatives ou endurer le silence. Une position passive constitue par conséquent un moyen de rejeter des responsabilités qui ne vous incombent pas. La passivité est cependant généralement inefficace à long terme. Venant d'un thérapeute, elle donne au client le sentiment de ne pas être soutenu et détériore davantage une alliance thérapeutique déjà fragile. Qui plus est, les clients en difficulté ne sont pas simplement réticents, mais ils sont généralement incapables d'assumer les responsabilités appropriées. Une réaction passive va par conséquent à l'encontre du but recherché : ni le thérapeute ni le client ne proposent une solution et ils restent tous deux prisonniers d'un enchevêtrement d'inerties.* (p. 91)

Pour inciter les gens à agir, les aidants doivent être les agents et les intervenants énergiques de la démarche d'aide, en ne se contentant pas d'écouter et de répondre. Les meilleurs aidants sont actifs lors des séances. Ils s'évertuent à chercher des façons de pénétrer dans le monde de leurs clients, d'inciter ces derniers à intervenir davantage lors des séances, de leur permettre de mieux maîtriser la démarche d'aide et de les faire prendre conscience de la nécessité d'agir, dans leurs pensées comme dans leur vie de tous les jours. Ils y parviennent en épousant les valeurs de la relation d'aide centrée sur le client qui ont été abordées au chapitre 3. Sans pousser à outrance les clients qui semblent peu motivés, ce manque de motivation risquant dès lors de se transformer en résistance, les aidants n'attendent pas non plus en se croisant les bras que les clients agissent.

## INERTIE DU CLIENT : HÉSITATION À FAIRE LES PREMIERS PAS

L'inertie, tendance bien humaine, consiste à remettre à plus tard une action visant à résoudre le problème. Dans cet ordre d'idées, je dis parfois aux clients que je soupçonne qu'ils piétinent : « Le programme d'intervention que vous avez élaboré me paraît sensé. Néanmoins, les programmes sensés ne fonctionnent pas bien souvent pour une simple raison : nous ne les essayons pas. Ne vous étonnez pas de vos réticences ni de votre tentation de différer les premiers efforts. C'est une réaction tout à fait naturelle. Demandez-vous plutôt comment surmonter ce premier obstacle. » Les sources de l'inertie sont multiples, elles vont de la pure paresse à une peur paralysante et c'est un phénomène facile à comprendre. Il vous suffit de considérer votre propre comportement. Il existe mille manières d'échapper aux responsabilités. Ce chapitre en mentionne plusieurs : la passivité, l'impuissance acquise, un langage intérieur irréaliste ou autodestructeur et le piège des cercles vicieux.

**Passivité.** L'un des ingrédients les plus importants de la production et de la perpétuation de la « psychopathologie populaire[2] » est la passivité, l'échec des individus à assumer leurs responsabilités dans un ou plusieurs domaines de l'existence ou lors de situations requérant une intervention. La passivité adopte diverses formes : ne rien faire (autrement dit, ne pas réagir aux problèmes ni considérer les options possibles), accepter les objectifs et les solutions proposés sans faire preuve d'esprit critique, agir à l'aveuglette et se bloquer – c'est-à-dire, cesser toute action ou devenir violent et exploser (voir Schiff, 1975).

> Lorsque Zoé et Alexandre ont pour la première fois pris conscience que tout ne tournait pas rond dans leur relation, ils n'ont rien fait. Ils ont bien remarqué certains incidents, y ont songé un moment, mais les ont peu à peu refoulés. Il leur manquait les habiletés de communication pour en parler sur-le-champ et analyser ce qui était en train de se passer. Zoé et Alexandre avaient tous deux appris à rester passifs devant les petites crises de la vie, ne réalisant pas à quel point cette passivité contribuerait au bout du compte à leur perte. Une kyrielle de problèmes non gérés provoqua des disputes majeures, jusqu'à ce qu'ils décident de mettre fin à leur mariage.

La passivité face à la gestion de petits événements risque de s'avérer très coûteuse. Ces petits événements prennent rapidement de l'ampleur.

**Impuissance acquise.** Le concept d'« impuissance acquise », développé par Seligman (1975, 1991), et ses liens avec la dépression ont suscité énormément d'intérêt depuis leur apparition (Garber et Seligman, 1980 ; Peterson, Maier et Seligman, 1995). Certains clients ont appris dès leur plus jeune âge à rester impuissants face à certaines situations. Ce sentiment connaît divers degrés, allant des formes les plus subtiles, « Je n'en ai pas le courage », à des sentiments d'impuissance totale associés à la dépression. L'impuissance acquise se situe ainsi un cran au-dessus de la simple passivité.

Bennett et Bennett (1984) ont pour leur part perçu le côté positif de l'impuissance. Si les problèmes auxquels fait face un client sont effectivement hors de sa portée, rien ne lui sert de nourrir un sentiment de maîtrise illusoire sur les événements, de se voir injustement attribuer certaines responsabilités et d'entretenir des attentes excessives. De manière plutôt paradoxale, Bennett et Bennett ont découvert qu'en remettant en question la tendance des clients à se culpabiliser de tout, nous entretenons en fait un espoir réaliste et nous favorisons le changement.

L'astuce consiste à encourager les clients à apprendre ce qui est de leur ressort ou ne l'est pas. Un homme souffrant d'une incapacité physique n'est peut-être pas en mesure d'influer sur l'incapacité elle-même, mais il possède une certaine maîtrise de la perception qu'il en a et détient le pouvoir de poursuivre certains objectifs clés, en dépit de cette incapacité. L'« optimisme acquis » (Seligman, 1998) et l'ingéniosité se situent à l'opposé de l'impuissance. Si cette dernière peut s'acquérir, il en va de même pour l'ingéniosité, dont le développement constitue l'un des principaux objectifs de la démarche d'aide.

---

2  Notion abordée au chapitre 8 et commentée au chapitre 10.

Quelques restrictions s'appliquent cependant à l'optimisme, de la même façon que le pessimisme n'est pas toujours désastreux (Chang, 2001). Tandis que les optimistes vivent plus vieux et profitent davantage de leurs réussites que les pessimistes, ces derniers savent mieux prédire ce qui se produira vraisemblablement. Le prix à payer pour l'optimisme est d'avoir tort plus souvent qu'à son tour.

**PEUT-ÊTRE DEVRIONS-NOUS ENSEIGNER À NOS CLIENTS** à adopter un réalisme teinté d'espoir plutôt que d'en faire des optimistes ou des pessimistes.

**Langage intérieur irréaliste.** Nous avons abordé aux chapitres 10 et 11 la remise en question du langage intérieur irréaliste, c'est-à-dire inefficace et contre-productif. Plusieurs clients se découragent souvent d'entreprendre des choses, se persuadant dès lors de leur incapacité. Ils se disent qu'ils n'en sont pas capables, qu'ils ne peuvent y faire face, qu'ils n'ont pas ce qu'il faut pour se lancer dans ce programme trop difficile et que cela ne marchera pas. Avec de telles idées irréalistes et contre-productives[3], ils se mettent dès le début dans le pétrin et n'arrivent pas à s'en sortir. Les aidants contribuent à les encourager à remettre en question ce genre de langage intérieur affectant l'action et qui s'avère même autodestructeur.

**Cercles vicieux.** Pyszczynski et Greenberg (1987) ont élaboré une théorie concernant les comportements autodestructeurs et la dépression. Ils affirment que les gens dont les actions échouent à satisfaire leurs désirs perdent souvent facilement leur estime de soi et deviennent prisonniers du cercle vicieux de la culpabilité et de la dépression.

> *Par conséquent, l'individu glisse dans un mode permanent de rumination, résultant en un accroissement des affects négatifs, des sentiments négatifs vis-à-vis de lui-même et entraînant d'autres résultats néfastes. Il tombe dans un mode de fonctionnement centré sur la dépression. Ces facteurs finissent ensuite par conduire à une image de lui-même négative, laquelle risque de prendre de l'ampleur en justifiant son désespoir et en lui faisant éviter les déceptions éventuelles. Ce mode autodépressif entretient ainsi un trouble dépressif tout en l'aggravant.* (p. 122)

Tout cela paraît plutôt déprimant. Une cliente, Mélanie, illustre parfaitement cette théorie. Elle nourrissait l'ambition de faire avancer sa carrière. Elle était très enthousiaste et dévouée, mais pas très au fait des politiques sexistes de son entreprise et elle cherchait les façons de contourner le problème. Elle persévérait dans la voie qui, selon elle, lui assurerait une promotion, ce qui n'a pas été le cas. Pour finir, elle s'est découragée, en commençant à commettre des erreurs là où elle n'avait pas l'habitude d'en commettre. Elle a aggravé les choses en parlant constamment de la façon dont elle s'était enlisée, faisant fuir ses amis. Avant de consulter un conseiller, elle se sentait vaincue et déprimée. Elle était sur le point de tout laisser tomber. Le conseiller a exploré le cercle vicieux dans sa globalité : une faible estime de soi qui entraînait une passivité, laquelle réduisait d'autant son estime de soi. Il ne s'est pas contenté de se limiter à la dimension de l'estime de soi. Au lieu de tenter simplement de l'aider à changer son monde intérieur de monologues autodestructeurs, il l'a encouragée également à intervenir dans sa vie pour

---

3  Note du responsable de l'adaptation française. On nomme souvent *ruminations* ces idées contre-productives qu'un individu se répète dans son langage intérieur irréaliste.

parvenir à mieux résoudre ses problèmes. De petites réussites en termes de résolution de problèmes firent naître un cercle « fructueux », les réussites accroissaient son estime d'elle-même, qui menait à de nouvelles réussites.

**Désorganisation.** André vivait dans une chambre. Personne ne savait vraiment à quoi il occupait son temps. Sa minuscule chambre était une véritable pagaille, à l'image de sa vie. Il était sans cesse sur le point de commencer une carrière, d'entretenir des relations familiales et de mettre de l'ordre dans sa vie affective, mais il ne s'y attelait jamais. Vivre dans la désorganisation constituait une façon de remettre à plus tard les décisions concernant son existence. Ferguson (1987) a dressé un portrait qui vaut pour tous, du moins parfois :

> *Lorsque nous nous tracassons pour d'innombrables petites complications et problèmes, ces derniers nous empêchent de considérer la possibilité d'avoir choisi le mauvais emploi, la mauvaise profession ou le mauvais conjoint. Si nous sommes noyés sous une tonne de travaux ménagers, il devient plus aisé d'ignorer le fait que nous nous sommes éloignés de notre vie de famille. Remettre à plus tard un projet d'envergure – peindre un tableau, écrire un livre, élaborer un plan d'affaires – est une façon de nous protéger d'un éventuel résultat qui ne se révèlerait pas aussi réussi que nous l'avions espéré. En assurant un important niveau de désorganisation dans la planification de notre existence, nous continuons à nous percevoir comme des individus inadéquats ou partiellement inadéquats qui n'ont pas à relever les véritables défis d'un comportement adulte. (p. 46)*

De nombreuses choses se cachent souvent derrière la réticence à ordonner notre existence, telle que la tendance à se protéger contre la peur de réussir.

Driscoll (1984) a grandement contribué à faire la lumière sur cette question. Il a décrit l'inertie comme une forme de contrôle. Il affirme que si nous demandons à certains clients de prendre les commandes, ces derniers le feront, du moins jusqu'à ce que le périple se corse. D'après lui, la stratégie la plus efficace consiste à montrer aux clients qu'ils sont aux commandes depuis le début : « Notre tâche en tant que thérapeutes n'est pas de convaincre nos clients de prendre le contrôle de leur vie, mais de confirmer le fait qu'ils en sont déjà en possession et le seront toujours. » C'est-à-dire que l'inertie, sous forme de désorganisation, constitue en elle-même une forme de maîtrise des événements. Le client réussit en réalité, et parfois contre toute attente, à rester désorganisé et dès lors à préserver cette inertie. Une fois que les clients prennent conscience de leur pouvoir, les aidants les incitent alors à le canaliser.

### ENTROPIE : LA TENDANCE DES CHOSES À SE DÉSORDONNER

L'entropie est la tendance à abandonner une action en cours. Kirschenbaum (1987), dans une revue des écrits, recourt au terme *échec par autorégulation*. Les programmes de changement constructif, même ceux qui démarrent en force, s'affaiblissent et tournent souvent court. Chacun a fait l'expérience des difficultés inhérentes à la réalisation d'un projet. Nous élaborons des plans qui paraissent réalistes. Nous débutons un programme avec grand enthousiasme. Toutefois, nous perdons rapidement la motivation, en raison des obstacles et des complications. Ce qui semblait aisé lors de la phase de planification paraît tout d'un coup beaucoup plus ardu. Nous nous décourageons, nous stagnons, nous nous ressaisissons puis nous stagnons de nouveau pour finalement jeter l'éponge, en nous justifiant par le fait de ne pas désirer de tels objectifs.

Phillips (1987) a décrit ce qu'il appelle la « courbe de découragement » au sein de la relation d'aide comme dans le réseau des services médicaux. L'usure, la non-observance thérapeutique et la rechute priment. Des conjoints tentant de sauver leur couple risquent de se dire : « Nous ne nous doutions pas qu'il serait si difficile de changer nos habitudes enracinées afin de communiquer l'un avec l'autre. Le jeu en vaut-il la chandelle ? » Leur motivation décline. Les aidants avisés savent que la courbe de découragement fait partie de la vie et ils aident les clients à y faire face. Concernant l'entropie, un aidant dira que les programmes d'action initiés avec les meilleures intentions ont tendance à battre de l'aile avec le temps et qu'il ne faut pas se surprendre de voir l'enthousiasme du début s'amoindrir quelque peu. C'est tout à fait naturel. Il faut plutôt chercher ce qui permet de persévérer.

Brownell, Marlatt, Lichtenstein et Wilson (1986) font une judicieuse mise en garde. Ils préviennent contre la subtile différence qui existe entre préparer les clients aux erreurs et leur donner la permission d'en faire, en insinuant que celles-ci sont inévitables. Ils font également une distinction entre « chute » et « rechute. » Un dérapage ou une erreur au sein d'un programme d'intervention (une chute) ne conduit pas forcément à une rechute, à savoir, l'abandon complet du programme. Prenez le cas de George, un homme qui tentait de modifier ce qui passait aux yeux des autres comme un caractère colérique. En faisant appel à une variété de techniques d'auto-observation et de maîtrise de soi, il avait fait d'énormes progrès pour modifier son attitude. À l'occasion, il se mettait en colère mais jamais de façon démesurée. Il faisait des faux pas, mais ne laissait pas une chute occasionnelle se transformer en rechute.

### OPTER POUR LE *STATU QUO*

Certains clients qui semblent réussir brillamment à analyser les problèmes, à formuler des objectifs et même à élaborer des stratégies et des plans finissent par dire, entre les lignes, si ce n'est directement, quelque chose comme : « J'ai beau avoir exploré mes problèmes et compris pourquoi les choses ne tournent pas rond, en me comprenant mieux moi-même ainsi que mon comportement et en voyant ce qu'il faut faire pour changer, je ne souhaite pas pour le moment payer le prix qu'exige cette action. Le prix d'une vie plus épanouie est trop élevé. »

La question de la motivation humaine reste tout aussi énigmatique qu'elle l'a été depuis l'aube de l'histoire humaine. Nous semblons si souvent créer notre propre souffrance. Pire encore, nous décidons d'y rester embourbés plutôt que de supporter la relative et brève douleur du changement de comportement. Les aidants se doivent de remettre en question leurs clients pour les amener à chercher les incitatifs et les bénéfices afin qu'ils arrivent à mieux gérer leur existence. Ils devraient également les encourager à évaluer les conséquences du *statu quo*. Toutefois, c'est au client de faire son choix.

Les difficultés inhérentes au changement sont en totale contradiction avec le cas de Vicky, l'exemple exceptionnel d'une cliente qui se débrouille sans aidant. Les aidants réfléchis ne sont pas des magiciens, mais ils reconnaissent les pièges, apprennent à en détecter les signes avant-coureurs dans chaque cas et, en accord avec les valeurs abordées au chapitre 3, font tout ce qui est en leur pouvoir pour remettre en question les clients et les amener à surmonter leurs propres blocages comme ceux du monde qui les entoure.

## ? QUESTIONS D'ÉVALUATION CONCERNANT LA FLÈCHE D'ACTION

**Dans quelle mesure est-ce que vous respectez les énoncés suivants dans votre tentative d'aider les clients à passer à l'action ?**

- Savoir à quel point l'inertie et l'entropie sont répandues et comment elles affectent les clients concernés.
- Aider les clients à devenir de bons tacticiens.
- Inciter les clients à concrétiser leurs intentions, particulièrement lorsque nous prévoyons des obstacles à l'atteinte des objectifs.
- Encourager les clients à éviter le surplace comme les imprudences.
- Aider les clients à élaborer des plans de rechange.
- Aider les clients à discerner et à surmonter les obstacles qui entravent l'action.
- Aider les clients à découvrir les ressources qui leur permettront d'entreprendre une action, de persister dans cette voie et d'atteindre leurs objectifs.
- Aider les clients à trouver les incitatifs et les satisfactions nécessaires pour qu'ils persévèrent dans leurs actions.
- Encourager les clients à acquérir les aptitudes nécessaires pour qu'ils agissent et entreprennent des actions soutenues visant l'atteinte d'objectifs.
- Aider les clients à développer un réseau social supportant et capable de regards critiques.
- Préparer les clients à se débrouiller sans aidant.
- Vous familiariser avec le type d'agent de changement que vous êtes dans votre propre vie.
- Prendre conscience du fait que tous les clients ne souhaitent pas changer.

ABRAMSON, P. R., M. Y. Cloud, N. Keese et R. Keese. (1994, printemps). «How much is too much? Dependency in a psychotherapeutic relationship», *American Journal of Psychotherapy*, 48, p. 294-301.

ACKOFF, R. (1974). *Redesigning the future*, New York, Wiley.

ADLER, R. B. et N. Towne. (1999). *Looking Out/Looking In: Interpersonal Communication*, 9e éd., San Fransisco, Harcourt Brace.

ALBANO, A. M. (2000). «Treatment of social phobia in adolescents: Cognitive behavioral programs focused on intervention and prevention», *Journal of Cognitive Psychotherapy*, 14(1) p. 67-76.

ALBEE, G. W. et K. D. Ryan–Finn. (1993). «An overview of primary prevention», *Journal of Counseling and Development*, novembre-décembre, p. 115-123.

ALBRECHT, F. et M. Wallace. (1998). «Detecting chronic fatigue syndrome : The role of counsellors», *Journal of Counseling and Development*, [Internet], 76(2), 183(6).

ALFORD, B. A. et A. T. Beck. (1997). «Therapeutic interpersonal support in cognitive therapy», *Journal of Psychotherapy Integration*, 7, p. 105-117.

AMERICAN PSYCHIATRIC ASSOCIATION. (1994). *Diagnostic and statistical manual of mental disorders*, Washington, DC.

AMERICAN PSYCHIATRIC ASSOCIATION – DSM-IV-TR. (2003). *Manuel diagnostique et statistique des troubles mentaux,* traduction française par J.-D. Guelfi et autres, 4e édition, Paris, Masson, 1120 pages, texte révisé (Washington DC, 2000).

*AMERICAN PSYCHOLOGIST*. (1992). «Ethical principles of psychologists and code of conduct», novembre-décembre.

*AMERICAN PSYCHOLOGIST*. (1996). «Outcome assessment of psychotherapy», numéro spécial.

ANDERSEN, P. A. (1999). *Nonverbal communication: Forms and functions*, Mountain View, CA, Mayfield Publishing Company.

ANDERSON, T. et L. M. Leitner. (1996). «Symptomatology and the use of affect constructs to influence value and behavior constructs», *Journal of Counseling Psychology*, 43, p. 77-83.

ANKUTA, G. Y. et N. Abeles. (1993). «Client satisfaction, clinical significance, and meaningful change in psychotherapy», *Professional Psychology: Research and Practice*, février, 24, p. 70-74.

ARGYRIS, C. (1982). *Reasoning, learning, and action*. San Francisco, Jossey-Bass.

ARGYRIS, C. (1999). *On organizational learning,* 2e éd., Cambridge, MA, Blackwell.

ARKIN, R. M. et A. D. Hermann. (2000). «Constructing desirable identities: Self-presentation in psychotherapy and daily life», *Psychological Bulletin*, juillet, 126, p. 501-504.

ARKOWITZ, H. (1997). «The varieties of support in psychotherapy», *Journal of Psychotherapy Integration*, 7, p. 151-159.

ARNETT, J. J. (2000). «Emerging adulthood: A theory of development from the late teens through the twenties», *American Psychologist*, mai, 55, p. 469-480.

ARNKOFF, D. B. (1995). «Two examples of strains in the therapeutic alliance in an integrative cognitive therapy», *Psychotherapy in Practice*, 1, p. 33-46.

ARNKOFF, D. B. (2000). «Two examples of strains in the therapeutic alliance in an integrative cognitive therapy», *Journal of Clinical Psychology*, 56, p. 187-200.

ASAY, T. P. et M. J. Lambert. (1999). «The empirical case for the common factor in therapy: Quantitative funding», dans M. A. Hubble, B. L. Duncan et S. D. Miller, *The heart and soul of change: What works in therapy*, Washington, DC, American Psychological Association.

ATKINSON, D. R., R. L. Worthington, D. M. Dana et G. E. Good. (1991). «Etiology beliefs, preferences for counseling orientations, and counseling effectiveness», *Journal of Counseling Psychology*, 38, p. 258-264.

ALTMAIER, E. M., D. W. Russell, C. F. Kao, T. R. Lehmann et J. N. Weinstein, J. N. (1993). «Role of self-efficacy in rehabilitation outcome among chronic low back pain patients», *Journal of Counseling Psychology*, 40, p. 335-339.

AUSTAD. S. A. (1996). *Is long term psychotherapy unethical?*, San Francisco, Jossey-Bass.

AXELSON, J. A. (1999). *Counseling and development in a multicultural society*, 3ᵉ éd., Pacific Grove, CA, Brooks/Cole/Wadsworth.

AZAR, B. (1995). «Breaking through barriers to creativity», *APA Monitor*, (26) 1.

AZAR, B. (2000). «Psychology's largest prize goes to four extraordinary scientists», *Monitor on Psychology*, juillet-août, p. 38-40.

BAER, J. S., D. R. Krulahan et D. M. Donovan. (1999). «Integrating skills training and motivational therapies: implications for the treatment of substance dependence», *Journal of Substance Abuse Treatment*, 17, p. 15-23.

BAILEY, K. G., H. E. Wood et G. R. Nava. (1992). «What do clients want? Role of psychological kinship in professional helping», *Journal of Psychotherapy Integration*, 2, p. 125-147.

BALDWIN, B. A. (1980). «Styles of crisis intervention: Toward a convergent model», *Journal of Professional Psychology*, 11, p. 113-120.

BALTES, P. B. et U. M. Staudinger. (2000). «Wisdom: A metaheuristic to orchestrate mind and virtue toward excellence», *American Psychologist*, janvier, 55, p. 122-135.

BANDURA, A. (1977). «Self-efficacy: Toward a unifying theory of behavioral change», *Psychological Review*, 84, p. 191-215.

BANDURA, A. (1980). «Gauging the relationship between self-efficacy judgment and action», *Cognitive Therapy and Research*, 4, p. 263-268.

BANDURA, A. (1982). «Self-efficacy mechanism in human agency», *American Psychologist*, 37, p. 122-147.

BANDURA, A. (1986). *Social foundations of thought and action: A social cognitive theory*, Englewood Cliffs, NJ, Prentice Hall.

BANDURA, A. (1989). «Human agency in social cognitive theory», *American Psychologist*, 44, p. 1175-1184.

BANDURA, A. (1990). «Foreword», dans E. A. Locke et G. P. Latham, *A theory of goal setting and task performance*, Englewood Cliffs, NJ, Prentice Hall.

BANDURA, A. (1991). «Human agency: The rhetoric and the reality», *American Psychologist*, 46, p. 157-161.

BANDURA, A. (Éd.). (1995). *Self-efficacy in changing societies*, New York. Cambridge University Press.

BANDURA, A. (1997). *Self-efficacy: The exercise of control*, New York, Freeman.

BANKOFF, E. A. (1992). «The social network of the psychotherapy patient and effective psychotherapeutic process», *Journal of Psychotherapy Integration*, 2, p. 273-294.

BARRETT-LENNARD, G. T. (1981). «The empathy cycle: Refinement of a nuclear concept», *Journal of Counseling Psychology*, 28, p. 91-100.

Basic Behavioral Science Task Force of the National Advisory Mental Health Council. (1996). «Basic behavioral science research for mental health—Family processes and social networks», *American Psychologist*, 51, p. 622-630.

BAUMEISTER, R.F., K. Dale et K. L. Sommer. (1998). «Freudian defense mechanisms and empirical findings in modern social psychology: Reaction formation, projection, displacement, undoing, isolation, sublimation, and denial», *Journal of Personality*, 66, p. 1081-1117.

BEIER, E. G. et D. M. Young. (1984). *The silent language of psychotherapy: Social reinforcement of unconscious processes*, 2ᵉ éd., New York, Aldine.

BENBENISHTY, R. et Y. Schul. (1987). «Client-therapist congruence of expectations over the course of therapy», *British Journal of Clinical Psychology*, 26, p. 17-24.

BENNETT, M. I. et M. B. Bennett. (1984). «The uses of hopelessness», *American Journal of Psychiatry*, 141, p. 559-562.

BERENSON, B. G. et K. M. Mitchell. (1974). *Confrontation: For better or worse*, Amherst, MA, Human Resource Development Press.

BERG, I. K. (1994). *Family-Based services: A solution-focused approach*, New York, W.W. Norton.

BERGER, D. M. (1989). «Developing the story in psychotherapy», *American Journal of Psychotherapy*, 43, p. 248-259.

BERGIN, A. E. (1991). «Values and religious issues in psychotherapy and mental health», *American Psychologist*, 46, p. 394-403.

BERGIN, A. E. et S. L. Garfield. (1994). *Handbook of psychotherapy and behavior change*, 4ᵉ éd., New York, Wiley.

BERGIN, A. E. et P. S. Richards (Éd.). (2000). *Handbook of psychotherapy and religious diversity*, Hyattsville, MD, American Psychological Association.

BERNARD, M. E. (Éd.). (1991). *Using rationale-motive therapy effectively*, New York, Plenum.

BERNARD, M. E. et R. DiGiuseppe (Éd.). (1989). *Inside rational-emotive therapy*, San Diego, CA, Academic Press.

BERNE, E. (1964). *Games people play*, New York, Grove Press.

BERNHEIM, K. F. (1989). «Psychologists and the families of the severely mentally ill: The role of family consultation», *American Psychologist*, 44, p. 561-564.

BERNSTEIN, R. (1994). *Dictatorship of virtue: Multiculturalism and the battle for America's future*, New York, Knopf.

BERSOFF, D. N. (1995). *Ethical conflicts in psychology*. Hyattsville, MD, American Psychological Association.

BEUTLER, L. E. (1998). «Identifying empirically supported treatments: What if we didn't?», *Journal of Consulting and Clinical Psychology*, février, 66, p. 113-120.

BEUTLER, L. E. et J. Bergan. (1991). «Values change in counseling and psychotherapy: A search for scientific credibility», *Journal of Counseling Psychology*, 38, p. 16-24.

BINDER, C. (1990). «Closing the confidence gap», *Training*, septembre, p. 49-56.

BINDER, J. L. et H. H. Strupp. (1997). «"Negative process": A recurrently discovered and underestimated facet of therapeutic process and outcome in the individual psychotherapy of adults», *Clinical Psychology: Science and Practice*, 4, p. 121-139.

BISCHOFF, M. M. et T. J. G. Tracey. (1995). «Client resistance as predicted by therapist behaviour: A study of sequential dependence», *Journal of Counseling Psychology*, 42, p. 487-495.

BLAMPIED, N. M. (2000). «Single-case research designs: A neglected alternative», *American Psychologist*, 55, p. 960.

BLOOM, B. L. (1997). *Planned short-termed psychotherapy: A clinical handbook*, 2e éd., Boston, Allyn & Bacon.

BOHART, A. C. et L. S. Greenberg (Éd.). (1997). *Empathy reconsidered: New directions in psychotherapy*, avril, Washington, DC, American Psychology Association.

BOHART, A. C. et K. Tallman. (1999). *How clients make therapy work*. Washington, DC, American Psychological Association.

BORDIN, E. S. (1979). «The generalizability of the psychoanalytic concept of the working alliance», *Psychotherapy: Theory, Research and Practice*, 16, p. 252-260.

BORGEN, F. H. (1992). «Expanding scientific paradigms in counseling psychology», dans S. D. Brown et R. W. Lent (Éd.), *Handbook of counseling psychology*, New York, Wiley, p. 111-139.

BORNSTEIN, R. F. et R. F. Bowen. (1995). «Dependency in psychotherapy: Toward an integrated treatment approach», *Psychotherapy*, 32, p. 520-534.

BORSARI, B. et K. B. Carey. (2000). «Effects of a brief motivational intervention with college student drinkers», *Journal of Consulting and Clinical Psychology*, 68, p. 728-733.

BOWMAN, D. (1995). Self-examination therapy: Treatment for anxiety and depression, dans L. Vandecreek, S. Knapp et T. Jackson (Éd.), *Innovations in clinical practice: A source book*, Sarasota, FL, Professional Resource Press.

BOWMAN, D., F. Scogin, M. Floyd, E. Patton et autres. (1997). «Efficacy of self-examination therapy in the treatment of generalized anxiety disorder», *Journal of Counseling Psychology*, juillet, vol. 44(3), p. 367-373.

BOWMAN, V., L. Ward, D. Bowman et F. Scogin. (1996). «Efficacy of self-examination therapy as an adjunct treatment for depressive symptoms in substance abusers», *Addictive Behaviors*, 21, p. 129-133.

BRAMMER, L. (1973). *The helping relationship: Process and skills*, Englewood Cliffs, NJ, Prentice Hall.

BRANDSTATTER, H. et A. Eliasz. (2000). *Persons, solutions, and emotions*, New York, Oxford University Press.

BROCK, T. C., M. C. Green et D. A. Reich. (1998). «New evidence of flaws in the *Consumers Report* study of psychotherapy», *American Psychologist*, janvier, 53, p. 62-63.

BRODER, M. S. (2000). «Making optimal use of homework to enhance your therapeutic effectiveness», *Journal of Rational-Emotive & Cognitive Behavior Therapy*, 18, p. 3-18.

BRONFENBRENNER, U. (1977). «Toward an experimental ecology of human development», *American Psychologist*, p. 513-531.

BROSKOWSKI, A. T. (1995). « The evolution of health care », *Professional Psychology: Research and Practice*, 26, p. 156-162.

BROWN, C. et K. M. O'Brien. (1998). « Understanding stress and burnout in shelter workers », *Professional Psychology: Research and Practice*, 29, p. 383-385.

BROWNELL, K. D., G. A. Marlatt, E. Lichtenstein et G. T. Wilson. (1986). « Understanding and preventing relapse », *American Psychologist*, 41, p. 765-782.

BUDMAN, S. H., M. F. Hoyt et S. Friedman (Éd.). (1992). *The first session in brief therapy*, New York, Guilford.

BUDMAN, S. H. et B. N. Steenbarger. (1997). *The essential guide to group practice in mental health*, New York, Guilford Press.

BUGAS, J. et G. Silberschatz. (2000). « How patients coach their therapists in psychotherapy », *Psychotherapy: Theory, Research, Practice, Training*, 37, p. 64-70.

BURKS, R. J. et S. M. Keeley. (1989). « Exercise and diet therapy: Psychotherapists' beliefs and practices », *Professional Psychology: Research & Practice*, 20, p. 62-64.

BUSHE, G. (1995). « Advances in appreciative inquiry as an organizational development intervention », *Organizational Development Journal*, 1, p. 14-22.

CADE, B. et W. H. O'Hanlon. (1993). *A Brief Guide to Brief Therapy*, New York, W. W. Norton.

CAMERON, J. E. (1999). « Social identity and the pursuit of possible selves: Implications for the psychological well-being of university students », *Group Dynamics*, 3, p. 179-189.

CANTER, M. B., B. E. Bennett, S. E. Jones et T. F. Nagy. (1994). *Ethics for psychologists: A commentary on the APA ethics code*. Hyattsville, MD, American Psychological Association.

CAPUZZI, D. et D. R. Gross. (1999). *Counseling and Psychotherapy: Theories and Interventions*. Upper Saddle River, NJ, Prentice Hall.

CARKHUFF, R. R. (1969a). *Helping and human relations: Vol. 1. Selection and training*, New York, Holt, Rinehart & Winston.

CARKHUFF, R. R. (1969b). *Helping and human relations: Vol. 2. Practice and research*, New York, Holt, Rinehart & Winston.

CARKHUFF, R. R. (1971). « Training as a preferred mode of treatment », *Journal of Counseling Psychology*, 18, p. 123-131.

CARKHUFF, R. R. (1987). *The art of helping*, 6ᵉ éd., Amherst, MA, Human Resource Development Press.

CARKHUFF, R. R. et W. A. Anthony. (1979). *The skills of helping: An introduction to counseling*, Amherst, MA, Human Resource Development Press.

CARTER, J. A. (1996). « Measuring transference : Can we identify what we have not defined? », *Journal of Counseling Psychology*, 43, p. 257-258.

CARTON, J. S., E. A. Kessler et C. L. Pape. (1999). « Nonverbal decoding skills and relationship well-being in adults », *Journal of Nonverbal Behavior*, printemps, 23, p. 91-100.

CASTONGUAY, L. G. (1997). « Support in psychotherapy: A common factor in need of empirical data, conceptual clarification, and clinical input », *Journal of Psychotherapy Integration*, 7, p. 99-103.

CERVONE, D. (2000). « Thinking about selfefficacy », *Behavior modification*, 24, p. 30-56.

CERVONE, D. et W. D. Scott. (1995). « Selfefficacy theory and behavioral change: Foundations, conceptual issues, and therapeutic implications », dans W. O'Donohue et L. Krasner (Éd.), *Theories of behavior therapy: Exploring behavior change*, Washington, DC, American Psychological Association, p. 349-383.

CHAMBLESS, D. L. et S. D. Hollon. (1998). « Defining empirically supported therapies », *Journal of Consulting and Clinical Psychology*, février, 66, p. 7-18.

CHANG, E. C. (Éd.). (2001). *Optimism and pessimism: Implications for theory, research, and practice*, Washington, DC, American Psychological Association.

Chouinard, M.C. et S. Robichaud-Eskrand. (2003). « La contribution du soutien social à la santé et à l'adoption et au maintien de sains comportements de santé », *Recherche en soins infirmiers*, 75, p. 21-37.

CLAIBORN, C. D. (1982). « Interpretation and change in counseling », *Journal of Counseling Psychology*, 29, p. 439-453.

CLAIBORN, C. D., L. S. Berberoglu, R. M. Nerison et D. R. Somberg. (1994). « The client's perspective: Ethical judgments and perceptions of therapist practices », *Professional Psychology: Research and Practice*, 25, p. 268-274.

CLARK, A. J. (1991). « The identification and modification of defense mechanisms in counseling », *Journal of Counseling and Development*, 69, p. 231-236.

CLARK, A. J. (1998). *Defense mechanisms in the counseling process*, Thousand Oaks, CA, Sage.

COLBY, S. M. et autres. (1998). «Brief motivational interviewing in a hospital setting for adolescent smoking: A preliminary study», *Journal of Counseling and Clinical Psychology*, 66, p. 574-578.

COLE, H. P. et D. Sarnoff. (1980). «Creativity and counseling», *Personnel and Guidance Journal*, 59, p. 140-146.

COLE, J. D. et autres. (1993). «The science of prevention: A conceptual framework and some directions for a national research program», *American Psychologist*, 48, p. 1013-1022.

COLLINS, J. C. et J. I. Porras. (1994). *Built to last: Successful habits of visionary companies*. New York, Harper Business.

COMPAS, B. E., D. A. Haaga, F. J. Keefe, H. Leitenberg et D. A. Williams. (1998). «Sampling of empirically supported psychological treatments fom health psychology: Smoking, chronic pain, cancer, and bulimia nervosa», *Journal of Consulting and Clinical Psychology*, février, 66, p. 89-112.

CONOLEY, C. W., M. A. Padula, D. S. Payton et J. A. Daniels. (1994). «Predictors of client implementation of counselor recommendations: Match with problem, difficulty level, and building on client strengths», *Journal of Counseling Psychology*, 41, p. 3-7.

*CONSUMER REPORTS*. (1994). «Annual questionnaire».

*CONSUMER REPORTS*. (1995). «Mental health: Does therapy help?», novembre, p. 734-739.

COOPER, J. F. (1995). *A Primer of Brief Psychotherapy*, New York, W. W. Norton.

COOPER, S.H. (1998). «Changing Notions of Defense within psychoanalytic theory», *Journal of Personality*. 66(6), p. 947-964.

COOPERRIDER, D. et S. Srivasta. (1987). «Appreciative inquiry into organizational life», *Organizational Change and Development*, 1, p. 129-169.

COREY, G. (1996). *Theory and practice of counseling and psychotherapy*, 5e éd., Pacific Grove, CA, Brooks/Cole.

COREY, G., M. S. Corey et P. Callanan. (1997). *Issues and ethics in the helping professions*, 5e éd., Pacific Grove, CA, Brooks/Cole.

CORRIGAN, P. W. (1995). «Wanted: Champions of psychiatric rehabilitation», *American Psychologist*, 50, p. 514-521.

CORRIGAN, P. W., S. Lickey, A. Schmoock, L. Virgil et M. Juricek. (1999). «Dialogue among stakeholders of severe mental illness», *Psychiatric Rehabilitation Journal*, 23, p. 62-65.

COSIER, R. A. et C. R. Schwenk. (1990). «Agreement and thinking alike: Ingredients for poor decisions», *Academy of Management Executive*, 4, p. 69-74.

COSTANZO, M. (1992). «Training students to decode verbal and nonverbal clues: Effects on confidence and performance», *Journal of Educational Psychology*, 84, p. 308-313.

COTTONE, R. R. et R. E. Claus. (2000). «Ethical decision-making models: A review of the literature», *Journal of Counseling and Development*, 78, p. 275.

COURSEY, Alford et Safarjan. (1997). «Significant advances in understanding and treating serious mental illness», *Professional Psychology: Research and Practice*, 28, p. 205-216.

COVEY, S. R. (1989). *The seven habits of highly effective people*, New York, Simon & Schuster, (Édition Fireside, 1990).

COWEN, E. L. (1982). «Help is where you find it», *American Psychologist*, 37, p. 385-395.

COYNE, J. C. et M. Racioppo. (2000). «Never the twain shall meet? Closing the gap between coping research and clinical intervention research», *American Psychologist*, juin, vol. 55(6), p. 655-664.

CRAMER, P. (1998). «Coping and defense mechanisms: What's the difference?», *Journal of Personality*, 66, p. 895-918.

CRAMER, P. (2000). «Defense mechanisms in psychology today», *American Psychologist*, 55, p. 637- 646.

CRANO, W. D. (2000). «Milestones in the psychological analysis of social influence», *Group Dynamics*, 4, mars, p. 68-80.

CROSS, J. G. et M. J. Guyer. (1980). *Social traps*, Ann Arbor, University of Michigan Press.

CROSS, S. E. et H. R. Markus. (1994). «Selfschemas, possible selves, and competent performance», *Journal of Educational Psychology*, 86, p. 423-438.

CUELLAR, I. et F. A. Paniagua (Éd.). (2000). *Handbook of multicultural mental health*, San Diego, CA, Academic Press.

CUMMINGS, N. A. (1979). «Turning bread into stones: Our modern anti-miracle», *American Psychologist*, 34, p. 1119-1129.

CUMMINGS, N. A. (2000). *The first session with substance abusers*, San Francisco, Jossey-Bass.

CUMMINGS, N. A., S. H. Budman et J. L. Thomas. (1998). «Efficient psychotherapy as a viable response to scarce resources and rationing of treatment», *Professional Psychology: Research and Practice*, octobre, 29, p. 460-469.

CUMMINGS, N. A. et J. L. Cummings. (2000). *The essence of psychotherapy: Reinventing the art in the new era of data*, San Diego, Academic Press.

CUMMINGS, N. A., M. S. Pallak et J. L. Cummings. (1996). *Surviving the demise of Solo practice: Mental health practitioners prospering in the era of managed care*, Madison, CT, Psychological Press.

DAS, A. K. (1995). «Rethinking multicultural counseling: Implications for counselor education», *Journal of Counseling and Development*, automne, 74, p. 45-52.

DAUSER, P. J., S. M. Hedstrom et J. M. Croteau. (1995). «Effects of disclosure of comprehensive pretherapy information on clients at a university counseling center», *Professional Psychology: Research and Practice*, 26, p. 190-195.

DE BONO, E. (1992). *Serious creativity: Using the power of lateral thinking to create new ideas*, New York, Harper Business.

DEFFENBACHER, J. L., E. R. Oetting, M. E. Huff et G. A. Thwaites. (1995). «Fifteen-month follow-up of social skills and cognitive-relaxation approaches to general anger reduction», *Journal of Counseling Psychology*, 42, p. 400-405.

DEFFENBACHER, J. L., G. A. Thwaites, T. L. Wallace et E. R. Oetting. (1994). «Social skills and cognitive-relaxation approaches to general anger reduction», *Journal of Counseling Psychology*, 41, p. 386-396.

DENCH, S. et G. Bennett. (2000). «The impact of brief motivational intervention at the start of an outpatient day programme for alcohol dependance», *Behavioural & Cognitive Psychotherapy*, 28, p. 121-130.

DEPAULO, B. M. (1991). «Nonverbal behavior and self-presentation», *Psychological Bulletin*, 11, p. 203-243.

SHAZER, S. (de). (1985). *Keys to solution in brief therapy*, New York, W. W. Norton.

SHAZER, S. (de). (1994). *Words were originally magic*, New York, W. W. Norton.

DEUTSCH, M. (1954). «Field theory in social psychology», dans G. Lindzey (Éd.), *The handbook of social psychology*, vol. 1, Cambridge, MA, Addison-Wesley.

DIENER, E. (2000). «Subjective well-being: The science of happiness and a proposal for a national index», *American Psychologist*, janvier, 55, p. 34-43.

DIMOND, R. E., R. A. Havens, R. A. et A. C. Jones. (1978). «A conceptual framework for the practice of prescriptive eclecticism in psychotherapy», *American Psychologist*, 33, p. 239-248.

DIVISION 12 TASK FORCE. (1995). «Training in and dissemination of empirically-validated psychological treatments», *The Clinical Psychologist*, 49, p. 3-23.

DONNEY, D. A. C. et F. H. Borgen. (1999). *The incremental validity of vocational self-efficacy: An examination of interest, self-efficacy, and occupation.*

DORN, F. J. (1984). *Counseling as applied social psychology: An introduction to the social influence model*, Springfield, IL, Chas. C Thomas.

DORN, F. J. (Éd.). (1986). *The social influence process in counseling and psychotherapy*, Springfield, IL, Chas. C Thomas.

DORNER, D. (1996). *The logic of failure: Why things go wrong and what we can do to make them right*, New York, Holt.

DRISCOLL, R. (1984). *Pragmatic psychotherapy*, New York, Van Nostrand Reinhold.

DRAYCOTT, S. et A. Dabbs. (1998a). «Cognitive dissonance 1: An overview of the literature and its integration into theory and practice of clinical psychology», *British Journal of Clinical Psychology*, septembre, 37, p. 341-353.

DRAYCOTT, S. et A. Dabbs. (1998b). «Cognitive dissonance 2: A theoretical grounding of motivational interviewing», *British Journal of Clinical Psychology*, 37, p. 355-364.

DRYDEN, W. (1995). *Brief rational emotive behavior therapy*, New York, Wiley.

DRYDEN, W., M. Neenan, J. Yankura et A. Ellis. (1999). *Counseling Individuals*, London, Whurr Publishers.

DUAN, C. et C. E. Hill. (1996). «The current state of empathy research», *Journal of Counseling Psychology*, 43, p. 261-274.

DURLAK, J. A. (1979). «Comparative effectiveness of paraprofessional and professional helpers», *Psychological Bulletin*, 86, p. 80-92.

DWORKIN, S. H. et B. A. Kerr. (1987). «Comparison of interventions for women experiencing body image problems», *Journal of Counseling Psychology*, 34, p. 136-140.

ECONOMIST. (1995). «Come feel the noise», juillet.

EDWARDS, C. E. et N. L. Murdock. (1994). «Characteristics of therapist self-disclosure in the counseling process», *Journal of Counseling and Development*, 72, p. 384-389.

EGAN, G. *Conversations for the 21st Century: The values and skills of dialogue*, sous presse.

EGAN, G. (1970). *Encounter: Group processes for interpersonal growth*, Pacific Grove, CA, Brooks/Cole.

EGAN, G. (1998). *The skilled helper: A problem management approach to helping*, 6e éd., Pacific Grove, CA, Brooks/Cole.

EGAN, G. et M. A. Cowan. (1979). *People in systems: A model for development in the humanservice professions and education*, Pacific Grove, CA, Brooks/Cole.

EISENBERG, W. et J. Strayer (Éd.). (1987). *Empathy and its development*, New York, Cambridge University Press.

EKMAN, P. (1992). *Telling lies: Clues to deceit in the marketplace, politics, and marriage*, New York, W. W. Norton.

EKMAN, P. (1993). «Facial expression and emotion», *American Psychologist*, 48, p. 384-392.

EKMAN, P. et R. J. Davidson. (1994). *The nature of emotion: Fundamental questions*, New York, Oxford University Press.

EKMAN, P. et W. V. Friesen. (1975). *Unmaking the human face: A guide to recognizing emotions from facial cues*, Englewood Cliffs, NJ, Prentice-Hall.

EKMAN, P. et E. L. Rosenberg (Éd.). (1998). *What the face reveals: Basic and applied studies of spontaneous expression using the facial action coding system (FACS)*, New York, Oxford University Press.

ELIAS, M. J. et J. F. Clabby. (1992). *Building social problem-solving skills*, San Francisco, Jossey-Bass.

ELKIN, I. (1999). «A major dilemma in psychotherapy outcome research: Disentangling therapists from therapies», *Clinical Psychology: Science and Practice*, printemps, 6, p. 10-32.

ELLIOTT, C. (1999). *Locating the energy for change: An introduction to appreciative inquiry*, Winnepeg, IISD.

ELLIOTT, R. (1985). «Helpful and nonhelpful events in brief counseling interviews: An empirical taxonomy», *Journal of Counseling Psychology*, 32, p. 307-322.

ELLIS, A. (1984). «Must most psychotherapists remain as incompetent as they are now?», dans J.

Hariman (Éd.), *Does psychotherapy really help people?*, Springfield, IL, Chas. C Thomas.

ELLIS, A. (1985). *Overcoming resistance: Rational-emotive therapy with difficult clients*, New York, Springer.

ELLIS, A. (1987a). «The evolution of rational-emotive therapy (RET) and cognitive behavior therapy (CBT)», dans J. K. Zeig (Éd.), *The evolution of psychotherapy*, New York, Brunner/Mazel.

ELLIS, A. (1987b). «Integrative developments in rational-emotive therapy (RET)», *Journal of Integrative and Eclectic Psychotherapy*, 6, p. 470-479.

ELLIS, A. (1991). «The revised ABCs of rational-emotive therapy (RET)», *Journal of Rational-Emotive and Cognitive-Behavior Therapy*, 9, p. 139-172.

ELLIS, A. (1997). «Extending the goals of behavior therapy and cognitive behavior therapy», *Behavior Therapy*, 28, p. 333-339.

ELLIS, A. (1999a). «Early theories and practices of rational emotive behavior therapy and how they have been augmented and revised during the last three decades», *Journal of Rational-Emotive and Cognitive Behavior Therapy*, 17, p. 69-93.

ELLIS, A. (1999b). *How to make yourself happy and remarkably less disturbable*, San Luis Obispo, CA, Impact.

ELLIS, A. (2000). «Can rational emotive behavior therapy (REBT) be effectively used with people who have devout beliefs in God and religion?», *Professional Psychology: Research and Practice*, 31, p. 29-33.

ELLIS, A. et W. Dryden. (1987). *The practice of rational-emotive therapy*, New York, Springer.

ELLIS, A., W. Dryden, M. Neenan et J. Yankura. (1999). *Counseling individuals: A rational emotive behavioral handbook*, London, Whurr.

ELLIS, A. et M. Powers. (1998). *A guide to rational living*, North Hollywood, CA, Wilshire Books.

ELLIS, D. B. (1999). *Creating your future*, Boston, MA, Houghton Mifflin.

ELLIS, K. (1998). *The magic lamp: Goal setting for people who hate setting goals*, New York, Crown.

ELSON, M. L. et S. A. Neufeldt. (1996). Building on an empirical foundation: «Strategies to enhance good practice», *Journal of Counseling and Development*, été, 74, p. 609-615.

ERICKSON, R. C., R. D. Post et A. B. Paige. (1975). «Hope as a psychiatric variable», *Journal of Clinical Psychology*, avril, 31, p. 324-330.

ETZIONI, A. (1989). «Humble decision making», *Harvard Business Review*, juillet-août, p. 120-126.

EYSENCK, H. J. (1952). The effects of psychotherapy: An evaluation. *Journal of Consulting Psychology,* 16, 319-324.

EYSENCK, H. J. (1984). «The battle over psychotherapeutic effectiveness», dans J. Hariman (Éd.), *Does psychotherapy really help people?*, Springfield, IL, Chas. C Thomas.

EYSENCK, H. J. (1994). «The outcome problem in psychotherapy: What have we learned?», *Behavior Research and Therapy*, 32, p. 477-495.

FARRELLY, F. et J. Brandsma. (1974). *Provocative therapy*, Cupertino, CA, Meta Publications.

FELDMAN, R. S. et B. Rime (Éd.). (1991). *Fundamentals of nonverbal behavior*, New York, Cambridge University Press.

FELLER, R. (1984). *Job-search agreements*, Colorado State University, Fort Collins.

FERGUSON, M. (1980). *The aquarian conspiracy: Personal and social transformation in the 1980s*, Los Angeles, J. P. Tarcher.

FERGUSON, T. (1987). «Agreements with yourself», *Medical Self-Care*, janvier-février, 44-47.

FESTINGER, S. (1957). *A theory of cognitive dissonance*, New York, Harper & Row.

FISH, J. M. (1995). «Does problem behavior just happen? Does it matter?», *Behavior and Social Issues*, printemps, 5, p. 3-12.

FISH, J. M. (1995). «Solution–focused therapy in global perspective», *World Psychology*, 1, p. 43-67.

FISH, J. M. (1997). «Paradox for complaints? Stategic thoughts about solution-focused therapy», *Journal of Systematic Therapies*, 16(3), p. 266-273.

FISHER, C. B. et J. N. Younggren. (1997). «The value and unity of the 1992 ethics code», *Professional Psychology: Research and Practice*, 28, p. 582-592.

FISHER, R. et W. Ury. (1981). *Getting to yes: Negotiating agreement without giving in*, Boston, Houghton Mifflin.

FLACK, W. F. et J. D. Laird (Éd.). (1998). *Emotions and psycopathology*, New York, Oxford University Press.

FOLKMAN, S. et J. T. Moskowitz. (2000). «Positive affect and the other side of coping», *American Psychologist*, 55, p. 647-664.

FORTINASH, K. M. et P. A. Holoday-Worret. (2003). *Soins Infirmiers : Santé mentale et psychiatrie*, Laval (Canada), Beauchemin.

FOX, R. E. (1995). «The rape of psychotherapy», *Professional Psychology: Research and Practice*, 26, p. 147-155.

FOXHALL, K. (2000). «Research for the real world», *Monitor on Psychology*, juillet-août, p. 28-36.

FRANCES, A., J. Clarkin et S. Perry. (1984). *Differential therapeutics in psychiatry*, New York, Brunner/Mazel.

FRASER, J. S. (1996). «All that glitters is not always gold: Medical offset effects and managed behavioral health care», *Professional Psychology: Research and Practice*, 27, p. 335-344.

FREIRE, P. (1970). *Pedagogy of the oppressed*, New York, Seabury.

FREMONT, S. K. et W. Anderson. (1986). «What client behaviors make counselors angry? An exploratory study», *Journal of Counseling and Development*, 65, p. 67-70.

FRIEDLANDER, M. L. et G. S. Schwartz. (1985). «Toward a theory of strategic self-presentation in counseling and psychotherapy», *Journal of Counseling Psychology*, 32, p. 483-501.

FRIEMAN, S. (1997). *Time effective psychotherapy: Maximizing outcomes in an era of minimized resources*, Boston, Allyn & Bacon.

FRUEH, B. C., M. A. de Arellano et S. M. Turner. (1997). «Systematic desensitization as an alternative exposure strategy for PTSD», *American Journal of Psychiatry*, 154, p. 287-288.

GALASSI, J. P. et M. A. Bruch. (1992). «Counseling with social interaction problems: Assertion and social anxiety», dans S. D. Brown et R. W. Lent (Éd.), *Handbook of counseling psychology*, New York, Wiley, p. 753-791.

GARBER, J. et M. Seligman (Éd.). (1980). *Human helplessness: Theory and applications*, New York, W. H. Freeman.

GARFIELD, S. L. (1996). «Some problems associated with "validated" forms of psychotherapy», *Clinical Psychology: Science and Practice*, 3, p. 218-229.

GARFIELD S. L. (1997). «The therapist as a neglected variable in psychotherapy research», *Clinical Psychology: Research and Practice*, 4, p. 40-43.

GARTNER, A. et F. Riessman (Éd.). (1984). *The self-help revolution*, New York, Human Sciences Press.

GASTON, L. et autres. (1995). «The therapeutic alliance in psychodynamic, cognitive-behavioral, and experimental therapies», *Journal of Psychotherapy Integration*, 5, p. 1-26.

GATI, I., M. Krausz, M. et S. H. Osipow, S. H. (1996). «A taxonomy of difficulties in career decision making», *Journal of Counseling Psychology*, 43, p. 510-526.

GELATT, H. B. (1989). «Positive uncertainty: A new decision-making framework for counseling», *Journal of Counseling Psychology*, 36, p. 252-256.

GELATT, H. B., B. Varenhorst, B. et R. Carey. (1972). *Deciding: A leader's guide*, Princeton, NJ, College Entrance Examination Board.

GELSO, C. J. et J. A. Carter. (1994). «Components of the psychotherapy relationship: Their interaction and unfolding during treatment», *Journal of Counseling Psychology*, 41, p. 296-306.

GELSO, C. J., C. E. Hill et J. Mohr. (2000). «Client concealment and self-presentation in therapy: Comment on Kelly (2000)», *Psychological Bulletin*, 126, p. 495-500.

GELSO, C. J., C. E. Hill, J. Mohr, A. B. Rochlen, A. et J. Zack. (1999). «The face of transference in successful, long-term therapy: A qualitative analysis», *Journal of Counseling Psychology*, 46, p. 257-267.

GELSO, C. J., D. M. Kivlighan, B. Wise, A. Jones et S. C. Friedman. (1997). «Tranference, insight, and the course of time-limited therapy», *Journal of Counseling Psychology*, 44, p. 209-217.

GEORGES, J. C. (1988). «Why soft-skills training doesn't take», *Training*, avril, p. 40-47.

GIANNETTI, E. (1997). *Lies we live by: The art of self-deceptio,*. New York and London, Bloomsbury.

GIBB, J. R. (1968). «The counselor as a role-free person», dans C. A. Parker (Éd.), *Counseling theories and counselor education*, Boston, Houghton Mifflin.

GIBB, J. R. (1978). *Trust: A new view of personal and organizational development*, Los Angeles, The Guild of Tutors Press.

GILBERT, P. et B. Andrews (Éd.). (1998). *Shame: Interpersonal behavior, psychotherapy, and culture*, New York, Oxford University Press.

GILBERT, T. F. (1978). *Human competence: Engineering worthy performance*, New York, McGraw-Hill.

GILLIAND, B. E. et R. K. James. (1997). *Theory and strategies in counseling and psychotherapy*, 4e éd., Needham Heights, MA, Allyn & Bacon.

GILOVICH, T. (1991). *How we know what isn't so: The fallibility of human reason in everyday life*, New York, The Free Press.

GLASSER, W. (2000). *Reality therapy in action*, New York, HarperCollins.

GODWIN, G. (1985). *The finishing school*, New York, Viking.

GOLEMAN, D. (1985). *Simple Truths: The psychology of Self-deception*, New York, Simon and Schuster.

GOLEMAN, D. (1995). *Emotional intelligence*, New York, Bantam Books.

GOLEMAN, D. (1998). *Working with emotional intelligence*, New York, Bantam Books.

GOLLWITZER, P. M. (1999). «Implementation intentions: Strong effects of simple plans», *American Psychologist*, 54, p. 493-503.

GOODYEAR, R. K. et J. L. Shumate. (1996). «Perceived effects of therapist self-disclosure of attraction to clients», *Professional Psychology: Research and Practice*, 27, p. 613-616.

GONCALVES, O. F. et P. P. P. Machado. (1999). «Cognitive narrative psychotherapy: Research foundations», *Journal of Clinical Psychology*, octobre, 55, p. 1179-1191.

GOSLIN, D. A. (1985). «Decision making and the social fabric», *Society*, 22, p. 7-11.

GRACE, M., D. M. Kivlighan, Jr. et J. Kunce, J. (1995). «The effect of nonverbal skills training on counselor trainee nonverbal sensitivity and responsiveness and on session impact and working alliance ratings», *Journal of Counseling and Development*, été, 73, p. 547-552.

GREENBERG, L. S. (1986). «Change process research», *Journal of Consulting and Clinical Psychology*, 54, p. 4-9.

GREENBERG, L. S. (1994). «What is "real" in the relationship? Comment on Gelso and Carter (1994)», *Journal of Counseling Psychology*, 41, p. 307-309.

GREENBERG, L. S. et S. C. Paivio. (1997). *Working with the emotions in psychotherapy*, New York, Guilford Press.

GREENSON, R. R. (1967). *The technique and practice of psychoanalysis*, New York, International Universities Press.

GUERRERO, L. K., J. A. Devito et M. L. Hecht (Éd.). (1999). *The Nonverbal Communication Reader: Classic and Contemporary Readings*, 2e éd., Prospect Heights, IL, Waveland Press.

GUISINGER, S. et S. J. Blatt. (1994). «Individuality and relatedness: Evolution of a fundamental dialectic», *American Psychologist*, 49, p. 104-111.

HALEY, J. (1976). *Problem solving therapy*, San Francisco, Jossey-Bass.

HALL, E. T. (1977). *Beyond culture*, Garden City, NJ, Anchor Press.

HALLECK, S. L. (1988). « Which patients are responsible for their illnesses? », *American Journal of Psychotherapy*, 42, p. 338-353.

HAMMOND, J. S., R. L. Keeny et H. Raiffa. (1998). « The hidden traps in decision making », *Harvard Business Review*, p. 47-58.

HAMMOND, J. S., R. L. Keeny et H. Raiffa. (1999). *Smart choices: A practical guide to making better decisions*, Boston, MA, Harvard Business School Press.

HAMMOND, S. (1996). *The thin book of appreciative inquiry*, Plano, TX, Thin Book Publishing.

HAMMOND, S. et C. Royal (Éd.). (1998). *Lessons from the field: Applying appreciative inquiry*, Plano, TX, Practical Press.

HANDELSMAN, M. M. et M. D. Galvin. (1988). « Facilitating informed consent for outpatient psychotherapy: A suggested written format », *Professional Psychology: Research and Practice*, 19, p. 223-225.

HANNA, F. J. (1994). « A dialectic of experience: A radical empiricist approach to conflicting theories in psychotherapy », *Psychotherapy*, 31, p. 124-136.

HANNA, F. J., C. A. Hanna et S. G. Keys. (1999). « Fifty strategies for counseling defiant, aggressive adolescents: Reaching, accepting, and relating », *Journal of Counseling and Development*, 77, p. 395-404.

HANNA, F. J. et A. J. Ottens. (1995). « The role of wisdom in psychotherapy », *Journal of Psychotherapy Integration*, 5, p. 195-219.

HARE–MUSTIN, R. et J. Marecek. (1986). « Autonomy and gender: Some questions for therapists », *Psychotherapy*, 23, p. 205-212.

HARRIS, C. et autres. (1991). « The will and the ways: Development and validation of an individual differences measure of hope », *Journal of Personality and Social Psychology*, 60, p. 570-585.

HARRIS, G. A. (1995). *Overcoming resistance: Success in counseling men*, Alexandria, VA, American Counseling Association.

*HARVARD MENTAL HEALTH LETTER.* (1993a). « Self-help groups. Part I », mars.

*HARVARD MENTAL HEALTH LETTER.* (1993b). « Self-help groups. Part II », avril.

HATTIE, J. A., C. E. Sharpley et H. J. Rogers. (1984). « Comparative effectiveness of professional and paraprofessional helpers », *Psychological Bulletin*, 95, p. 534-541.

HAYS, K. F. (1999). *Working it out: Using exercise in psychotherapy*, Washington, DC, American Psychological Association.

HEADLEE, R. et I. J. Kalogjera. (1988). « The psychotherapy of choice », *American Journal of Psychotherapy*, 42, p. 532-542.

HEINSSEN, R. K. (1994). « Therapeutic contracting with schizophrenic patients: A collaborative approach to cognitive-behavioral treatment », article présenté au 21st International Symposium for the Psychotherapy of Schizophrenia, juin, Washington, DC.

HEINSSEN, R. K., P. G. Levendusky et R. H. Hunter. (1995). « Client as colleague: Therapeutic contracting with the seriously mentally ill », *American Psychologist*, 50, p. 522-532.

HELLER, K. (1993). « Prevention activities for older adults: Social structures and personal competencies that maintain useful social roles », *Journal of Counseling and Development*, novembre-décembre, p. 124-130.

HELLSTROEM, O. (1998). « Dialogue medicine: A health-liberating attitude in general practice », *Patient Education & Counseling*, 35, p. 221-231.

HENDERSON, S. J. (2000). « "Follow your bliss": A process for career happiness », *Journal of Counseling and Development*, 78, p. 305-315.

HENDRICK, S. S. (1988). « Counselor selfdisclosure », *Journal of Counseling and Development*, 66, p. 419-424.

HENDRICK, S. S. (1990). « A client perspective on counselor disclosure », *Journal of Counseling and Development*, 69, p. 184.

HENGGELER, S. W., S. K. Schoenwald et S. G. Pickrel. (1995). « Multisystemic therapy: Bridging the gap between university and community-based treatment », *Journal of Consulting and Clinical Psychology*, automne, 63, p. 709-717.

HEPPNER, P. P. (1989). « Identifying the complexities within clients' thinking and decision making », *Journal of Counseling Psychology*, 36, p. 257-259.

HEPPNER, P. P. et C. D. Claiborn. (1989). « Social influence research in counseling: A review and critique », *Journal of Counseling Psychology*, 36, p. 365-387, monographie.

HEPPNER, P. P. et P. A. Frazier. (1992). « Social psychological processes in psychotherapy: Extrapolating basic research to counseling psychology », dans S. D. Brown et R. W. Lent (Éd.), *Handbook of counseling psychology*, New York, Wiley.

HERMAN, H. J. M. et H. J. G. Kempen. (1998). «Moving cultures: Perilous problems of cultural dichotomies in a globalizing society», *American Psychologist*, 53, p. 1111-1120.

HERINK, R. (Éd.). (1980). *The Psychotherapy Handbook*, New York, Meridian.

HICKSON, M. L. et D. W. Stacks. (1993). *Nonverbal communication: Studies and applications*, 2e éd., Madison, WI, Brown & Benchmark.

HIGGINSON, J. G. (1999). «Defining, excusing, and justifying deviance: Teen mothers' accounts for statutory rape», *Symbolic Interaction*, 22, p. 25-44.

HIGHLEN, P. S. et C. E. Hill. (1984). «Factors affecting client change in counseling», dans S. D. Brown et R. W. Lent (Éd.), *Handbook of counseling psychology*, New York, Wiley, p. 334-396.

HIGHT, T. L., E. L. Worthington, J. S. Ripley et K. M. Perrone. (1997). «Strategic hopefocused relationship-enrichment counseling with individual couples», *Journal of Counseling Psychology*, 44, p. 381-389.

HILL, C. E. (1994). «What is the therapeutic relationship? A reaction to Sexton and Whiston», *The Counseling Psychologist*, 22, p. 90-97.

HILL, C. E. et M. M. Corbett. (1993). «A perspective on the history of process and outcome research in counseling psychology», *Journal of Counseling Psychology*, janvier, 40, p. 3-24.

HILL, C. E., C. J. Gelso et J. J. Mohr. (2000). «Client concealment and self–presentation therapy: Comment on Kelly (2000)», *Psychological Bulletin*, 126(4), p. 495-500.

HILL, C. E., E. Nutt-Williams, K. J. Heaton, B. J. Thompson et R. H. Rhodes. (1996). «Therapist retrospective recall of impasses in longterm psychotherapy: A qualitative analysis», *Journal of Counseling Psychology*, 43, p. 207-217.

HILL, C. E. et K. M. O'Brien. (1999). *Helping Skills: facilitating exploration, insight, and action*, American Psychological Association, Washington, DC.

HILL, C. E., B. J. Thompson, M. C. Cogar et D. W. Denmann, III. (1993). «Beneath the surface of long-term therapy: Therapist and client report of their own and each other's covert processes», *Journal of Counseling Psychology*, 40, p. 278-287.

HILL, C. E. et E. N. Williams. (2000). «The process of individual counseling», dans R. Lent et S. Brown (Éd.), *Handbook of Counseling Psychology*, 3e éd., New York, Wiley.

HILLIARD, R. B. (1993). «Single-case methodology in psychotherapy process and outcome research», *Journal of Consulting and Clinical Psychology*, juin, 61, p. 373-380.

HILLS, M. D. (1984). *Improving the learning of parents' communication skills by providing for the discovery of personal meaning*, thèse de doctorat non publiée, University of Victoria, Colombie-Britannique, Canada.

HOGAN-GARCIA, M. (1999). *Four Skills of Cultural Diversity Competence: A Process for Understanding and Practice*, CA, Wadsworth.

HOLADAY, M. et R. W. McPhearson. (1997). «Resilience and severe burns», *Journal of Counseling and Development*, 75, p. 346-356.

HOLMES, G. R., L. Offen, L et G. Waller. (1997). «See no evil, hear no evil, speak no evil: Why do relatively few male victims of childhood sexual abuse receive help for abuse-related issues in adulthood?», *Clinical Psychology Review*, 27, p. 69-88.

HOOKER, K., B. H. Fiese, L. Jenkins, M. Z. Morfei et J. Schwagler. (1996). «Possible selves among parents of infants and preschoolers», *Developmental Psychology*, 32, p. 542-550.

HORVATH, A. O. (2000). «The therapeutic relationship: From transference to alliance», *Journal of Clinical Psychology*, 56, p. 163-173.

HORVATH, A. O. et B. D. Symonds. (1991). «Relation between working alliance and outcome in psychotherapy: A meta-analysis», *Journal of Counseling Psychology*, 38, p. 139-149.

HOUSER, R. F., M. Feldman, K. Williams et J. Fierstien, J. (1998). «Persuasion and social influence tactics used by mental health counselors», *Journal of Mental Health Counseling*, juillet, 20, p. 238-249.

HOWARD, G. S. (1991). «Culture tales: A narrative approach to thinking, cross-cultural psychology, and psychotherapy», *American Psychologist*, 46, p. 187-197.

HOWELL, W. S. (1982). *The empathic communicator*, Belmont, CA, Wadsworth.

HOYT, M. F. (1995a). «Brief Psychotherapies», dans A. S. Gurman et S. B. Messer (Éd.), *Essential Psychotherapies*, New York, Guilford Press, p. 441-487.

HOYT, M. F. (1995b). *Brief Therapy and managed care: readings for contemporary practice*, San Francisco, Jossey-Bass.

HOYT, W. T. (1996). «Antecedents and effects of perceived therapist credibility: A Meta-analysis», *Journal of Counseling Psychology*, 43, p. 430-447.

HUBER, C. H. et L. G. Baruth. (1989). *Rational-emotive family therapy*, New York, Springer.

HUDSON, S. M., W. L. Marshall, T. Ward, P. W. Johnston et autres. (1995). «Kia Marama: A cognitive–behavioral program for incarcerated child molesters», *Behavior Change*, 12, p. 69-80.

HUMPHREYS, K. (1996). «Clinical psychologists as therapists: History, future, and alternatives», *American Psychologist*, 51, p. 190-197.

HUMPHREYS, K. et J. Rappaport. (1994). «Researching self-help mutual aid groups and organizations: Many roads, one journey», *Applied and Preventive Psychology*, 3.

HUNTER, R. H. (1995). «Benefits of competency-based treatment programs», *American Psychologist*, 50, p. 509-513.

HURVITZ, N. (1970). «Peer self-help psychotherapy groups and their implications for psychotherapy», *Psychotherapy: Theory, Research, and Practice*, 7, p. 41-49.

HURVITZ, N. (1974). «Similarities and differences between conventional psychotherapy and peer self-help psychotherapy groups», dans P. S. Roman et H. M. Trice (Éd.), *The sociology of psychotherapy*, New York, Jason Aronson.

ICKES, W. (1993). «Empathic accuracy», *Journal of Personality*, 61, p. 587-610.

ICKES, W. (1997). «Introduction», dans W. Ickes (Éd.), *Empathic Accuracy*, New York, Guilford Press, p. 1-16.

INSTITUT DE LA STATISTIQUE DU QUÉBEC. (1998). *Enquête sociale et de santé*, 2e éd., Québec, Les Publications du Québec, p. 160, «Collection la santé et le bien être».

ISHIYAMA, F. I. (1990). «A Japanese perspective on client inaction: Removing attitudinal blocks through Morita therapy», *Journal of Counseling and Development*, 68, p. 566-570.

IVEY, A. E. et M. B. Ivey. (1999). *Intentional interviewing and counseling*, 4e éd., Pacific Grove, CA, Brooks/Cole.

IVEY, A. E., M. B. Ivey et L. Simek-Morgan. (1997). *Counseling and psychotherapy: A multicultural perspective*, 4e éd., Needham Heights, MA, Allyn & Bacon.

JACOBSON, N. S. et A. Christiensen. (1996). «Studying the effectiveness of psychotherapy: How well can clinical trials do the job?», *American Psychologist*, octobre, 51, p. 1031-1039.

JANIS, I. L. et L. Mann. (1977). *Decision making: A psychological analysis of conflict, choice, and commitment*, New York, Free Press.

JANOSIK, E. H. (Éd.). (1984). *Crisis counseling: A contemporary approach*, Belmont, CA, Wadsworth.

JENSEN, J. P., A. E. Bergin et D. W. Greaves. (1990). «The meaning of eclecticism: New survey and analysis of components», *Professional Psychology: Research and Practice*, 21, p. 124-130.

JOHNSON, W. B., C. R. Ridley et S. L. Nielson. (2000). «Religiously sensitive rational emotive behavior therapy: Elegant solutions and ethical risks», *Professional Psychology: Research and Practice*, 31, p. 14-20.

JONES, A. S. et C. J. Gelso. (1988). «Differential effects of style of interpretation: Another look», *Journal of Counseling Psychology*, 35, p. 363-369.

JONES, B. F., C. M. Rasmussen et M. C. Moffitt. (1997). *Real-Life Problem Solving: A Collaborative Approach to Interdisciplinary Learning*, Washington, DC, American Psychological Association.

KAGAN, J. (1996). «Three pleasing ideas», *American Psychologist*, 51, p. 901-908.

KAGAN, N. (1973). «Can technology help us toward reliability in influencing human interaction?», *Educational Technology*, 13, p. 44-51.

KAHN, J. H., A. E. Kelly et R. G. Coulter. (1996). «Client self-presentations at intake», *Journal of Counseling Psychology*, 43, p. 300-309.

KAHN, M. (1990). *Between therapist and client*, New York, W. H. Freeman.

KAMINER, W. (1992). *I'm Dysfunctional, You're Dysfunctional*, Reading, MA, Addison-Wesley.

KANFER, F. H. et B. K. Schefft. (1988). *Guiding therapeutic change*, Champaign, IL, Research Press.

KARASU, T.B. (1986). «The psychotherapies: Benefits and limitations», *American Journal of Psychotherapy*, juillet, 40(3), p. 324-342.

KAROLY, P. (1995). «Self-control theory», dans W. O'Donohue et L. Krasner (Éd.), *Theories of behavior therapy: Exploring behavior change*, Washington, DC, American Psychological Association, p. 259-285.

KAROLY, P. (1999). «A goal systems selfregulatory perspective on personality, psychopathology, and change», *Review of General Psychology*, 3, p. 264-291.

KATZ, A. H. et E. I. Bender. (1990). *Helping one another: Self-help groups in a changing world*, Oakland, CA, Third Party Publishing Company.

KAUFMAN, G. (1989). *The psychology of shame*, New York, Springer.

KAYE, H. (1992). *Decision power*, Upper Saddle River, NJ, Prentice Hall.

KAZANTIS, N. (2000). « Power to detect homework effects in psychotherapy outcome research », *Journal of Consulting and Clinical Psychology*, 68, p. 166-170.

KAZANTIS, N. et F. P. Deane. (1999). « Psychologists' use of homework assignments in clinical practice », *Professional Psychology: Research and Practice*, 30, p. 581-585.

KAZDIN, A. E. (1996). « Validated treatments: Multiple perspectives and issues: Introduction to the series », *Clinical Psychology: Science and Practice*, 3, p. 216-217.

KEITH–SPIEGEL, P. (1994). « The 1992 ethics code: Boon or bane? », *Professional Psychology: Research and Practice*, novembre, 25, p. 315-316.

KELLY, A. E. (2000a). « Helping construct desirable identities: A self-presentational view of psychotherapy », *Psychological Bulletin*, juillet, 126, p. 475-496.

KELLY, A. E. (2000b). « A self-presentational view of psychotherapy: Reply to Hill, Gelso and Mohr (2000) and to Arkin and Hermann (2000) », *Psychological Bulletin*, juillet, 126, p. 505-511.

KELLY, A.E., J. H. Kahn et R. G. Coulter. (1996). « Client self-presentations at intake », *Journal of Counseling Psychology*, 43(3), p. 300-309.

KELLY, E. W., Jr. (1994). *Relationship-centered counseling: An integration of art and science*, New York, Springer.

KELLY, E. W., Jr. (1997). « Relationship-centered counseling: A humanistic model of integration », *Journal of Counseling and Development*, mai-juin, 75, p. 337-345.

KENDALL, P. C. (1992). « Healthy thinking », *Behavior Therapy*, 23, p. 1-11.

KENDALL, P. C. (1998). « Empirically supported psychological therapies », *Journal of Consulting and Clinical Psychology*, 66, p. 3-6.

KERR, B et C. Erb. (1991). « Career counseling with academically talented students: Effects of a value-based intervention », *Journal of Counseling Psychology*, 38, p. 309-314.

KIERULFF, S. (1988). « Sheep in the midst of wolves: Person-responsibility therapy with criminals », *Professional Psychology: Research and Practice*, 19, p. 436-440.

KIESLER, D. J. (1988). *Therapeutic Meta-communication*, Palo Alto, CA: Consulting Psychologists Press.

KIRSCH, I. (Éd.). (1999). *How expectancies shape experience*, Washington, DC, American Psychological Association.

KIRSCHENBAUM, D. S. (1985). « Proximity and specificity of planning: A position paper », *Cognitive Therapy and Research*, 9, p. 489-506.

KIRSCHENBAUM, D. S. (1987). « Self-regulatory failure: A review with clinical implications », *Clinical Psychological Review*, 7, p. 77-104.

KIVLIGHAN, D. M., Jr. (1990). « Relation between counselors' use of intentions and clients' perception of working alliance », *Journal of Counseling Psychology*, 37, p. 27-32.

KIVLIGHAN, D. M., Jr. et E. G. Arthur. (2000). « Convergence in client and counselor recall of important session events », *Journal of Counseling Psychology*, 47, p. 79-84.

KIVLIGHAN, D. M., Jr. et P. J. Schmitz. (1992). « Counselor technical activity in cases with improving work alliances and continuing poor working alliances », *Journal of Counseling Psychology*, 39, p. 32-38.

KIVLIGHAN, D. M., Jr. et P. Shaughnessy. (2000). « Patterns of working alliance development: A typology of client's working alliance ratings », *Journal of Counseling Psychology*, 47, p. 362-371.

KNAPP, M. L. et J. A. Hall. (1996). *Nonverbal communication in human interaction*, 4e éd., San Diego, Harcourt, Brace, Jovanovich.

KNOX, S., S. A. Hess, D. A. Petersen et C. E. Hill. (1997). « A qualitative analysis of client perceptions of the effects of helpful therapist self-disclosure in long-term therapy », *Journal of Counseling Psychology*, 44, p. 274-283.

KOHUT, H. (1978). « The psychoanalyst in the community of scholars », dans P. H. Ornstein (Éd.), *The search for self : Selected writings of H. Kohut*, New York : International Universities Press.

KOTTLER, J. A. (1992). *Compassionate therapy: Working with difficult clients*, San Francisco, Jossey-Bass.

KOTTLER, J. A. (1993). *On being a therapist*, 2e éd., San Francisco, Jossey-Bass.

KOTTLER, J. A. (1997). *Finding your way as a counselor*, Alexandria, VA, American Counseling Association.

KOTTLER, J. A. (2000). *Doing good: Passion and commitment for helping others,* Philadelphia, Brunner/Routledge.

KOTTLER, J. A. et D. A. Blau. (1989). *The imperfect therapist: Learning from failure in therapeutic practice*, San Francisco, Jossey-Bass.

KUSHNER, M. G. et K. J. Sher. (1989). « Fear of psychological treatment and its relation to mental health service avoidance», *Professional Psychology: Research and Practice*, 20, p. 251- 257.

LAMBERT, E. W., M. Salzer et L. Bickman. (1998). «Outcome, consumer satisfaction, and ad hoc ratings of improvement», *Journal of Consulting and Clinical Psychology*, 66, p. 270-279.

LAMBERT, M. J. et A. E. Bergin. (1994). «The effectiveness of psychotherapy», dans A. E. Bergin & S. L. Garfield, *Handbook of psychotherapy and behavior change*, 4ᵉ éd., New York, Wiley, p. 143-189.

LAMBERT, M. J. et K. Cattani–Thompson. (1996). «Current findings regarding the effectiveness of counseling: Implications for practice», *Journal of Counseling and Development*, été, 74, p. 601-608.

LAMBERT, M. J., J. C. Okiishi, A. E. Finch et L. D. Johnson. (1998). «Outcome assessment: From conceptualization to implementation», *Professional Psychology: Research and Practice*, février, 29, p. 63-70.

LANDRETH, G. L. (1984). «Encountering Carl Rogers: His views on facilitating groups», *Personnel and Guidance Journal*, 62, p. 323-326.

LANDSMAN, M. S. (1994). «Needed: Metaphors for the prevention model of mental health», *American Psychologist*, 49, p. 1086-1087.

LANG, P. J. (1995). «The emotion probe: Studies of motivation and attention», *American Psychologist*, mai, 50, p. 372-385.

LARSON, L. M. (1998). «The social cognitive model of counselor training», *The Counseling Psychologist*, mars, 26, p. 219-273.

LARSON, L. M. et J. A. Daniels. (1998). «Review of the counseling self-efficacy literature», *The Counseling Psychologist*, mars, 26, p. 179-218.

LARSON, R. W. (2000). «Toward a psychology of positive youth development», *American Psychologist*, janvier, 55, p. 170-183.

LATTIN, D. (1992). «Challenging organized religion: Spiritual small-group movement», *San Francisco Chronicle*, 21 novembre, p. A1, A9.

LAVOIE, F., B. Gidron et T. Borkman, T. (Éd.). (1995). *Self-help and mutual aid groups: International and multicultural perspectives*, Binghamton, NY, Haworth Press.

LAZARUS, A. A. (1976). *Multi-modal behavior therapy*, New York, Springer.

LAZARUS, A. A. (1981). *The practice of multimodal therapy*, New York, McGraw-Hill.

LAZARUS, A. A. (1993). «Tailoring the therapeutic relationship, or being an authentic chameleon», *Psychotherapy*, automne, 30, p. 404-407.

LAZARUS, A. A. (1997). *Brief but comprehensible psychotherapy: The multi-modal way (Springer series on behavior therapy and behavioral medicine)*, New York, Springer.

LAZARUS, A. A., L. E. Beutler et J. C. Norcross. (1992). «The future of technical eclecticism», *Psychotherapy*, 29, p. 11-20.

LAZARUS, A. A., C. N. Lazarus et A. Fey. (1993). *Don't believe it for a minute!: Forty toxic ideas that are driving you crazy*, San Luis Obispo, CA, Impact.

LAZARUS, R. S. (2000). «Toward better research on stressing and coping», *American Psychologist*, 55, p. 665-673.

LEAHEY, M. et E. Wallace. (1988). «Strategic groups: One perspective on integrating strategic and group therapies», *Journal for Specialists in Group Work*, 13, p. 209-217.

LEAHY, R. L. (1999). «Strategic self-limitation», *Journal of Cognitive Psychotherapy*, 13, p. 275- 293.

LEATHERS, D. S. (1996). *Successful nonverbal communication: principles and applications*, 3ᵉ éd., Needham Heights, MA, Allyn & Bacon.

LECLERC, C., A. Lesage et N. Ricard. (1997). «La pertinence du paradigme stress-coping dans l'élaboration d'un modèle de gestion du stress pour personnes atteintes de schizophrénie», *Santé mentale au Québec*, 22, 2, p. 233-256.

LEE, C. C. (1997). *Multicultural issues in counseling: New approaches to diversity*, 2ᵉ éd., Alexandria, VA, American Counseling Association.

LEVIN, L. S. et I. L. Shepherd. (1974). «The role of the therapist in Gestalt therapy», *The Counseling Psychologist*, 4, p. 27-30.

LEWIN, K. (1969). «Quasi-stationary social equilibria and the problem of permanent change», dans W. G. Bennis, K. D. Benne et R. Chin (Éd.), *The planning of change*, New York, Holt, Rinehart & Winston.

LIEBERMAN, L. R. (1997). «Psychologists as psychotherapists», *American Psychologist*, 52, p. 181.

LIGHTSEY, O. R., Jr. (1996). «What leads to wellness? The role of psychological resources in well-being», *The Counseling Psychologist*, octobre, 24, p. 589-735.

LIPSEY, M. W. et D. B. Wilson. (1993). «The efficacy of psychological, educational, and behavioral treatment: Confirmation from metaanalysis», *American Psychologist*, 48, p. 1181-1209.

LLEWELYN, S. P. (1988). « Psychological therapy as viewed by clients and therapists », *British Journal of Clinical Psychology*, 27, p. 223-237.

LOCKE, E. A. et G. P. Latham. (1984). *Goal setting: A motivational technique that works*, Englewood Cliffs, NJ, Prentice Hall.

LOCKE, E. A. et G. P. Latham. (1990). *A theory of goal setting and task performance*, Englewood Cliffs, NJ, Prentice Hall.

LOCKE, E.A. et G. P. Latham. (1994). « Goal Setting Theory », dans H. F. O'Neil, Jr., & M. Drillings, (Éd.), *Motivation: Theory and Research*, Hillsdale, NJ, Lawrence Erlbaum Associates, Inc., p. 13-29.

LOCKWOOD, P. et Z. Kunda. (1999). « Increasing the salience of one's best selves can undermine inspiration by outstanding role models », *Journal of Personality and Social Psychology*, 76, p. 214-228.

LOPEZ, F. G., R. W. Lent, S. D. Brown et P. A. Gore. (1997). « Role of social-cognitive expectations in high school students' mathematics-related interest and performance », *Journal of Counseling Psychology*, 1, p. 44-52.

LOWENSTEIN, L. (1993). « Treatment through traumatic confrontation approaches: The story of S. », *Education Today*, 43, p. 198-201.

LOWMAN, R. L. (Éd.). (1998). *The ethical practice of psychology in organizations*, Washington, DC, American Psychology Association.

LUBORSKY, L. (1993). « The promise of new psychosocial treatments or the inevitability of nonsignificant differences–A poll of the experts », *Psychotherapy and Rehabilitation Research Bulletin*, automne, p. 6-8.

LUBORSKY, L. et autres. (1986). « The nonspecific hypothesis of therapeutic effectiveness: A current assessment », *American Journal of Orthopsychiatry*, 56, p. 501-512.

LUDEMA, J., T. Wilmot, T. et S. Srivasta. (1997). « Organizational hope: Reaffirming the constructive task of social and organizational inquiry », *Human Relations*, 50, p. 1015-1051.

LUNDERVOLD, D. A. et D. A. Belwood. (2000). « The best kept secret in counseling: Single-case experimental designs », *Journal of Counseling and Development*, hiver, 78, p. 92-102.

LYNCH, R. T. et L. Gussel. (1996). « Disclosure and self-advocacy regarding disability-related needs: Strategies to maximize integration in post-secondary education », *Journal of Counseling and Development*, 74, p. 352-357.

LYND, H. M. (1958). *On shame and the search for identity*, New York, Science Editions.

MacDONALD, G. (1996). « Inferences in therapy: Process and hazards », *Professional Psychology: Research and Practice*, 27, p. 600-603.

MacLAREN, C. et A. Ellis. (1998). *Rational emotive behavior therapy: A therapist's guide*, San Luis Obispo, CA, Impact.

MACHADO, P. P. P., L. E. Beutler et L. S. Greenberg. (1999). « Emotion recognition in psychotherapy: Impact of therapist level of experience and emotional awareness », *Journal of Clinical Psychology*, 55, p. 39-57.

MADDUX, J. E. (Éd.). (1995). *Self-efficacy, adaptation, and adjustment: Theory, research, and application*, New York, Plenum.

MAGER, R. F. (1992). « No self-efficacy, no performance », *Training*, avril, p. 32-36.

MAHALIK, J. R. (1994). « Development of the client resistance scale », *Journal of Counseling Psychology*, 41, p. 58-68.

MAHONEY, M. J. (1991). *Human change processes*, New York, Basic Books.

MAHONEY, M. J. et K. M. Patterson. (1992). « Changing theories of change: Recent developments in counseling », dans S. D. Brown et R. W. Lent (Éd.), *Handbook of counseling psychology*, New York, Wiley, p. 665-689.

MAHRER, A. R. (1993). « The experiential relationship: Is it all-purpose or is it tailored to the individual client? », *Psychotherapy*, automne, 30, p. 413-416.

MAHRER, A. R. (1996). *The complete guide to experiential psychotherapy*, New York, Wiley.

MAHRER, A. R., R. Gagnon, D. R. Fairweather, D. B. Boulet et C. B. Herring. (1994). « Client commitment and resolve to carry out postsession behaviors », *Journal of Counseling Psychology*, 41, p. 407-414.

MALLINCKRODT, B. (1996). « Change in working alliance, social support, and psychological symptoms in brief therapy », *Journal of Counseling Psychology*, 43, p. 448-455.

MANTHEI, R. (1998). *Counseling: The skills of finding solutions to problems*, New York, Routledge.

MANTHEI, R. et J. Miller. (2000). *Good counseling: A guide for clients*, Auckland, Addison Wesley Longman New Zealand.

MARCH, J. G. (1982). « Theories of choice and making decisions », *Society*, novembre-décembre, p. 29-39.

MARCH, J. G. (1994). *A primer on decision making: How decisions happen*, New York, The Free Press.

MARKUS, H. et P. Nurius. (1986). «Possible selves», *American Psychologist*, 41, p. 954-969.

MARSH, D.T. et D. L. Johnson. (1997). «The family experience of mental illness: Implications for intervention», *Professional Psychology: Research and Practice*, 28, p. 229-237.

MARTIN, J. (1994). *The construction and understanding of psychotherapeutic change*, New York, Teachers College Press.

MASH, E. J. et J. Hunsley. (1993). «Assessment considerations in the identification of failing psychotherapy: Bringing the negatives out of the darkroom», *Psychological Assessment*, 5, p. 292-301.

MASLOW, A. H. (1968). *Toward a psychology of being*, 2e éd., New York, Van Nostrand Reinhold.

MASSIMINI, F. et A. Delle Fave. (2000). «Individual development in a bio-cultural perspective», *American Psychologist*, janvier, 55, p. 24-33.

MASSON, J. F. (1988). *Against therapy: Emotional tyranny and the myth of psychological healing*, New York, Atheneum.

MATHEWS, B. (1988). «The role of therapist self-disclosure in psychotherapy: A survey of therapists», *American Journal of Psychotherapy*, 42, p. 521-531.

MATT, G. E. et A. M. Navarro. (1997). «What meta-analyses have and have not taught us about psychotherapy effects: A review and future directions», *Clinical Psychology Review*, 17, p. 1-32.

MATTHEWS, W. et J. Edgette (Éd.). (1999). *Current thinking and research in brief therapy: Solutions, strategies, narratives*, New York, Brunner/Mazel.

McAULEY, E., S. L. Mihalko et S. M. Bane, S. M. (1997). «Exercise and self-esteem in middleaged adults: Multidimensional relationships and physical fitness and self-efficacy influences», *Journal of Behavioral Medicine*, 20, p. 63-87.

McAULIFFE, G. J. et K. P. Eriksen. (1999). «Toward a constructivist and developmental identity for the counseling profession: The context-phase-stage-style model», *Journal of Counseling and Development*, 77, p. 267-279.

McCARTHY, W. C. et I. H. Frieze. (1999). *Journal of Social Issues*, printemps, 55, p. 33-50.

McCRAE, R. R. et P. T. Costa, Jr. (1997). «Personality trait structure as a human universal», *American Psychologist*, mai, 52, p. 509-516.

McCROSKEY. J. C. (1993). *An introduction to rhetorical communication*, 5e éd., Englewood Cliffs, NJ, Prentice-Hall.

McFADDEN, J. (1993). *Transcultural counseling*, Alexandria, VA, American Counseling Association.

McFADDEN, J. (1996). «A transcultural perspective: Reaction to C. H. Patterson's "Multicultural counseling: From diversity to universality."», *Journal of Counseling and Development*, printemps, 74, p. 232-235.

McFADDEN, L., E. Seidman et J. Rappaport. (1992). «A comparison of espoused theories of self- and mutual-help groups: Implications for mental health professionals», *Professional Psychology: Research and Practice*, 23, p. 515-520.

McKAY, M., M. Davis et P. Fanning. (1997). *Thoughts and feelings: Taking control of your moods and your life*, Oakland, CA, New Harbinger Publications.

McKAY, G. D. et R. D. Dinkmeyer. (1994). *How you feel is up to you*, San Luis Obispo, CA, Impact.

McMILLEN, C., S. Zuravin et G. Rideout. (1995). «Perceived benefit from child sexual abuse», *Journal of Consulting and Clinical Psychology*, 63, p. 1037-1043.

McNEILL, B. et C. D. Stolenberg. (1989). «Reconceptualizing social influence in counseling: The elaboration likelihood model», *Journal of Counseling Psychology*, 36, p. 24-33.

McWHIRTER, E. H. (1996). *Counseling for empowerment*, Alexandria, VA, American Counseling Association.

MEHRABIAN, A. (1971). *Silent messages*, Belmont, CA, Wadsworth.

MEHRABIAN, A. (1972). *Nonverbal communication*, Chicago, Aldine-Atherton.

MEHRABIAN, A. (1981). *Silent messages: Implicit Communication of Emotions and Attitudes*, Belmont, CA, Wadsworth.

MEHRABIAN, A. et H. Reed. (1969). «Factors influencing judgments of psychopathology», *Psychological Reports*, 24, p. 323-330.

MEICHENBAUM, D. (1994). *A clinical handbook/practical therapist manual for assessing and treating adults with post-traumatic stress disorder (PTSD)*, Waterloo, Ontario, Institute Press.

MEIER, S. T. et E. A. Letsch. (2000). «What is necessary and sufficient information for outcome assessment?», *Professional Psychology: Research and Practice*, 31, p. 409-411.

METCALF, L. (1998). *Counseling towards solutions: A practical solution-focused program for working with students, teachers, and parents*, New York, Center for Applied Research in Education.

METCALF, L. (1998). *Solution focused group therapy: Ideas for groups in private practice, schools, agencies, and treatment programs*, New York, The Free Press.

MILAN, M. A., R. W. Montgomery et E. C. Rogers. (1994). «Theoretical orientation revolution in clinical psychology: Fact or fiction?», *Professional Psychology: Research and Practice*, 4, p. 398-402.

MILBANK, D. (1996). «Hiring welfare people, hotel chain finds, is tough but rewarding», *Wall Street Journal*, 31 octobre, p. A1, A14.

MILLER, G. A., E. Galanter et K. H. Pribram.(1960). *Plans and the structure of behavior*, New York, Holt, Rinehart & Winston.

MILLER, I. J. (1996). «Managed care is harmful to outpatient mental health services: A call for accountability», *Professional Psychology: Research and Practice*, 27, p. 349-363.

MILLER, I. P. (1996a). «Some "short-term therapy values" are a formula for invisible rationing», *Professional Psychology: Research and Practice*, 27, p. 577-582.

MILLER, I. P. (1996b). «Time-limited brief therapy has gone too far: The result is invisible rationing», *Professional Psychology: Research and Practice*, 27, p. 567-576.

MILLER, L. M. (1984). *American spirit: Visions of a new corporate culture*, New York, Morrow.

MILLER, S. D., M. A. Hubble et B. L. Duncan (Éd.). (1996). *Handbook of solution-focused brief therapy*, San Francisco, Jossey-Bass.

MILLER, W. C. (1986). *The creative edge: Fostering innovation where you work*, Reading, MA, Addison-Wesley.

MILLER, W. R. (2000). «Rediscovering fire: Small interventions, large effects», *Psychology of Addictive Behaviors*, mars, 14, p. 6-18.

MILLER, W. R. et S. Rollnick. (1991). «Motivational interviewing», *Behavior and Cognitive Psychotherapy*, 23, p. 325-334.

MOHR, D. C. (1995). «Negative outcome in psychotherapy: A critical review», *Clinical Psychology: Science and Practice*, printemps, 2, p. 1-27.

MORRIS, T. (1994). *True success: A new philosophy of excellence*, New York, Grosset/Putman.

MULTON, K. D., S. D. Brown et R. W. Lent. (1991). «Relation of self-efficacy beliefs to academic outcomes: A meta-analytic investigation», *Journal of Counseling Psychology*, 38, p. 30-38.

MULTON, K. D., M. J. Patton et D. M., Kivlighan, Jr. (1996a). «Development of the Missouri Identifying Transference scale», *Journal of Counseling Psychology*, 43, p. 243-252.

MULTON, K. D., M. J. Patton et D. M. Kivlighan, Jr. (1996b). «Counselor recognition of transference reactions: Reply to Mallinckrodt (1996) and Carter (1996)», *Journal of Counseling Psychology*, 43, p. 259-260.

MURPHY, J. J. (1997). *Solution-focused counseling in middle and high schools*, Alexandria, VA, American Counseling Association.

MURPHY, K. C. et S. R. Strong. (1972). «Some effects of similarity self-disclosure», *Journal of Counseling Psychology*, 19, p. 121-124.

MYERS, D. G. (2000). «The funds, friends, and faith of happy people», *American Psychologist*, janvier, 55, p. 56-67.

NAJAVITS, L. M., R. D. Weiss, S. R. Shaw et A. E. Dierberger. (2000). «Psychotherapists views of treatment manuals», *Professional Psychology: Research and Practice*, 31, p. 404- 408.

NATHAN, P. E. (1998). «Practice guidelines: Not yet ideal», *American Psychologist*, mars, 53, p. 290-299.

NEIMEYER, G. (Éd.). (1993). *Constructivist assessment, a casebook*, Newbury Park, CA, Sage.

NEIMEYER, R. A. et M. J. Mahoney. (1995). *Constructivism in psychotherapy*, Hyattsville, MD, American Psychological Association.

NEIMEYER, R. A. et J. D. Raskin. (2000). *Constructions of disorder: Meaning-making frameworks for psychotherapy*, Washington, DC, American Psychological Association.

NIELSEN, S. J., W. B. Johnson et C. R. Ridley. (2000). «Religiously sensitive rational emotive behavior therapy: Theory, techniques, and brief excerpts from a case», *Professional Psychology: Research and Practice*, 31.

NORCROSS, J. C. et Kobayashi. (1999). «Treating anger in psychotherapy: Introduction and cases», *Journal of Clinical Psychology*, 55, p. 275-282.

NORCROSS, J. C. et M. Wogan. (1987). «Values in psychotherapy: A survey of practitioners' beliefs», *Professional Psychology: Research and Practice*, 18, p. 5-7.

NORTON, R. (1983). *Communicator style: Implicit communication of emotions and attitudes*, Beverly Hills, CA, Sage.

O'CONNELL, B. (1998). *Solution-focused Therapy*, London, Sage Publications.

O'HANLON, W. H. et M. Weiner–Davis. (1989). *In search of solutions: A new direction in psychotherapy*, New York, W. W. Norton.

OKUN, B. F., J. Fried et M. L. Okun. (1999). *Diversity as a learning-as-practice primer*, Pacific Grove, CA, Brooks/Cole/Wadsworth.

O'LEARY, A. (1985). « Self-efficacy and health », *Behavior Research and Therapy*, 23, p. 437-451.

OMER, H. (2000). « Troubles in the therapeutic relationship: A pluralistic perspective », *Journal of Clinical Psychology*, 56, p. 201-210.

ORLINSKY, D. E. et K. I. Howard. (1987). « A generic model of psychotherapy », *Journal of Integrative and Eclectic Psychotherapy*, printemps, 6, p. 6-27.

OTANI, A. (1989). « Client resistance in counseling: Its theoretical rationale and taxonomic classification », *Journal of Counseling and Development*, 67, p. 458-461.

PATRICELLI, R. E. et F. C. Lee. (1996). « Employer–based innovations in behavioral health benefits », *Professional Psychology: Research and Practice*, 27, p. 325-334.

PATTERSON, C. H. (1985). *The therapeutic relationship: Foundations for an eclectic psychotherapy*, Pacific Grove, CA, Brooks/Cole.

PATTERSON, C. H. (1996). « Multicultural counseling: From diversity to universality », *Journal of Counseling and Development*, printemps, 74, p. 227-231.

PATTERSON, C. H. et C. E. Watkins. (1996). *Theories of psychotherapy*, Reading, MA, Addison-Wesley.

PAUL, G. L. (1967). « Strategy of outcome research in psycotherapy », *Journal of Consulting Psychology*, 31, p. 109-118.

PAULHUS, D. L., B. Fridhandler et S. Hayes. (1997). « Psychological defense: Contemporary theory and research », dans J. Johnson, R. Hogan et S. R. Briggs (Éd.), *Handbook of Personality*, New York, Academic Press, p. 544-580.

PAYNE, E. C., S. B. Robbins et L. Dougherty. (1991). « Goal directedness and older-adult adjustment », *Journal of Counseling Psychology*, 38, p. 302-308.

PEDERSEN, P. (1994). « A handbook for developing multicultural awareness, 2e éd., Alexandria, VA, American Counseling Association.

PEDERSEN, P. B. (1997). *Culture-Centered Counseling Interventions: Striving for Accuracy*, London, Sage.

PEKARIK, G. et L. L. Guidry. (1999). « Relationship of satisfaction to symptom change, follow-up adjustment, and clinical significance in private practice », *Professional Psychology: Research and Practice*, 5, p. 474-478.

PEKARIK, G. et C. B. Wolff. (1996). « Relationship of satisfaction to symptom change, follow-up adjustment, and clinical significance », *Professional Psychology: Research and Practice*, 27, p. 202-208.

PENNEBAKER, J. W. (1995a). *Emotion, disclosure, and health*, Washington, DC, American Psychological Association.

PENNEBAKER, J. W. (1995b). « Emotion, disclosure, and health: An overview », dans J. W. Pennebaker (Éd.), *Emotion, disclosure, and health*, Washington, DC, American Psychological Association, p. 3-10.

PENNEBAKER, J. W. et J. D. Seagal. (1999). « Forming a story: The health benefits of narrative », *Journal of Clinical Psychology*, octobre, 55, p. 1243-1254.

PERROTT, L. A. (1998). « When will it be coming to the large discount chain stores? Psychotherapy as commodity », *Professional Psychology: Research and Practice*, avril, 29, p. 168-173.

PERRY, M. J. et G. W. Albee. (1994). « On "the science of prevention" », *American Psychologist*, 49, p. 1087-1088.

PERSONS, J. B. (1991). « Psychotherapy outcome studies do not accurately represent current models of psychotherapy: A proposed remedy », *American Psychologist*, février, 46, p. 99-106.

PETERSON, C. (2000). « The future of optimism », *American Psychologist*, janvier, 55, p. 44-55.

PETERSON, C., S. F. Maier et M. E. P. Seligman. (1995). *Learned helplessness: A theory for the age of personal control*, New York, Oxford University Press.

PETERSON, C., M. E. P. Seligman et G. E. Vaillant. (1988). « Pessimistic explanatory style as a risk factor for physical illness: A thirty-fiveyear longitudinal study », *Journal of Personality and Social Psychology*, 55, p. 23-27.

PFEIFFER, A. M., J. M. Martin et J. P. Whelan. (2000). « Decision-making bias in psychotherapy: Effects of hypothesis source and accountability », *Journal of Counseling Psychology*, 47, p. 429-436.

PHILLIPS, E. L. (1987). « The ubiquitous decay curve: Service delivery similarities in psychotherapy, medicine, and addiction», *Professional Psychology: Research and Practice*, 18, p. 650-652.

PHANEUF, M. (2002). *Communication, entretien, relation d'aide et validation*, Montréal, Chenelière/McGraw-Hill.

PLUTCHIK, R. (2001). *Emotions in the practice of psychotherapy: Clinical implications affect theories*, Washington, DC, American Psychological Association.

PONTEROTTO, J. G., J. N. Fuertes et E. C. Chen. (2000). «Models of multicultural counseling», dans S. D. Brown et R. W. Lent (Éd.), *Handbook of counseling psychology*, 3ᵉ éd., New York, Wiley, p. 639-669.

POPE, K. S. et B. G. Tabachnick. (1994). «Therapists as patients: A national survey of psychologists' experiences, problems, and beliefs», *Professional Psychology: Research and Practice*, 25, p. 247-258.

PORTELANCE, C. (1992). *Relation d'aide et amour de soi*, Montréal, CRAM inc.

PRESTON, J. (1998). *Integrative brief therapy: Cognitive, psychodynamic, humanistic and neurobehavioral approaches*, San Luis Obispo, CA, Impact.

PRESTON, J., N. Varzos et D. Liebert. (1995). *Every session counts: Making the most of your brief therapy*, San Luis Obispo, CA, Impact.

PROCHASKA, J. O. et J. C. Norcross. (1998). *Systems of psychotherapy: A transtheoretical analysis*, 4ᵉ éd., Pacific Grove, CA, Brooks/Cole.

PROCTOR, E. K. et A. Rosen. (1983). «Structure in therapy: A conceptual analysis», *Psychotherapy: Theory, Research, and Practice*, 20, p. 202-207.

PUTNAM, R. D. (2000). *Bowling alone*, NY, Simon & Schuster.

PYSZCZYNSKI, T. et J. Greenberg. (1987). «Self-regulatory preservation and the depressive self-focusing style: A self-awareness theory of depression», *Psychological Bulletin*, 102, p. 122-138.

QUALLS, S. H. et N. Abeles N. (Éd.). (2000). *Psychology and the aging revolution: How we adapt to longer life*, Washington, DC, American Psychological Association.

RATNER, H. (1998). «Solution-focused brief therapy: From hierarchy to collaboration», dans R. Bayne, P. Nicholson et I. Horton, (Éd.), *Counseling and communication skills for medical and health practitioners*, London, BPS Books.

RAUP, J. L. et J. E. Myers. (1989). «The empty nest syndrome: Myth or reality?», *Journal of Counseling and Development*, 68, p. 180-183.

REANDEAU, S. G. et B. E. Wampold. (1991). «Relationship of power and involvement to working alliance: A multiple-case sequential analysis of brief therapy», *Journal of Counseling Psychology*, 38, p. 107-114.

RENNIE, D. L. (1994). «Clients' deference in psychotherapy», *Journal of Counseling Psychology*, 41, p. 427-437.

RHODES, R. H., C. E. Hill, B. J. Thompson et R. Elliot. (1994). «Client retrospective recall of resolved and unresolved misunderstanding events», *Journal of Counseling Psychology*, 4, p. 473-483.

RICHARDS, P. S. et A. E. Bergin. (2000). *Handbook of psychotherapy and religious diversity*, Washington, DC, American Psychological Association.

RICHMOND, V. P. et J. C. McCroskey. (2000). *Nonverbal behavior in interpersonal relations*, 4ᵉ éd., Needham Heights, MA, Allyn & Bacon.

RIDLEY, C. R., S. L. Nielsen et W. B. Johnson. (2000). «Religiously sensitive rational emotive behavior therapy: Theory, techniques, and brief excerpts from a case», *Professional Psychology: Research and Practice*, 31, p. 21-28.

RIESSMAN, F. (1985). «New dimensions in self-help», *Social Policy*, 15, p. 2-4.

RIESSMAN, F. (1990). «Bashing self-help», *Self-Help Reporter*, été-automne, p. 1-2.

RIESSMAN, F. et D. Carroll. (1995). *Redefining self-help*, San Francisco, Jossey-Bass.

ROBBINS, S. B. et W. Kliewer. (2000). «Advances in theory and research on subjective well-being», dans S. B. Brown et R. W. Lent (Éd.), *Handbook of Counseling Psychology*, 3ᵉ éd., New York, Wiley, p. 310-345.

ROBERTS, M. (1998). A thing called therapy: Therapist-client co-constructions, *Journal of Systematic Therapies*, 17, p. 14-26.

ROBERTSHAW, J. E., S. J. Mecca et M. N. Rerick. (1978). *Problem-solving: A systems approach*, New York, Petrocelli Books.

ROBINS, R. W., S. D. Gosling et K. H. Craik. (1999). «An empirical analysis of trends in psychology», *American Psychologist*, février, 54, p. 117-128.

ROBINSON, B. E. et J. G. Bacon. (1996). «The "If only I were thin..." treatment program: Decreasing the stigmatizing effects of fatness», *Professional Psychology: Research and Practice*, 27, p. 175-183.

ROBITSCHEK, C. G. et P. A. McCarthy. (1991). «Prevalence of counselor self-reliance in the therapeutic dyad», *Journal of Counseling and Development*, 69, p. 218-221.

ROGERS, C. R. (1951). *Client-centered therapy*, Boston, Houghton Mifflin.

ROGERS, C. R. (1957). «The necessary and sufficient conditions of therapeutic personality change», *Journal of Consulting Psychology*, 21, p. 95-103.

ROGERS, C. R. (1965). *Client-centered therapy: Its current practice, implications and theory*, Boston, Houghton Mifflin.

ROGERS, C. R. (1975). «Empathy: An unappreciated way of being», *Counseling Psychologist*, 21, p. 95-103.

ROGERS, C. R. (1980). *A way of being*, Boston, Houghton Mifflin.

ROGERS, C. R., F. Perls et A. Ellis. (1965). *Three approaches to psychotherapy*, Orange, CA, Psychological Films, Inc., film.

ROGERS, C. R., E. Shostrom et A. Lazarus. (1977). *Three approaches to psychotherapy*, Orange, CA, Psychological Films, Inc., film.

ROLLNICK, S. et W. R. Miller. (1995). «What is motivational interviewing?», *Behavioral and Cognitive Psychotherapy*, 23, p. 325-334

ROSEN, G. M. (1993). «Self-help or hype? Comments on psychology's failure to advance self-care», *Professional Psychology: Research and Practice*, 24, p. 340-345.

ROSEN, S. et A. Tesser. (1970). «On the reluctance to communicate undesirable information: The MUM effect», *Sociometry*, 33, p. 253-263.

ROSEN, S. et A. Tesser. (1971). «Fear of negative evaluation and the reluctance to transmit bad news», *Proceedings of the 79th Annual Convention of the American Psychological Association*, 6, p. 301-302.

ROSENBERG, S. (1996). «Health maintenance organization penetration and general hospital psychiatric services: Expenditure and utilization trends», *Professional Psychology: Research and Practice*, 27, p. 345-348.

ROSSI, P. H. et J. D. Wright. (1984). «Evaluation research: An assessment», *Annual Review of Sociology*, 10, p. 331-352.

ROWAN, T., W. H. O'Hanlon et B. O'Hanlon. (1999). *Solution-oriented therapy for chronic and severe mental illness*, New York, Wiley.

RUSSELL, J. A. (1995). «Facial expressions of emotion: What lies beyond minimal universality?», *Psychological Bulletin*, 118, p. 379-391.

RUSSELL, J. A., J.-M. Fernandez-Dols et G. Mandler. (Éd.). (1997). *The psychology of facial expression*, New York, Cambridge University Press.

RUSSO, J. E. et P. Schoemaker. (1990). *Decision traps: The ten barriers to brilliant decision-making and how to overcome them*, New York, Fireside.

RUSSO, J. E. et P. J. H. Schoemaker. (1992). «Managing overconfidence», *Sloan Management Review*, hiver, p. 7-17.

RYAN, R. M. et E. L. Deci. (2000). «Self-determination theory and the facilitation of intrinsic motivation, social development, and well-being», *American Psychologist*, janvier, 55, p. 68-78.

RYFF, C. D. (1991). «Possible selves in adulthood and old age: A tale of shifting horizons», *Psychology and Aging*, 6, p. 286-295.

SAFRAN, J. D. et J. C. Muran. (1995a). «Resolving therapeutic alliance ruptures: Diversity and integration», *In Session: Psychotherapy in Practice*, 1, p. 81-92.

SAFRAN, J. D. et J. C. Muran. (Éd.). (1995b). «The therapeutic alliance», *In Session: Psychotherapy in Practice*, printemps. 1, numéro spécial.

SALOVEY, P., A.. J. Rothman, J. B. Detweiler et W. T. Steward. (2000). «Emotional states and physical health», *American Psychologist*, janvier, 55, p. 110-121.

SATCHER, D. (2000). «Mental health: A report of the surgeon general–Executive summary», *Professional Psychology: Research and Practice*, 31, p. 5-13.

SATEL, S. (1996). «Psychiatric apartheid», *Wall Street Journal*, 8 mai, p. A14.

SCHEIN, E. H. (1990). «A general philosophy of helping: Process consultation», *Sloan Management Review*, printemps, p. 57-64.

SCHIFF, J. L. (1975). *Cathexis reader: Transactional analysis treatment of psychosis*, New York, Harper & Row.

SCHMIDT, F. L. (1992). «What do data really mean? Research findings, meta-analysis, and cumulative knowledge in psychology», *American Psychologist*, 47, p. 1173-1181.

SCHMIDT, F. L. et J. E. Hunter. (1993). «Tacit knowledge, practical intelligence, general mental ability, and job knowledge», *Current Directions in Psychological Science*, 1, p. 8-9.

SCHNEIDER, K. J. (1999). «Clients deserve relationships, not merely "treatments"», *American Psychologist*, 54, p. 205-207.

SCHOEMAKER, P. J. H. et J. E. Russo. (1990). *Decision traps*, New York, Doubleday.

SCHWARTZ, B. (2000). «Self-determination: The tyranny of freedom», *American Psychologist*, janvier, 55, p. 79-88.

SCHWARTZ, R. S. (1993). «Managing closeness in psychotherapy», *Psychotherapy*, 30, p. 601-607.

SCHWARZER, R. (Éd.). (1992). *Self-efficacy: Thought control of action*, Bristol, PA, Taylor & Francis.

SCHWARZER, R. er R. Fuchs. (1995). «Changing risk behaviors and adopting health behaviors: The role of self-efficacy beliefs», dans A. Bandura (Éd.), *Self-efficacy in changing societies*, New York, Cambridge University Press, p. 259-288.

SCOTT, B. (2000). *Being real: An ongoing decision*, Berkeley, CA, Frog.

SCOTT, N. E. et L. G. Borodovsky. (1990). «Effective use of cultural role taking», *Professional Psychology: Research and Practice*, 21, p. 167-170.

SECUNDA, A. (1999). *The 15 second principle: Short, simple steps to achieving long-term goals*, New York, HarperCollins.

*SELF-HELP REPORTER.* (1985). «The self-help ethos», vol. 7, n° 2.

*SELF-HELP REPORTER.* (1992). «From self-help to social action», été.

SELIGMAN, M. (1975). *Helplessness: On depression, development, and death*, San Francisco, W. H. Freeman.

SELIGMAN, M. (1991). *Learned optimism*, New York, Knopf.

SELIGMAN, M. (1994). *What you can change and what you can't*, New York, Knopf.

SELIGMAN, M. (1995). «The effectiveness of psychotherapy: The Consumer Reports study», *American Psychologist*, 50, p. 965-974.

SELIGMAN, M. (1998). *Learned Optimism*, 2e éd., New York, Pocket Books, Simond and Schuster.

SELIGMAN, M. et M. Csikszentmihalyi. (2000). «Positive psychology: An introduction», *American Psychologist*, 55, p. 5-14.

SEXTON, G. (1999). «Viewpoint», *Training*, juin, 88.

SEXTON, T. L. et S. C. Whiston. (1994). «The status of the counseling relationship: An empirical review, theoretical implications, and research directions», *The Counseling Psychologist*, 22, p. 6-78.

SHADISH, W. R. et R. B. Sweeney. (1991). «Mediators and moderators in meta-analysis: There's a reason we don't let dodo birds tell us which psychotherapies should have prizes», *Journal of Consulting and Clinical Psychology*, 59, p. 883-893.

SHAPIRO, D. et D. Shapiro. (1982). «Metaanalysis of comparative therapy outcome studies: A replication and refinement», *Psychological Bulletin*, 92, p. 581-604.

SHARF, R. S. (1999). *Theories of psychotherapy and counseling: Concepts and cases*, 2e éd., Belmont, CA, Wadsworth.

SIMON, J. C. (1988). «Criteria for therapist self-disclosure», *American Journal of Psychotherapy*, 42, p. 404-415.

SIMONTON, D. K. (2000). «Creativity: Cognitive, personal, developmental, and social aspects», *American Psychologist*, janvier, 55, p. 151-158.

SMABY, M. et A. W. Tamminen. (1979). «Can we help belligerent counselees?», *Personnel and Guidance Journal*, 57, p. 506-512.

SMITH, E. R. et D. M. Mackie. (2000). *Social psychology*, 2e éd., Philadelphie, Psychology Press.

SMITH, M., G. Glass et T. Miller. (1980). *The benefit of psychotherapy*, Baltimore, Johns Hopkins University Press.

SMITH, P. L. et N. A. Fouad. (1999). «Subject-matter specificity of self-efficacy, outcome expectancies, interests, and goals: Implications for the social-cognitive model», *Journal of Counseling Psychology*, 4, p. 461-471.

SNYDER, C. R. (1984). «Excuses, excuses». *Psychology Today*, septembre, p. 50-55.

SNYDER, C. R. (1988). «Reality negotiation: From excuses to hope and beyond», *Journal of Social and Clinical Psychology*, 8, p. 130-157.

SNYDER, C. R. (1994). *The psychology of hope: You can get there from here*, New York, Free Press, décembre.

SNYDER, C. R. (1994). «Hope and optimism», dans V. S. Ramachandran (Éd.), *Encyclopedia of human behavior*, vol. 2, San Diego, CA, Academic Press, p. 535-542.

SNYDER, C. R. (1995). «Conceptualizing, measuring, and nurturing hope», *Journal of Counseling and Development*, 73, p. 355-360.

SNYDER, C. R. (1998). «A case for hope in pain, loss and suffering», dans J. H. Harvey, J. Omarzy et E. Miller (Éd.), *Perspectives on loss: A sourcebook*, Washington, DC, Taylor & Francis, Ltd.

SNYDER, C. R. (Éd.). (1999). *Coping: The psychology of what works*, New York, Oxford University Press.

SNYDER, C. R. (Éd.). (2000). *Handbook of hope: Theory, measures, and applications*, San Diego, CA, Academic Press.

SNYDER, C. R., J. Cheavens et S. C. Sympson. (1997). «Hope: An individual motive for social commerce», *Group Dynamics*, 1, p. 107-118.

SNYDER, C. R., C. Harris, J. R. Anderson, S. A. Holleran et autres. (1991). «The will and the ways: Development and validation of an individual differences measure of hope», *Journal of Personality and Social Psychology*, 60, p. 570-585.

SNYDER, C. R. et R. L. Higgins. (1988). «Excuses: Their effective role in the negotiation of reality», *Psychological Bulletin*, 104, p. 23-35.

SNYDER, C. R., R. L. Higgins et R. J. Stucky. (1983). *Excuses: Masquerades in search of grace*, New York, Wiley.

SNYDER, C. R. er D. McDermott. (1999). *Making hope happen*, Oakland/San Fransisco, New Harbinger Press.

SNYDER, C. R., D. McDermott, W. Cook er M. Rapoff. (1997). *Hope for the journey: Helping children through the good times and the bad*, Boulder, CO, Westview/Basic Books.

SNYDER, C. R., S. T. Michael et J. S. Cheavens. (1999). «Hope as a psychotherapeutic foundation for nonspecific factors, placebos, and expectancies», dans M. A. Huble, B. Duncan et S. Miller (Éd.), *Heart and soul of change: What works in therapy*, Washington, DC, American Psychological Association, p. 179-200.

SNYDER, C. R. et autres. (1996). «Development and validation of the State Hope Scale», *Journal of Personality and Social Psychology*, 2, p. 321-335.

SOLDZ, S. et L. McCullough (Éd.). (2000). *Reconciling empirical knowledge and clinical experience: The art and science of psychotherapy*, Washington, DC, American Psychology Association.

SOMMERS-FLANAGAN, J. et R. Sommers-Flanagan. (1995). «Psychotherapeutic techniques with treatment-resistant adolescents», *Psychotherapy*, 32, p. 131-140.

SOMBERG, D. R., G. L. Stone et C. D. Claiborn. (1993). «Informed consent: Therapists' beliefs and practices», *Professional Psychology: Research and Practice*, 24, p. 153-159, édition révisée.

SRIVASTA, S. et D. Cooperrider. (1999). *Appreciative management and leadership*, Euclid, OH, Williams Custom Publishing, édition révisée.

STEENBARGER, B. N. et H. B. Smith. (1996). «Assessing the quality of counseling services», *Journal of Counseling and Development*, novembre-décembre, p. 145-150.

STERNBERG, R. J. (1990). «Wisdom and its relations to intelligence and creativity», dans R. J. Sternberg (Éd.) (1990). *Wisdom: Its nature, origins, and development*, New York, Cambridge University Press, p. 124-159.

STERNBERG, R. J. et T. I. Lubart. (1996). «Investing in creativity», *American Psychologist*, 51, p. 677-688.

STERNBERG, R. J., R. K. Wagner, W. M. Williams et J. A. Horvath. (1995). «Testing common sense», *American Psychologist*, hiver, 50, p. 912-927.

STERNBERG, R. J. (1998). «A balance theory of wisdom», *Review of General Psychology*, 2, p. 347-365.

STILES, W. B. (1994). «Drugs, recipes, babies, bathwater, and psychotherapy process-outcome relations», *Journal of Consulting and Clinical Psychology*, automne, 62, p. 955-959.

STILES, W. B. et D. A. Shapiro. (1994). «Disabuse of the drug metaphor: Psychotherapy process-outcome correlations», *Journal of Consulting and Clinical Psychology*, automne, 62, p. 942-948.

STOTLAND, E. (1969). *The psychology of hope*, San Francisco, Jossey-Bass.

STRAUSS. R. et W. A. Goldberg. (1999). «Self and possible selves during the transition to fatherhood», *Journal of Family Psychology*, 13, p. 244-259.

STRICKER, G. (1995). «Failures in psychotherapy», *Journal of Psychotherapy Integration*, 5(2), p. 91-93.

STRICKER, G. et A. Fisher (Éd.). (1990). *Self-disclosure in the therapeutic relationship*, New York, Plenum.

STROH, P. et W. W. Miller (1993). «HR professionals should thrive on paradox», *Personnel Journal*, mai, p. 132-135.

STRONG, S. R. (1968). «Counseling: An interpersonal influence process», *Journal of Counseling Psychology*, 15, p. 215-224.

STRONG, S. R. (1991). «Social influence and change in therapeutic relationships», dans C. R. Snyder et D. R. Forsyth (Éd.), *Handbook of social and clinical psychology: The health perspective*, New York, Pergamon Press, p. 540-562.

STRONG, S. R. et C. D. Claiborn. (1982). *Change through interaction: Social psychological processes of counseling and psychotherapy*, New York, Wiley.

STRONG, S., B. Yoder et J. Corcoran. (1995). «Counseling: A social process for encouraging personal powers», *The Counseling Psychologist*, 23, p. 374-384.

STRUPP, H. H., S. W. Hadley et B. Gomes-Schwartz. (1977). *Psychotherapy for better or worse: The problem of negative effects*, New York, Jason Aronson.

SUE, D. W. (1990). «Culture-specific strategies in counseling: A conceptual framework», *Professional Psychology: Research and Practice*, 21(6), p. 424-433.

SUE, D. W., J. M. Carter, J. M. Casas et N. A. Fouad. (1998). «Multicultural counseling competencies: Individual and organizational development», *Multicultural Aspects of Counseling Series*, 11, London, Sage.

SUE, D. W., A. E. Ivey et P. B. Pedersen. (1996). *Theory of Multicultural Counseling and Therapy*, CA, Wadsworth.

SUE, D. W. et D. Sue. (1999). *Counseling the culturally different: Theory and practice*, 3e éd., New York, Wiley.

SULLIVAN, T., W. Martin, Jr. et M. Handelsman. (1993). «Practical benefits of an informedconsent procedure: An empirical investigation», *Professional Psychology: Research and Practice*, 24, p. 160-163.

SWINDLE, R., K. Heller, B. Pescosolido et S. Kikuzawa. (2000). «Responses to nervous breakdowns in America over a 40-year period: Mental health policy implications», *American Psychological Association*, 55, p. 740-747.

SYKES, C. J. (1992). *A nation of victims*, New York, St. Martin's Press.

TAYLOR, S. E., M. E. Kemeny, G. M. Reed, J. E. Bower et T. L. Gruenewald. (2000). «Psychological resources: Positive illusions and health», *American Psychologist*, janvier, 55, p. 99-109.

TAYLOR, S. E., L. B. Pham, I. D. Rivkin et D. A. Armor. (1998). «Harnessing the imagination: Mental stimulation, self-regulation, and coping», *American Psychologist*, 53, p. 429-439.

TAUSSIG, I. M. (1987). «Comparative responses of Mexican Americans and Anglo-Americans to early goal setting in a public mental health clinic», *Journal of Counseling Psychology*, 34, p. 214-217.

TESSER, A. et S. Rosen. (1972). «Similarity of objective fate as a determinant of the reluctance to transmit unpleasant information: The MUM effect», *Journal of Personality and Social Psychology*, 23, p. 46-53.

TESSER, A., S. Rosen et T. Batchelor. (1972). «On the reluctance to communicate bad news (the MUM effect): A role play extension», *Journal of Personality*, 40, p. 88-103.

TESSER, A., S. Rosen et M. Tesser. (1971). «On the reluctance to communicate undesirable messages (the MUM effect): A field study», *Psychological Reports*, 29, p. 651-654.

THOMPSON, K. R., W. A. Hochwater et N. J. Mathys. (1997). «Stretch targets: What makes them effective?», *Academy of Management Executive*, 11, p. 48-60.

TINSLEY, H. E. A., S. L. Bowman et A. W. Barich. (1993). «Counseling psychologists' perceptions of the occurrence and effects of unrealistic expectations about counseling and psychotherapy among their clients», *Journal of Counseling Psychology*, 40, p. 46-52.

TKACHUK, G. A. et G. L. Martin. (1999). «Exercise therapy for patients with psychiatric disorders: Research and clinical implications», *Professional Psychology: Research and Practice*, juin, 30, p. 275-282.

TRACEY, T. J. (1991). «The structure of control and influence in counseling and psychotherapy: A comparison of several definitions and measures», *Journal of Counseling Psychology*, 38, p. 65-278.

TRAINING. (1993). «Take STRIDES in needs analysis», p. 14-17.

TREVINO, J. G. (1996). «Worldview and change in cross-cultural counseling», *Counseling Psychologist*, avril, 24, p. 198-215.

TRIGEORGIS, L. (1998). *Real Options: Managerial Flexibility and Strategy in Resource Allocation*, Cambridge, The MIT Press.

TRIGEORGIS, L. (1999). *Real Options and Business Strategy: Applications to Decision Making*, London, Risk Books.

TRYON, G. S. et A. S. Kane. (1993). «Relationship of working alliance to mutual and unilateral termination», *Journal of Counseling Psychology*, 40, p. 33-36.

TYLER, F. B., K. I. Pargament et M. Gatz. (1983). «The resource collaborator role: A model for interactions involving psychologists», *American Psychologist*, 38, p. 388-398.

VACHON, D. O. et A. A. Agresti. (1992). «A training proposal to help mental health professionals clarify and manage implicit values in the counseling process», *Professional Psychology: Research and Practice*, 23, p. 509-514.

VAILLANT, G. E. (2000). «Adaptive mental mechanisms: Their role in a positive psychology», *American Psychologist*, janvier, 55, p. 89-98.

VAILLANT, G. E. et J. T. Davis, J. T. (2000). «Social/emotional intelligence and midlife resilience in schoolboys with low tested intelligence», *American Journal of Orthopsychiatry*, 70, p. 215- 222.

VALSINER, J. (1986). «Where is the individual subject in scientific psychology», dans J. Valsiner (Éd.), *The individual subject and scientific psychology*, New York, Plenum, p. 1-16.

WACHTEL, P. L. (1989). «Isn't insight everything?», *New York Times*, 6 août, p. 18, compte rendu du livre *How does treatment help: On the modes of therapeutic action of psychoanalytic psychotherapy*.

WACHTEL, P. L. et S. B. Messer. (Éd.). (1997). *Theories of psychotherapy: Origins and evolution*, Washington, DC, American Psychological Association.

WADDINGTON, L. (1997). «Clinical judgement and case formulation», *British Journal of Clinical Psychology*, 36, p. 309-311.

WAEHLER, C. A., C. R. Kalodner, B. E. Wampold et J. W. Lichtemberg. (2000). «Empirically supported treatments (ESTs) in perspective: Implications for counseling training», *The Counseling Psychologist*, septembre, 28, p. 657-671.

WAEHLER, C. A. et R. Lenox. (1994). «A concurrent (versus stage) model for conceptualizing and representing the counseling process», *Journal of Counseling and Development*, 73, p. 17-22.

WAHLSTEN, D. (1991). «Nonverbal behavior and self-presentation», *Psychological Bulletin*, 110, p. 587-595.

WALTER, J. et J. Peller. (1992). *Becoming solution-focused in brief therapy*, New York, Brunner-Mazel.

WAMPOLD, B. E. et autres. (1997). «A meta-analysis of outcome studies comparing bona fide psychotherapies: Empirically, "All must have prizes"», *Psychological Bulletin*, novembre, 122, p. 203-215.

WATKINS, C. E., Jr. (1990). «The effects of counselor self-disclosure: A research review», *The Counseling Psychologist*, 18, p. 477-500.

WATKINS, C. E., Jr. et L. J. Schneider. (1989). «Self-involving versus self-disclosing counselor statements during an initial interview», *Journal of Counseling and Development*, 67, p. 345-349.

WATSON, J. C. et L. S. Greenberg. (2000). «Alliance ruptures and repairs in experimental therapy», *Journal of Clinical Psychology*, 56, p. 175-186.

WATSON, D. L. et R. G. Tharp. (1997). *Selfdirected behavior*, 7e éd., Pacific Grove, CA, Brooks/Cole.

WEICK, K. E. (1979). *The social psychology of organizing*, 2e éd., Reading, MA, Addison-Wesley.

WEINBERGER, J. (1995). «Common factors aren't so common: The common factors dilemma», *Clinical Psychology: Science and Practice*, printemps, 2, p. 45-69.

WEINER, M. F. (1983). *Therapist disclosure: The use of self in psychotherapy*, 2e éd., Baltimore, University Park Press.

WEINRACH, S. G. (1989). «Guidelines for clients of private practitioners: Committing the structure to print», *Journal of Counseling and Development*, 67, p. 299-300.

WEINRACH, S. G. (1995). «Rational emotive behavior therapy: A tough-minded therapy for a tender-minded profession», *Journal of Counseling and Development*, 73, p. 296-300.

WEINRACH, S. G. (1996). «Nine experts describe the essence of rational emotive therapy while standing on one foot», *Journal of Counseling and Development*, 74, p. 326-331.

WEINRACH, S. G. et K. R. Thomas. (1996). «The counseling profession's commitment to diversity-sensitive counseling: A critical reassessment», *Journal of Counseling and Development*, été, 74, p. 472-477.

WEINRACH, S. G. et K. R. Thomas. (1998). «Diversity-sensitive counseling today: A postmodern clash of values», *Journal of Counseling and Development*, 76, p. 115-122.

WEISZ, J. R., G. R. Donenberg, S. S. Han et B. Weisz. (1995). «Bridging the gap between laboratory and clinic in child and adolescent psychotherapy», *Journal of Consulting and Clinical Psychology*, automne, 63, p. 688-701.

WEISZ, J. R., F. M. Rothbaum et T. C. Blackburn. (1984). «Standing out and standing in: The psychology of control in America and Japan», *American Psychologist*, 39, p. 955-969.

WELFEL, E. R., P. R. Danzinger et S. Santoro. (2000). «Mandated reporting of abuse/maltreatment of older adults: A primer for counselors», *Journal of Counseling and Development*, 78, p. 284.

WELLENKAMP, J. (1995). «Cultural similarities and differences regarding emotional disclosure: Some examples from Indonesia and the Pacific», dans J. W. Pennebaker (Éd.), *Emotion, Disclosure, and Health*, p. 293-311.

WESTERMAN, M. A. (Éd.). (1989). «Putting insight to work», *Journal of Integrative and Eclectic Psychotherapy*, 8, p. 195-250, section spéciale.

WHEELER, D. D. et I. L. Janis. (1980). *A practical guide for making decisions*, New York, Free Press.

WHISTON, S. C. et T. L. Sexton. (1993). «An overview of psychotherapy outcome research: Implications for practice», *Professional Psychology: Research and Practice*, février, 24, p. 43-51.

WHYTE, G. (1991). «Decision failures: Why they occur and how to prevent them», *Academy of Management Executive*, 5, p. 23-31.

WILLIAMS, R. (1989). «The trusting heart», *Psychology Today*, janvier-février, p. 36-42.

WILSON, G. T. (1998). «Manual-based treatment and clinical practice», *Clinical Psychology: Science and Practice*, 5, p. 363-375.

WINBORN, B. (1977). «Honest labeling and other procedures for the protection of consumers of counseling», *Personnel and Guidance Journal*, 56, p. 206-209.

WING, R. R. et R. W. Jeffery. (1999). «Benefits of recruiting participants with friends and increasing social support for weight loss and maintenance», *Journal of Consulting and Clinical Psychology*, 67, p. 132-138.

WOOD, B. J., S. Klein, H. J. Cross, C. J. Lammers et J. K. Elliot. (1985). «Impaired practitioners: psychologists' opinions about prevalence, and proposals for intervention», *Professional Psychology: Research and Practice*, 16, p. 843-850.

WOODY, R. H. (1991). *Quality care in mental health*, San Francisco, Jossey-Bass.

WORSLEY, A. (1981). «In the eye of the beholder: Social and personal characteristics of teenagers and their impressions of themselves and fat and slim people», *British Journal of Medical Psychology*, 54, p. 231-242.

YALOM, I. D. (1989). *Love's executioner and other tales of psychotherapy*, Scranton, PA, Basic Books.

YALOM, V. et F. T. Bugental. (1997). «Support in existential-humanistic psychotherapy», *Journal of Psychotherapy Integration*, 7, p. 119-128.

YANKELOVICH, D. (1992). «How public opinion really works», *Fortune*, 5 octobre, p. 102-108.

YUN, K. A. (1998). «Relational closeness and production of excuses in events of failure», *Psychological Reports*, 83, p. 1059-1066.

ZAYAS, L. H., L. R. Torres, J. Malcom et F. S. DesRosiers. (1996). «Clinicians' definitions of ethnically sensitive therapy», *Professional Psychology: Research and Practice*, 27, p. 78-82.

ZEMKE, R. (1999). «Don't fix that company», *Training*, juin, p. 26-33.

ZIMMERMAN, B. J. (1996). «Enhancing student academic and health functioning: A self-regulatory perspective», *School Psychology Quarterly*, 11, p. 47-66.

ZIMMERMAN, T. S., L. A. Prest et B. E. Wetzel. (1997). «Solution-focused couples therapy group: An experimental study», *Journal of Family Therapy*, 19, p. 125-144.

ZIMRIN, H. (1986). «A profile of survival», *Child Abuse and Neglect*, 10, p. 339-349.